Intermediate Spanish 201 and 202

KIM POTOWSKI • SILVIA SOBRAL • LAILA M. DAWSON

Howard Community College
Intermediate Spanish 201 and 202

Wiley Custom Learning Solutions

Brief Contents

PAÍSES DE HABLA HISPANA

ESTADOS UNIDOS
(EE. UU.)

MÉXICO
México D.F. ★

La Habana
CUBA

REPÚBLICA
DOMINICANA

Santo Domingo
★ San Juan

PUERTO RICO

HONDURAS

Guatemala
GUATEMALA ★
★ Tegucigalpa
San Salvador ★ Managua
EL SALVADOR NICARAGUA

San José
COSTA RICA ★ Panamá
PANAMÁ

Caracas ★
VENEZUELA

Bogotá ★
COLOMBIA

Quito ★
ECUADOR

PERÚ ★
Lima

La Paz ★
BOLIVIA

★ Asunción
PARAGUAY

Santiago ★
CHILE

URUGUAY

Buenos Aires ★ ★ Montevideo
ARGENTINA

Y SUS NACIONALIDADES

Madrid
★
ESPAÑA   ISLAS BALEARES
Ceuta ○ ○ Melilla

ISLAS CANARIAS

Malabo

GUINEA ECUATORIAL

Países:	Nacionalidades:
Argentina	argentino/a
Bolivia	boliviano/a
Chile	chileno/a
Colombia	colombiano/a
Costa Rica	costarricense
Cuba	cubano/a
Ecuador	ecuatoriano/a
El Salvador	salvadoreño/a
España	español/a
Guatemala	guatemalteco/a
Guinea Ecuatorial	guineano/a
Honduras	hondureño/a
México	mexicano/a
Nicaragua	nicaragüense
Panamá	panameño/a
Paraguay	paraguayo/a
Perú	peruano/a
Puerto Rico	puertorriqueño/a
República Dominicana	dominicano/a
Uruguay	uruguayo/a
Venezuela	venezolano/a
Estados Unidos	estadounidense

Expresiones útiles en clase

¿Qué dicen los profesores?

Abre la puerta/ la ventana.

Abran el libro en la página...

Lee/Lean* las instrucciones del ejercicio...

Lee/Lean en voz alta.

Cierra/Cierren el libro/ el cuaderno.

Escucha/Escuchen.

Repite/Repitan (la palabra...)

Traduce/Traduzcan (la palabra...)

Ve/Vayan a la pizarra, por favor.

Escribe/Escriban la siguiente oración: ...

Contesta/Contesten esta pregunta: ...

Estudia/Estudien los verbos.

Siéntate/Siéntense, por favor.

Trabaja/Trabajen con un/a compañero/a.

Trabaja/Trabajen en grupos de cuatro.

What do professors say?

Open (to one person) the door/window.

Open (to more than one person) your book to page . . .

Read the instructions/directions for exercise . . .

Read aloud.

Close your book/notebook.

Listen.

Repeat the word . . .

Translate the word . . .

Go to the chalkboard, please.

Write the following sentence: . . .

Answer this question: . . .

Study the verbs.

Please sit down.

Work with a classmate.

Work in groups of four.

¿Qué dicen los estudiantes?

Profesor/a, tengo una pregunta.

¿Cómo se dice... en español/ inglés?

¿Qué significa (la palabra)?

Perdón, repita la palabra/ la oración/ la pregunta/ la respuesta, por favor.

Perdón, ¿en qué página/ ejercicio/ lección/ capítulo estamos?

¿Cómo se escribe... ?

Más despacio, por favor.

What do students say?

Professor, I have a question.

How do you say . . . in Spanish/in English?

What does (the word) . . . mean?

Pardon me, please repeat the word/sentence/question/answer.

Pardon me, what page/exercise/ lesson/chapter are we on?

How do you spell . . . ?

More slowly, please.

*The two verb forms correspond to a command to one single person (tú) and more than one person (ustedes): Lee (tú)/Lean (ustedes.)

ALL THE HELP, RESOURCES, AND PERSONAL SUPPORT YOU AND YOUR STUDENTS NEED!

2-Minute Tutorials and all
of the resources you & your
students need to get started
www.wileyplus.com/firstday

Student support from an
experienced student user
Ask your local representative
for details!

Collaborate with your colleagues,
find a mentor, attend virtual and live
events, and view resources
www.WhereFacultyConnect.com

Pre-loaded, ready-to-use
assignments and presentations
www.wiley.com/college/quickstart

Technical Support 24/7
FAQs, online chat,
and phone support
www.wileyplus.com/support

Your *WileyPLUS*
Account Manager
Training and implementation support
www.wileyplus.com/accountmanager

www.wiley**plus**.com

MAKE IT YOURS!

Dicho y hecho

NINTH EDITION

Beginning Spanish

Kim Potowski
University of Illinois at Chicago

Silvia Sobral
Brown University

Laila M. Dawson
Professor Emerita, University of Richmond

WILEY

John Wiley & Sons, Inc.

VICE PRESIDENT AND EXECUTIVE PUBLISHER	Jay O'Callaghan
DIRECTOR, WORLD LANGUAGES	Magali Iglesias
SENIOR DEVELOPMENTAL EDITOR	Elena Herrero
PROJECT EDITOR	Glenn A. Wilson
ASSOCIATE EDITOR	Maruja Malavé
ASSISTANT EDITOR	Lisha Perez
PROJECT ASSISTANT	Alejandra Barciela
ASSOCIATE DIRECTOR OF MARKETING	Jeffrey Rucker
MARKETING MANAGER	Tiziana Aime
SENIOR MARKETING ASSISTANT	Susan Matulewicz
MARKET SPECIALIST	Elena Casillas
SENIOR PRODUCTION EDITOR	William A. Murray
SENIOR MEDIA EDITOR	Lynn Pearlman
MEDIA PROJECT MANAGER	Margarita Valdez
SENIOR PHOTO EDITOR	Elle Wagner
DIRECTOR, CREATIVE SERVICES	Harry Nolan
ILLUSTRATION STUDIO	Escletxa, Barcelona, Spain
COVER DESIGN	Maureen Eide
FRONT COVER IMAGE	Cosmo/Condina/SuperStock
BACK COVER IMAGE	Aflo Relax/Masterfile

This book was set in ITC Highlander Book by Curriculum Concepts International and printed and bound by Courier Kendallville.

This book is printed on acid-free paper. ∞

Founded in 1807, John Wiley & Sons, Inc. has been a valued source of knowledge and understanding for more than 200 years, helping people around the world meet their needs and fulfill their aspirations. Our company is built on a foundation of principles that include responsibility to the communities we serve and where we live and work. In 2008, we launched a Corporate Citizenship Initiative, a global effort to address the environmental, social, economic, and ethical challenges we face in our business. Among the issues we are addressing are carbon impact, paper specifications and procurement, ethical conduct within our business and among our vendors, and community and charitable support. For more information, please visit our website: www.wiley.com/go/citizenship.

ISBN: 978-0-470-88060-9
BRV ISBN: 978-0-470-91782-4

Printed in the United States of America

10 9 8 7 6 5 4

I was raised on Long Island, New York, which is now wonderfully much more Spanish-speaking than before. I completed a Ph.D. in Hispanic linguistics and Second Language Acquisition at the University of Illinois at Urbana-Champaign despite a two-year hiatus teaching English in Mexico City and learning to talk *chilango*. I have been at the University of Illinois at Chicago since 1999 and work with heritage Spanish-speaking populations in K-12 and university contexts.

Much love to Cliff Meece and to Gayle and Tom Meece Sr. for all of your support.

Kim Potowski

Soon after becoming *Licenciada* in English Philology in Spain, I arrived at the University of Illinois at Urbana-Champaign to pursue a M.A. in Teaching English as a Second Language. A few weeks later, I first faced a classroom believing that my job consisted in explaining grammar rules and their exceptions, giving examples, correcting mistakes. My academic work in Applied Linguistics and experience teaching English and Spanish have proved to me that language learning and teaching are much more complex and exciting processes. **Dicho y hecho** brings together my experience and that of my co-authors for a text that we hope will facilitate teaching and learning while making it a meaningful, enjoyable endeavor.

Dedico este trabajo a mis profesores, estudiantes y colegas, de quienes sigo aprendiendo, y especialmente a mis padres, Eusebio y María de los Ángeles, por enseñarme, inspirarme y apoyarme siempre.

Silvia Sobral

Dicho y hecho's first edition had its beginnings during an 11,000-mile road trip through Mexico in the late 1970's. Since that time *Dicho* has been an integral part of my life journey, with inspiration drawn from my passion for teaching and my love for Hispanic countries and their cultures. I was born in Buenos Aires, Argentina, and attended bilingual schools there and in Mexico City. This foundation eventually led me to graduate studies at the University of Wisconsin and a teaching career, first at Virginia Union University, and then at the University of Richmond, where I helped develop and directed the Intensive Spanish Program. I also accompanied students on study-abroad programs in Spain, Venezuela, Ecuador, and Costa Rica, and on service-learning projects in Honduras. In my retirement, I work on community integration projects in the bilingual and bicultural town of Leadville, Colorado, teach ESL to immigrant women, and continue to travel extensively.

Laila Dawson

It is with great joy that I now pass the **Dicho y hecho** torch on to two extraordinary teachers and authors, Kim and Silvia, and dedicate this book to my beloved newest grandchild, Emmanuelle Soledad.

Cultura	Dicho y hecho	Así se practica

	Así se dice	**Así se forma**

Contenido

Preface

Dicho y hecho offers a straight-forward, user-friendly approach to beginning Spanish. Over 30 years of research in second language acquisition indicate that numerous and varied input activities are required *before* asking students to produce output using a new structure or new vocabulary.

Dicho y hecho provides students with abundant input of new forms and structures before moving them smoothly through guided practice to output. This empirically proven language teaching methodology informs activity sequences throughout the entire program. The easy-to-implement, lively approach so characteristic of *Dicho y hecho* makes learning Spanish an attainable goal, and offers students and instructors alike a truly enjoyable experience. Watch language bloom in your classroom as you begin using *Dicho y hecho.*

Dicho y hecho is flexible enough to fit the increasing variety of course formats, contact-hours, and determinations of scope for beginning level courses. For the first time ever, the program is available in its traditional 15-chapter format, and in this briefer 12-chapter format, each of which is thoroughly supported by *WileyPLUS,* an innovative, research-based, online environment for effective teaching and learning that supplements and complements the printed content.

Hallmarks of the *Dicho y hecho* program

A complete program. With nearly 400,000 satisfied users and counting, *Dicho y hecho* offers a complete program designed to support you and your students as you create and carry out your course. Each chapter, integrating vocabulary, grammar, and cultural content into a cohesive unit, has been carefully developed to follow a consistent sequence of linguistic and cultural presentations, practice activities, and skill-building tasks both in print and online.

ACTFL Standards. From its first edition, *Dicho y hecho* has provided a framework for the development of all four language skills (listening, speaking, reading, and writing) in activities that focus on meaningful and achievable communication. In recent editions, including this one, ACTFL's five Cs (communication, culture, connections, comparisons, and communities) have been woven into explanations, activities, culture notes, and cultural essays, strengthening the fabric of the entire program.

Flexible and easy-to-adapt. While it focuses on the essentials that students need to master beginner level language and cultural awareness, *Dicho y hecho* is flexible enough to adapt to any kind of course in the curriculum. Whether used on its own or, supplemented with online or printed materials, it maintains a clear direction for students, and solidly grounds them in the basics of the language.

Diverse and engaging activities. *Dicho y hecho* combines a broad array of class-tested and innovative activities that involve all language skills (listening, speaking, reading, and writing) and range from input processing to guided and structured output and opportunities for spontaneous and open-ended expression. Whole-class activities are interwoven with individual, paired, and small group exercises, all of which are sequenced to provide a varied pace and rhythm to every class meeting.

Grammar as a means for communication. Grammar is presented with precise, simple explanations, clear charts, and abundant example sentences that draw immediate connections between forms and their communicative use. Carefully sequenced activities take students from input comprehension to effective self expression.

High-frequency vocabulary and active use. Thematic units in each chapter present a selection of varied, practical, and high-frequency vocabulary in visual and written contexts. Activities range from identification in the chapter-opening art scenes and input-based exercises to personal expression and situational conversations that use the new vocabulary, resulting in effective acquisition of new words.

Integrated and interesting cultural information throughout. Through an appealing combination of readings, maps, photos, and realia in the *Cultura* section, and *Notas culturales* that appear frequently throughout each chapter, *Dicho y hecho* introduces students to the geography, politics, arts, history, and both traditional and contemporary cultural aspects of the countries and peoples that make up the Spanish-speaking world.

Features of the Brief Edition

Dicho y hecho, Brief Edition focuses on authentic, purposeful communication in activities driven by input processing principles that move students comfortably and naturally from input to output, and ultimately to the negotiation of meaning.

- Each activity set in the brief edition ensures that there is additional structured practice of new forms seamlessly woven into the communicative fabric. Activity directions are in Spanish beginning in *Capítulo 6.*

- *Dicho y hecho* sections at the end of the chapter bring a consistent, balanced, and process-based approach to the development of the four basic language skills. Most notably, we have included a wide variety of strategies specific to the development of each skill. *Para leer* includes high-interest, authentic readings with activities that develop students' reading comprehension skills and invite critical response and personal reaction to each selection. *Para conversar* develops conversational skills with the application of strategies and an awareness of context and register. *Para escribir* provides steps for writing as a process for each writing task, and includes strategies for developing good writing skills. And *Para ver y escuchar* is driven by video input, where the visual and aural senses are simultaneously engaged, making for more realistic listening practice.

- *Nota cultural* culture notes throughout each chapter present current and interesting information on a range of topics from customs to day-to-day life to important artists, writers, and other historical figures, many with lively photos. The first *Cultura* section in each chapter explores the geography and cultures of the Spanish-speaking world, highlighting a particular country or group of countries, while the second sharpens focus on an aspect of the chapter theme from a Hispanic perspective. Pre-reading activities (*Antes de leer*) tap into background knowledge and create curiosity, while post-reading (*Después de leer*) activities reinforce comprehension and invite critical, personal, and comparative response.

- Two fully integrated strands of video, one situational, the other cultural. Lively situational dialogs that use chapter vocabulary and structures in the *VideoEscenas* section, and topical documentary segments in the *Dicho y hecho* section are presented with straight-forward strategies and carefully crafted activities to develop solid listening skills through a process-based approach.

- Design enhances the straight-forward, user-friendly nature of the program. Lexical and structural information is well identified, transitions from presentation to practice are obvious, and association of art, photos, realia, side-bar material to particular activities is very clear.

- *Así se pronuncia* and *Escenas* listening section from the previous edition are now integrated into the lab manual portion of the Activites Manual.

Visual Walkthrough

Overview

Chapter openers establish the theme and communicative goals and set the cultural focus, listing all of the chapter's vocabulary, grammar, and culture sections, as well as the topics around which skills will be developed in the *Dicho y hecho* section.

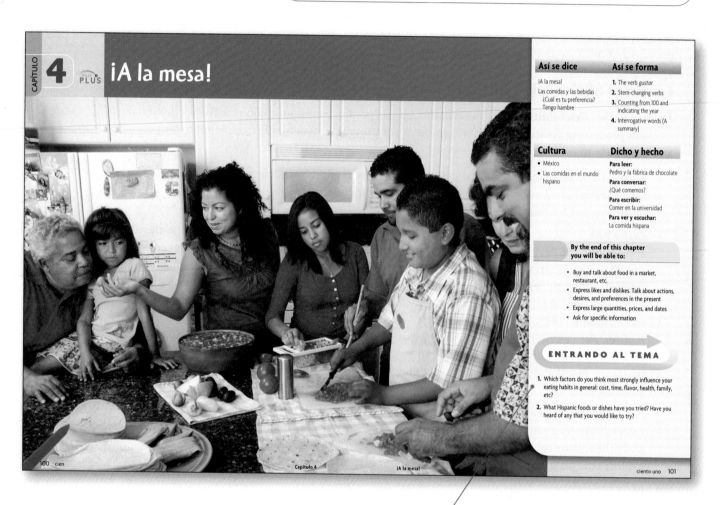

CAPÍTULO

4 WILEY PLUS ¡A la mesa!

Así se dice

¡A la mesa!

Las comidas y las bebidas
¿Cuál es tu preferencia?
Tengo hambre

Así se forma

1. The verb *gustar*
2. Stem-changing verbs
3. Counting from 100 and indicating the year
4. Interrogative words (A summary)

Cultura

• México
• Las comidas en el mundo hispano

Dicho y hecho

Para leer:
Pedro y la fábrica de chocolate

Para conversar:
¿Qué comemos?

Para escribir:
Comer en la universidad

Para ver y escuchar:
La comida hispana

By the end of this chapter you will be able to:

• Buy and talk about food in a market, restaurant, etc.
• Express likes and dislikes. Talk about actions, desires, and preferences in the present
• Express large quantities, prices, and dates
• Ask for specific information

ENTRANDO AL TEMA

1. Which factors do you think most strongly influence your eating habits in general: cost, time, flavor, health, family, etc?

2. What Hispanic foods or dishes have you tried? Have you heard of any that you would like to try?

100 cien   Capítulo 4   ¡A la mesa!   ciento uno 101

Entrando al tema

Two or three thought-provoking questions spark thinking about the chapter theme and cultural topics.

Así se dice

Active vocabulary is presented in illustrations with labels and speech bubbles, or in highly contextualized comprehensible texts. English translations are provided for items that may be particularly difficult to understand solely through visual or textual context. *WileyPLUS* provides audio for each of the vocabulary words in *Así se dice* section.

Así se forma

Grammar information is presented in functional, clear, and concise language, usually accompanied by an illustration showing use of the particular structure. Explanations feature example sentences using the chapter context and vocabulary. *WileyPLUS* offers *Animated Grammar Tutorial* for each of the grammar points, and *Verb Conjugator* where needed.

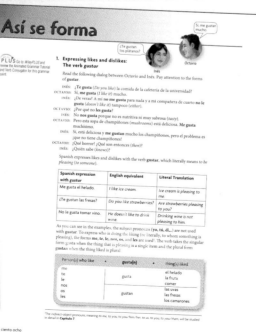

Actividades

Vocabulary and grammar presentations are followed by a series of communicative activities moving from input/comprehension and guided output/production activities in which form-meaning connections are made to activities that invite original and spontaneous use of the vocabulary and structures for personal expression and meaningful communication with classmates. A portion of the in-text activities are also available online in *WileyPLUS*.

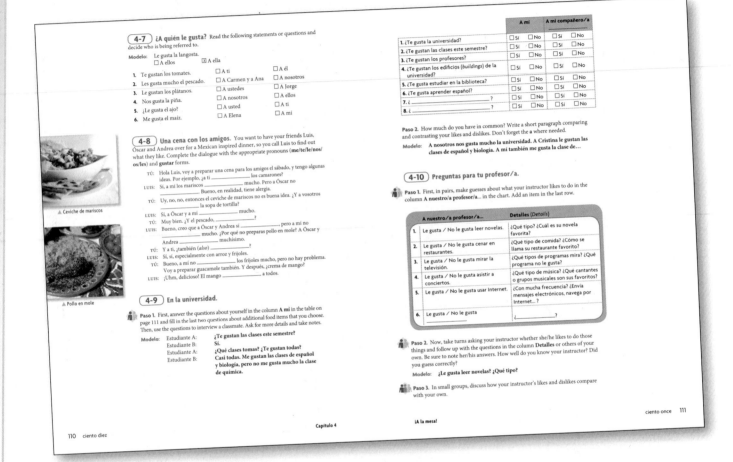

4-7 ¿A quién le gusta? Read the following statements or questions and decide who is being referred to.

Modelo: Le gusta la langosta.
☐ A ellos   ☒ A ella

1. Te gustan los tomates.
2. Les gusta mucho el pescado.
3. Le gustan los plátanos.
4. Nos gusta la piña.
5. ¿Le gusta el ajo?
6. Me gusta el maíz.

☐ A ti   ☐ A él
☐ A Carmen y a Ana   ☐ A nosotros
☐ A ustedes   ☐ A Jorge
☐ A nosotros   ☐ A ellos
☐ A usted   ☐ A ti
☐ A Elena   ☐ A mí

4-8 Una cena con los amigos. You want to have your friends Luis, Óscar and Andrea over for a Mexican inspired dinner, so you call Luis to find out what they like. Complete the dialogue with the appropriate pronouns (**me/te/le/nos/os/les**) and **gustar** forms.

TÚ: Hola Luis, voy a preparar una cena para los amigos el sábado, y tengo algunas ideas. Por ejemplo, ¿a ti _____ los camarones?

LUIS: Sí, a mí los mariscos _____ mucho. Pero a Óscar no _____ Bueno, en realidad, tiene alergia.

TÚ: Uy, no, no, entonces el ceviche de mariscos no es buena idea. ¿Y a vosotros _____ la sopa de tortilla?

LUIS: Sí, a Óscar y a mí _____ mucho.

TÚ: Muy bien. ¿Y el pescado, _____?

LUIS: Bueno, creo que a Óscar y Andrea sí _____, pero a mí no _____ mucho. ¿Por qué no preparas pollo en mole? A Óscar y Andrea _____ muchísimo.

TÚ: Y a ti, ¿también (*also*) _____?

LUIS: Sí, sí, especialmente con arroz y frijoles.

TÚ: Bueno, a mí no _____ los frijoles mucho, pero no hay problema. Voy a preparar guacamole también. Y después, ¡crema de mango!

LUIS: ¡Uhm, delicioso! El mango _____ a todos.

▲ Ceviche de mariscos

▲ Pollo en mole

4-9 En la universidad.

Paso 1. First, answer the questions about yourself in the column **A mí** in the table on page 111 and fill in the last two questions about additional food items that you choose. Then, use the questions to interview a classmate. Ask for more details and take notes.

Modelo: Estudiante A: **¿Te gustan las clases este semestre?**
Estudiante B: **Sí.**
Estudiante A: **¿Qué clases tomas? ¿Te gustan todas?**
Estudiante B: **Casi todas. Me gustan las clases de español y biología, pero no me gusta mucho la clase de química.**

	A mí		A mi compañero/a	
1. ¿Te gusta la universidad?	☐ Sí	☐ No	☐ Sí	☐ No
2. ¿Te gustan las clases este semestre?	☐ Sí	☐ No	☐ Sí	☐ No
3. ¿Te gustan los profesores?	☐ Sí	☐ No	☐ Sí	☐ No
4. ¿Te gustan los edificios (*buildings*) de la universidad?	☐ Sí	☐ No	☐ Sí	☐ No
5. ¿Te gusta estudiar en la biblioteca?	☐ Sí	☐ No	☐ Sí	☐ No
6. ¿Te gusta aprender español?	☐ Sí	☐ No	☐ Sí	☐ No
7. ¿_____?	☐ Sí	☐ No	☐ Sí	☐ No
8. ¿_____?	☐ Sí	☐ No	☐ Sí	☐ No

Paso 2. How much do you have in common? Write a short paragraph comparing and contrasting your likes and dislikes. Don't forget the a where needed.

Modelo: **A nosotros nos gusta mucho la universidad. A Cristina le gustan las clases de español y biología. A mí también me gusta la clase de...**

4-10 Preguntas para tu profesor/a.

Paso 1. First, in pairs, make guesses about what your instructor likes to do in the column A **nuestro/a profesor/a...** in the chart. Add an item in the last row.

A nuestro/a profesor/a...	Detalles (*Details*)
1. Le gusta / No le gusta leer novelas.	¿Qué tipo? ¿Cuál es su novela favorita?
2. Le gusta / No le gusta cenar en restaurantes.	¿Qué tipo de comida? ¿Cómo se llama su restaurante favorito?
3. Le gusta / No le gusta mirar la televisión.	¿Qué tipos de programas mira? ¿Qué programa no le gusta?
4. Le gusta / No le gusta asistir a conciertos.	¿Qué tipo de música? ¿Qué cantantes o grupos musicales son sus favoritos?
5. Le gusta / No le gusta usar Internet.	¿Con mucha frecuencia? ¿Envía mensajes electrónicos, navega por Internet...?
6. Le gusta / No le gusta	¿_____?

Paso 2. Now, take turns asking your instructor whether she/he likes to do those things and follow up with the questions in the column **Detalles** or others of your own. Be sure to note her/his answers. How well do you know your instructor? Did you guess correctly?

Modelo: **¿Le gusta leer novelas? ¿Qué tipo?**

Paso 3. In small groups, discuss how your instructor's likes and dislikes compare with your own.

Capítulo 4

¡A la mesa!

Nota de lengua

Short notes throughout each chapter provide additional grammatical and usage information relevant to the vocabulary and major structures presented as well as practiced in the activities.

NOTA DE LENGUA

- **Mucho** and **poco** do not change in gender and number when they modify verbs.
  Comemos **mucho/poco**.   We eat a lot/little.

  When they modify nouns, **mucho** and **poco** do change in gender and number to agree with the noun.

  Comemos **muchas** verduras y **poca** carne.

- Spanish uses the preposition **de** (*of*) to join two nouns for the purpose of description.
  helado **de** vainilla   vanilla ice cream
  jugo **de** naranja   orange juice

  How many combinations can you come up with?

Cultura

The first *Cultura* section in each chapter focuses on a particular country or group of countries and offers an eclectic mix of brief readings, captioned photographs, and realia that bring to life the histories and cultures of Spanish-speakers around the world. The second *Cultura* section explores an aspect of the chapter theme from a Hispanic perspective. Questions in *Antes de leer* pique curiosity and tap into background knowledge, and *Después de leer* follow-up questions check comprehension, then invite critical response through comparison and personal expression. Videos for Cultura sections are hosted in *WileyPLUS*. Also *Map Quizzes* can be found online to help students with their geography skills.

NOTA CULTURAL

La comida mexicana vs. la comida Tex-Mex

Tex-Mex is a term given to food, music, and other cultural products based on the combined cultures of Texas and Mexico. Many ingredients of Tex-Mex cooking are common in Mexican cuisine, although other ingredients are unknown in Mexico. Tex-Mex food encompasses a wide variety of dishes such as burritos, chimichangas, nachos, fajitas, tortilla chips with salsa, and chili con carne, all of which are usually not found in Mexico.

Nota cultural

These notes on the products, practices, and important people of the country or countries featured in the chapter's *Cultura* section, as well as notes about cultural phenomena common to Spanish speakers across national boundaries, appear throughout each chapter, and appeal to a wide array of interests.

🍴 VideoEscenas: ¿La nueva cocina?

▲ Paloma y Pedro pasean por la tarde, quieren tomar algo y deciden entrar en un restaurante de "nueva cocina".

Paso 1. Answer these questions before you watch the video.

1. What types of cuisine and specific dishes do you like best when you eat out?
2. What is the strangest thing you have eaten?
3. What do you think "new cuisine" could be like?

Paso 2. Watch the video paying attention to the main ideas and indicate which of the following statements are true (**cierto**) or false (**falso**).

	Cierto	Falso
1. Paloma y Pedro quieren (*want*) cenar.	☐	☐
2. El restaurante sirve cocina tradicional.	☐	☐
3. A Paloma le gusta su postre.	☐	☐
4. Pedro piensa (*thinks*) que su helado va a ser muy bueno.	☐	☐

Paso 3. Look at the questions below and watch the video again. This time focus on the specific information you need to answer the questions. You may take notes as you listen.

1. ¿Qué quieren tomar Paloma y Pedro?
2. ¿Por qué quiere entrar Paloma en este restaurante?
3. ¿De qué manera son inusuales los postres de Paloma y Pedro?
4. ¿Cómo reacciona Pedro a la "nueva cocina" de este restaurante?

Paso 4. In small groups, share your opinions.

👥 ¿Quieres probar (*try*) este tipo de "nueva cocina"? ¿Por qué sí o por qué no?

Capítulo 4

116 ciento dieciséis

VideoEscenas

Activities based on a short, situational video segment develop listening practice. Each video segment uses the chapter's vocabulary and grammar in a concise, practical, and natural context. Activities that follow move from pre-viewing questions establishing the general context and triggering recall of vocabulary, comprehension questions checking for understanding, and expansion questions inviting personal or critical response. Video for *Videoescenas* can be found in *WileyPLUS*.

SITUACIONES

In pairs or groups of three, you and your friend(s) are going out for dinner tonight but each one of you wants to go to a different restaurant. Try to persuade your friends to go to your favorite restaurant by telling them what type of food they serve, describing the dish(es) you think they would really like, what they have for dessert, etc. Make a decision and be ready to share it with the class.

Situaciones

These role-play activities present interactive, often humorous problem-solving situations that must be worked out using the language presented and practiced in the chapter.

Investig@ en Internet

These boxes prompt exploration of authentic Spanish-language Internet sources with specific goals for finding, bringing back, and sharing information.

INVESTIG@ EN INTERNET

Busca en Internet el sitio de Chef Merito. ¿Qué producto es nuevo para ti (*for you*)? ¿Qué producto deseas probar (*try*)?

Dichos

Each chapter has one or two *Dichos* boxes with sayings from the Spanish-speaking countries along with a thought-provoking question.

DICHOS

Querer es poder.

¿Puedes explicar este dicho en español?

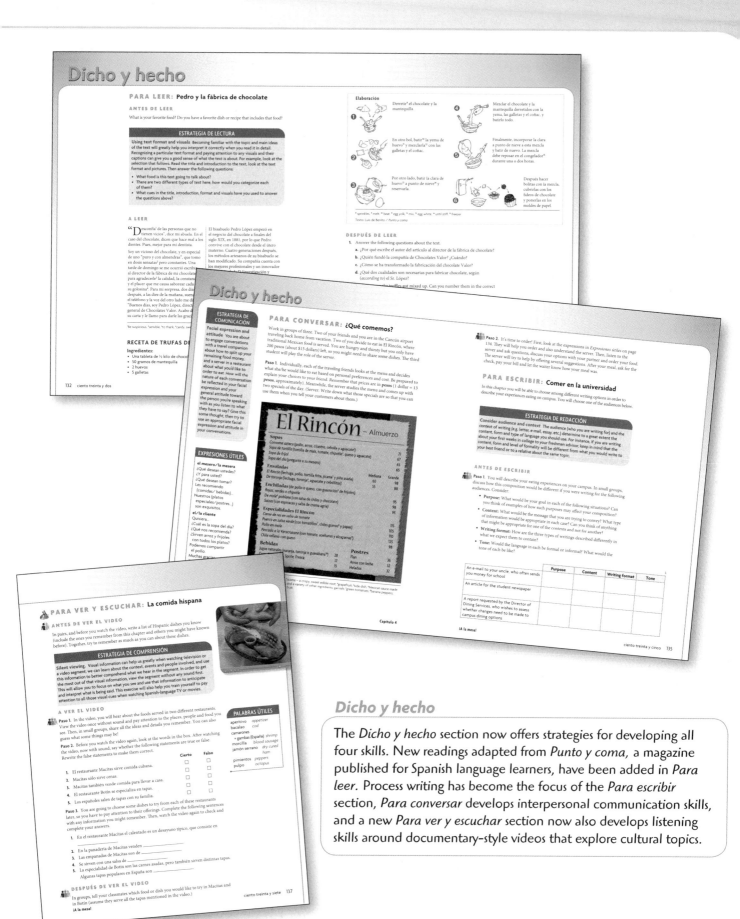

Dicho y hecho

PARA LEER: Pedro y la fábrica de chocolate

ANTES DE LEER

What is your favorite food? Do you have a favorite dish or recipe that includes that food?

ESTRATEGIA DE LECTURA

Using text format and visuals. Becoming familiar with the topic and main ideas of the text will greatly help you interpret it correctly when you read it in detail. Recognizing a particular text format and paying attention to any visuals and their captions can give you a good sense of what the text is about. For example, look at the selection that follows. Read the title and introduction to the text, look at the text format and pictures. Then answer the following questions:

- What food is this text going to talk about?
- There are two different types of text here, how would you categorize each of them?
- What cues in the title, introduction, format and visuals have you used to answer the questions above?

A LEER

"Desconfía de las personas que no tienen vicios", dice mi abuela. En el caso del chocolate, dicen que hace mal a los dientes. Pues, mejor para mi dentista.

Soy un vicioso del chocolate, y en especial de uno "puro y con almendras", que tomo en dosis sensatas pero constantes. Una tarde de domingo se me ocurrió escribir al director de la fábrica de mi chocolate para agradecerle la calidad, la constancia y el placer que me causa saborear cada una su golosina. Para mi sorpresa, dos días después, a las diez de la mañana, suena el teléfono y la voz del otro lado me dice "Buenos días, soy Pedro López, director general de Chocolates Valor. Acabo de su carta y le llamo para darle las gracia...

El bisabuelo Pedro López empezó en el negocio del chocolate a finales del siglo XIX, en 1881, por lo que Pedro convive con el chocolate desde el útero materno. Cuatro generaciones después, los métodos artesanos de su bisabuelo se han modificado. Su compañía cuenta con los mejores profesionales y un innovador

RECETA DE TRUFAS DE

Ingredientes:
- Una tableta de ½ kilo de chocolate
- 50 gramos de mantequilla
- 2 huevos
- 5 galletas

Elaboración

1. Derretir el chocolate y la mantequilla.
2. En otro bol, batir la yema de huevo y mezclarla con las galletas y el coñac.
3. Por otro lado, batir la clara de huevo a punto de nieve y reservarla.
4. Mezclar el chocolate y la mantequilla derretidos con la yema, las galletas y el coñac, y batirlo todo.
5. Finalmente, incorporar la clara a punto de nieve a esta mezcla y batir de nuevo. La mezcla debe reposar en el congelador durante una o dos horas.
6. Después hacer bolitas con la mezcla, cubrirlas con los fideos de chocolate y ponerlas en los moldes de papel.

*sprinkles; *melt; *beat; *egg yolk; *mix; *egg white; *until stiff; *freezer

Texto: Luis de Benito / Punto y coma.

DESPUÉS DE LEER

1. Answer the following questions about the text.
   a. ¿Por qué escribe el autor del artículo al director de la fábrica de chocolate?
   b. ¿Quién fundó la compañía de Chocolates Valor? ¿Cuándo?
   c. ¿Cómo se ha transformado la fabricación del chocolate Valor?
   d. ¿Qué otras cualidades son necesarias para fabricar chocolate, según (according to) el Sr. López?

132 ciento treinta y dos

Dicho y hecho

ESTRATEGIA DE COMUNICACIÓN

Facial expression and attitude. You are about to engage conversations with a travel companion about how to split up your remaining food money, and a server in a restaurant about what you'd like to order to eat. How will the nature of each conversation be reflected in your facial expression and your general attitude toward the person you're speaking with as you listen to what they have to say? Give this some thought, then try to use an appropriate facial expression and attitude in your conversations.

EXPRESIONES ÚTILES

el mesero/la mesera
¿Qué desean ustedes?
¿Y para usted?
¿Qué desean tomar?
Les recomiendo
(comidas/ bebidas)...
Nuestros (platos especiales/postres...)
son exquisitos.

el/la cliente
Quisiera...
¿Cuál es la sopa del día?
¿Qué nos recomienda?
¿Sirven arroz y frijoles con todos los platos?
Podemos compartir el pollo.
Muchas gracias.

PARA CONVERSAR: ¿Qué comemos?

Work in groups of three. Two of your friends and you are in the Cancún airport traveling back home from vacation. Two of you decide to eat in El Rincón, where traditional Mexican food is served. You are hungry and thirsty but you only have 200 pesos (about $15 dollars) left, so you might need to share some dishes. The third student will play the role of the server.

Paso 1. Individually, each of the traveling friends looks at the menu and decides what she/he would like to eat based on personal preferences and cost. Explain your choices to your friend. Remember that prices are in pesos (1 dollar = 13 pesos, approximately). Meanwhile, the server studies the menu and comes up with two specials of the day. (Server: Write down what those specials are so that you can use them when you tell your customers about them.)

El Rincón – Almuerzo

Sopas
Consomé azteca (pollo, arroz, cilantro, cebolla y aguacate) — 71
Sopa de tortilla (tortilla de maíz, tomate, chipotle, queso y aguacate) — 65
Sopa de frijol — 67
Sopa del día (pregunte a su mesero) — 65

Ensaladas
	Mediana	Grande
El Rincón (lechuga, pollo, tortilla frita, jícama y piña asada)	60	98
De toronja (lechuga, toronja, aguacate y cebollita)	55	88

Enchiladas
Rojas, verdes o chipotle — 95
De mole poblano (con salsa de chiles y chocolate) — 98
Suizas (con espárragos y salsa de crema agria) — 95

Especialidades El Rincón
Carne de res en salsa de tomate — 115
Puerco en salsa verde (con tomatillos, chiles güeros y papas) — 105
Pollo en mole — 110
Pescado a la Veracruzana (con tomate, aceitunas y alcaparras) — 125
Chile relleno con queso — 98

Bebidas
Jugos naturales (naranja, toronja o guanábana) — 28
Sprite, Fresca — 17

Postres
Flan — 36
Arroz con leche — 32
Helados — 32

Paso 2. It's time to order! First, look at the expressions in *Expresiones útiles* on page 134. They will help you order and also understand the server. Then, listen to the server and ask questions, discuss your options with your partner and order your food. The server will try to help by offering several suggestions. After your meal, ask for the check, pay your bill and let the waiter know how your meal was.

PARA ESCRIBIR: Comer en la universidad

In this chapter you will be able to choose among different writing options in order to describe your experiences eating on campus. You will choose one of the audiences below.

ESTRATEGIA DE REDACCIÓN

Consider audience and context. The audience (who you are writing for) and the context of writing (e.g. letter, e-mail, essay, etc.) determine to a great extent the content, form and type of language you should use. For instance, if you are writing about your first weeks in college to your freshman advisor, keep in mind that the content, form and level of formality will be different from what you would write to your best friend or to a relative about the same topic.

ANTES DE ESCRIBIR

Paso 1. You will describe your eating experiences on your campus. In small groups, discuss how this composition would be different if you were writing for the following audiences. Consider:

- **Purpose:** What would be your goal in each of the following situations? Can you think of examples of how such purposes may affect your composition?
- **Content:** What would be the message that you are trying to convey? What type of information would be appropriate in each case? Can you think of anything that might be appropriate for one of the contexts and not for another?
- **Writing format:** How are the three types of writings described differently in what we expect them to contain?
- **Tone:** Would the language in each be formal or informal? What would the tone of each be like?

	Purpose	Content	Writing format	Tone
An e-mail to your uncle, who often sends you money for school				
An article for the student newspaper				
A report requested by the Director of Dining Services, who wishes to assess whether changes need to be made to campus dining options				

¡A la mesa!

Capítulo 4

ciento treinta y cinco 135

PARA VER Y ESCUCHAR: La comida hispana

ANTES DE VER EL VIDEO

In pairs, and before you watch the video, write a list of Hispanic dishes you know (include the ones you remember from this chapter and others you might have known before). Together, try to remember as much as you can about these dishes.

ESTRATEGIA DE COMPRENSIÓN

Silent viewing. Visual information can help us greatly when watching television or a video segment; we can learn about the context, events and people involved, and use this information to better comprehend what we hear in the segment. In order to get the most out of that visual information, view the segment without any sound first. This will allow you to focus on what you see and use that information to anticipate and interpret what is being said. This exercise will also help you train yourself to pay attention to all those visual cues when watching Spanish-language TV or movies.

A VER EL VIDEO

Paso 1. In the video, you will hear about the foods served in two different restaurants. View the video once without sound and pay attention to the places, people and food you see. Then, in small groups, share all the ideas and details you remember. You can also guess what some things may be.

Paso 2. Before you watch the video again, look at the words in the box. After watching the video, now with sound, say whether the following statements are true or false. Rewrite the false statements to make them correct.

	Cierto	Falso
1. El restaurante Macitas sirve comida cubana.	☐	☐
2. Macitas sólo sirve cenas.	☐	☐
3. Macitas también vende comida para llevar a casa.	☐	☐
4. El restaurante Botín se especializa en tapas.	☐	☐
5. Los españoles salen de tapas con su familia.	☐	☐

PALABRAS ÚTILES
aperitivo — appetizer
bacalao — cod
camarones
= gambas (España) — shrimp
morcilla — blood sausage
jamón serrano — dry cured ham
pimientos — peppers
pulpo — octopus

Paso 3. You are going to choose some dishes to try from each of these restaurants later, so you have to pay attention to their offerings. Complete the following sentences with any information you might remember. Then, watch the video again to check and complete your answers.

1. En el restaurante Macitas el calentado es un desayuno típico, que consiste en _____
2. En la panadería de Macitas venden _____
3. Las empanadas de Macitas son de _____
4. Se sirven con una salsa de _____
5. La especialidad de Botín son las carnes asadas, pero también sirven distintas tapas. Algunas tapas populares en España son _____

DESPUÉS DE VER EL VIDEO

In groups, tell your classmates which food or dish you would like to try in Macitas and in Botín (assume they serve all the tapas mentioned in the video.)

¡A la mesa!

ciento treinta y siete 137

Dicho y hecho

The *Dicho y hecho* section now offers strategies for developing all four skills. New readings adapted from *Punto y coma*, a magazine published for Spanish language learners, have been added in *Para leer*. Process writing has become the focus of the *Para escribir* section, *Para conversar* develops interpersonal communication skills, and a new *Para ver y escuchar* section now also develops listening skills around documentary-style videos that explore cultural topics.

Repaso de vocabulario activo

Vocabulary presented within the chapter's *Así se dice* sections and practiced throughout in activities is collected here, organized into thematic groupings and parts of speech, and provided with English translations. All Spanish words are hyperlinked in *WileyPLUS* to listen to their pronunciation.

Repaso de vocabulario activo

WILEY PLUS

Adjetivos y expresiones adjetivales
al horno   *baked*
a la parrilla   *grilled*
caliente   *hot*
frío/a   *cold*
frito/a   *fried*
mucho/a/os/as   *much, a lot, many*
otro/a/os/as   *another/ other*
poco/a/os/as   *little (quantity), few*

Adverbios
más/menos   *more/less*
mucho/poco   *a lot/a little*
también   *also*
todavía   *still*

Conjunciones
cuando   *when*
lo que   *what (that which)*
porque   *because*
que   *that, which, who*

Palabras interrogativas
¿Adónde?   *(To) where?*
¿Cómo?   *How?*
¿Cuál/es?   *Which (one/s)?*
¿Cuándo?   *When?*
¿Cuánto/a/os/as?   *How much?/How many?*
¿De dónde?   *From where?*
¿De quién?   *Whose?*
¿Dónde?   *Where?*
¿Por qué?   *Why?*
¿Qué?   *What? Which?*
¿Quién/es?   *Who?*

el desayuno   *breakfast*

Las legumbres y las verduras   *Legumes and vegetables*
el brócoli   *broccoli*
la cebolla   *onion*
los frijoles   *beans*
los guisantes   *peas*
las judías verdes   *green beans*
la lechuga   *lettuce*
el maíz   *corn*
la papa/la patata   *potato*
las papas fritas   *French fries*
el tomate   *tomato*
la zanahoria   *carrot*

Las frutas   *Fruits*
la banana/el plátano   *banana*
la cereza   *cherry*
la fresa   *strawberry*
el limón   *lemon*
la manzana   *apple*
el melocotón/el durazno   *peach*
la naranja   *orange*
la pera   *pear*
la piña   *pineapple*
la sandía   *watermelon*
la uva   *grape*

Las carnes, los pescados y los mariscos   *Meat, fish, and seafood*
el bistec   *steak*
el camarón/la gamba   *shrimp*
la carne de cerdo/ puerco   *pork*
la carne de res   *beef*
la chuleta de cerdo/ puerco   *pork chop*
la hamburguesa   *hamburger*
el jamón   *ham*
la langosta   *lobster*
el pescado   *fish*

el pollo   *chicken*
la salchicha/el chorizo   *sausage*
la tocineta/el tocino   *bacon*

Las bebidas   *Beverages*
el agua   *water*
el café   *coffee*
la cerveza   *beer*
el jugo/el zumo   *juice*
la leche   *milk*
el refresco   *soda drink*
el té   *tea*
el vino   *wine*

Los postres   *Desserts*
la galleta   *cookie*
el helado   *ice cream*
el pastel   *pie, pastry*
la torta   *cake*

Otras comidas y condimentos   *Other foods and condiments*
el aceite   *oil*
la aceituna   *olive*
el ajo   *garlic*
el arroz   *rice*
el azúcar   *sugar*
el cereal   *cereal*
la crema   *cream*
la ensalada   *salad*
el hielo   *ice*
el huevo   *egg*
los huevos revueltos/fritos   *scrambled/fried eggs*
la mantequilla   *butter*
la mermelada   *jam*
el pan   *bread*
el pan tostado   *toast*
la pimienta   *pepper*
el queso   *cheese*
la sal   *salt*
el sándwich/el bocadillo   *sandwich*
la sopa   *soup*
el vinagre   *vinegar*

Verbos y expresiones verbales
almorzar (ue)   *to have lunch*
cocinar   *to cook*
comprar   *to buy*
costar (ue)   *to cost*
desear   *to want, to wish*
dormir (ue)   *to sleep*
entender (ie)   *to understand*
gustar   *to like*
necesitar   *to need*
pedir (i)   *to ask for, to order*
pensar (ie)   *to think*
poder (ue)   *to be able, can*
preferir (ie)   *to prefer*
preparar   *to prepare*
querer (ie)   *to want, to love*
servir (i)   *to serve*
tomar   *to take, to drink*
vender   *to sell*
volver (ue)   *to return, to go back*
quisiera   *I would like*
tener (irreg.) (mucha) hambre   *to be (very) hungry*
tener (mucha) sed   *to be (very) thirsty*

Capítulo 4

Autoprueba y repaso

I. The verb *gustar*. Write questions according to the model and then answer them. Use the correct form of *gustar* and the appropriate corresponding pronoun.

Modelo: ¿A tu hermano / las legumbres?
¿A tu hermano le gustan las legumbres?
Sí, le gustan las legumbres. O, No, no le gustan...

1. ¿A tus padres / tomar café?
2. ¿A ustedes / la comida italiana?
3. ¿A ustedes / desayunar temprano?
4. ¿A tu abuela / los postres?
5. ¿A ti / los frijoles negros?

II. Stem-changing verbs. Write questions to your friends using the **ustedes** form of the verb. Then write answers to the questions using the **nosotros** form.

Modelo: entender el ejercicio
¿Entienden el ejercicio?
Sí, entendemos el ejercicio. O, No, no entendemos el ejercicio.

1. poder cocinar
2. querer ir al supermercado
3. almorzar a las doce todos los días
4. preferir cenar en un restaurante o en la cafetería
5. normalmente pedir postres en los restaurantes

III. Counting from 100 and indicating the year.

A. Mr. Trompa, a very wealthy man, is going to buy everything his two daughters need to start college. How much money does he need to buy two of each of the following items? Follow the model and write out the numbers.

Modelo: Un libro de psicología cuesta $90.
Dos cuestan ciento ochenta dólares.

1. Un libro de arte cuesta $125.
2. Una buena calculadora cuesta $170.
3. Una impresora cuesta $450.
4. Una computadora con teclado y monitor cuesta $1,400.
5. Un televisor para el cuarto cuesta $750.
6. Un coche nuevo cuesta $25,000.

B. Write out the following famous years.

1. Colón llega a las Américas: 1492
2. La creación de la Armada Invencible de España: 1588
3. La Declaración de Independencia de EE.UU.: 1776
4. La caída (*fall*) del Muro de Berlín: 1989
5. La caída de las Torres Gemelas: 2001

IV. Interrogative words. Use various interrogative words to obtain more information.

Modelo: Ana no come en la cafetería.
¿Dónde come? O, ¿Por qué no come en la cafetería?

1. Ana no bebe vino.
2. La sandía no es su fruta favorita.
3. No trabaja por la mañana.
4. No es de Buenos Aires.
5. No tiene veinte años.
6. No vive en la residencia estudiantil.
7. No va a la librería ahora.
8. No está enferma hoy.

V. General review. Answer the following questions about yourself and your friends. Use complete sentences.

1. ¿Qué comes en el desayuno?
2. ¿Cuál es tu postre favorito?
3. ¿Qué frutas te gustan más?
4. ¿Dónde quieres cenar esta noche?
5. ¿Cuántas horas duermes (generalmente) por la noche?
6. Tú y tus amigos, ¿pueden estudiar toda la noche sin dormir?

VI. *Cultura*.

1. Name two or three differences between Hispanic cultures and your culture with regards to diet and eating habits.
2. Describe the difference between a **tortilla** made in México and a **tortilla** made in Spain.
3. What are some of the largest contributors to México's economy?

Answers to the *Autoprueba y repaso* are found in **Apéndice 2**.

ciento treinta y nueve   139

¡A la mesa!

Autoprueba y repaso

This end-of-chapter review is a handy and effective tool for checking basic mastery of the chapter concepts and preparing for quizzes and exams. An answer key appears in Appendix 2 for easy self-correction.

The Complete Program

The Complete Program

To receive a review or desk copy of any of these program components, please contact your local Wiley sales representative, call our Sales Office at 1.800.237.2665, or contact us online at www.wiley.com/college/potowski.

Student Textbook

978-0-470-90688-0

The textbook includes 12 thematically-based chapters, an access code to download accompanying video and the audio from our Companion Sites at www.wiley.com/college/potowski.

Annotated Instructor's Edition

978-0-470-90701-6

The Annotated Instructor's Edition contains side notes with suggestions for teaching, meaningful structural exercises, suggestions for varying or expanding communicative activities, and transcripts of audio input for listening activities. These annotations are especially helpful for first-time instructors.

Activities Manual

978-0-470-93791-4

The Activities Manual is available in print or online and contains two components:

- A Workbook that links reading and writing, builds vocabulary, practices grammar, and helps students develop personal expression and composition skills. Some activities are self correcting and the answer key appears at the end of the Activities Manual.

- A Lab Manual to be used with the Lab Manual Audio files available digitally on *WileyPLUS* and on the Instructor and Student Companion Sites (access codes are required). The Lab Manual includes a variety of contextualized listening comprehension activities, followed by the *Escenas,* at the end of each chapter, and the *Así se pronuncia* in chapters 1 to 8. The Answer Key to the written responses in the *Lab Manual* and the audio scripts are available as an electronic file on the **Dicho y hecho** Instructor Companion Website at www.wiley.com/college/potowski and in *WileyPLUS* as an Instructor Resource.

Dicho y hecho Video

www.wileyplus.com

The **Dicho y hecho** Video presents situational and topical video segments designed to work with activities in the corresponding chapters of the text. Each video segment features interactions between native speakers of Spanish in the U.S. and abroad, in professional or social settings, and models language usage or explores cultural topics. Video segments are available digitally in *WileyPLUS* and on the Instructor and Student Companion Sites. Please contact your Wiley Representative as the video can also be delivered as a DVD.

 WILEYFLEX

Students have more options than the traditional textbook. Consider an eBook, loose-leaf binder version or a custom publication. Learn more about our flexible pricing, flexible formats and flexible content at www.wiley.com/college/wileyflex.

PLUS WILEYPLUS

www.wileyplus.com

WileyPLUS is an innovative, research-based, online teaching and learning environment that integrates relevant resources, including the entire digital textbook, in an easy-to-navigate framework that helps students study more effectively. Online Activities Manual available with our Premium version.

WileyPLUS builds students' confidence because it takes the guesswork out of studying by providing a clear roadmap to academic success. With *WileyPLUS*, instructors and students receive 24/7 access to resources that promote positive learning outcomes. Throughout each study session, students can assess their progress and gain immediate feedback on their strengths and weaknesses so they can be confident they are spending their time effectively.

What do students receive with *WileyPLUS*?

A Research-based Design. *WileyPLUS* provides an online environment that integrates relevant resources, including the entire digital textbook with audio and video hyperlinks, in an easy-to-navigate framework that helps students study more effectively.

- *WileyPLUS* adds structure by organizing textbook into a more manageable content.
- Related supplemental material reinforce the learning objectives.
- Innovative features such as self-evaluation tools improve time management and strengthen areas of weakness.

One-on-one Engagement. With *WileyPLUS* for ***Dicho y hecho,*** **Ninth Edition**, students receive 24/7 access to resources that promote positive learning outcomes. Students engage with related activities (in various media) and sample practice items, including:

- – Wimba Voice Response Questions and Wimba Voiceboards
- – Animated Grammar Tutorials
- – Videos with Activities
- – Listening Activities for vocabulary
- – Audio Flashcards
- – Verb Conjugator
- – Map Quizzes
- – Self-tests for Additional Practice
- – English Grammar Checkpoints
- – *Panoramas culturales:* a website with a wealth of activities and information on the 21 Spanish-speaking countries of the world
- – Practice Handbook
- – La pronunciación

Measurable Outcomes. Throughout each study session, students can assess their progress and gain immediate feedback. *WileyPLUS* provides precise reporting of strengths and weaknesses, as well as individualized quizzes, so that students are confident they are spending their time on the right things. With *WileyPLUS*, students always know the exact outcome of their efforts.

What do instructors receive with *WileyPLUS*?

WileyPLUS provides reliable, customizable resources that reinforce course goals inside and outside of the classroom as well as visibility into individual student progress. Pre-created materials and activities help instructors optimize their time:

- Syllabi
- Media enriched PowerPoint Slides
- Image Gallery
- Gradable Reading Assignment Questions (embedded with online text)
- Question Assignments
- Testbank
- Video activities with answer key and video scripts in Spanish and English
- Exams with anser key, audio files, and scripts

Gradebook: *WileyPLUS* provides access to reports on trends in class performance, student use of course materials and progress towards learning objectives, helping inform decisions and drive classroom discussions.

WileyPLUS. Learn More. www.wileyplus.com

Powered by proven technology and built on a foundation of cognitive research, *WileyPLUS* has enriched the education of millions of students, in over 20 countries around the world.

If you are interested in a version that includes the electronic Activities Manual, please contact your sales representative for information about *WileyPLUS Premium*.

Student Companion Site

www.wiley.com/college/potowski/

The Student Companion Site contains electronic Activities Manual, complimentary Self-tests, the *Panoramas culturales* section, audio flashcards, Verb Conjugator accompanying audio for the textbook and the Lab Manual, and videos.

Instructor Companion Site

www.wiley.com/college/potowski/

The Instructor Companion Site includes the student resources above plus exams and digital Test Bank and test audio files. It also includes the image gallery, answer keys for the exams and the Lab Manual, audio and video scripts, and PowerPoint presentations.

Acknowledgments

No project of the scope and complexity of *Dicho y hecho* could have materialized without the collaboration of numerous people. The author team gratefully acknowledges the contributions of the many individuals who were instrumental in the development of this work.

The professionalism, dedication, and expertise of the John Wiley & Sons, Inc. staff who worked with us have been both indispensable and inspirational. To Jay O'Callaghan, Vice President and Executive Publisher, who oversaw the administrative aspects of the entire project, bore the ultimate responsibility for its completion, and never failed to be approachable, we are very grateful. We also thank Magali Iglesias, Director of World Languages, for the vast expertise she brings to the project. We are also very grateful to William A. Murray, Senior Production Editor, for his expertise, flexibility, creativity, inordinate patience, and dedication to the project. We extend our thanks and appreciation to Elle Wagner, Photo Editor, for facilitating the photo selections that enhance the text. Nor can we neglect to thank the Marketing team lead by Jeffrey Rucker, Associate Director of Marketing, with Tiziana Aime, Marketing Manager, and Elena Casillas, Market Specialist, for creating a brilliant advertising program that will position *Dicho y hecho* favorably in the marketplace, and for their enthusiasm, creativity, and dedication in meeting Spanish instructors around the country.

We thank Lynn Pearlman, Senior Media Editor, for her creativity in coordinating the outstanding media ancillaries that supplement the text. We would also like to acknowledge everyone at Curriculum Concepts International. Our Project Editor Glenn Wilson did an absolutely outstanding job reading text, making insightful suggestions, and keeping the project on task and organized.

Most of all, we offer heartfelt appreciation and most profound gratitude to our wonderful Senior Developmental Editor, Elena Herrero, for her unfaltering devotion to *Dicho y hecho*, her tireless hands-on involvement with us, her talent, expertise, and diligence in turning a manuscript into a book, her kind flexibility with our demanding schedules, and—most importantly—her friendship and confidence in us as authors.

We are grateful to the loyal users of *Dicho y hecho*, who over the years have continued to provide valuable insights and suggestions. And finally, for their candid observations, their critically important scrutiny, and their creative ideas, we wish to thank the following reviewers and contributors for this edition from across the nation:

Amy Adrian, *Ivy Tech Community College;* Ana Afzali, *Citrus College;* Sandra Barboza, *Trident Technical College;* J. Raúl Basulto, *Montgomery College;* Anne Becher, *Colorado University-Boulder;* María Beláustegui, *University of Missouri, Kansas City;* Mara-Lee Bierman, *SUNY Rockland Community College;* Virgilio Blanco, *Howard Community College;* Ana Boone, *Baton Rouge Community College;* Maryann Brady, *Rivier College;* Catalina Castillón, *Lamar University;* Daria Cohen, *Rider University;* Rifka Cook, *Northwestern University;* Mayra Cortes-Torres, *Pima Community College;* Debra Davis, *Sauk Valley Community College;* Patricia Davis, *Darton College, Main Campus;* William Deaver, Jr., *Armstrong Atlantic State University;* Aurea Diab, *Dillard University;* Carolyn Dunlap, *Gulf Coast Community College;* Linda Elliott-Nelson, *Arizona Western College;* Luz Escobar, *Southeastern Louisiana University;* Jill Felten, *Northwestern University;*

María Ángeles Fernandez, *University of North Florida;* Leah Fonder-Solano, *University of Southern Mississippi;* Sarah Fritz, *Madison Area Technical College;* Jennifer Garson, *Pasadena City College;* Thomas Gilles, *Montana State University;* Andrew Gordon, *Mesa State College;* Dennis Harrod, *Syracuse University;* Candy Henry, *Westmoreland County Community College;* Lorena Hidalgo, *University of Missouri, Kansas City;* Laurie Huffman, *Los Medanos College;* Martha Hughes, *Georgia Southern University;* Jessica E. Hyde-Cadogan, *University of New Haven;* Nuria Ibáñez, *University of North Florida;* Mary Lou Ippolito, *Trident Technical College;* Shelley Jones, *Montgomery College;* Karl Keller, *University of Alabama in Huntsville;* Mary Jane Kelley, *Ohio University;* Isidoro Kessel, *Old Dominion University;* Sharyn Kuusisto, *City College of San Francisco;* Deborah Lemon, *Ohlone College;* Leticia P. López, *San Diego Mesa College;* José López-Marrón, *CUNY Bronx Community College;* Joanne Lozano, *Dillard University;* Dora Y. Marrón Romero, *Broward College;* Kara McBride, *St. Louis University, Frost Campus;* Nelly A. McRae, *Hampton University;* Elaine Miller, *Christopher Newport University;* Nancy Mínguez, *Old Dominion University;* María Eugenia Moratto, *University of North Carolina, Greenboro;* María Yazmina Moreno-Florido, *Chicago State University;* Asha Nagaraj, *Northwestern University;* Sandy Oakley, *Palm Beach Community College;* María de los Santos Onofre-Madrid, *Angelo State University;* Sue Pechter, *Northwestern University;* Rose Pichón, *Delgado Community College;* Kay Raymond, *Sam Houston State University;* Deborah Rosenberg, *Northwestern University;* Laura Ruiz-Scott, *Scottsdale Community College;* Clinia Saffi, *Presbyterian College;* Phillip Santiago, *Buffalo State College;* Román Santillán, *Medgar Evers College, CUNY;* Karyn Schell, *University of San Francisco;* William Schott, *University of Missouri, Kansas City;* Luis Silva-Villar, *Mesa State College;* E. Esperanza Simien, *Baton Rouge Community College;* Roger Simpson, *Clemson University;* Dawn Slack, *Kutztown University of Pennsylvania;* Victor Slesinger, *Palm Beach Community College;* Nori Sogomonian, *San Bernardino Valley College;* Benay Stein, *Northwestern University;* Roy Tanner, *Truman State University;* Sara Tucker, *Howard Community College;* Mayela Vallejos-Ramírez, *Mesa State College;* Michael Vermy, *SUNY Buffalo State College;* Kathleen Wheatley, *University of Wisconsin-Milwaukee;* U. Theresa Zmurkewycz, *St. Joseph's University.*

Kim Potowski

Silvia Sobral

Laila Dawson

Por la ciudad

Así se dice

Por la ciudad
   En el centro de la ciudad

En correos y en el banco
   En la oficina de correos
   El dinero y los bancos

Así se forma

1. Prepositions
2. Demonstrative adjectives and pronouns
3. The preterit of *hacer* and stem-changing verbs
4. Indirect object pronouns

Cultura

- Argentina y Chile
- La plaza en el mundo hispano

Dicho y hecho

Para leer:
El Tortoni: Café con historia

Para conversar:
¿Qué compramos?

Para escribir:
Tres días en Santiago o en Buenos Aires

Para ver y escuchar:
La plaza: Corazón de la ciudad

By the end of this chapter you will be able to:

- Talk about places and things in the city
- Carry out transactions at the post office and the bank
- Talk about actions in the past
- Talk about to whom or for whom something is done

ENTRANDO AL TEMA

1. La ciudad de esta foto es la capital de Chile. ¿Sabes cómo se llama?

2. ¿Sabes cuál es la ciudad más austral (*southernmost*) del planeta?

3. Chile y Argentina forman parte de América del Sur. Otro nombre para esta zona es:
   ☐ El Medio Oeste   ☐ El Cono Sur   ☐ Tierra Caliente

Así se dice

Por la ciudad

el rascacielos

el edificio

ALMACÉN TORRES

el almacén

el banco (*bank*)

Banco Central

el centro comercial

EL MESÓN

la pastelería

la pizzería

Pastelería Colón

Pizzería Roma

la joyería

la película

EL HOM ARAÑA

CALLE 3

Zapatería Colón

La Perla

la calle

la zapatería

el restaurante/el café

AVE. COLÓN

PARADA

el taxi

el autobús

la avenida

la estatua

la parada de autobús

la plaza

el metro

METRO Plaza Colón

Cristóbal Colón

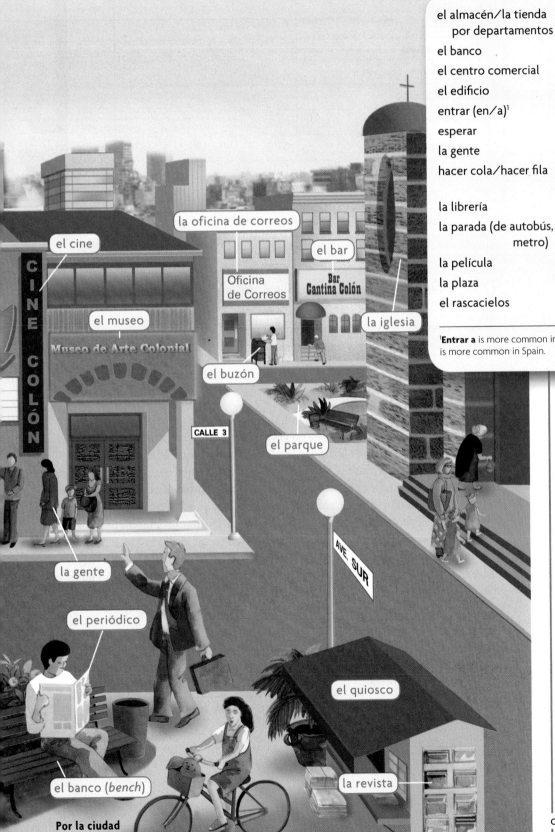

el almacén/la tienda por departamentos	department store
el banco	bank; bench
el centro comercial	shopping center, mall
el edificio	building
entrar (en/a)[1]	to enter, go in
esperar	to wait for
la gente	people
hacer cola/hacer fila	to get/stand/wait in line
la librería	bookstore
la parada (de autobús, metro)	(bus, subway) stop
la película	film, movie
la plaza	town square
el rascacielos	skyscraper

[1] **Entrar a** is more common in Latin America, while **entrar en** is more common in Spain.

la oficina de correos

el cine

el bar

Oficina de Correos

Bar Cantina Colón

CINE COLÓN

el museo

Museo de Arte Colonial

la iglesia

el buzón

CALLE 3

el parque

AVE. SUR

la gente

el periódico

el quiosco

el banco (*bench*)

la revista

Por la ciudad

7-1 En mi ciudad.
Indica si la comunidad donde vives tiene estos lugares. Si respondes *Sí*, escribe el nombre de uno específico.

	Sí, (escribe el nombre de uno)	No
Modelo: un banco	**Sí, el American Trust**	
1. un parque		
2. un café		
3. una zapatería		
4. una estatua		
5. un rascacielos		
6. una avenida		
7. un quiosco		
8. una iglesia		
9. un cine		
10. una parada de metro		

7-2 ¿Dónde?
Escucha varias actividades que vas a hacer. ¿Dónde haces cada actividad?

Modelo:	Oyes:	Quieres comprar una pizza.
	Escribes:	**Voy a una pizzería.**

En el centro de la ciudad

Mi amigo y yo vamos a **pasar** el día en el centro porque allí encontramos los **lugares** más interesantes de la ciudad. Primero tenemos que saber a qué hora **abren** las tiendas y los museos, y a qué hora **cierran**. También queremos preguntar dónde podemos comprar **entradas** para una **obra de teatro**, y a qué hora **empieza** la representación. Por la mañana, queremos ir de compras en las tiendas pequeñas y también en el centro comercial. Después podemos visitar un museo, tomar algo y luego pasar la tarde en un parque o dar un paseo en un jardín botánico o el zoológico. El **mejor** restaurante también está en el centro y quiero **invitar**[1] a mi amigo a cenar allí. Después de ir al **teatro** y **terminar** las actividades de un largo día, podemos regresar a casa tomando el metro o un taxi.

abrir	to open	el/la mejor	the best
cerrar (ie)	to close	la obra (de teatro)	play
empezar (ie)	to start, begin	pasar (tiempo)	to spend (time)
la entrada	ticket	terminar	to finish, end
el lugar	place		

[1]**Invitar** requires the preposition **a** when followed by the infinitive: **Me invitó *a* cenar.**

7-3 ¿Qué pueden hacer?

 En parejas, el Estudiante A explica sus problemas al Estudiante B, que ofrece sugerencias, y viceversa. Toma nota de las sugerencias de tu compañero/a. Cada estudiante debe también inventar un problema nuevo.

Estudiante A
Problemas
1. Tenemos hambre, pero no queremos salir de casa para ir a un restaurante.
2. Mi amigo quiere leer un periódico o una revista, pero no encuentra un quiosco.
3. Jesús va a la joyería para comprarle un regalo a su novia Ana, pero dejó su dinero en casa.
4. Mis amigos y yo queremos ir a una obra de teatro en el centro de la ciudad, pero hay mucho tráfico.
5. ¿?
Sugerencias para tu compañero/a
• ¿Por qué no vas al centro comercial?
• Te recomiendo el restaurante El Mesón, que tiene excelente comida argentina.
• Pueden tomar una excursión con guía (*guided tour*).
• Hay un buzón en la avenida Sur.
• ¿?

Estudiante B
Problemas
1. Necesito enviar esta carta, pero no hay ninguna oficina de correos cerca.
2. Quiero ir de compras y ver muchas tiendas, pero hace frío para pasear en la calle.
3. Mis padres quieren ir al mejor restaurante de la ciudad para celebrar su aniversario.
4. Queremos ver el edificio más bonito, el mejor museo y la iglesia más vieja de la ciudad.
5. ¿?
Sugerencias para tu compañero/a
• Puede ir a la librería.
• ¿Por qué no toman el metro?
• Pueden pedir comida en un restaurante con entrega a domicilio (*home delivery*).
• Hay un banco muy cerca de allí.
• ¿?

7-4 Nuestras actividades comunes.

Paso 1. ¿Con qué frecuencia haces estas actividades? Indícalo en las columnas bajo *Yo.*

	Yo			Mi compañero/a		
	Mucho	A veces	Nunca	Mucho	A veces	Nunca
1. leer el periódico						
2. ver una obra de teatro						
3. ir a una iglesia, una mezquita (*mosque*) o un templo						
4. tomar el autobús						
5. ver una exposición en un museo						
6. ir al cine						
7. invitar a un/a amigo/a a cenar en un restaurante						
8. pasar todo el día con amigos						

Paso 2. Ahora pregunta a un/a compañero/a con qué frecuencia hace estas actividades e indícalo en las columnas bajo *Mi compañero/a.*

Modelo: Estudiante A: **¿Con qué frecuencia vas al cine?**

Estudiante B: **Voy al cine mucho. / No voy al cine nunca.**

Así se forma

¿Sabes dónde está el apartamento de Carmen?

Sí. Está en la avenida Sur, cerca del museo y frente al parque.

1. Indicating relationships: Prepositions

Prepositions of location and other useful prepositions

WILEY
PLUS Go to *WileyPLUS* and review the Animated Grammar Tutorial for this grammar point.

Prepositions are words that express a relationship between nouns (or pronouns) and other words in a sentence. You have already learned some prepositions such as: **a** (*to, at*), **en** (*in, on, at*), **de** (*from, of, about*), **con** (*with*), and **sin** (*without*). Below are some additional prepositions to describe location and movement through a place.

Preposiciones de lugar		
cerca de	*near*	El almacén Torres está **cerca de** la Plaza Colón.
lejos de	*far from*	Los rascacielos están **lejos de** la Plaza Colón.
dentro de	*inside*	Hay muchas oficinas **dentro del** Banco Central.
fuera de	*outside*	Hay un buzón **fuera de** la oficina de correos.
debajo de	*beneath, under*	La estación de metro está **debajo de** la plaza.
encima de	*on top of, above*	Hay apartamentos **encima de** la pastelería.
detrás de	*behind*	El niño corre **detrás de** su perro.
delante de	*in front of*	El perro corre **delante del** niño.
enfrente de, frente a	*in front of, opposite*	El banco está **frente al** quiosco.
al lado de	*beside, next to*	El Museo de Arte Colonial está **al lado del** cine.
sobre, en	*on*	Hay periódicos **sobre el** suelo, al lado del quiosco.
entre	*between, among*	La joyería está **entre** la zapatería y el mesón.
por	*by, through, alongside, around*	La niña pasea en bicicleta **por** la plaza. El autobús pasa **por** la avenida Colón.

Otras preposiciones útiles		
antes de	*before*	Quiero leer el menú **antes de** pedir la comida.
después de	*after*	Podemos tomar un café **después de** comer.
en vez de	*instead of*	Yo quiero té **en vez de** café.
para + *infinitive*	*in order to (do something)*	Necesito dinero **para tomar** un taxi.
al + *infinitive*	*upon (doing something)*	Tienes que levantar la mano **al pedir** un taxi.

¡Importante! In Spanish a verb following a preposition is always in the infinitive (–ar, –er, –ir) form. In contrast, English uses the *–ing* form.

Antes de ir al teatro, vamos a cenar.
~~Antes de yendo al teatro...~~

Before going to the theater, we're going to have dinner.

7-5 **¿Cierto o falso?** Tu amigo/a dice que conoce esta ciudad (en las páginas 218–219) perfectamente, pero en realidad está un poco confundido/a. Lee sus comentarios, decide si son ciertos o falsos y, si son falsos, corrígelos (*correct them*).

Modelo: La pizzería está al lado de la joyería.
No, la pizzería está al lado de la pastelería.

1. El buzón está detrás de la oficina de correos, ¿verdad?
2. Y el cine Colón está entre el restaurante El Mesón y el Museo de Arte Colonial.
3. El autobús pasa por la avenida Sur, junto a la Plaza Colón, ¿no?
4. Creo que el Museo de Arte Colonial está cerca del Almacén Torres.
5. El Banco Central está delante de la zapatería y de la joyería.
6. En la Plaza Colón, hay un banco enfrente del quiosco, ¿verdad?
7. Todas las mesas de El Mesón están dentro del restaurante, ¿verdad?
8. No hay ningún rascacielos cerca de la Plaza Colón, ¿verdad?
9. Y hay un parque enfrente de la iglesia, ¿no?
10. En la Plaza Colón hay una estatua de Hernán Cortés muy bonita delante del cine, ¿verdad?

7-6 **¿Qué o quién es?**

Paso 1. Escoge cuatro objetos o personas que ves en la clase y escribe oraciones describiendo dónde están.

Modelo: **Esta persona/cosa está entre la puerta y Sara.**
Está detrás de Tom y al lado de...

Paso 2. En parejas, lee tus oraciones a tu compañero/a. Él/Ella va a intentar (*try*) identificar a la persona o cosa a la que te refieres.

7-7 **Nuestros lugares interesantes.** Un estudiante de Chile acaba de llegar a estudiar en tu universidad. ¿Qué lugares interesantes del campus o de la ciudad puedes recomendarle?

Paso 1. Escribe una lista de cinco lugares y explica dónde están con el mayor detalle posible (*with as much detail as possible*). Usa las preposiciones de lugar.

Paso 2. En grupos pequeños, comparen sus listas y escojan los diez lugares más interesantes.

7-8) Tus hábitos.

Paso 1. Completa estas oraciones pensando en tus hábitos y preferencias.

Modelo: Casi nunca llevo **ropa formal** para **ir a clase.**

1. Casi siempre voy _____ para _____.
2. Siempre necesito _____ para _____.
3. No me gusta _____ sin _____.
4. Me gusta _____ antes de _____.
5. A veces _____ en vez de _____.
6. Nunca, nunca _____ después de _____.

 Paso 2. Ahora, en grupos pequeños, comparte esta información con tus compañeros/as y pregunta si ellos/as también lo hacen.

Modelo: Estudiante A: **Casi nunca llevo ropa formal para ir a clase, ¿y ustedes?**
    Estudiante B: **Yo llevo ropa formal a veces, por ejemplo, cuando hago una presentación.**
    Estudiante C: **No, yo tampoco llevo ropa formal casi nunca.**

Pronouns with prepositions

The pronouns that follow prepositions (**pronombres preposicionales**) are the same as subject pronouns except for **yo** and **tú**, which become **mí** and **ti.**

—¿Es este cuadro para **mí?**   *Is this painting for **me?***
—Sí, es para **ti.**   *Yes, it's for **you.***

PLUS Go to *WileyPLUS* and review the Animated Grammar Tutorial for this grammar point.

Pronombres preposicionales (*a, de, para, por, sin*, etc.)	
para **mí**	para **nosotros/as**
para **ti**	para **vosotros/as**
para **usted**	para **ustedes**
para **él/ella**	para **ellos/ellas**

The combination of **con + mí** or **ti** becomes **conmigo** (*with me*) or **contigo** (*with you*), respectively.

—¿Quieres ir **conmigo?**   *Do you want to go **with me?***
—¡Sí! Voy **contigo.**   *Yes! I'll go **with you.***

NOTA DE LENGUA

Note the accent on **mí** (*me*) to differentiate from **mi** (*my*) and avoid ambiguity.

Mi hijo hizo un dibujo (*drawing*) para **mí.**

7-9 ¿Te gusta o no te gusta?

PLUS Go to *WileyPLUS* and review the Animated Grammar Tutorial for this grammar point.

Paso 1. Si tu pareja (novio/a, esposo/a) te dice estas cosas, ¿te gusta o no te gusta?

	Sí, a mí me gusta.	No, a mí no me gusta.
1. Quiero ir de compras **contigo**.	☐	☐
2. Quiero estar siempre **cerca de ti**.	☐	☐
3. Estas flores son **para ti**.	☐	☐
4. No puedo vivir **sin ti**.	☐	☐
5. ¿Quieres viajar a Hawái **conmigo?**	☐	☐
6. Nunca hablo de ti con mis **amigos/as**.	☐	☐
7. No puedo estudiar **contigo**.	☐	☐
8. Nunca tienes tiempo **para mí**.	☐	☐
9. Tengo un regalo **para ti**.	☐	☐

Paso 2. En grupos, comparen y expliquen sus respuestas usando **gustar** y otras expresiones como **sorprender, parecer bien/mal/normal**, etc..

Modelo: **A mí me sorprende mucho cuando mi novio dice: "Quiero ir de compras contigo", porque a mi novio no le gusta nada ir de compras.**

> **HINT**
>
> Remember that with verbs like **gustar, a** + *prepositional pronoun* is sometimes used for emphasis or clarification.
>
> **A él** no **le** gustó la película.
> **He** *didn't like the movie.*
> **A mí** tampoco **me** gustó.
> *I didn't like it either.*

7-10 Linda y Manuel. En parejas, lean y dramaticen la conversación, completándola con los pronombres apropiados.

Linda está sentada en un sofá en la sala de su casa. Habla por teléfono con su novio, Manuel.

MANUEL: Linda, ¿quieres salir con_____ esta noche? Me muero (*I'm dying*) por verte.

LINDA: Sí, mi amor. Voy con_____ a donde quieras.

MANUEL: Pues, te voy a llevar a un lugar muy especial y… ¡tengo una sorpresa maravillosa para _____!

LINDA: ¿Para _____? ¡Eres un ángel, Manuel! A _____ me encantan las sorpresas. Yo también tengo una sorpresa para _____.

MANUEL: ¿Ah, sí? ¿Cuál es?

LINDA: Pues, no vamos a estar solos esta noche porque mi hermanito menor tiene que venir con _____.

MANUEL: ¿Con _____? ¿No pueden quedarse (*stay*) tus padres con _____?

LINDA: Manuelito, sé (*be*) flexible. ¿No quieres hacerlo por _____?

MANUEL: Bueno, está bien.

LINDA: ¡Gracias, mi amor! Por cierto, ¿qué sorpresa tienes para _____?

> ### NOTA CULTURAL
>
> **Benito Quinquela Martín**
>
> Benito Quinquela Martín (1890–1977) was an Argentine painter famous for depicting the port of Buenos Aires and the nearby area known as La Boca. La Boca is known for its numerous brightly painted houses.

Cultura: Argentina y Chile

Antes de leer

1. ¿Cuál es la capital de Argentina? ¿Con qué países tiene frontera (*border*) Argentina? Localiza Las Pampas y la Patagonia en el mapa.

2. ¿Cuál es la capital de Chile y cómo se llama el desierto que está en el norte de Chile?

3. ¿Cómo se llama la cordillera (*mountain range*) que pasa por Chile y Argentina?

PLUS **Map quizzes:** As you read about places highlighted in red, find them on the map. Learn more about and test yourself on the geography of the Spanish-speaking world in *WileyPLUS*.

Nacionalidades:
argentino/a
chileno/a

DOS COLOSOS DEL CONO SUR

Chile y Argentina son dos países con fuerte influencia europea. Esta influencia es aparente en su cultura y en su población.

ARGENTINA

Argentina es el país hispano más grande del mundo. El 86% de los argentinos se identifican con ascendencia europea. Se estima que hasta un 60% de la población del país tiene ascendencia italiana.

Argentina tiene varias regiones diferentes. Al noreste encontramos las planicies (*flatlands*) del río Paraná, donde está la jungla; al sur está **la Patagonia**, una llanura (*plain*) rica en petróleo. A pesar de la gran extensión del territorio de Argentina, la vida se centra en su capital, **Buenos Aires**, llamada el "París de las Américas". Más del 30% de la población de Argentina vive en el área de Buenos Aires y se les llama "porteños" (del puerto).

La Avenida 9 de Julio, una de las más anchas (*wide*) del mundo, y el Obelisco, que conmemora la fundación de la ciudad, son símbolos famosos de Buenos Aires. ¿Cuántos carriles (*lanes*) tiene esta avenida?

¡EVITA, EVITA!

¿Conoces la obra musical *Evita* y la canción "No llores por mí, Argentina"? Pues este musical es sobre la vida de Eva Perón, esposa del dictador Juan Perón (1895–1974), quien fue presidente hasta 1955, cuando los militares lo obligaron a abandonar el poder. Después de una serie de dictaduras militares, en 1983, Argentina volvió a un sistema democrático. En 2007, Cristina Fernández fue elegida presidenta, siendo la primera mujer elegida democráticamente para ocupar dicho cargo.

INVESTIG@ EN INTERNET

Manu Ginóbili es un jugador de básquetbol argentino. Busca información en Internet sobre él y otros jugadores argentinos que juegan en Estados Unidos. Imprime o anota los datos interesantes para compartirlos con tus compañeros/as de clase.

UN ESCRITOR EXCEPCIONAL

Jorge Luis Borges (1899–1986), gigante de la literatura latinoamericana, es el escritor más célebre y más estudiado de la literatura argentina. Como quedó ciego (*blind*) a los 55 años, tuvo que dictar sus últimas (*last*) creaciones literarias a una secretaria.

El espectacular Teatro Colón de la capital presenta conciertos, óperas, recitales y espectáculos de variedades. Atrae a músicos y artistas del mundo entero. ¿Cuántas gradas (*tiers*) hay en el teatro? ▼

En esta fascinante ciudad de tiendas elegantes, restaurantes y una intensa vida nocturna, las artes son muy importantes. En Buenos Aires nació el tango, el apasionado baile que todo el mundo asocia con Argentina. ¿Sabes bailar tango?

Las pampas, una extensa llanura dedicada en gran parte a la ganadería (*cattle ranching*), ocupan la zona central del país. La pampa es la tierra del gaucho argentino —el prototipo del jinete (*rider*) solitario e independiente que recorre la pampa en su caballo (*horse*). ¿Cuál es el equivalente al gaucho en la historia estadounidense?

Los Andes están al oeste del país y es aquí donde está el pico más alto de América del Sur: el Aconcagua, de aproximadamente 22,835 pies de altura (*feet high*). ¿Te gustaría escalar (*to climb*) esta montaña?

CHILE

Chile tiene una configuración geográfica única: es una larga franja (*strip*) de tierra que va desde Bolivia hasta la punta sur del continente y desde los Andes en el este hasta el océano Pacífico en el oeste. El país tiene 2,690 millas de largo y solamente 291 millas de ancho. Es el país más largo (*long*) del mundo. En Chile, es posible practicar esquí acuático en el mar por la mañana y esquiar en la nieve de las montañas por la tarde. Por estar en el "Anillo de Fuego," desafortunadamente Chile ha sufrido varios terremotos. Uno reciente, en marzo de 2010, midió un 8.8 en la escala Richter. Perdieron la vida unas 520 víctimas, y los sismólogos estiman que fue tan poderoso (*powerful*) que movió el eje (*axis*) de la Tierra 8 centímetros.

Se ha estimado que la población chilena es de un 53% de ascendencia europea y de un 44% mestiza (mezcla de indígena y europeo). Hay una comunidad alemana numerosa y unos 200,000 chilenos que hablan el alemán hoy en día. En 1970 los chilenos eligieron (*elected*) al primer presidente socialista del continente, Salvador Allende; pero en 1973 Augusto Pinochet dio un golpe (*coup*) de estado y estableció una dictadura militar. En 1989 Chile tuvo elecciones libres y hoy en día continúa siendo un país democrático. En 2006, Michelle Bachelet se convirtió en la primera mujer en ser electa presidente de Chile.

¿TE GUSTA ESQUIAR?

La superficie esquiable más grande del hemisferio sur está al este de **Santiago,** la capital. La región conocida como "los Tres Valles de los Andes" tiene un total de 10,700 hectáreas y montañas que sobrepasan los 5,000 metros (16,404 pies) de altura.

Al norte de Chile está el desierto de Atacama, ¡el lugar más seco del mundo! En esta región hay muchas minas de cobre (*copper*), un metal que Chile exporta a muchas partes del mundo. ¿Te gustaría pasar unos días explorando este desierto?

El centro de Chile es una zona fértil de clima moderado donde vive la mayoría de la población y en la que se cultivan muchas frutas y verduras. En esta zona está la capital, Santiago, una ciudad cosmopolita, moderna y de aspecto europeo.

Los 1,100 km de la Carretera Austral cruzan los lugares más atractivos del sur de Chile, con sus montañas, parques nacionales, fiordos, termas (*hot springs*), ríos y lagos, ideales para la pesca (*fishing*) deportiva. El Parque Nacional Torres del Paine es uno de los más espectaculares del país. ¿Te gustaría visitar esta región? ¿Hay glaciares en alguna región de tu país? ¿Dónde?

¡PRIMER PREMIO NOBEL EN LA LITERATURA LATINOAMERICANA!

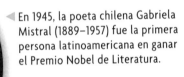

En 1945, la poeta chilena Gabriela Mistral (1889–1957) fue la primera persona latinoamericana en ganar el Premio Nobel de Literatura.

¿Sabías que muchas de las uvas que compramos son importadas de Chile? Los vinos chilenos también son muy conocidos.

INVESTIG@ EN INTERNET

Imagina que vas a pasar unas cortas vacaciones en Santiago de Chile y quieres organizarlo todo antes de (*before*) llegar. Busca un hotel cerca del (*near*) centro y planifica actividades para cinco días, incluyendo detalles sobre el transporte, los lugares que quieres visitar, algunos restaurantes donde te gustaría comer, etc. Calcula aproximadamente cuánto dinero vas a necesitar.

Después de leer

1. Un estudio fonético reveló que el ritmo y la entonación del español de Buenos Aires tiene más en común con la lengua napolitana de Italia que con cualquier otra lengua. ¿Por qué crees que puede ser?

2. ¿Has probado un vino chileno o argentino? ¿Te gustó?

3. ¿Qué región de los Estados Unidos también produce vino y sufre de terremotos? ¿Qué otros rasgos (*features*) tiene en común esa región con Chile?

Así se forma

¿Quién es ese muchacho que está con Inés?

¿Ese? Es su amigo de Madrid.

WILEY PLUS Go to *WileyPLUS* and review the Animated Grammar Tutorial for this grammar point.

2. Demonstrative adjectives and pronouns

Demonstrative adjectives

Demonstrative adjectives point out the location of nouns (such as objects and people) with respect to the speaker. Like all adjectives, demonstratives agree in gender and number with the noun they refer to. The demonstrative adjective to use depends upon how close the speaker is to the item being pointed out.

Adjetivos demostrativos					
close to speaker		**at a short distance**		**at a great distance**	
este bar	**esta** calle	**ese** bar	**esa** calle	**aquel** bar	**aquella** calle
estos bares	**estas** calles	**esos** bares	**esas** calles	**aquellos** bares	**aquellas** calles

Me gusta **este** parque.
Vamos a visitar **esos** museos.
Aquella tienda tiene cuadernos.

*I like **this** park.*
*We are going to visit **those** museums.*
***That** store (over there) has notebooks.*

Demonstrative pronouns

Demonstrative pronouns are pronounced and spelled like demonstrative adjectives, but while adjectives usually precede the noun, pronouns replace it to avoid repetition. Observe in the following examples the use of both demonstrative adjectives and pronouns.

Compramos en **esta** tienda y en **aquella**.
  (adjective)   (pronoun)

*We shop in **this** store and **that one**.*

— ¿Te gustan **estos** zapatos?
       (adjective)

*Do you like **these** shoes?*

— No. Prefiero **esos**.
          (pronoun)

*No. I prefer **those**.*

NOTA DE LENGUA

The demonstratives **esto** (*this*) and **eso** (*that*) are neutral in gender (neither masculine nor feminine) because they refer to an idea, situation or statement, or to an object that has not yet been identified.

— ¿Qué es **esto?**
— ¡No sé!

What is this?
I don't know!

— No quiere pagar la cuenta.
— ¡**Eso** es ridículo!

He doesn't want to pay the bill.
That's ridiculous!

7-11 ¿Dónde está? Estás paseando por la ciudad con una amiga. Escucha las oraciones que dice y decide si los lugares que menciona están cerca, un poco lejos o muy lejos. ¡Presta atención al adjetivo demostrativo que menciona tu amiga!

Modelo: Me gusta este parque.   ☑ Está cerca.
            Vamos a comer en aquella pizzería.   ☑ Está muy lejos.

1. ☐ Está cerca.   ☐ Está un poco lejos.   ☐ Está muy lejos.
2. ☐ Está cerca.   ☐ Está un poco lejos.   ☐ Está muy lejos.
3. ☐ Está cerca.   ☐ Está un poco lejos.   ☐ Está muy lejos.
4. ☐ Está cerca.   ☐ Está un poco lejos.   ☐ Está muy lejos.
5. ☐ Está cerca.   ☐ Está un poco lejos.   ☐ Está muy lejos.

7-12 Soy un guía turístico. Imagina que trabajas para una agencia de turismo en Buenos Aires y le muestras (*show*) la ciudad a un grupo de visitantes. Usa adjetivos demostrativos para simplificar las oraciones.

Modelo: La iglesia que (*that*) está un poco lejos es del período colonial.
            Esa iglesia es del período colonial.

1. El rascacielos que está muy lejos es el más moderno de la ciudad.
2. La estatua que está un poco lejos es del presidente.
3. La estación del metro que está cerca fue la primera (*the first*) de la ciudad.
4. El parque que está un poco lejos es muy famoso.
5. Las ceremonias importantes se celebran en la iglesia que está muy lejos.
6. Los almacenes que están cerca venden de todo.
7. El restaurante que está un poco lejos sirve parrilladas (*barbecue*) y otros platos argentinos.

> ## DICHOS
>
> **De aquellos polvos vienen estos lodos.**
>
> ¿Qué significa este dicho? ¿Estás de acuerdo?

NOTA CULTURAL

El mate

Mate is a tea-like beverage consumed mainly in Argentina, Chile, Uruguay, Paraguay, and southern Brazil. The name *mate* derives from the word for the gourd that is traditionally used to drink the infusion. Mate is sipped using a metal or wood decorative straw and filter called **bombilla**. Sharing a cup of mate among close friends and family, using the same *bombilla*, is a sign of acceptance and friendship. More than a drink, mate has become a cultural phenomenon. In Buenos Aires, some people carry their mate with them throughout the day.

7-13 **¡Tengo hambre! ¿Cuánto cuestan?** Después del paseo por Buenos Aires, tienes hambre y vas a la Pastelería Río de la Plata. Trabaja con un compañero/a, que va a ser el/la dependiente/a. Pregunta los precios de los productos, el/la dependiente/a contesta consultando los precios de la lista.

Modelo: Cliente/a: **¿Cuánto cuesta este pastel de limón?**

Dependiente/a: **Ese cuesta dos pesos, cincuenta y cinco centavos.**

Al final, decide qué vas a comprar y completen la transacción.

Cliente/a: **Voy a comprar ese/esa… y …**

Dependiente/a: **Muy bien, son… pesos.**

PALABRAS ÚTILES

empanada	*turnover*
medialuna	*croissant*

Río de la Plata

galletas de chocolate	– $4.75 la docena
de azúcar	– $4.00 la docena
pastel de manzana	– $2.50 (el pedazo)
de limón	– $2.75 (el pedazo)
torta de chocolate	– $12.95
de fresa	– $13.25
pan de queso	– $2.25
de aceitunas	– $2.60
empanada de carne	– $1.60 cada una
vegetariana	– $1.15 cada una
medialuna de jamón y queso	– $1.90 cada una
de chocolate	– $1.80 cada una

Cultura: La plaza en el mundo hispano

Antes de leer

¿Cuál es el lugar público más importante de tu ciudad o pueblo? ¿Qué pasa (*happens*) allí?

La plaza es el corazón (*heart*) de las ciudades y los pueblos hispanos. Generalmente, se encuentra en la parte más vieja de la ciudad o del pueblo y es el centro político, religioso, social y comercial de una ciudad. En la plaza hay mercados al aire libre y se celebran festivales y ceremonias importantes.

Una plaza típica está rodeada de (*surrounded by*) una iglesia, edificios públicos, cafés, tiendas y bares. Generalmente, en el centro hay una estatua o un monumento y, en muchas ocasiones, también hay fuentes (*fountains*) y jardines. Las plazas aún (*still*) tienen mucha importancia para los habitantes de una comunidad. Durante el día la gente camina, conversa, lee o juega a las cartas o al dominó. Por la noche, los jóvenes se reúnen para verse y charlar (*chat*).

▲ Plaza de Mayo, Buenos Aires, Argentina

La Plaza de Mayo en Buenos Aires es un lugar donde los argentinos celebran actividades sociales y políticas. Está rodeada por la catedral, el cabildo (*city/town hall*) y la Casa Rosada, el equivalente de la Casa Blanca en Washington, D.C. Otras plazas famosas son la Plaza Mayor en Madrid, la Plaza del Zócalo en la Ciudad de México y la Plaza de Armas en Chile.

Después de leer

1. Nombra tres cosas que generalmente se encuentran en las plazas hispanas.

2. ¿Es la función social de las plazas latinoamericanas comparable a la de los centros comerciales en Estados Unidos? Menciona similitudes y diferencias.

Plaza de Armas, Santiago, Chile

Así se forma

3. Talking about actions in the past: The preterit of *hacer* and stem-changing verbs

Hacer

The verb **hacer** is irregular in the preterit. Note that the stem (**hic–**) is constant and that **c → z** before **o**. Also observe the special preterit endings **–e** and **–o**.

hice	**hic**imos
hiciste	**hic**isteis
hizo	**hic**ieron

—¿Qué **hiciste** anoche?   *What **did** you **do** last night?*
—Fui al gimnasio e **hice ejercicio**.   *I went to the gym and **worked out**.*

Remember that you do not always use **hacer** to answer **hacer** questions.

—¿Qué **hicieron** ustedes ayer?   *What **did** you **do** yesterday?*
—**Fuimos** al centro y **vimos** una película.   *We **went** downtown and **saw** a movie.*

7-14 **Los sábados de Javier.** Escucha las siguientes oraciones e indica si Javier se refiere a los sábados en general (verbo en presente) o al sábado pasado (verbo en pasado).

	Los sábados	**El sábado pasado**
Modelo: Juan hizo una fiesta.	☐	☑

	Los sábados	**El sábado pasado**
1.	☐	☐
2.	☐	☐
3.	☐	☐
4.	☐	☐
5.	☐	☐
6.	☐	☐

7-15 **El sábado pasado.**

Paso 1. Lee la descripción que hace Javier de sus sábados en la página 235. Basándote en esto, ¿qué hizo Javier el sábado pasado? Cambia los verbos en **negrita** (*boldface*) al pretérito.

¿Qué **hago** los sábados? Pues, **me levanto** un poco tarde y **desayuno** en casa. A las diez de la mañana **juego** al tenis con mi hermanito Samuel y luego **hacemos** una visita a los abuelos. Me gusta mucho visitarlos y mi abuela siempre **hace** chocolate caliente para merendar. Por la tarde, **hago** algunas compras en el centro con mi amiga Nidia. Más tarde, **salimos** con nuestros amigos, **cenamos** en algún restaurante y **vamos** al cine. **Volvemos** a casa bastante tarde. Claro, después **llego** a casa tan cansado... que los domingos ¡no hago nada!

> **HINT**
>
> Before doing Exercise 7-15, review the preterit of regular verbs and of **ser** and **ir** (pp. 202–203).

Modelo: ¿Qué **hice** el sábado pasado? Pues…

Paso 2. Ahora escribe un párrafo comparando tu sábado pasado con el de Javier.

Modelo: **Javier se levantó tarde, pero yo me levanté a las 6:00 de la mañana...**

Stem-changing verbs

- Note that **–ir** verbs with a stem change in the present tense (o → **ue**, e → **ie**, e → **i**) also change in the preterit[1].

- The stem change in the preterit is the same that takes place in the present participle (**–ando/–iendo** form), but it only occurs in the third-person singular (**usted/él/ella**) and the third-person plural (**ustedes/ellos/ellas**) forms.

¿Quién pidió los espaguetis?

dormir (ue, **u**[2]) **du**rmiendo → **du**rmió/**du**rmieron
pedir (i, **i**) **p**idiendo → **p**idió/**p**idieron

dormir (o → u)	
dormí	dormimos
dormiste	dormisteis
durmió	**du**rmieron

pedir (e → i)	
pedí	pedimos
pediste	pedisteis
pidió	**p**idieron

> **HINT**
>
> First, review the present tense stem-changing verbs on page 117. Then practice the preterit tense of the verbs presented in this section.

Note the pattern of change in the following model verbs.

o → ue; u	**morir** (ue, u)	to die	Pablo Neruda **murió** en 1973.
e → ie; i	**preferir** (ie, i)	to prefer	Las chicas **prefirieron** no hablar del incidente.
	divertirse (ie, i)	to have a good time	¿**Se divirtieron** en el restaurante anoche?
e → i; i	**pedir** (i, i)	to ask for, request	Tina **pidió** una paella de mariscos.
	servir (i, i)	to serve	¿Qué más **sirvieron**?
	repetir (i, i)	to repeat	El mesero **repitió** la lista de postres.
	vestirse (i, i)	to get dressed	Más tarde **se vistieron** y fueron a un baile.

[1]Remember that **–ar** and **–er** stem-changing verbs never have a stem change in the preterit or present participle (see p. 202.) For example: pensar (ie) pienso pensando pensó
[2]Remember that stem changes are indicated in parenthesis, the first (and sometimes only) change shows present simple changes and the second one shows present participle/preterit changes.

Por la ciudad

7-16 Las actividades de Alicia.
¿Qué hizo Alicia ayer? Relaciona las actividades de la columna A con las actividades correspondientes de la columna B.

A

_____ **1.** Por la tarde hizo su tarea de francés y escuchó el audio del Capítulo 7.

_____ **2.** Luego, para descansar un poco, buscó un periódico.

_____ **3.** A las siete de la tarde, ella y dos de sus amigas cenaron en un restaurante.

_____ **4.** El mesero les sirvió tres postres diferentes.

_____ **5.** Después de cenar, estudió casi toda la noche en la biblioteca.

B

a. Las chicas prefirieron la torta de chocolate.

b. Todas pidieron pasta con camarones y ensalada.

c. No durmió mucho.

d. Leyó que tres personas murieron en un accidente. ¡Qué triste!

e. Repitió las palabras del vocabulario.

7-17 El día de Jaime.
Primero, imagina el orden cronológico de las actividades de Jaime. Luego, escribe lo que hizo usando el pretérito.

Modelo: **Se levantó a las siete de la mañana. Luego,…**

_____ irse al trabajo

_____ bañarse

_____ desayunar en un café

_____ salir con sus amigos

__1__ levantarse a las siete

_____ vestirse

_____ pedir café con leche y pan

_____ acostarse a medianoche

_____ dormirse

_____ cenar en casa

_____ divertirse mucho

_____ regresar a casa después del trabajo

7-18 Y tú, ¿qué hiciste?

EXPRESIONES ÚTILES

¿Sí?/¿De verdad?
These expressions look for confirmation (similar to *Really?*).

No me digas.
This expresses disbelief/surprise and encouragement to continue (as in *No way!*).

Yo también/tampoco.
This expresses agreement (equivalent to *Me too/neither.*).

Paso 1. Piensa en lo que hiciste ayer y completa la columna *Yo* con tus actividades.

	Yo	Mi compañero/a _____
por la mañana temprano		
a media mañana (*midmorning*)		
al mediodía (*noon*)		
por la tarde		
por la noche		

Paso 2. Ahora entrevista a un/a compañero/a. Haz preguntas sobre los detalles: ¿Dónde? ¿Con quién? ¿Qué? (¿Qué película viste? ¿Qué comiste?). Anota sus respuestas. Túrnense. ¿Quién tuvo el día más interesante?

Modelo: Estudiante A: **¿Qué hiciste ayer por la mañana temprano?**

Estudiante B: **Bueno, me levanté a las ocho de la mañana, me duché y tomé el desayuno.**

Estudiante A: **¿Sí? ¿Qué tomaste? (¿Dónde? ¿Fuiste con alguien? …)**

7-19 ¿Qué hizo el/la profesor/a?

Paso 1. En grupos pequeños, imaginen qué hizo su profesor/a de español ayer, incluyendo algunos detalles. ¡Sean creativos!

Modelo: **El profesor Redondo se levantó a las siete de la mañana, se duchó, se afeitó y preparó el desayuno para la familia...**

	El/La profesor/a...
por la mañana temprano	
a media mañana	
al mediodía	
por la tarde	
por la noche	

Paso 2. Hagan preguntas a su profesor/a para confirmar sus ideas.

Modelo: **¿Se levantó a las siete de la mañana?**

7-20 El fin de semana.

Paso 1. Escribe oraciones sobre tus actividades del fin de semana pasado en la columna *Yo*. Añade otras dos actividades que hiciste.

Modelo: leer
Leí una novela muy interesante en mi cuarto.

	Yo	Mis compañeros/as
1. leer (¿Qué? ¿Dónde?)		
2. hacer ejercicio/jugar un deporte (¿Dónde? ¿Con quién?)		
3. estudiar (¿Qué? ¿Dónde?)		
4. comer (¿Qué? ¿Dónde?)		
5. ir de compras (¿Dónde? ¿Con quién? ¿Qué?)		
6. ver la tele/una película (¿Cuál? ¿Dónde?)		
7. comprar (¿Qué? ¿Dónde?)		
8. ir a...		
9. ¿...?		
10. ¿...?		

 Paso 2. En grupos, hablen de las cosas que hicieron y tomen apuntes en la columna *Mis compañeros/as.*

Modelo: Estudiante A: **Yo leí un libro de poesía de Borges y ustedes, ¿leyeron algo?**
Estudiante B: **Sí, yo leí unos artículos de *Newsweek* en la biblioteca.**
Estudiante C: **Pues yo leí mis libros de texto y una revista.**

Paso 3. Ahora comenten las cosas que averiguaron (*you found out*).

Modelo: **Todos leímos algo, pero leímos cosas diferentes...**

Use the expression **acabar de** + *infinitive* to talk about things you or someone else has *just done.*

acabar de + *infinitive*   *to have just... (completed an action)*
Acabo de vestirme.   *I have just gotten dressed.*

(7-21) Muy responsable. Hoy le pediste algunas cosas a tu compañero/a de clase. Ahora lo/la llamas para preguntar si hizo lo que pediste. Escucha también sus preguntas y responde afirmativamente, como en el modelo.

Modelo: Estudiante A: **¿Llevaste el libro a la biblioteca?**
Estudiante B: **Sí , lo acabo de llevar a la biblioteca.**

Estudiante A:

1. pedir a Laura su número de teléfono.

2. anotar las horas de oficina del profesor.

3. hacer tu parte del proyecto para clase.

Estudiante B:

1. leer mi mensaje electrónico.

2. ir a la librería.

3. comprar unos bolígrafos para mí.

NOTA CULTURAL

Los mapuches de Chile

The Mapuche, or "people of the earth", are the most numerous indigenous group in Chile and the only one to have successfully resisted attacks from both the Incas and the Spaniards. After Chile gained its independence from Spain in 1818, a long armed conflict between the government and the Mapuche led to a significant reduction in the Mapuche territory. As a result, many Mapuches moved to urban areas. However, in central and southern Chile, the Mapuches still maintain a strong cultural identity. Their ancestral beliefs are traditionally passed on by women in Mapundungun, the Mapuche language.

VideoEscenas: Y ¿luego fueron al cine?

▲ Álvaro le cuenta a María lo que hizo ayer.

Paso 1. Responde a estas preguntas antes de ver el video.

1. ¿Con quién sales los fines de semana?

2. ¿Adónde van tú y tus amigos cuando salen?

Paso 2. Mira el video prestando atención (*paying attention*) a la idea principal. Después, resume (*summarize*) lo que hizo Álvaro completando estas oraciones.

Álvaro _____ con sus amigos para _____.

Ellos _____ muchas cosas, pero no _____.

Paso 3. Lee las siguientes preguntas. Si sabes algunas respuestas (*answers*), puedes escribirlas ahora. Después, mira el video otra vez para comprobar (*check*) y completar tus respuestas.

1. ¿Cómo se divirtieron Álvaro y sus amigos?

2. ¿Adónde fueron los chicos primero y para qué?

3. ¿Adónde fueron después y para qué?

4. ¿Adónde fueron más tarde y para qué?

5. ¿Adónde fueron los chicos finalmente y por qué?

En correos y en el banco

En la oficina de correos

Quiero **mandar / enviar** esta tarjeta postal a mi amigo.

Recibí una **carta** de mi amiga.

Quiero **contestar** inmediatamente. Escribo la **dirección** en el **sobre**.

Necesito comprar una **estampilla / un sello.**

¿Para quién es este **paquete?**

enviar	*to send*
recibir	*to receive*
contestar	*to answer*

(7-22) La historia de una carta

Paso 1. En parejas, determinen el orden cronológico de estas actividades. ¿Qué pasó primero? ¿Y después?

_____ buscar el buzón

_____ mi amigo / contestarme inmediatamente

_____ enviar la carta

_____ escribir la dirección en el sobre

_____ ir a la oficina de correos

_____ mi amigo / abrirla y leerla

_____ comprar un sello de 80 centavos

_____ mi amigo / recibir la carta

_____ escribir la carta

Paso 2. Ahora narren la historia cronológicamente, cambiando los verbos al pretérito.

Modelo: **Primero, escribí la carta.**

7-23 ¿Correo tradicional o correo electrónico?

Paso 1. Trabajen con un/a compañero/a. Ustedes son defensores del correo electrónico o del correo tradicional (su instructor/a les asignará uno). Escriban una lista de razones para justificar su preferencia.

Paso 2. Ahora, busquen una pareja que prefiere el otro tipo de correo y debatan el tema.

Modelo:	PAREJA A:	**El correo electrónico es más rápido.**
	PAREJA B:	**Sí, pero con el correo tradicional no necesitas tener una computadora.**

El dinero y los bancos

Nicolás **cuenta** su dinero.

Cuando tiene suficiente dinero, lo **gasta** en una tienda.

Nicolás también **gana** dinero trabajando por las tardes.

Por fin decide **abrir una cuenta** en un banco para **ahorrar** su dinero.

¿Qué más podemos hacer con el dinero?

cambiar	*to change, exchange*	**invertir (ie, i)**	*to invest*
contar (ue)	*to count*	**perder (ie)**	*to lose*
depositar	*to deposit*	**pagar (la cuenta)**	*to pay (for) (the bill, check)*
encontrar	*to find*	**retirar**	*to withdraw*

¿Cómo pagamos? ¿Cómo recibimos dinero?

el cajero automático	*ATM machine*
el cambio	*change, small change, exchange*
el cheque	*check*
el cheque de viajero	*traveler's check*
cobrar	*to cash; to charge*
el efectivo	*cash*
firmar (un cheque)	*to sign (a check)*
la moneda	*currency, money, coin*
la tarjeta de crédito/débito	*credit/debit card*

NOTA DE LENGUA

Note the difference between the use of **gastar** (dinero/energía) vs. **pasar** (tiempo)

Gastamos mucho **dinero** en libros.	*We spend a lot of money on books.*
Jorge **pasa** bastante **tiempo** estudiando.	*Jorge spends a lot of time studying.*

Por la ciudad

7-24 Organizar el dinero. En parejas, imaginen que están de vacaciones en Santiago de Chile. Decidan qué tienen que hacer en las siguientes situaciones.

Modelo: Ya no tienen efectivo, pero necesitan más.
Tenemos que buscar un cajero automático.

1. No pueden encontrar los cheques de viajero que quieren usar.
2. Quieren comprar algo en una tienda, pero no aceptan tarjetas de crédito.
3. No saben cuánto cobra el banco por cambiar sus dólares.
4. Tienen muchas monedas, pero ya no las quieren llevar en los bolsillos.
5. No encuentran un cajero automático.

7-25 Tus finanzas.

Paso 1. Marca tus respuestas a esta encuesta (*survey*) sobre tus hábitos financieros.

Usted y el dinero	
¿Va usted a hacerse rico o tendrá problemas económicos?	
1. Casi siempre pago...	☐ con efectivo ☐ con tarjeta de débito ☐ con tarjeta de crédito
2. Intento ahorrar...	☐ un 10% de mi salario ☐ un 25% de mi salario ☐ No ahorro nada.
3. Cuando tengo monedas...	☐ las uso ☐ no las quiero ☐ las ahorro y luego las llevo al banco
4. Reviso mis gastos...	☐ cada semana ☐ cada mes ☐ nunca
5. Cuando viajo...	☐ uso cheques de viajero ☐ uso la tarjeta de crédito
6. Mis tarjetas de crédito...	☐ tienen un saldo (*balance*) pequeño ☐ tienen un saldo grande ☐ ¿Qué tarjetas de crédito?
7. Invierto...	☐ en la bolsa (*stock market*) ☐ No invierto en nada. ☐ en productos seguros (*safe*)
8. Pago mis cuentas a tiempo...	☐ siempre ☐ a veces ☐ casi nunca

Paso 2. Ahora, compara tus respuestas con las de un/a compañero/a y respondan las siguientes preguntas:

- ¿Tienen hábitos similares o diferentes?
- ¿Piensan que sus hábitos son típicos entre estudiantes?
- ¿Qué hábitos les gustaría cambiar?

 Paso 3. En grupos, escriban una pequeña *Guía de consejos financieros para estudiantes.*

 (**7-26**) **Una visita al banco.** En grupos pequeños, tienen cinco minutos para describir la escena ilustrada en el dibujo. Mencionen lo que está pasando, lo que pasó y lo que va a pasar. Un/a estudiante sirve de secretario/a y apunta las ideas. ¡Usen su imaginación! ¿Qué grupo puede escribir la descripción más completa?

PALABRAS ÚTILES

se escapa	*escapes*
recoger	*to pick up*
suelo	*floor*

SITUACIONES

Estás en el aeropuerto y decides tomar un taxi con una persona que no conoces, y compartir el precio del viaje para llegar al centro. Cuando llegas a tu destino, ¡descubres que no tienes tu billetera (*wallet*)! ¿Qué dices? ¿Cómo reacciona el otro pasajero? Intenten llegar a una solución. Las expresiones útiles a continuación les pueden ayudar.

Estudiante A: No tienes dinero para pagar el taxi. Debes pedir disculpas y proponer alternativas al otro pasajero hasta encontrar una solución.

Estudiante B: Tu compañero/a de taxi dice que no tiene dinero. Estás enojado y, por supuesto (*of course*), no quieres pagarlo todo tú. Defiende tu postura hasta llegar a una solución justa.

EXPRESIONES ÚTILES

¡Ay, Dios mío!	*Oh, my God!*
¡Lo siento muchísimo!	*I am very sorry!*
¿Qué le parece si...?	*What do you think about . . . ?*
(No) Me parece bien/mal...	*I (do not) think it's okay/not okay . . .*

Así se forma

Ya es tarde para tomar el metro.

¿Te llamo ese taxi?

WILEY PLUS Go to *WileyPLUS* and review the Animated Grammar Tutorial for this grammar point.

HINT

Review direct object pronouns in *Capítulo 6*, p. 207. Remember to ask the questions *Who(m)?* or *What?* to identify the direct object.

4. Indicating to whom or for whom something is done: Indirect object pronouns

An indirect object identifies the person *to whom* or *for whom* something is done. Thus, this person receives the action of the verb *indirectly*.

To whom?	*I gave the package **to her**. / I gave **her** the package.*
For whom?	*I bought some tea **for him**. / I bought **him** some tea.*

In contrast, remember that the direct object indicates who or what directly receives the action of the verb.

Who(m)?	*I saw **her** yesterday.*
What?	*Did you buy **the newspaper**?*

Indirect object nouns are generally introduced by **a**.

Dimos una sorpresa **a Juan.**
　　　(OD)　　　(OI)

Pronombres de objeto indirecto

You already know the indirect object pronouns: they are the forms used with the verb **gustar** to indicate *to whom* something is pleasing.

A Carlos **le** gustó mucho la plaza.　　*Carlos liked the plaza very much.*
(OI)　　　　　　　　　　　(S)

me	*me (to/for me)*	José **me** dio una foto de los mapuches.
te	*you*	¿**Te** dio una carta?
le	*you (formal)* *him* *her*	Él quiere dar**le** un libro a usted. Yo quiero dar**le** un libro a él. Quiero dar**le** un libro a ella también.
nos	*us*	Nuestros amigos **nos** compraron chocolates.
os	*you*	¿**Os** pidieron algo?
les	*you/them*	¿Ellos **les** mandaron tarjetas postales **a ustedes**?

Position of indirect object pronouns

The indirect object pronoun, like the direct object pronoun and reflexive pronoun, is placed immediately before a conjugated verb, but may be attached to an infinitive or a present participle.

Me dijeron que esa película es muy buena.	*They told me that that movie is really good.*
¿Vas a comprar**me** esa revista? ¿**Me** vas a comprar esa revista?	*Are you going to buy me that magazine?*
Estoy dándo**le** mi tarjeta de crédito. **Le** estoy dando mi tarjeta de crédito.	*I'm giving her/him my credit card.*

- **Redundancy.** Even though it may sound redundant, third-person indirect object pronouns (**le/les**) are generally used in conjunction with the indirect object noun.

Les escribí **a mis primos.**	*I wrote **to my cousins.***
También **le** escribí **a Mónica.**	*I wrote **to Mónica** too.*

- **Le** and **les** are often clarified with the preposition **a** + *pronoun.*

Le escribí a **ella** anoche.	*I wrote **to her** last night.*

It is also common to use the forms **a mí, a ti, a usted, a él, a ella, a nosotros/as, a vosotros/as, a ustedes, a ellos, a ellas** with the indirect object pronoun for emphasis.

Sancho **me** mandó el paquete **a mí.**	*Sancho sent the package **to me.*** *(not to someone else)*

Dar and other verbs that frequently require indirect object pronouns

The verb **dar** (*to give*) is almost always used with indirect objects. Review its present tense conjugation and study the preterit.

dar			
Presente		**Pretérito**	
doy	damos	di[1]	dimos
das	dais	diste	disteis
da	dan	dio	dieron

[1]Note that in the preterit **dar** uses **–er/–ir** endings, but with no written accent.

- Some verbs that frequently have indirect objects are **contestar, decir, enviar, escribir, mandar,** and **pedir** as one generally tells, sends, or asks for something (OD) to someone (OI).

Here are some new verbs that frequently have indirect objects:

contar (ue)	*to tell, narrate (a story or incident)*	**preguntar**	*to ask*
devolver (ue)	*to return (something)*	**prestar**	*to lend*
explicar	*to explain*	**regalar**	*to give (as a gift)*
mostrar (ue)	*to show*		

7-27 **¿Qué hice o qué voy a hacer?** Relaciona las declaraciones de la columna A con las actividades correspondientes de la columna B. Lee las oraciones relacionadas.

	A	B
____ **1.**	Mis abuelos siempre quieren saber lo que estoy haciendo en la universidad.	**a.** Voy a prestarle mi carro.
____ **2.**	Es el cumpleaños de mi madre.	**b.** Le di una de mis calculadoras.
____ **3.**	Fui al banco ayer y abrí una cuenta para mi sobrino.	**c.** Voy a pedirte la dirección.
____ **4.**	Mi amiga Natalia no tiene medio de transporte y necesita ir al centro.	**d.** Le conté toda la historia (*story*).
____ **5.**	Quiero ir al restaurante argentino esta noche. Tú sabes dónde está, ¿verdad?	**e.** Le deposité $100 para empezar a ahorrar.
____ **6.**	Mi hermana quería saber lo que pasó. anoche	**f.** Voy a escribirles una carta.
____ **7.**	¿No entendiste los pronombres?	**g.** Le mandé un regalo.
____ **8.**	Camila tiene problemas con las matemáticas.	**h.** Voy a ir para darles apoyo (*support*).
____ **9.**	Rubén y Oscar van a tocar en un concierto este fin de semana.	**i.** Te voy a explicar las ideas más importantes.

7-28 **Sondeo: Cuestiones personales.** Casi todos tenemos buenas relaciones con nuestros padres, hermanos, mejores amigos, etc., pero ¿hasta qué punto?

Paso 1. Indica tus respuestas a las siguientes preguntas.

	padre	madre	hermanos/as	mejor amigo/a	pareja	otros
¿A quién...						
...le pides consejo?						
...le cuentas todo?						
...le dices tus notas?						
...le prestas tus apuntes de clase?						
...le prestas libros, discos, etc.?						
¿Quién...						
...te pide consejo?						
...te cuenta todo?						
...te dice sus notas?						
...te presta sus apuntes de clase?						
...te presta libros, discos, etc.?						

Paso 2. Ahora, en grupos, hablen sobre sus respuestas y discutan las posibles diferencias personales.

Modelo: **Yo les pido consejo a mi madre y a mi padre porque... pero no les pido consejo a mis hermanos porque...**

7-29 La tarjeta perdida (*lost*). Completa las oraciones. Usa los pronombres **lo/la** (directos) o **le** (indirecto) según la situación.

Ayer Manuel _____ pidió un favor a su novia Linda._____ dio su tarjeta del cajero automático y_____ dijo: "¿Puedes ir al cajero esta tarde y sacar_____ $100?" Cuando Linda llegó al cajero y buscó la tarjeta ¡no_____ pudo encontrar! _____ buscó en su mochila y en los bolsillos (*pockets*). ¿Quizá _____ dejó en su cuarto? Llamó a su compañera y _____ preguntó: "¿Hay una tarjeta en mi escritorio?" Su compañera _____ respondió que no. Pero unos segundos después, dijo "¡ _____ encontré! Está al lado de la puerta!" Cuando por fin Linda _____ llevó el dinero a Manuel, no _____ contó nada de la tarjeta perdida

 7-30 Un paseo por la ciudad.

Paso 1. Tienes unos amigos que viven en Santiago, Chile. Fuiste a visitarlos y te divertiste mucho. Ahora dile a un/a compañero/a lo que hicieron tus amigos para ti durante tu visita a Santiago. Aquí tienes algunas ideas.

organizar una fiesta	llevar por toda la ciudad	comprar cosas en un
llevar a una plaza	invitar al teatro	centro commercial
cocinar algo especial	presentar (*introduce*) a sus amigos	sacar fotos en el museo

Modelo: **Mis amigos me...**

Paso 2. ¿Cuál fue tu mejor (*best*) visita a unos amigos? ¿Y la peor (*worst*)? Cuéntaselo a tu compañero/a y explica por qué una visita te gustó y la otra no.

NOTA CULTURAL

Pablo Neruda

Pablo Neruda (1904-1973) was Chilean, but spent a good part of his adult life in various countries in Asia and Europe. Neruda is among the most distinguished Latin American poets of the twentieth century. His prolific writing, considered exceptional, lead him to winning the Nobel Prize for Literature in 1971. He died with eight books still unpublished.

▲ Pablo Neruda acepta el Premio Nobel del rey de Suecia.

Dicho y hecho

PARA LEER: El Tortoni: Café con historia

ANTES DE LEER

1. ¿Conoces un restaurante o café al que va mucha gente famosa? ¿Cuál es y dónde está? Si no, ¿hay algún café o restaurante donde vives que tiene mucha historia?

2. Intenta emparejar las personas siguientes con su descripción.

____ Jorge Luis Borges	a. cantante de tango argentino
____ Carlos Gardel	b. actor italiano
____ Vittorio Gassman	c. escritor argentino
____ Alfonsina Storni	d. director de cine estadounidense
____ Federico García Lorca	e. escritor español
____ Francis Ford Coppola	f. poeta argentina
____ Arthur Rubinstein	g. pianista estadounidense

ESTRATEGIA DE LECTURA

Writing down unfamiliar words As you read through a text for the first time, write down unfamiliar words that seem important in understanding the overall meaning. Note: This does not mean that you should write down every word you don't understand. As you read each paragraph, focus on new words that seem key in understanding its message. Often you will find that as you read further, context will help you understand some of these key words and, as your comprehension of the text's overall message develops from one paragraph to another, you may decide some of the words you've written down aren't so important after all.

As you read the article about el *Café Tortoni* through for the first time, write down two or three unfamiliar words in each paragraph. Then, as you read each paragraph more closely a second time, decide which of the words you've written down still seem key to unlocking its meaning and go ahead and look those up.

A LEER

Pocos son los turistas que visitan Buenos Aires y no se acercan a conocer el célebre Café Tortoni. A lo largo de sus 150 años de vida, ha formado una parte importante en la historia de la ciudad, y su nombre está asociado al tango y la literatura, al jazz y la pintura, la política y las artes plásticas[1]. Sus mesas de mármol[2] fueron frecuentadas por figuras tan relevantes como Jorge Luis Borges, Carlos Gardel, Vittorio Gassman, Juan Manuel Fangio, Federico García Lorca o Francis Ford Coppola, otorgándole[3] un aura de leyenda y fama internacional.

Origen

Fundado en 1858 por el francés Jean Touan, el primer emplazamiento[4] del Café fue en la esquina de las calles Rivadavia y Esmeralda, llamándose "Tortoni" en referencia a un local de París, en el Boulevard des Italiens, donde se reunía la élite de la cultura parisina en el siglo XIX. Es en 1880 cuando el Tortoni se traslada[5] a su lugar actual, teniendo su entrada por la calle Rivadavia hasta 1898. A partir de entonces, la entrada principal se ubicó[6] en la Avenida de Mayo. También por esta época, el local cambió de dueño, pasando a ser propiedad de otro francés, Celestino Curtuchet, que habitaba en los altos[7] del Café.

Pasado y presente

En 1926, un grupo de clientes habituales autodenominado[8] "Agrupación Gente de Artes y Letras" pero popularmente conocidos como La Peña[9], piden permiso al dueño del establecimiento para reunirse en la bodega[10]. Son un grupo de pintores, escritores, periodistas y músicos que se dedica a la difusión de la cultura mediante conciertos, recitales, conferencias, etc.

---

[1]visual arts, fine arts [2]marble [3]bestowing upon it [4]location, site [5]moves [6]was located [7]above [8]self-proclaimed [9]club [10]wine cellar, store room

Entre los asistentes figuraban celebridades de todas las disciplinas, desde Ortega y Gasset hasta Albert Einstein, pasando por Alfonsina Storni y Arthur Rubinstein. La Peña funcionaría hasta 1943, cuando se cierra la bodega donde se reunían y el grupo se disolvió. Ahora la "Asociación Amigos del Café Tortoni" continúa con la labor de La Peña.

En la actualidad, el propietario es el Touring Club Argentino y la bodega es escenario habitual para artistas de distinto género. El tango, por ejemplo, siempre tuvo un sitio preferente en el Café Tortoni, y en la primera planta del mismo edificio, tiene su sede la Academia Nacional del Tango. Otras actividades incluyen presentaciones de libros, concursos de poesía y exposiciones de pintura.

Texto: Carlos Paredes / Punto y coma
Fotografía: Beatrice Murch

DESPUÉS DE LEER

1. Indica si estas afirmaciones son **ciertas** o **falsas** según lo que leíste.

	Cierto	Falso
a. El Café Tortoni está en el lugar donde se fundó en 1858.	☐	☐
b. El grupo de intelectuales La Peña organizó muchos eventos culturales en el Café Tortoni.	☐	☐
c. Actualmente hay espectáculos de tango en el café.	☐	☐

2. De todos los personajes famosos mencionados en la lectura, ¿a quién te gustaría conocer? ¿Por qué?

3. ¿Crees que un grupo artístico como "La Peña" o la "Asociación Amigos del Café Tortoni" podría formarse en un café de cadena (*chain*) como Starbucks? ¿Por qué sí o no?

4. En tu ciudad, ¿hay grupos de artistas que se reúnen regularmente? ¿Dónde?

Dicho y hecho

PARA CONVERSAR: ¿Qué compramos?

En parejas, imaginen que son hermanos de visita en Buenos Aires, pero pronto vuelven a casa. Tienen $250 pesos argentinos (ARS), que es aproximadamente el equivalente a $60 dólares estadounidenses, y quieren gastarlos antes de irse. Cada uno (*Each one*) de ustedes quiere comprar un recuerdo (*souvenir*), pero también quieren llevar regalos a sus padres.

PALABRAS ÚTILES

A mí me gusta más....
Yo prefiero....
(No) Me parece buena idea...

caro/a	*expensive*
barato/a	*inexpensive, cheap*
un buen precio	*a good price*

ESTRATEGIA DE COMUNICACIÓN

Expressing emphatic reaction You and your classmate may not agree on how to spend all of your money. Look at the list of items available to get a sense of what things you think are well priced and what things you think are too expensive. Think about what things are useful, practical, etc. and which might be frivolous (to you). As you discuss what to buy with your classmate, react emphatically to her/his suggestions when you don't agree. Here are some useful expressions.

¡(Pero) hombre/mujer...!	(roughly equivalent to *Come on now!*)
¿Cómo?	*What!?*
¡Ay no!	*No way!*
¡Ni pensarlo!	*Don't even think about it!; Not a chance!*

Dos libras (*pounds*) de mate y una bombilla	$ 97	ARS
Una cartera de cuero (*leather*)	$116	ARS
Una botella de vino de Mendoza	$ 77	ARS
Un CD de tango	$ 77	ARS
Una camiseta del grupo de rock Los Piojos	$ 96	ARS
Un libro de recetas de comida argentina	$ 58	ARS

PARA ESCRIBIR: Tres días en Santiago o en Buenos Aires

Vas a preparar una propuesta (*proposal*) para un itinerario de tres días en una capital de América del Sur: Santiago, Chile, o Buenos Aires, Argentina. Tú propuesta está dirigida a una agencia de viajes que va a regalar un viaje al autor del mejor itinerario.

ANTES DE ESCRIBIR

Elige la ciudad que "visitaste" y cuándo (elige un mes):

☐ Santiago, Chile en _____ (mes)

☐ Buenos Aires, Argentina en _____

Haz un mapa de ideas con la información que aprendiste sobre la ciudad en este capítulo. También busca detalles adicionales en Internet. Nota: Es muy importante que consideres cómo es el tiempo en América del Sur en el mes de tu itinerario. Por ejemplo, recuerda que el verano allá es de noviembre a enero.

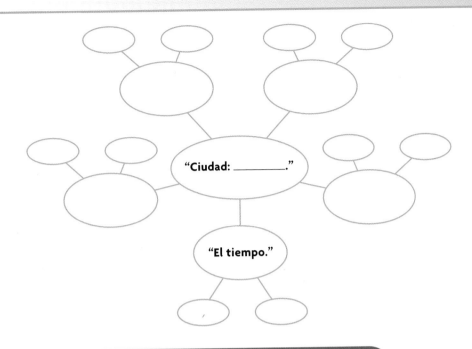

"Ciudad: _____."

"El tiempo."

ESTRATEGIA DE REDACCIÓN

Outlines In *Capítulo 3* you learned how to use idea maps to generate concepts. Once you have a number of good ideas, it's necessary to organize them in a clear and logical way. An outline helps you determine the best order in which to present and develop your ideas. What order is best depends on the type of writing you are doing—a narrative, for example, often uses chronological order to sequence the events of its plot.

It is important to remember that outlines are tools to help you get started, but that they shouldn't limit or restrict you! As part of the writing process, we often change our ideas, and can simply go back and change the outline. Don't be afraid to change your outline as your ideas develop!

Choose one of the models below, or your own thoughts about organization, to outline the ideas you will develop to describe your imagined trip.

Modelo 1	Modelo 2
Párrafo 1: La ciudad que elegí es _____ porque _____. Ahora voy a describir mi propuesta para un itinerario de tres días en esta ciudad.	**Párrafo 1:** La ciudad que elegí es _____ porque _____. Ahora voy a describir mi propuesta para un itinerario de tres días en esta ciudad.
Párrafo 2: Eventos culturales (días 1 y 3): Qué museos visitar, cuánto cuestan las entradas, etc.	**Párrafo 2:** Día 1: Todo lo que quiero hacer.
Párrafo 3: Eventos deportivos (día 2)	**Párrafo 3:** Día 2: Todo lo que quiero hacer.
Párrafo 4: De compras (días 2 y 3): Lo que voy a comprar, dónde, etc.	**Párrafo 4:** Día 3: Todo lo que quiero hacer.
Conclusión: Mi itinerario es fantástico porque...	**Conclusión:** Mi itinerario es muy original porque...

Dicho y hecho

A ESCRIBIR

Escribe un primer borrador que describa tu itinerario con muchos detalles. ¡La agencia de viajes va a pagar un viaje de verdad para la descripción más detallada y entusiasta!

Para escribir mejor: Estas formas de enfatizar adjetivos te pueden ayudar.

muy + adjetivo	*very + adjective*	muy bello
adjetivo + -ísimo/a	*very + adjective*	bellísimo
tan + adjetivo	*so + adjective*	tan bello
realmente + adjetivo	*really + adjective*	realmente bello
enormemente + adjetivo	*greatly + adjective*	enormemente bello

Aquí tienes otras palabras útiles.

incomparable	*incomparable*
impresionante	*impressive, stunning*
extraordinario	*outstanding*

DESPUÉS DE ESCRIBIR

Revisar y editar: El vocabulario. Al escribir es importante escoger palabras y expresiones apropiadas y que expresen nuestras ideas de forma precisa. Presta especial atención al uso de falsos cognados y, si usas un diccionario, comprueba que escoges palabras correctas. También debes evitar la repetición e intentar usar el vocabulario que estás aprendiendo. Hazte (*ask yourself*) estas preguntas:

- [ ] ¿Uso vocabulario preciso y apropiado?
- [ ] ¿Uso vocabulario variado? ¿Demuestra el texto el vocabulario que sé en español?
- [ ] ¿Estoy seguro/a (*sure*) de que no hay falsos cognados o expresiones traducidas (*translated*) literalmente del inglés?

La organización y el contenido. Después de escribir el primer borrador de tu composición, no lo leas (*do not read it*) al menos por un día. Cuando vuelvas (*you return*) a leerlo, corrígelo en términos de contenido, organización y gramática. Después, revisa también el uso de vocabulario con las preguntas de arriba. Además, hazte estas preguntas:

- [ ] ¿Está clara la organización?
- [ ] ¿Hay suficientes detalles?
- [ ] ¿Comunica entusiasmo la composición? ¿Es apropiada para competir por un premio?
- [ ] ¿Es correcta la gramática? ¿Usé correctamente los verbos en pretérito?

PARA VER Y ESCUCHAR: **La plaza: Corazón de la ciudad**

ANTES DE VER EL VIDEO

 En parejas o grupos pequeños, respondan a estas preguntas.

1. ¿Qué lugares o áreas son importantes en esta ciudad? ¿Por qué?
2. ¿Hay alguna plaza en esta ciudad? ¿Qué hace la gente allí?

ESTRATEGIA DE COMPRENSIÓN

Repeated viewing and pausing When you view and/or listen to recorded materials, you can play the video/audio several times. Focus on the main ideas first, and listen for details later. When listening for specific information, you can also use the pause function to take notes of each idea you heard so that you can concentrate on the next segment. Although you might not have a pause or replay option in a conversation in Spanish, you can also ask your interlocutor to repeat (**¿Perdón?** or **¿Puede repetir, por favor?**) or pause (**Un momento, por favor.**)

A VER EL VIDEO

Paso 1. Mira el video y responde a estas preguntas.

1. ¿Cuál era la función original de las plazas?
2. ¿Qué función tienen ahora las plazas?

Paso 2. Observa la siguiente tabla y presta atención a la información que debes obtener. Vas a escuchar el video dos veces (*twice*). La primera vez, usa la pausa después de cada sección para tomar notas. La segunda vez, intenta completar tus notas sin usar la pausa.

Plazas que vemos en el video	Eventos en las plazas actuales	Actividades y entretenimiento

DESPUÉS DE VER EL VIDEO

 En grupos pequeños, respondan a estas preguntas.

1. ¿En qué son similares y diferentes las plazas hispanas y las de tu comunidad?
2. ¿Hay otros lugares en tu comunidad que tienen una función similar a la plaza hispana?

Repaso de vocabulario activo

Adjetivo

el mejor   *the best*

Preposiciones

al lado de   *beside, next to*
antes de   *before*
cerca de   *near, close to*
debajo de   *beneath, under*
delante de   *in front of*
dentro de   *inside*
después de   *after*
detrás de   *behind*
en   *in, on*
encima de   *on top of, above*
enfrente de   *opposite, facing*
entre   *between, among*
en vez de   *instead of*
frente a   *opposite, facing*
fuera de   *outside*
lejos de   *far from*
para + infinitivo   *in order to + do something*
por   *by, through, alongside, around*
sobre   *on*

Sustantivos
En el banco   *In the bank*

el cajero automático   *ATM machine*
el cambio   *change, small change, exchange*
el cheque   *check*
el cheque de viajero   *traveler's check*
la cuenta   *account*
el efectivo   *cash*
la moneda   *currency, money, coin*
la tarjeta de crédito/débito   *credit/debit card*

En la ciudad   *In the city*

el almacén/la tienda por departamentos   *department store*
el autobús   *bus*
la avenida   *avenue*
el banco   *bank; bench*
el bar   *bar*
el café   *café, coffee shop*
la calle   *street*

el centro comercial   *shopping center, mall*
el cine   *movie theater, cinema*
el edificio   *building*
la entrada   *entrance; ticket*
la estatua   *statue*
la gente   *people*
la iglesia   *church*
la joyería   *jewelry store*
la librería   *bookstore*
el lugar   *place*
el metro   *metro, subway*
el museo   *museum*
las noticias   *news*
la obra de teatro   *play (theater)*
la parada de autobús   *bus stop*
el parque   *park*
la pastelería   *pastry shop, bakery*
la película   *film, movie*
el periódico   *newspaper*
la pizzería   *pizzeria*
la plaza   *plaza, town square*
el quiosco   *kiosk, newsstand*
el rascacielos   *skyscraper*
el restaurante   *restaurant*
la revista   *magazine*
el taxi   *taxi*
el teatro   *theater*
la zapatería   *shoe store*

En la oficina de correos
In the post office

el buzón   *mailbox*
la carta   *letter*
la dirección   *address*
la estampilla/el sello   *stamp*
el paquete   *package*
el sobre   *envelope*
la tarjeta postal   *postcard*

Verbos y expresiones verbales

abrir   *to open*
ahorrar   *to save*
cambiar   *to change, exchange*
cerrar (ie)   *to close*
cobrar   *to cash; to charge*
contar (ue)   *to count*

contestar   *to answer, reply*
depositar   *to deposit*
empezar (ie)   *to start*
encontrar (ue)   *to find*
entrar (en/a)   *to enter, go in*
enviar   *to send*
esperar   *to wait (for)*
firmar   *to sign*
gastar   *to spend (money)*
hacer cola/fila   *to be in line*
invertir (ie, i)   *to invest*
invitar   *to invite*
morir (ue, u)   *to die*
pagar   *to pay (for)*
pasar   *to pass, go by; to spend (time)*
perder (ie)   *to lose*
recibir   *to receive*
repetir (i, i)   *to repeat*
retirar   *to withdraw (money)*
terminar   *to finish*

Autoprueba y repaso

I. Prepositions of location. Todas las oraciones siguientes son falsas. Para corregirlas, cambia las preposiciones.

> **Modelo:** El buzón está detrás de la oficina de correos.
> **El buzón está *delante* de la oficina de correos.**

1. La gente está fuera del cine.
2. La iglesia está enfrente del banco.
3. La estatua está lejos del centro de la ciudad.
4. En el quiosco, las revistas están debajo de los periódicos.

II. Pronouns with prepositions. Termina las oraciones con los pronombres preposicionales correctos.

1. ¿Quieres ir con (*me*)?
2. Lo siento; no puedo ir con (*you, fam., s.*).
3. El pastel es para (*them*).
4. Y, ¿qué tienes para (*us*)?

III. Demonstrative adjectives and pronouns.

A. Indica qué lugares vas a visitar. Usa adjetivos demostrativos según las indicaciones.

> **Modelo:** Voy a visitar el museo. (cerca)
> **Voy a visitar este museo.**

1. Voy a visitar la iglesia. (un poco lejos)
2. Voy a visitar el museo. (cerca)
3. Quiero ver las obras de arte. (cerca)
4. Queremos ver los rascacielos. (muy lejos)

B. Contesta con un pronombre demostrativo.

> **Modelo:** ¿Te gusta este almacén?
> **No, prefiero ése.**

1. ¿Te gustan estas tiendas?
2. ¿Te gustan estos zapatos?
3. ¿Te gusta este restaurante?
4. ¿Te gusta esta pizzería?

IV. The preterit of *hacer* and stem-changing verbs. Hoy tú eres el/la profesor/a. Usando el pretérito, hazles preguntas a las personas indicadas. Imagina que ellos responden. Escribe las preguntas y las respuestas.

> **Modelo:** repetir los ejercicios / Ana
> Profesor/a: **Ana, ¿repetiste los ejercicios?**
> Ana: **Sí, los repetí.**

1. pedir ayuda a un tutor / Carlos y Felipe
2. dormir bien después de volver del centro / Alberto
3. hacer algo interesante en el centro / Linda y Celia
4. divertirse / Linda y Celia
5. preferir la ópera o el ballet / el director de la escuela (Sr. Sancho)

V. Indirect objects and indirect object pronouns. El tío Pedro acaba de regresar de Argentina. ¿Qué les trajo (*brought*) a ti y tu familia?

> **Modelo:** a mí / comprar / una mochila de cuero.
> **Me compró una mochila de cuero.**

1. a mí / dar / unos CD de rock argentino.
2. a mi hermana / regalar / un DVD para aprender a bailar tango.
3. a mis hermanos / comprar / camisetas de la selección argentina de fútbol.
4. a nosotros / mandar / muchas tarjetas postales desde lugares diferentes.
5. a ti / prestar / su cámara

VI. *Repaso general.* Contesta con oraciones completas.

1. ¿A qué hora abren los bancos en tu ciudad? ¿Y los almacenes?
2. ¿Gastaste mucho dinero en restaurantes el mes pasado? ¿Qué pediste?
3. Ayer fuiste a un café con tus amigos/as. ¿Qué pidieron ustedes?
4. ¿Fueron tú y tus amigos/as al centro el sábado por la noche? ¿Para qué?
5. ¿Cuántas horas dormiste anoche?
6. ¿Qué hiciste anoche?
7. ¿Qué hicieron tú y tus amigos/as el fin de semana pasado?
8. ¿Le diste la tarea para hoy a la profesora/al profesor?

VII. *Cultura.*

1. ¿Cuáles son los dos países más grandes del Cono Sur?
2. ¿Cuáles fueron los grupos europeos más numerosos que inmigraron a Buenos Aires?
3. Explica quiénes son tres de las siguientes personas o grupos: Salvador Allende, Augusto Pinochet, Juan Perón, los mapuches, Benito Quinquela Martín, los gauchos, Jorge Luis Borges, Gabriela Mistral.

Las respuestas de *Autoprueba y repaso* se pueden encontrar en el **Apéndice 2**.

8

WILEY
PLUS

De compras

Así se dice

De compras
   La transformación de Carmen

Así se forma

1. Possessive adjectives and pronouns
2. The preterit of irregular verbs
3. Direct and indirect object pronouns combined
4. Indefinite words and expressions

Cultura

- Perú, Ecuador y Bolivia
- La ropa tradicional

Dicho y hecho

Para leer:
Peseta: La democratización de lo exclusivo

Para conversar:
El equipaje perdido

Para escribir:
La ropa aquí y allá

Para ver y escuchar:
El arte del tejido: Una tradición viva

By the end of this chapter you will be able to:

- Talk about and purchase clothing
- Indicate and emphasize possession
- Talk about actions in the past
- Express negation

ENTRANDO AL TEMA

1. ¿Sabes cuál es la moneda oficial de Ecuador?
   ☐ el peso   ☐ el sucre   ☐ el dólar

2. ¿En qué tipo de compras se puede regatear (*bargain*) el precio en Estados Unidos? ¿Con qué cosas o en qué lugares no se puede regatear?

Así se dice

De compras

La Única ROPA PARA DAMAS

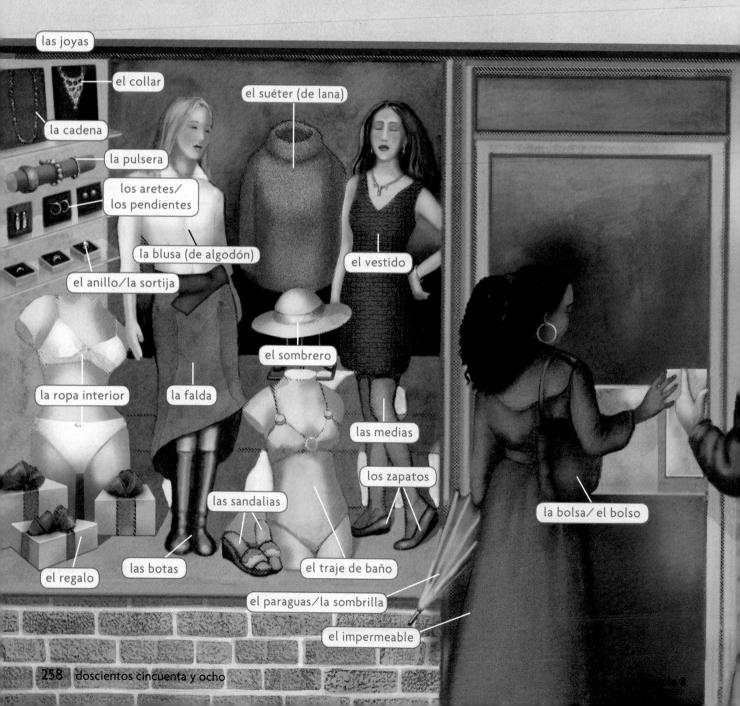

- las joyas
- el collar
- la cadena
- la pulsera
- los aretes/ los pendientes
- el anillo/la sortija
- el suéter (de lana)
- la blusa (de algodón)
- el vestido
- el sombrero
- la ropa interior
- la falda
- las medias
- los zapatos
- la bolsa/ el bolso
- el regalo
- las botas
- las sandalias
- el traje de baño
- el paraguas/la sombrilla
- el impermeable

Y CABALLEROS

WILEY PLUS **Pronunciación:**
Practice pronunciation of the
chapter vocabulary and particular
sounds of Spanish in *WileyPLUS*.

el algodón	cotton
el calzado	footwear
el cuero	leather
la lana	wool
la seda	silk
llevar	to wear
las joyas	jewelry

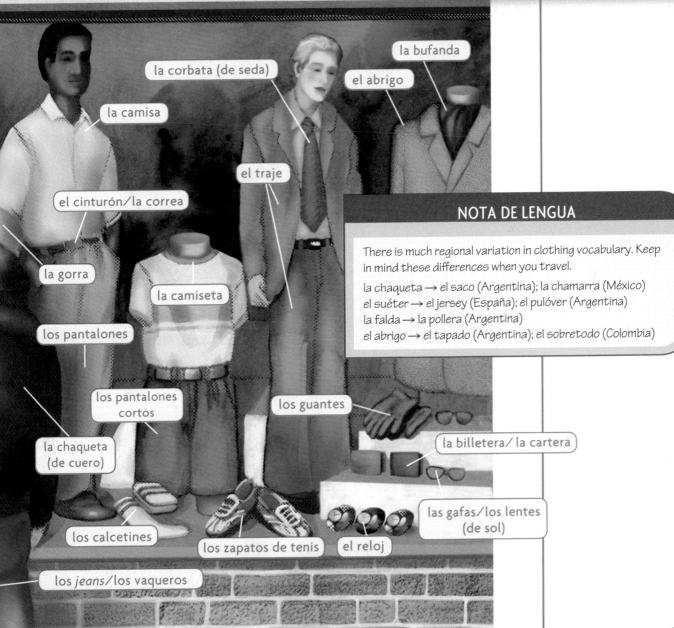

la bufanda

la corbata (de seda)

el abrigo

la camisa

el traje

el cinturón/la correa

la gorra

la camiseta

los pantalones

los pantalones cortos

los guantes

la chaqueta (de cuero)

la billetera/ la cartera

los calcetines

los zapatos de tenis

el reloj

las gafas/los lentes (de sol)

los *jeans*/los vaqueros

NOTA DE LENGUA

There is much regional variation in clothing vocabulary. Keep
in mind these differences when you travel.

la chaqueta → el saco (Argentina); la chamarra (México)
el suéter → el jersey (España); el pulóver (Argentina)
la falda → la pollera (Argentina)
el abrigo → el tapado (Argentina); el sobretodo (Colombia)

8-1 **¿Dónde los encontramos?** Primero, empareja cada artículo con su nombre. Después, indica en qué departamento(s) de la tienda podemos encontrar cada uno.

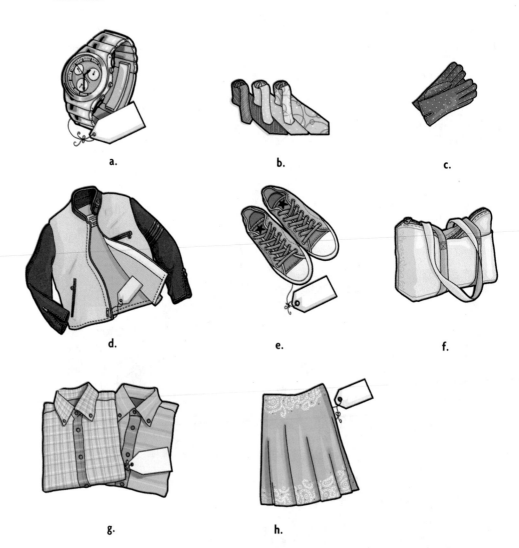

a.

b.

c.

d.

e.

f.

g.

h.

	Departamentos			
	Accesorios	**Zapatos**	**Damas**	**Caballeros**
___ las corbatas	☐	☐	☐	☐
___ la falda	☐	☐	☐	☐
___ el bolso	☐	☐	☐	☐
___ la chaqueta	☐	☐	☐	☐
___ las camisas	☐	☐	☐	☐
___ los guantes	☐	☐	☐	☐
___ los tenis[1]	☐	☐	☐	☐
___ el reloj	☐	☐	☐	☐

[1]**Los tenis** is a common way of referring to **los zapatos de tenis.**

8-2 **¿Para damas o caballeros?** Escucha la mención de varios artículos de ropa y decide si cada uno normalmente se asocia con las damas, los caballeros o los dos.

	Las damas	Los caballeros	Los dos
1.	☐	☐	☐
2.	☐	☐	☐
3.	☐	☐	☐
4.	☐	☐	☐
5.	☐	☐	☐
6.	☐	☐	☐
7.	☐	☐	☐
8.	☐	☐	☐
9.	☐	☐	☐
10.	☐	☐	☐

8-3 **¿De quién es?** Tus amigos olvidaron (*forgot*) algunas cosas en tu cuarto.

Paso 1. Lee las siguientes oraciones y completa el cuadro para deducir quién olvidó cada prenda de vestir (*article of clothing*).

1. La bolsa es negra.
2. Sandra no tiene prendas o accesorios de cuero.
3. La gorra es de algodón.
4. Una prenda es de seda, otra es blanca y roja.
5. Raquel no olvidó una gorra.
6. La corbata es azul con lunares blancos.
7. Óscar olvidó una prenda de algodón.
8. Una chica olvidó su bolsa de cuero.
9. La bufanda es de rayas verdes y blancas.
10. La prenda de Sandra es de lana.

Amigo/a	Prenda	Material	Color
		algodón	
			rayas verdes y blancas
	una bolsa		
Alberto			

Paso 2. Ahora, usa tu imaginación y escribe cuatro oraciones para describir las prendas que tus amigos/as olvidaron.

Modelo: **Andrea olvidó una blusa de algodón amarilla.**

8-4 ¿Qué combina mejor?

Paso 1. Empareja los artículos de ropa de la columna A y la columna B, especificando un color para la ropa de la columna B.

A	B

A	**B**
____ **1.** Una chaqueta gris	**a.** con una camiseta _____
____ **2.** Unos vaqueros	**b.** con unos zapatos _____
____ **3.** Un vestido blanco	**c.** con una corbata _____
____ **4.** Un traje azul	**d.** con una falda/unos pantalones cortos _____
____ **5.** Un abrigo marrón	**e.** con unas botas _____
____ **6.** Un impermeable rosa	**f.** con unas sandalias _____
____ **7.** Una blusa/camisa blanca	**g.** con unos pantalones _____

Paso 2. Compara tus respuestas con las de un/a compañero/a y después, con la clase.

8-5 ¿Qué ropa es apropiada?

Paso 1. Escucha las siguientes descripciones e indica en qué ocasión es apropiado llevar esta ropa. (Algunas opciones pueden ser apropiadas para más de una ocasión.)

____ para ir a la playa

____ para ir a una entrevista de trabajo (*job interview*)

____ para correr en el parque

____ para ir a clase

____ para ir a una cena formal

____ para ir a la discoteca

Paso 2. En tu cuaderno, describe un atuendo (*outfit*) para un hombre y para una mujer para cada ocasión del Paso 1. Puedes repetir prendas y accesorios.

Paso 3. En grupos pequeños, cada estudiante lee una de sus descripciones. El resto del grupo debe identificar la ocasión y si el atuendo es para un hombre o para una mujer.

8-6 El color perfecto para cada ocasión.

Paso 1. Antes de leer.

¿Cuál es tu color favorito? ¿Qué características asocias con ese color?

Paso 2. Lee el texto de la página 263 y contesta las preguntas que siguen.

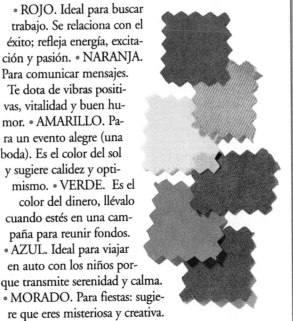

El color perfecto para cada ocasión

• ROJO. Ideal para buscar trabajo. Se relaciona con el éxito; refleja energía, excitación y pasión. • NARANJA. Para comunicar mensajes. Te dota de vibras positivas, vitalidad y buen humor. • AMARILLO. Para un evento alegre (una boda). Es el color del sol y sugiere calidez y optimismo. • VERDE. Es el color del dinero, llévalo cuando estés en una campaña para reunir fondos. • AZUL. Ideal para viajar en auto con los niños porque transmite serenidad y calma. • MORADO. Para fiestas: sugiere que eres misteriosa y creativa.

1. ¿Qué color simboliza energía? ¿Y calma? ¿Y misterio?

2. ¿Qué colores se llevan[1] con frecuencia cuando hace mucho calor? ¿Y cuando hace frío?

3. ¿Qué colores asocias con una persona que suele estar (*usually is*) contenta? ¿Y con una persona que está triste?

4. Según (*According to*) el texto, ¿qué es lo que se asocia con tu color favorito? ¿Crees que estas características describen tu personalidad correctamente? Si el artículo no menciona tu color favorito, ¿qué color es? ¿Y qué crees tú que puede sugerir?

Paso 3. Basándote en el texto *El color perfecto para cada ocasión,* ayuda a estas personas a escoger ropa apropiada para las siguientes ocasiones.

Modelo: Rosa quiere pedir un aumento (*raise*) en el trabajo.
Puede llevar un traje negro porque es elegante y profesional, y una blusa verde para atraer (*attract*) el dinero.

1. El Sr. Donoso va a comer con un cliente importante.

2. Pedro va a trabajar cuidando a niños esta noche.

3. Bernardo tiene una cita (*a date*) esta noche.

4. Andrea va a hacer una presentación en la clase de historia mañana.

5. Leo va a visitar a su abuela en el hospital.

---

[1] The word **se** placed before the verb slightly alters the meaning of the verb. Here, **se llevan** = *are worn;* **llevan** = *they, you (pl.) wear.*

La transformación de Carmen

Antes

Carmen nos habla de su pequeña transformación.

"Para empezar, fui a visitar al oftalmólogo y como resultado de la visita cambié mis gafas por **lentes de contacto,** algo que cambió mi vida radicalmente porque ahora me siento (*I feel*) más joven, más **a la moda.** Luego, organicé mi **ropero**: eliminé varias **cosas,** lavé toda la ropa **sucia** y ahora todo está **limpio** y ordenado. Por supuesto, mi amiga Irene y yo vamos a tener que ir de compras. Quiero comprar una falda **corta** para salir, una falda **larga** para el trabajo, unos pantalones negros, una blusa **de manga corta** y otra de **manga larga.** También voy a comprar unos aretes, un collar y tal vez unos anillos de fantasía (*costume*) porque las joyas de **oro** o **plata** son muy **caras** y yo no tengo mucho dinero. ¡El **precio** siempre es importante para una madre soltera! La verdad es que no sé cuánto va a **costar** todo esto, pero Irene me dice que en el **centro comercial** hay unas tiendas donde venden ropa de moda **barata** porque ahora tienen **rebajas.** Además, primero vamos a **mirar** en varias tiendas y a comparar precios. ¡Ah! Y en cuanto a (*as for*) la **talla,** voy a arreglar (*fix*) ese problemita porque me voy a poner a dieta y todo me va a quedar (*fit*) perfecto".

Después

corto/a	*short*	**el oro**	*gold*
la cosa	*thing*	**la plata**	*silver*
costar (ue)	*cost*	**las rebajas**	*sales*
largo/a	*long*	**el ropero**	*closet*
limpio/a	*clean*	**sucio/a**	*dirty*
de manga (corta)	*(short-)sleeved*	**la talla**	*size*
la moda[1]	*fashion, style*		

NOTA CULTURAL

La formalidad de la ropa

In most United States colleges and universities, it is acceptable for students to attend class in informal clothing such as sweatpants and baseball caps. However, in many Spanish-speaking countries, such attire would be viewed as inappropriate. People tend to dress less informally for school, or to go out in general.

---

[1] While **ir/estar a la moda** is used to refer to people (to dress with style), **estar de moda** is used to talk about a particular article of clothing, color, etc. that is in fashion: **El negro está de moda.**

8-7 ¿Qué puedes ponerte?

Paso 1. Indica las prendas y los accesorios que son apropiados para estos lugares y situaciones.

	Las clases	Una cena formal	La oficina	El cine	El centro comercial	Una fiesta
joyas de oro						
una camiseta vieja						
una bolsa elegante						
una corbata						
una gorra						
sandalias						
jeans						
pantalones cortos						
zapatos de tenis						
una falda corta						
un vestido largo						

 Paso 2. En grupos pequeños, comparen sus respuestas. ¿Tienen opiniones similares?

 Paso 3. En sus grupos, escriban una lista de ropa o accesorios que consideren inapropiados para cada ocasión.

 8-8 **Un gran contraste.** En parejas, tomen turnos para describir el aspecto y la ropa de Esteban y Octavio. Un/a estudiante dice una oración y el otro/la otra adivina (*guesses*) si se refiere a Esteban o a Octavio.

Modelo: Estudiante A: **Lleva una camiseta limpia.**

Estudiante B: **Es Octavio.**

¿Qué impresiones tienen sobre los tipos de cosas y actividades que Esteban y Octavio prefieren hacer según su modo de vestir?

Esteban   Octavio

8-9 ¿Qué prefieres?

Paso 1. Indica tus preferencias respecto a la ropa y las compras y responde a las preguntas de abajo.

1. los suéteres   ☐ de lana   ☐ de algodón   ☐ de seda
2. las camisas   ☐ de manga larga   ☐ de manga corta
3. los pantalones   ☐ cortos   ☐ largos   ☐ los *jeans*
4. el calzado   ☐ los zapatos   ☐ las sandalias   ☐ las botas
5. para los ojos   ☐ gafas   ☐ lentes de contacto
6. la ropa   ☐ elegante   ☐ de calidad   ☐ de moda   ☐ cómoda (*comfortable*)
7. comprar en   ☐ el almacén   ☐ el centro comercial   ☐ Internet
8. ¿Vas de compras frecuentemente? ¿Vas solamente cuando buscas algo específico o para mirar?
9. ¿Cuáles son tus marcas favoritas? ¿Qué tiendas o almacenes prefieres para comprar ropa?

Paso 2. En grupos, comparen sus preferencias: ¿son similares o diferentes?

8-10 El precio correcto.
Trabajan en el Almacén Galerías de la Moda y deben poner las etiquetas de precios en estos artículos. Pero, ¿dónde está la lista de precios? En parejas, decidan qué precio corresponde a cada artículo.

Modelo:
Estudiante A: **Yo creo que el reloj cuesta 370 dólares.**
Estudiante B: **¿Tú crees? Me parece un precio barato.**
Estudiante A: **Pero no es de oro, ¿verdad?...**

NOTA DE LENGUA

While shopping, one usually looks for, looks at, and sees various items. Observe the differences between the verbs **buscar** (*to look for*), **mirar** (*to look at*), and **ver** (*to see*). Natalia y Camila…

buscan un regalo, *are looking for* a gift,
miran varias gafas de sol *look at* various sunglasses,
y **ven** las que quieren comprar. and *see* the ones they want to buy.

EXPRESIONES ÚTILES

¿Tú crees? *Do you think so?*
¿Estás seguro/a? *Are you sure?*
¿Qué te parece? *What do you think?*
Me parece (caro/barato) *It seems (expensive/cheap)*

$3,450
$2,500
$25
$6
$10
$175
$125
$36
$65

The prepositions **por** and **para** can be problematic for English speakers because they both can be equivalent to *for*. Which one is used depends on the meaning we want to convey. You have already studied some uses of **por** and **para** (*Capítulo 7*). Additional uses are:

Para + *person/thing* = *for* + *the recipient/beneficiary of something*

Esta blusa es **para** mi novia.   *This blouse is **for** my girlfriend.*
Necesita una silla **para** su oficina.   *He needs a chair **for** his office.*

Por + *an amount* = *for, in exchange for*

Pagué $200 **por** el collar.   *I paid $200 **for** the necklace.*
~~Pagué $200 **para** el collar.~~

 8-11 **Regalos para todos.** El Almacén Galerías de la Moda tiene rebajas y ustedes compran muchos regalos para su familia y sus amigos. Habla con tu compañero/a y dile qué compraste, para quién es cada regalo y cuánto dinero gastaste. Haz preguntas y comentarios sobre sus compras. Túrnense.

EXPRESIONES ÚTILES

¡Qué barato/caro!
How cheap/expensive!
¡No me digas!
Really?/Seriously?/No way!

Modelo: Estudiante A: **Estos guantes son para mi hermana. Los compré por cuatro dólares.**

           Estudiante B: **¡Qué baratos! Pero ahora no hace mucho frío.**

           Estudiante A: **No, pero mi hermana siempre tiene frío.**

8-12 **¿Qué necesitamos?**

Paso 1. El próximo año vas a estudiar en Ecuador y estás pensando en lo que necesitas para el viaje. ¿Qué ropa y accesorios vas a necesitar para ir a los siguientes lugares? En la sección de cultura sobre Ecuador, en las páginas 270–271, vas a encontrar información interesante sobre su clima.

Las playas de Guayaquil (agosto)	Volcán Chimborazo (noviembre)	Selva amazónica (septiembre)	Cena en la Embajada de EE.UU. en Quito (octubre)

 Paso 2. ¡Qué casualidad! Tu compañero/a también va a ir a Ecuador. Comparen sus listas y expliquen por qué van a llevar estas cosas. ¿Quieres eliminar, añadir (*add*) o cambiar algo en tu lista?

Así se forma

WILEY PLUS Go to *WileyPLUS* and review the Animated Grammar Tutorial for this grammar point.

1. Emphasizing possession: Possessive adjectives and pronouns

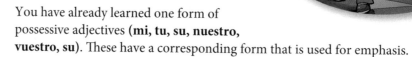

¡Esta pelota es mía!

¡No es tuya! ¡Es mía!

¡Niñas!

You have already learned one form of possessive adjectives (**mi, tu, su, nuestro, vuestro, su**). These have a corresponding form that is used for emphasis.

Es **mi** bolsa.   *It's **my** purse.*
Esa bolsa es **mía**.   *That purse is **mine**.*

These emphatic possessive forms are also adjectives and therefore agree in gender (masculine/feminine) and number (singular/plural) with the thing possessed.

Los posesivos enfáticos		
mío/a, míos/as	*mine*	Esa chaqueta es **mía**.
tuyo/a, tuyos/as	*yours*	¿Los guantes azules son **tuyos**?
suyo/a, suyos/as[1]	*his*	Pepe dice que esa gorra es **suya**.
	hers	Ana dice que esas botas son **suyas**.
	yours (usted)	¿El bolso de cuero es **suyo**?
nuestro/a, nuestros/as	*ours*	Esa casa es **nuestra**.
		Esos dos gatos son **nuestros**.
vuestro/a, vuestros/as	*yours*	¿Es **vuestro** ese carro?
		¿Son **vuestras** las bicicletas?
suyo/a, suyos/as	*theirs*	Ana y Tere dicen que esas cosas son **suyas**.
	yours (ustedes)	Señoras, ¿son **suyos** estos paraguas?

They follow either a form of the verb **ser** to indicate *mine, yours,* etc., or a noun to indicate *of mine, of yours,* etc.

Esas botas son **mías**.   *Those boots are **mine**.*
Pero un amigo **mío** dice que son **suyas**.   *But a friend of **mine** says that they are **his**.*

---

[1]As with **su/sus**, if the context does not clearly indicate who **suyo/a/os/as** refers to, you may use an alternate form for clarity.

Es **su** ropa.   Or,   Es la ropa **de él/ella/usted**.
Esa ropa es **suya**.   Or,   Esa ropa es **de ellos/ellas/ustedes**.

Possessive pronouns are used when the possessed object has been mentioned before, to avoid repetition. Their form is similar to that of emphatic possessive adjectives but they require the use of definite articles (**el, la, los, las**).

—Tengo mi suéter. ¿Tienes el **tuyo**?
—Sí, tengo el **mío**.

*I have my sweater. Do you have **yours**?*
*Yes, I have **mine**.*

8-13 **En la lavandería (*laundromat*).** Alfonso y Rubén están en la lavandería y usan la misma (*same*) secadora. Ahora cada uno busca su ropa.

Paso 1. Presta atención a lo que dicen e indica a qué prendas se refieren.

Rubén dice:

1. Esta es mía.   **a.** la chaqueta   **b.** los pantalones   **c.** el suéter
2. Este es mío.   **a.** los calcetines   **b.** el suéter   **c.** la camiseta

Alfonso dice:

3. Estos son míos.   **a.** la chaqueta   **b.** la camisa   **c.** los pantalones cortos
4. Estas son mías.   **a.** las camisas   **b.** los jeans   **c.** el impermeable

Alfonso   Rubén

WILEY
PLUS Go to *WileyPLUS* and review the Animated Grammar Tutorial for this grammar point.

Paso 2. Ahora, completa estas oraciones indicando de quién es cada prenda.

1. Rubén dice que **la chaqueta es…**
2. Alfonso dice que…
3. Rubén dice que…
4. Alfonso dice que…

8-14 **¡Un ladrón o una ladrona (*robber, thief*) en la clase!** ¡Cierren los ojos! (El/La profesor/a va a caminar por la clase "robando" algunos de los artículos de los/as estudiantes para ponerlos sobre su escritorio.) Luego, abran los ojos y contesten las preguntas del/de la profesor/a.

Modelo: Profesor/a: Señor/Señorita, ¿es suyo este reloj?

           Estudiante: No, no es **mío**.

           Profesor/a a la clase: Pues, ¿de quién es?

           Un/a estudiante indica: Es **suyo**.   O,   Es **de Lisa**.

DICHOS

Se cree el ladrón que todos son de su condición.

¿Qué significa el dicho? ¿Estás de acuerdo?

Antes de leer

1. ¿Cuáles son las capitales de estos tres países? ¿Qué país tiene dos capitales?
2. ¿Qué tienen Ecuador y Perú que no tiene Bolivia?
   ☐ costa (*coast*)   ☐ frontera con otro país   ☐ montañas
3. ¿Sabes por qué es famoso Machu Picchu?
4. ¿Cómo se llama el lago que está en la frontera entre Perú y Bolivia?

EL GRAN IMPERIO INCA

Ecuador, Perú y Bolivia están situados en el corazón (*heart*) de los Andes y formaban parte del antiguo Imperio inca llamado Tahuantinsuyo. Con una extensión de 3,000 millas de norte a sur, la zona está caracterizada por espectaculares picos nevados, impresionantes volcanes y el inmenso **lago Titicaca**. Los emperadores incas gobernaron durante casi 400 años. Bajo su gobierno a nadie le faltó (*no one lacked*) comida ni ropa y después de conquistar a otras tribus, los incas incorporaban a los líderes conquistados en su gobierno. El último emperador inca fue Atahualpa y fue capturado en 1532 por Francisco Pizarro cuando los españoles conquistaron la región. Durante este periodo la ciudad peruana de **Lima** se convirtió en el centro colonial más importante de América del Sur.

Los incas perfeccionaron el cultivo de la papa y el cuidado del ganado (*livestock*) de los Andes, como las llamas y las alpacas. Muchos indígenas todavía llevan la ropa tradicional andina: sarapes, ponchos y sombreros hechos de lana de alpaca. Después del español, el quechua es la lengua más hablada entre los indígenas de la zona andina. Las siguientes palabras proceden del quechua: *cóndor*, *puma* y *papa*. Aunque es una lengua minoritaria, el quechua es uno de los idiomas oficiales de Ecuador.

ECUADOR

La línea ecuatorial que pasa por el norte de **Quito** le dio su nombre al país. Ecuador es un país pequeño, pero de grandes contrastes geográficos. En sus costas cálidas y secas hay playas excelentes. En la región oriental está la zona amazónica, donde el clima es caliente y húmedo y existe una gran variedad de flora y fauna. El área andina, con impresionantes volcanes, tiene un clima frío y seco.

Quito, la capital de Ecuador, tiene una zona antigua de gran belleza con numerosos ejemplos de arte y arquitectura coloniales. Por eso, muchas personas la llaman "la cara de Dios (*the face of God*)". En la foto se ve la Plaza de la Independencia. El 10 de agosto de 1809 el primer grito (*cry*) de independencia de América Latina se dio en Quito. En 1822, Ecuador se independizó de España y se incorporó a la Gran Colombia. En 1830 se convirtió en una república independiente. En el año 2000, Ecuador adoptó el dólar de Estados Unidos como moneda nacional.

▲ Plaza de la Independencia, Quito, Ecuador

Hoy en día, muchas de las flores y plantas que se venden en las floristerías de Estados Unidos y Europa provienen de Ecuador.

Las islas Galápagos, donde Darwin desarrolló muchas de sus teorías, son un verdadero tesoro ecológico. Estas islas, cuyo nombre oficial es "Archipiélago de Colón", quedan a unas 600 millas de la costa ecuatoriana. En ellas coexisten especies de reptiles, aves (*birds*) y plantas únicas en el mundo. Las tortugas (*turtles*) de las Galápagos pueden vivir sin comer un año, llegar a pesar 500 libras y vivir hasta 100 años.

Tortuga Galápago ▶

PERÚ

erú es el tercer país más grande de América del Sur. La costa árida del Pacífico (donde están Lima y el puerto principal, **El Callao**) es la región más dinámica del país, pero el área andina, con montañas muy elevadas, domina su geografía. La influencia indígena en Perú es muy marcada. En la foto, la calle de Cuzco muestra la fusión de las culturas indígena y española. Los incas construyeron el muro de piedra (*stone wall*) y los españoles construyeron la parte superior del edificio. Los idiomas oficiales de Perú son el español y un gran número de lenguas indígenas, entre las que destacan el quechua y el aimara.

▲ Cuzco, Peru

◀ Ciudad de Machu Picchu, Perú

Cerca de Cuzco, Perú, a más de 8,000 pies de altura, los incas construyeron la ciudad de **Machu Picchu**. Esta ciudad refleja el alto nivel de tecnología del Imperio inca. Los españoles no sabían de la existencia de Machu Picchu y, después de la conquista, el sitio se perdió durante siglos. Sus ruinas fueron redescubiertas en 1911 por el arqueólogo estadounidense Hiram Bingham.

Mario Vargas Llosa es un famoso escritor peruano. Fue parte del *boom* literario latinoamericano y alcanzó la fama en la década de 1960 con novelas como *La ciudad y los perros* (1963) y *La casa verde* (1965). A lo largo de su carrera, ha recibido numerosas distinciones, entre ellas el Premio Rómulo Gallegos (1967) el Premio Cervantes (1994) y el Premio Nobel de Literatura (2010). Entre sus obras cabe señalar *Pantaleón y las visitadoras* (1973), *La tía Julia y el escribidor* (1977), *Lituma en los Andes* (1993) y *La fiesta del Chivo* (2000). En 1990, Vargas Llosa se presentó a la presidencia de Perú, pero perdió frente a Alberto Fujimori.

En 1999, en las afueras de Lima, Perú, se descubrió un cementerio inca con una extensión aproximada de 20 acres. Esta zona se conoce con el nombre de Puruchuco-Huaquerones. Hasta el momento más de 2,200 momias envueltas en bultos de tela (*bundles of cloth*) han sido exhumadas (*have been exhumed*) de este sitio arqueológico. Estos bultos pueden llegar a pesar (*weigh*) hasta 500 libras y contienen cuerpos (*bodies*) y los artefactos que los difuntos (*dead*) usaron durante su vida.

En la frontera entre Bolivia y Perú, a unos 12,500 pies de altura, está el lago Titicaca, que es el segundo más grande de América del Sur (mide más de 3,000 millas cuadradas) y el lago navegable más alto del mundo. En esta foto, se cruza el lago en una canoa de totora (*cattail plant*).

Lago Titicaca, Perú ▷

BOLIVIA

El nombre de este país rinde homenaje a Simón Bolívar, el héroe de las guerras de independencia de Hispanoamérica. Bolivia fue parte de Perú durante casi toda la época colonial. Las minas de plata de **Potosí** fueron la atracción principal para los españoles y en tiempos coloniales Potosí llegó a ser la ciudad más poblada de las Américas. Bolivia se independizó en 1825.

▲ La Paz, Bolivia

Sucre es la capital constitucional de Bolivia. **La Paz,** la capital administrativa, es la sede del gobierno. Con sus casi 13,000 pies de altura, es famosa por ser una de las ciudades más altas del mundo. De hecho, debido a la altura y a la poca cantidad de oxígeno, en La Paz es muy difícil encender (*light*) y mantener un fuego. Por eso hay muy pocos incendios (*fires*).

Al igual que en Perú y Ecuador, la presencia indígena es muy visible en Bolivia. Sólo la mitad de los bolivianos hablan español como primera lengua. Además del español, Bolivia tiene más de treinta lenguas oficiales, entre ellas el quechua, el aimara y el guaraní.

Después de leer

1. ¿Dónde se encuentra el lago Titicaca y por qué es famoso? ¿Conoces alguna atracción turística natural situada en la frontera entre Estados Unidos y otro país?

2. ¿Qué hacían los incas después de conquistar otra tribu?

3. ¿A qué país o países se refieren las siguientes oraciones?

	Ecuador	Perú	Bolivia
Las islas Galápagos pertenecen a (*belong to*) este país.	☐	☐	☐
Tiene playas, selva tropical, volcanes y zonas frías.	☐	☐	☐
El quechua es una lengua oficial de este país.	☐	☐	☐
Su capital es una de las ciudades más altas del mundo.	☐	☐	☐
Exporta muchas rosas.	☐	☐	☐

4. El presidente de Ecuador, Rafael Correa, sabe hablar quechua. ¿Algún presidente de Estados Unidos hablaba una lengua indígena?

Así se forma

WILEY PLUS Go to *WileyPLUS* and review the Animated Grammar Tutorial and Verb Conjugator for this grammar point. Consult the verb charts in *Apéndice 1* at the end of your book for additional verbs with irregular preterit forms.

2. The preterit of irregular verbs: Expressing actions in the past

In *Capítulo 7*, you learned the irregular preterit forms of the verb **hacer**. The following verbs also have one consistent preterit stem and the same endings as **hacer**.

estar **estuv-**	tener **tuv-**	poder **pud-**	poner **pus-**	saber **sup-**	venir **vin-**	querer **quis-**	traer **traj-**	decir **dij-**
estuve	tuve	pude	puse	supe	vine	quise	traje	dije
estuviste	tuviste	pudiste	pusiste	supiste	viniste	quisiste	trajiste	dijiste
estuvo	tuvo	pudo	puso	supo	vino	quiso	trajo	dijo
estuvimos	tuvimos	pudimos	pusimos	supimos	vinimos	quisimos	trajimos	dijimos
estuvisteis	tuvisteis	pudisteis	pusisteis	supisteis	vinisteis	quisisteis	trajisteis	dijisteis
estuvieron	tuvieron	pudieron	pusieron	supieron	vinieron	quisieron	trajeron	dijeron

No **tuve** que trabajar anoche. — *I didn't **have** to work last night.*
Algunos amigos **vinieron** a visitarme. — *Some friends **came** to visit me.*
Rubén **trajo** su guitarra. — *Rubén **brought** his guitar.*

- Notice the difference in the **ellos, ellas,** and **ustedes** endings (-**ieron** and -**eron**) between the two groups of verbs above. Verbs whose stems end in **j** add -**eron** instead of -**ieron**.

- The verbs **saber, querer,** and **poder** convey a slightly different meaning in the preterit than in the present.

saber	**Supe** hacerlo.	*I **found out/figured** out how to do it.*
querer	**Quise** hablar con ella.	*I **tried** to speak with her.*
no querer	Ella **no quiso** hablar conmigo.	*She **refused** to speak with me.*
poder	**Pude** terminar el proyecto.	*I **managed** to finish the project.*
no poder	**No pude** encontrar al profesor.	*I **didn't manage** to find the professor.*

8-15 ¿Qué hicieron el fin de semana pasado (*last weekend*)?

Paso 1. Indica qué oraciones de la columna *El fin de semana pasado yo…* en la página 275 son ciertas para ti. Añade una oración original al final.

 Paso 2. Ahora, comparte (*share*) tus respuestas con un/a compañero/a añadiendo (*adding*) más detalles. Anota sus respuestas en la columna *El fin de semana pasado mi compañero/a….*

Modelo:	Estudiante A:	**El sábado hice ejercicio. Fui al gimnasio y monté en bicicleta. ¿Y tú?**
	Estudiante B:	**No, este fin de semana no hice ejercicio.**

El fin de semana pasado yo...	El fin de semana pasado mi compañero/a...
☐ hice ejercicio o practiqué un deporte.	☐ hizo ejercicio o practicó un deporte.
☐ tuve que estudiar mucho.	☐ tuvo que estudiar mucho.
☐ estuve en el centro comercial.	☐ estuvo en el centro comercial.
☐ traje comida a mi cuarto/apartamento.	☐ trajo comida a su cuarto/apartamento.
☐ fui a la biblioteca.	☐ fue a la biblioteca.
☐ me divertí mucho.	☐ se divirtió mucho.
☐ me puse algo especial para salir.	☐ se puso algo especial para salir.
☐ pude dormir mucho.	☐ pudo dormir mucho.
☐ dije chistes (jokes).	☐ dijo chistes.
☐ _____	☐ _____

Paso 3. Responde a las siguientes preguntas. Después, compara tus repuestas con las de tu compañero/a.

- ¿Quién tuvo el fin de semana más relajado?
- ¿Quién tuvo el fin de semana más divertido?

(8-16) **La fiesta de cumpleaños.** Este fin de semana fue el cumpleaños de Carmen y todos fueron a su fiesta.

Paso 1. Escucha las siguientes descripciones y escribe el número correspondiente debajo del dibujo que describe la actividad.

_____

_____

_____

_____

_____

_____

Paso 2. Ahora, en parejas, organicen las actividades de la página 275 en orden cronológico y escriban una descripción de cada actividad. Pueden inventar más detalles. Si no recuerdan (*remember*) las palabras exactas que oyeron, usen su creatividad. Aquí tienen unos verbos útiles.

| comprar | traer | hacer | abrir | irse | poner |

8-17 **Excusas.** Tu compañero/a y tú iban a (*were going to*) cenar juntos/as ayer, pero ¡los/as dos lo olvidaron (*forgot*)! Siguiendo el modelo, inventen excusas para explicar su ausencia y pregúntenle a su compañero/a sobre las suyas. Túrnense.

Modelo: Estudiante A: **Lo siento, Pete, pero ayer tuve un laboratorio de química.**

Estudiante B: **¿De verdad? ¿A qué hora fue? ¿Dónde?...**

EXPRESIONES ÚTILES

¿De verdad?
¡Ah!, ¿sí?   } *Oh, really?*
¡No me digas!

Estudiante A:

1. no poder salir del cuarto/apartamento

2. tener que ayudar a un/a amigo/a

3. sustituir a un/a compañero/a en el trabajo

4. ...

Estudiante B:

1. no saber llegar al restaurante

2. querer llamar por teléfono y no poder

3. estar enfermo/a

4. ...

8-18 **Mi aventura.**

Paso 1. Escribe un párrafo (cinco o seis oraciones) describiendo una aventura (real o imaginaria). ¿Adónde fuiste? ¿Cuánto tiempo estuviste allí? ¿Tuviste alguna experiencia interesante? ¿Qué hiciste? ¿Hay algo que quisiste hacer pero no pudiste?

Paso 2. En grupos de cuatro, cada estudiante lee su aventura a los/as demás y éstos/as hacen preguntas sobre los detalles. Si tu aventura es imaginaria, ¡invéntalos! El resto del grupo intenta adivinar si las aventuras de sus compañeros/as son reales o imaginarias.

Antes de leer

¿Se lleva ropa tradicional actualmente en algunas regiones de tu país? ¿Dónde? ¿Puedes describir un ejemplo?

▲ Bailarines vestidos con ropa tradicional mexicana

La ropa tradicional de España y de Hispanoamérica es muy variada. En las ciudades sólo se usa la ropa tradicional en los días de fiesta nacional. En los desfiles (*parades*) cívicos, los niños, jóvenes y adultos se visten con la ropa típica de las diferentes regiones de su país y bailan música tradicional. Las compañías nacionales de danza también usan ropa típica. Gracias al flamenco, los trajes típicos del sur de España se conocen en todo el mundo.

Sin embargo, los indígenas de las zonas rurales de muchos países, como Bolivia, Ecuador, Guatemala y México, usan ropa típica todos los días. En la península mexicana de Yucatán las mujeres usan el huipil, un vestido (o una blusa) de origen maya con un bordado (*embroidery*) de flores de colores vivos (*bright*). Por el tipo de diseño del huipil que viste la mujer se distingue la región en la que vive.

Las polleras de las panameñas son verdaderos tesoros: estas prendas están decoradas con finos encajes (*lace*) y bordadas con hilos (*threads*) de oro. En las regiones costeras, sobre todo en el Caribe, es común ver a hombres con guayaberas: camisas de telas livianas (*light fabrics*), bordadas en colores claros, que son perfectas para el clima caliente de la zona.

▲ La pollera panameña

En el pueblo de Otavalo, en la región andina de Ecuador, las mujeres llevan una falda negra con bordados de colores, una blusa blanca bordada de encajes, muchos collares y pulseras de cuentas (*beads*) rojas y doradas (*golden*) y un turbante en la cabeza. Por lo general, los hombres de esta región llevan un poncho de lana sobre una camisa, pantalones blancos con alpargatas (*rope-soled sandals*) blancas y un sombrero negro.

▲ Una guayabera

▲ Familia indígena ecuatoriana

Después de leer

Empareja estos artículos de ropa con los lugares en los que se usan:

a. los huipiles   _b_ Panamá

b. la pollera   _d_ el Caribe

c. el poncho de lana   _c_ Ecuador

d. la guayabera   _a_ Yucatán

¿Cuál te gusta más?

Así se forma

Go to *WileyPLUS* and review the Animated Grammar Tutorial for this grammar point.

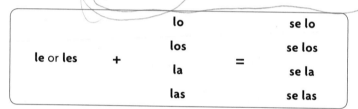

¿Quién te mandó las flores?

Me las mandó Manuel. Y a ti, ¿quién te las mandó?

3. Direct and indirect object pronouns combined

When both the indirect and direct object are replaced with pronouns, the indirect object pronoun is always placed first: OI + OD.

La profesora **me lo** prestó.   *The professor lent **it to me**.*
   (OI)(OD)

Placement rules stay the same: before conjugated verbs and attached to infinitives and the **–ndo** form. In a negative statement, **no** precedes both objects.

¿Pedro no **te lo** explicó?   *Didn't Pedro explain **it to you**?*
No, Carlos va a explicár**melo**/   *No, Carlos is going to explain **it to me**.*
Carlos **me lo** va a explicar.

When both the indirect and direct object pronouns refer to the third person and they are used together, the indirect object pronoun **le** or **les** changes to **se**.

		lo		**se lo**
le or **les**	**+**	**los**	**=**	**se los**
		la		**se la**
		las		**se las**

Se lo expliqué a ellas.   *I explained **it to them**.*

Estoy explicándo**selo**./   *I am explaining **it to her/him/you**.*
Se lo estoy explicando.

—¿**Le** diste **la foto** a Linda?   —*Did you give the photo to Linda?*
—Sí, **se la** di.   —*Yes, I gave **it to her**.*

Note that when two pronouns are added to the infinitive or present participle, a written accent is added to preserve the original stress pattern:

Va a **mostrármelo**.
Está **mostrándoselo**.

SITUACIONES

Vas de compras al almacén *La Única* (págs. 258-259) con un/a compañero/a de clase porque los/las dos tienen que comprarles regalos a varios amigos o familiares. Cuando llegan al almacén, se separan y hacen sus compras por separado. Después, se reúnen en la cafetería del almacén para tomar un café. Háganse preguntas sobre qué le compraron a quién.

8-19 **¡Nos encantan los regalos!** Octavio fue a Ecuador y les trajo varios regalos a sus amigas. Observa los dibujos para ver qué regalos trajo y para quién.

Natalia / la camiseta

Pepita / el póster

Carmen e Inés /
las toallas de playa

Camila y Linda /
los collares y los pendientes

Paso 1. Estas son las reacciones de las chicas. Identifica el dibujo correspondiente y responde a estas preguntas.

	¿Quién lo dice?	¿De qué regalo habla/n?
a. ¡Impresionante! Octavio me lo regaló.	_____	_____
b. ¡Nos encantan! Octavio nos las regaló.	_____	_____
c. ¡Qué bonitos son! Octavio nos los regaló.	_____	_____
d. ¡Me encanta! Octavio me la regaló.	_____	_____

Paso 2. En parejas, una persona explica qué regalo le dio Octavio a una de sus amigas. El/La compañero/a tiene que confirmar o negar la información sustituyendo los objetos por pronombres.

Modelo: ESTUDIANTE A: **Octavio le dio la camiseta a Natalia.**
ESTUDIANTE B: **Sí, *se la* dio a Natalia.   O,   No, *se la* dio a...**

8-20 **Las compras.** Tú y tu compañero/a fueron hoy de compras: uno/a fue al supermercado y el/la otro/a fue a la librería. Tú le pediste a tu compañero/a algunas cosas. Pregúntale si te las compró. Responde también a sus preguntas.

Modelo: ESTUDIANTE A: **¿Me compraste los bolígrafos?**
ESTUDIANTE B: **Sí, te los compré.**

Estudiante A:

Pediste a tu compañero/a:
bolígrafos
un cuaderno
una regla (*ruler*)

Compraste para tu compañero/a:
leche
tortillas

Estudiante B:

Pediste a tu compañero/a:
pan
tortilla
leche

Compraste para tu compañero/a:
bolígrafos
una regla

8-21 **¿Quién te lo dio?** Cada estudiante le da a un/a compañero/a de clase un artículo (reloj, tarjeta de crédito, gorra, bolígrafo, etc.). Los/as estudiantes caminan por la clase, haciéndoles preguntas a cinco o seis compañeros/as diferentes.

Modelo: ESTUDIANTE A: **Melvin, ¿quién te dio ese reloj?**
           ESTUDIANTE B: **Carla me lo dio. Y ¿quién te dio esos bolígrafos?**
           ESTUDIANTE A: **Cliff me los dio.**

¡No olvides devolverle el artículo a tu compañero/a de clase!

8-22 **El amigo invisible.** Van a jugar al amigo invisible (*Secret Santa*) en su clase. Lean las instrucciones con atención.

Paso 1.

a. Escribe tu nombre en un pedazo de papel y dáselo al/a la profesor/a.

b. Ahora, toma un papel y mira el nombre.

c. Piensa en un regalo perfecto para esta persona y escríbelo en la parte de atrás (*back*) del papel. Dale el papel al/a la profesor/a otra vez.

d. El/La profesor/a va a leer los nombres y distribuir los "regalos".

Paso 2. Cada estudiante cuenta a la clase lo que le regalaron, si el regalo le gusta o no y por qué. Después, pregunta quién le hizo este regalo. El/La estudiante responsable responde y explica sus razones.

Modelo: ESTUDIANTE A: **Me regalaron un/a..., (no) me gusta porque...**
           PROFESOR/A (A LA CLASE):   **¿Quién se lo regaló?**
           ESTUDIANTE B: **Yo se lo regalé porque...**

NOTA CULTURAL

Los mercados y el regateo (*bargaining*)

It is common to see various types of merchants in Spanish-speaking countries, including street vendors, merchants in open-air markets, modern indoor shopping malls, specialty stores, etc. Normally a degree of bargaining is expected with street vendors and in markets, particularly for arts and crafts, clothing, and jewelry. When bargaining, never insult the quality of the item or the vendor. Simply suggest a lower price than the one that is offered, and be prepared to meet somewhere in the middle. Bargain only for items that you intend to purchase. Shopping malls and department stores almost always have fixed prices, so bargaining is inappropriate there.

VideoEscenas: ¿Qué le compro?

▲ Álvaro y María van de compras.

Paso 1. ¿Cuáles de estos te parecen buenos regalos para un/a amigo/a? Añade otro más.

	Un amigo	Una amiga
1. un libro	☐	☐
2. un CD	☐	☐
3. una pulsera	☐	☐
4. unas flores	☐	☐
5. unos zapatos	☐	☐
_____	☐	☐

Paso 2. Mira el video e indica si estas afirmaciones son ciertas o falsas. Corrige las oraciones falsas.

	Cierto	Falso
1. Álvaro olvidó el cumpleaños de Marisol.	☐	☐
2. María le compró unos zapatos a Marisol.	☐	☐
3. A María no le gusta llevar pulseras.	☐	☐
4. María sugiere comprar flores.	☐	☐

Paso 3. Lee las siguientes preguntas. Después, mira el video otra vez y responde.

1. ¿Por qué no fue Álvaro a la fiesta de Marisol?

2. ¿Qué le regaló María a Marisol?

3. ¿Por qué no es buena idea comprarle una pulsera?

4. ¿Por qué no le compran los aretes?

5. ¿Por qué piensa María que las rosas son un buen regalo?

 Paso 4. En grupos de tres o cuatro, respondan a estas preguntas:

¿Cuál fue el mejor regalo que te hicieron? ¿Cuál fue el peor? Explica por qué y escucha las experiencias de tus compañeros. ¿Quién recibió el mejor regalo del grupo? ¿Y el peor?

Así se forma

WILEY PLUS Go to *WileyPLUS* and review the Animated Grammar Tutorial for this grammar point.

4. Indefinite words and expressions

You have previously used some indefinite and negative Spanish words, such as **siempre**, **a veces**, and **nunca**. Here are some additional indefinite and negative words.

Cierto, no hay nadie como ella.

Es para alguien muy especial.

Palabras indefinidas y negativas

todo/a	everything, every			
algo	something, anything (interrogative)	→	nada	nothing, (not) anything
alguien	someone, anyone (interrogative)	→	nadie	no one, nobody
alguno/a/os/as	any, some, someone	→	ninguno/a	no, none, no one
también	also	→	tampoco	neither, not either
o	or	→	ni	nor, not even
o . . . o	either . . . or	→	ni . . . ni	neither . . . nor

- Note that, in Spanish, negation must be expressed before the verb. We may use the negative expressions above preceding the verb.

> negative word + verb

—**Nunca** llevo corbata.
—Yo **tampoco** (llevo corbata).

I **never** wear a tie.
I don't (wear a tie) **either.**

- If we use the negative expression after the verb, no must precede the verb in a double negative construction.

> **no** + verb + negative word

Hoy **no** compré **nada.**
¿**No** hay **nadie** en ese taxi?
Nunca quiere llevar corbata.
No quiere llevar corbata **nunca.**

I did**n't** buy **anything** today.
Isn´t there **anyone** in that taxi?
He **never** wants to wear a tie.

- The forms **alguno** and **ninguno** become **algún** and **ningún** before a masculine singular noun.

¿Tienen **algún** reloj de oro?

Do you have **any** gold watches?

- Notice that the words **ninguno/a** mean *not a single* and consequently do not have a plural form.

Tengo **algunos** vestidos negros, pero no tengo **ningún** vestido azul.

*I have **some** black dresses, but I don´t have **any** blue dresses.*

Ninguno de mis vestidos es azul tampoco.

***None** of my dresses is blue either.*

- When **alguien** and **nadie** are direct objects, they are preceded by the **personal a** (review in *Capítulo 3*).

—¿Viste **a alguien** de la clase en el centro comercial?
—No, no vi **a nadie.**

8-23 **El centro comercial.** Tu amiga y tú van visitar Lima y quieres ir de compras al centro comercial Plaza. Lee la descripción de este centro. Después, escucha las preguntas de tu amiga y escoge la respuesta correcta.

El centro PLAZA es una propuesta moderna donde puede realizar sus compras, comer, entretenerse, relajarse, cuidar su imagen o simplemente pasear. Le ofrecemos 180 locales comerciales que incluyen tiendas de moda y accesorios, zapaterías, joyerías, salones de belleza, un *spa* y muchísimo más. Después de un largo día de compras, puede disfrutar de deliciosos momentos en alguno de los restaurantes o cafés en nuestro patio de comidas y, por qué no, de una película en una de nuestras 14 salas de cine.

Otros servicios a su disposición son: servicio de información y atención al cliente, centro financiero con oficinas bancarias y cajeros automáticos, café Internet con Wi-Fi gratuito, sillas de ruedas (*wheelchairs*) y coches de niños (*strollers*), servicio de taxis.

Nuestro horario es de 10:00 a.m. a 10:00 p.m. todos los días.

1. ☐ Sí, hay alguna.   ☐ Sí, hay alguno.   ☐ No, no hay ninguna.   ☐ No, no hay ninguno.
2. ☐ Sí, hay algunas.   ☐ Sí, hay algunos.   ☐ No, no hay ninguna.   ☐ No, no hay ninguno.
3. ☐ Sí, hay algunas.   ☐ Sí, hay algunos.   ☐ No, no hay ninguna.   ☐ No, no hay ninguno.
4. ☐ Sí, hay algunas.   ☐ Sí, hay algunos.   ☐ No, no hay ninguna.   ☐ No, no hay ninguno.
5. ☐ Sí, cuesta algo.   ☐ No, no cuesta nada.
6. ☐ Sí, hay alguien.   ☐ No, no hay nadie.

8-24 **¿Qué hay en el centro comercial?** Antes de ir al centro comercial Plaza, tu amiga llama al servicio de atención al cliente. Completa su conversación con las palabras indefinidas y negativas del siguiente cuadro.

> siempre   nunca   algún/a/os/as   ningún/a   alguien   ni ... ni

TU AMIGA: Perdón, señor. ¿Hay _____ estación de metro cercana?

TELEFONISTA: Lo siento mucho, señora, no hay _____. Pero sí hay _____ autobuses que vienen desde el centro de la ciudad.

TU AMIGA: Bueno... ¿Y tienen _____ restaurante de comida tradicional peruana?

TELEFONISTA: Claro, hay _____ en el patio de comidas.

TU AMIGA: ¡Qué bien! Y, ¿hay _____ en la oficina de atención al cliente a todas horas? Es por si tengo _____ pregunta más...

TELEFONISTA: Sí, señora, _____ hay _____.

TU AMIGA: Y, para estar segura, no cierran temprano ____ los sábados ____ los domingos, ¿verdad?

TELEFONISTA: No, _____ cerramos antes de las 10 de la noche.

8-25 **¿Eres un buen testigo (witness)?**

Paso 1. Mira los dibujos de abajo durante un minuto y después cúbrelos (cover them) con la mano o una hoja de papel.

 Paso 2. Ayer fuiste testigo de un robo a un banco (bank robbery) y ahora la policía te hace preguntas sobre el ladrón y lo que sucedió. Lee las instrucciones y preguntas de la policía y anota tus respuestas en una hoja. Luego, compara tus respuestas con las de un/a compañero/a.

INVESTIG@ EN INTERNET

Investiga sobre dónde realizar compras en tu ciudad. ¿Hay algún centro comercial? ¿Cuántos? ¿Conoces algún mercado callejero (flea market)? ¿Qué tipo de productos venden? Pregunta a tus amigos o familiares cuántos centros comerciales había cuando ellos eran jóvenes y dónde realizaban sus compras.

Informe policial

Imagine usted que está viendo todo en este momento y conteste:

1. Cuando llega el ladrón, ¿hay alguien en el banco? ¿Cuántos empleados y clientes hay? ¿Dónde están?
2. ¿El ladrón entra solo o con alguien?
3. Describa al ladrón: ¿cómo es? ¿Qué ropa lleva? ¿Lleva algo en la cabeza o la cara?
4. ¿Lleva algo en las manos cuando entra?
5. ¿Habla con alguien? ¿Dice algo?
6. ¿Qué hacen los empleados? ¿Qué hacen los demás (*the rest*)?
7. Cuando el ladrón sale, ¿hay algo en su bolsa (*bag*)? ¿Qué?
8. ¿Llama alguien a la policía?
9. ¿Recuerda algún otro detalle?

8-26 Sospechoso (*suspect*). ¡Tu compañero/a de clase sospecha que tú eres el ladrón! Y la verdad es que tú también tienes sospechas (*suspicions*) sobre él/ella. Haz y responde a las siguientes preguntas y piensa en otras preguntas para hacerle a tu compañero/a. Contesta con oraciones completas.

1. ¿Estudiaste con alguien ayer por la tarde? (¿Con quién? ¿Desde qué hora? ¿Hasta qué hora?)
2. ¿Hablaste con alguien por teléfono? (¿Con quién? ¿Cuánto tiempo?)
3. ¿Fuiste a clases después de almorzar? (¿Qué clases? ¿Quién es el/la profesor/a?)
4. ¿Fuiste a la biblioteca o al laboratorio? (¿A qué hora? ¿Solo/a o con alguien?)
5. ¿A qué hora fuiste a tu cuarto? ¿Viste a tu compañero/a de cuarto?
6. ¿...?

8-27 ¿Cierto o falso? Observa el aula de español o el lugar donde estás. ¿Son las siguientes declaraciones ciertas o falsas? Responde y da ejemplos. Si son falsas, corrígelas usando palabras indefinidas y negativas.

Modelo: Nadie tiene mochila.
Cierto, nadie tiene mochila. O, **Falso. Alguien tiene mochila. Algunas personas tienen mochila. Por ejemplo, Ben.**

1. Alguien está escribiendo.
2. Hay algo en la mesa.
3. No hay nadie aburrido.
4. No hay tizas. Tampoco hay papelera.
5. No hay nada en la pared (*wall*).
6. Algunos estudiantes están hablando.
7. No hay ningún libro cerrado.
8. Hay alguien descansando.

Dicho y hecho

ANTES DE LEER

1. ¿Qué tipo de accesorios o complementos usas habitualmente?
2. ¿Qué es más importante para ti en tu ropa y accesorios: calidad, moda o función?

ESTRATEGIA DE LECTURA

Guessing meaning from context When reading in Spanish you will encounter many unfamiliar words. While some can be ignored, others are important to understanding the message of the text. You can often approximate the meaning of a new word by (1) paying attention to the overall meaning of the sentence (as we often do in our first language), (2) thinking of any similar words that you may know, and (3) recognizing whether a word is a noun, adjective, verb, etc. For instance, if a word is preceded by an article, you can be sure it is a noun; if you can recognize a verb ending, then it must be a verb, etc. Take these steps in trying to interpret unfamiliar words as you read the selection that follows.

A LEER

Si te encantan los estampados[1], si te mueres por los complementos[2] y si quieres ir a la moda, está claro: tú necesitas un Peseta. Bolsos, llaveros, bolsitas, mochilas o carteras son sólo algunas de las delicias que Peseta nos ofrece cada temporada[3]. Cada pieza tiene su nombre particular y su correspondiente tarjeta, que anuncia el origen de los materiales, la fecha y el lugar de creación. El encanto de Peseta es que para cada complemento intenta "buscarle como la gracia". Busca desarrollar nuevos formatos, cambiar telas[4] y formas sin estar limitada a estrictas colecciones temporales e inspirándose en todo lo que le rodea. Como ya le decía un buen amigo: "Peseta, es que tú eres transversal[5] a la moda".

▲ Una selección de Pesetas

Los complementos de esta marca se rigen por dos principios básicos: la necesidad y la multifuncionalidad. Son necesarios porque lo básico se convierte en esencial y multifuncionales porque nunca sabes lo que te espera dentro: bolsos-mochilas que se transforman a tu gusto, llaveros o bolsitas que puedes ajustar de tantas formas como la imaginación te permita. "Me mola[6] la versatilidad", comenta la diseñadora. En cada pieza también se mezclan[7] flores, estrellas, patos, galletas, rayas o cuadros sin la más mínima estridencia. "Lo que más me gusta es jugar con las telas y crear nuevas cosas, nuevos productos". A Peseta le gusta lo que hace, quizá por eso ha conseguido encontrarle el lado emocional a este negocio de la moda. "Se trata de hacer cosas que la gente tenga y que lo disfrute[8] y sienta el amor que yo le pongo al hacerlo".

La nueva colección de Peseta llega llena de sorpresas, como la bolsaukelele, de la que hizo una edición limitada para Marc Jacobs. Y eso no es todo, ya que también hay espacio para sus inconfundibles clásicos básicos. Las telas son de nuevo[9] ingrediente fundamental. "¡Tengo unas telas esta vez, que es que yo estoy como sufriendo porque lo quiero todo!". Así que no te lo pienses[10], ¡corre y consigue un Peseta ya!

Texto: Elena Giménez / *Punto y coma*
Fotografía: Peseta

---

[1]patterned prints, [2]accessories, [3]season, [4]fabrics, [5]oblique, perpendicular, [6]I like (slang), [7]mix, [8]enjoy, [9]again, [10]don't think twice about it

1. Ahora, responde a las siguientes preguntas sobre el texto.

   a. ¿Cómo son diferentes los productos de Peseta?

   b. ¿Qué dos principios guían el diseño de estos complementos?

   c. ¿Qué reacción busca la diseñadora en sus clientes?

2. Escoge los adjetivos de la lista que pueden aplicarse para describir los objetos de Peseta. Después compara tu lista con la de un/a compañero/a y justifica tu selección basándote en el texto.

3. ¿Te gustaría tener alguno de los accesorios de Peseta? ¿Cuál? ¿Por qué sí o no? Puedes visitar su tienda en Internet en http://www. peseta.org para ver los últimos diseños.

| artesanal | creativo | convencional | divertido (fun) | lujoso (luxurious) | práctico |

PARA CONVERSAR: **El equipaje perdido**

 Acaban de llegar al aeropuerto Mariscal Sucre de Quito, pero su equipaje no ha llegado y probablemente ¡está perdido! Van a estar en Ecuador una semana, visitando la costa y la capital, pero no tienen nada. La línea aérea les da $250 a cada uno/a como compensación por su pérdida.

Paso 1. Algunos estudiantes son turistas, otros son dependientes en tiendas o mercados callejeros. Individualmente, los turistas hacen una lista de los productos y ropa que necesitan, mientras los dependientes hacen inventario de sus productos y sus precios.

ESTRATEGIA DE COMUNICACIÓN

Being specific If you are a tourist, you know that you will be going to both to the mountains and to beach. When coming up with your shopping list, think about what you will need for a week (which items of personal hygiene and clothing, how many, what fabric or material, etc.) Salespeople have to come up with a list of items they sell (with details such as size, material, and number of each item in stock) and their prices, consistent with the store or market stall they have.

Paso 2. Los turistas visitan varias tiendas e intentan comprar todo lo que necesitan. Tanto los compradores como los vendedores deben intentar ser específicos (inventen los detalles que no habían anticipado). Hagan listas con sus compras y ventas, incluyendo los precios pagados.

Dicho y hecho

PARA ESCRIBIR: La ropa aquí y allá

Vas a describir brevemente el valor y la función de la ropa en Estados Unidos. El público estará compuesto por (*will be comprised of*) los miembros de un grupo indígena de América Latina, que usan ropa tradicional para indicar la región en la que viven y, a veces, la tribu a la que pertenecen. Seguramente, estos grupos tradicionales van a pensar que nuestra forma de vestir (*way of dressing*) es muy diferente a la suya (*theirs*).

ANTES DE ESCRIBIR

Paso 1. Piensa en la ropa y contesta estas preguntas:

1. Mira la ropa que tienes puesta en este momento. ¿Sabes de qué material está hecha? ¿Sabes dónde se fabricó? Si no, mira las etiquetas (*labels*). ¿Es importante para ti conocer el material y el origen de la ropa?
2. Mira a varias personas y analiza la ropa que llevan puesta. ¿Qué nos puede indicar la ropa que lleva una persona sobre la vida de esa persona?
3. ¿Hay alguna ocasión en que llevas ropa especial? Descríbela.

Paso 2. Ahora, debes hacer las mismas tres preguntas a dos personas diferentes que conoces. Si no hablan español, les puedes preguntar en inglés. Trata de escribir todo lo que dicen en sus respuestas.

ESTRATEGIA DE REDACCIÓN

Incorporating survey data In this composition, you are going to answer three questions about clothing. You are also going to conduct a survey of two people you know, asking each the same three questions. There are various ways of incorporating and presenting the data you gather in your composition. For example, you might organize the data by person:

Persona 1 (yo): Mis respuestas a las tres preguntas.
Persona 2: Sus respuestas a las tres preguntas.
Persona 3: Sus respuestas a las tres pregunras.

Or, you might organize your data by question:

Pregunta 1: Las respuestas de la Persona 1 (yo); las de la Persona 2; las de la Persona 3.
Pregunta 1: Las respuestas de la Persona 1 (yo); las de la Persona 2; las de la Persona 3.
Pregunta 1: Las respuestas de la Persona 1 (yo); las de la Persona 2; las de la Persona 3.

Choose whichever option you think is best suited to the ideas you want to express along with the basic data of your survey. Both offer a clear and organized way of presenting the data.

A ESCRIBIR

Escribe un primer borrador que resuma (*summarizes*) las respuestas de tu encuesta. Debes usar la opción 1 o la opción 2 de la sección *Estrategia de redacción* para organizar tu composición.

Para escribir mejor

Estas frases para expresar opiniones pueden ayudarte.

opinar que	*to be of the opinion that*
sentir que	*to feel that*
alegar que	*to claim that*

En tu conclusión, puedes usar frases como éstas:
En general, entre mis amigos, es importante/no es importante _____.
Algunos de mis amigos opinan _____, pero otros dicen que _____.

DESPUÉS DE ESCRIBIR

Revisar y editar: La organización. Después de escribir el primer borrador de tu composición, déjalo a un lado por un mínimo de un día sin leerlo. Cuando vuelvas a leerlo, corrígelo en términos de (*in terms of*) organización y contenido, además de gramática y vocabulario. Hazte estas preguntas:

- ☐ ¿Seguí bien la opción 1 o la opción 2 en términos de organización?
- ☐ ¿Está clara la conclusión?
- ☐ ¿Tuve en cuenta que el público de esta composición son grupos indígenas con ropa tradicional?

PARA VER Y ESCUCHAR: **El arte del tejido: Una tradición viva**

ESTRATEGIA DE COMPRENSIÓN

Categorizing information As you are listening to a presentation of information in Spanish, you can try to identify the kinds of information being delivered and develop different categories for each kind of information. This can help you process the information more accurately. In this video, you will be asked to pay attention to four different categories of information.

ANTES DE VER EL VIDEO

1. ¿Qué animales nos dan lana (*yarn*) para fabricar la tela (*fabric*) que usamos en la ropa?
2. ¿Tienen alguna idea de cómo se fabrica la tela en las fábricas (*factories*) modernas?

A VER EL VIDEO

Mira el video e intenta completar la tabla.

Colaboradores		
___ comunidades	___ adultos	___ niños y jóvenes
Tres animales cuyas (*whose*) fibras se usan		
Fuentes (*sources*) de los tintes (*dyes*)		
Ropa tradicional que se usa		
Mujeres	**Hombres**	

DESPUÉS DE VER EL VIDEO

 En grupos pequeños, respondan a estas preguntas.

1. Según el video, los tejedores sienten mucho orgullo por la ropa que crean. ¿Conoces a alguna otra persona que siente orgullo por la ropa que crea?
2. ¿En qué son similares y diferentes los métodos modernos y tradicionales de fabricación de telas?

Repaso de vocabulario activo

Adjetivos

barato/a   *cheap, inexpensive*
caro/a   *expensive*
corto/a   *short*
largo/a   *long*
limpio/a   *clean*
sucio/a   *dirty*

Palabras indefinidas y negativas

algo   *something, anything (interrogative)*
alguien   *someone, anyone (interrogative)*
alguno/a/os/as   *any, some, someone*
nada   *nothing*
nadie   *no one, nobody*
ni   *nor, not even*
ni...ni   *neither...nor*
ninguno/a   *no, none, no one*
o   *or*
o...o   *either...or*
también   *also*
tampoco   *neither, not either*
todo/a   *everything, every*

Sustantivos

La ropa   *Clothes/Clothing*

el abrigo   *coat*
el algodón   *cotton*
la blusa   *blouse*
   de manga corta/larga   *short/long sleeved*
las botas   *boots*
la bufanda   *scarf*
los calcetines   *socks*
la camisa   *shirt*
la camiseta   *T-shirt*
la chaqueta   *jacket*
el cinturón/la correa   *belt*
la corbata   *tie*
el cuero   *leather*
la falda   *skirt*
la gorra   *cap*
los guantes   *gloves*
el impermeable   *raincoat*
los *jeans*/los vaqueros   *jeans*
la lana   *wool*
las medias   *stockings, hose*
los pantalones   *pants*
los pantalones cortos   *shorts*

la ropa interior   *underwear*
las sandalias   *sandals*
la seda   *silk*
el sombrero   *hat*
el suéter   *sweater*
los (zapatos de) tenis   *tennis shoes, sneakers*
el traje   *suit*
el traje de baño   *bathing suit*
el vestido   *dress*
los zapatos   *shoes*

Las joyas   *Jewelry*

el anillo/la sortija   *ring*
los aretes/los pendientes   *earrings*
la cadena   *chain*
el collar   *necklace*
de oro/plata   *gold/silver*
la pulsera   *bracelet*
el reloj   *watch*

Otras palabras útiles

la billetera/la cartera   *wallet*
el bolso/la bolsa   *purse, bag*
el centro comercial   *shopping mall*
la cosa   *thing*
las gafas/los lentes (de sol)   *glasses/sunglasses*
los/las lentes de contacto   *contact lenses*
la moda   *fashion*
el paraguas/la sombrilla   *umbrella*
el precio   *price*
las rebajas   *sales*
el regalo   *gift*
el ropero/el clóset   *closet*
la talla   *size*

Verbos

contar (ue)   *tell*
devolver (ue)   *return (something)*
explicar   *explain*
llevar   *wear, carry, take*
mirar   *look at*
mostrar (ue)   *show*
preguntar   *ask*
prestar   *lend*
regalar   *give (a gift)*

Autoprueba y repaso

I. Possessive adjectives and pronouns.

A. Tú y tus amigos tienen su ropa en la residencia estudiantil. Indica de quién es la ropa.

Modelo: yo: calcetines, impermeable, chaqueta
Los calcetines son míos. El impermeable es mío. La chaqueta es mía.

1. yo: abrigo, botas, guantes, gorra
2. nosotros: ropa interior, *jeans,* corbatas
3. tú: blusa, vestido, camiseta, medias
4. Ana y Elena: ropa de verano, faldas, trajes de baño

B. Indica con quiénes van las personas a la fiesta. Sigue el modelo.

Modelo: yo / un amigo
Voy con un amigo mío.

1. mi primo / unos amigos
2. Viviana / un amigo
3. mi hermana y yo / un amigo
4. yo / unos amigos

II. The preterit of irregular verbs. Di quién hizo las siguientes cosas.

Modelo: hacer la torta para la fiesta (yo)
Hice la torta para la fiesta.

1. traer las decoraciones (Natalia y Linda)
2. poner las flores en la mesa (nosotros)
3. querer venir pero no poder (Javier)
4. venir (casi todos los estudiantes)
5. estar en la fiesta por cuatro horas (tú)
6. tener que salir temprano (yo)

III. Direct and indirect object pronouns combined. Forma oraciones en el pasado usando el verbo *regalar* y pronombres de objeto directo e indirecto.

Modelo: yo / unas gafas de sol / a Luisa
Se las regalé.

1. nosotros / un televisor pequeño / a los abuelos
2. mi hermano / una mochila nueva / a su prima
3. mis hermanas / joyas / a mamá
4. yo / una chaqueta de cuero / a mi hermano
5. mi madre / un perrito / a nosotras

IV. Indefinite and negative words. Contesta con oraciones negativas.

Modelo: ¿Compraste algo en el centro comercial recientemente?
No, no compré nada.

1. ¿Le prestas ropa a alguien?
2. Yo no me visto muy formal para ir a clase. ¿Y tú?
3. ¿Hay alguien elegante en la clase de español?
4. ¿Te pones algo especial cuando sales los fines de semana?

V. *Repaso general.* Contesta con oraciones completas.

1. ¿Qué ropa llevan las mujeres a un restaurante elegante? ¿Y los hombres?
2. ¿Qué ropa debes llevar a Alaska? ¿Y a Florida?
3. ¿Fuiste de compras el fin de semana pasado? (¿Adónde?) (¿Qué compraste?)
4. ¿Dónde estuviste anoche? ¿Y qué hiciste? (Menciona varias cosas.)
5. ¿Qué trajiste a clase hoy/ayer/anteayer?

VI. *Cultura.*

1. Nombra tres cosas que tienen en común Ecuador, Perú y Bolivia.
2. Nombra y describe tres artículos de ropa tradicional que se usan en estos países.

Las respuestas de *Autoprueba y repaso* se pueden encontrar en el **Apéndice 2.**

Así se dice

La salud
  El cuerpo humano
Una visita al consultorio

Así se forma

1. *Usted/Ustedes* commands
  ¿Qué nos dice la médica?

2. The imperfect

3. The imperfect vs. the preterit

Cultura

- Colombia y Venezuela
- Remedios caseros del mundo hispano

Dicho y hecho

Para leer:
Ayurveda: La ciencia de la vida

Para conversar:
En la sala de urgencias

Para escribir:
Lo que me pasó

Para ver y escuchar:
La medicina moderna y tradicional

By the end of this chapter you will be able to:

- Talk about health and related ailments
- Identify parts of the body
- Use commands in formal situations
- Talk about and describe persons, places, and actions in the past

ENTRANDO AL TEMA

1. ¿Conoces alguna expresión en inglés que incluya una parte del cuerpo? Por ejemplo: *Putting your foot in your mouth* o *Gut feeling.*

2. ¿Usas algún remedio casero (*home remedy*)? ¿Cuál?

La salud

Así se dice

La salud

el análisis (de sangre)	a (blood) test
el consultorio	doctor's office
doler (ue)	to be hurting, to hurt
enfermarse	to get/become sick
estar de pie	to stand
estar sentado/a	to be seated
fracturarse	to break (a bone)
la habitación	room
hacer una cita	to make an appointment
la herida (grave)	(serious) wound
lastimarse	to hurt oneself
preocuparse por	to worry about
quedarse	to stay
sacar sangre	to draw blood
sacar una radiografía	to take an X-ray
la sala de espera	waiting room
sentarse (ie)	to sit down
torcerse (ue) el tobillo	to sprain one's ankle
el yeso	cast
la vacuna	vaccine

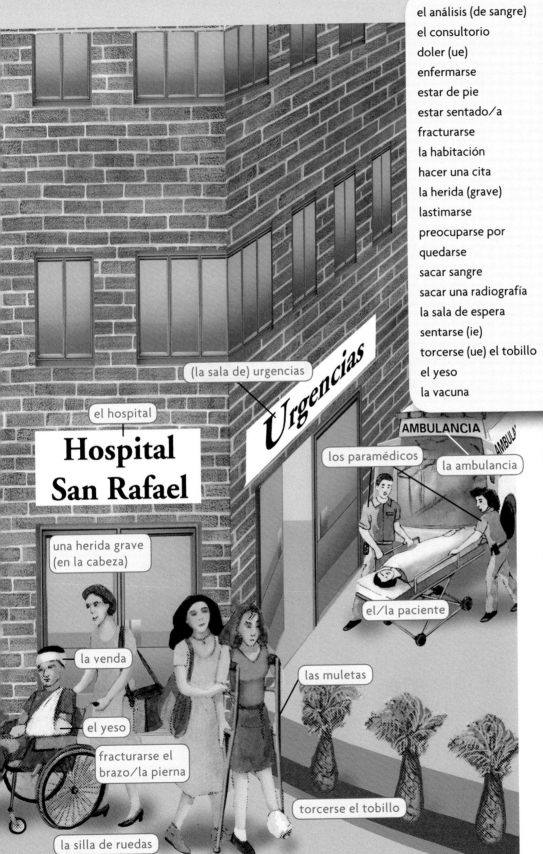

(la sala de) urgencias

el hospital

Urgencias

Hospital San Rafael

AMBULANCIA

los paramédicos

la ambulancia

una herida grave (en la cabeza)

el/la paciente

la venda

el yeso

fracturarse el brazo/la pierna

las muletas

torcerse el tobillo

la silla de ruedas

La salud

El cuerpo humano

la cabeza

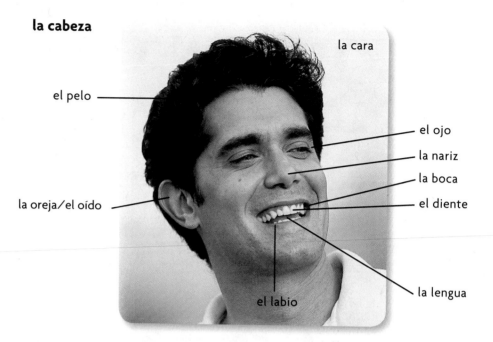

la cara

el pelo

el ojo

la nariz

la boca

el diente

la oreja/el oído

la lengua

el labio

el cuerpo

el cuello

la mano

el hombro

el dedo

la uña

el pecho

el brazo

la espalda

la pierna

el pie

9-1 Pobre Octavio.

Primero, conjuga los verbos entre paréntesis en el pretérito. Después, determina el orden cronológico de lo que le pasó a Octavio y lee la narración completa.

_____ La médica le _____ (poner) un yeso.

_____ Octavio _____ (salir) del hospital en una silla de ruedas.

_____ Octavio _____ (ir) a la sala de urgencias.

__1__ Octavio _____ (fracturarse) la pierna esquiando.

_____ Octavio _____ (empezar) a caminar con muletas.

_____ La médica le _____ (examinar) la pierna.

_____ Varias semanas más tarde, la médica le _____ (quitar) el yeso.

_____ La médica le _____ (sacar) una radiografía.

_____ Octavio _____ (empezar) un programa de terapia física.

_____ La médica le _____ (dar) medicamentos para el dolor (pain).

9-2 ¿Qué partes del cuerpo usamos?
Miren las actividades a continuación. En parejas, un/a estudiante elige una actividad sin nombrarla y describe para su compañero/a las partes del cuerpo que se usan para esa actividad. El/la compañero/a trata de adivinar qué actividad es.

manejar	escuchar música
leer	nadar
comer	tocar el piano
besar	cocinar

Modelo: Estudiante A: **Usamos los brazos, los hombros y las piernas.**
            Estudiante B: **Esquiar**

DICHOS

El español, como muchas lenguas, tiene frases que incluyen partes del cuerpo. Trata de emparejar (match) estas frases con sus traducciones.

____ tener buen diente   **a.** to be cheap

____ no tener pelos en la lengua   **b.** to not mince words

____ ser codo (elbow)   **c.** to have a good appetite

9-3 ¡**Los extraterrestres (*aliens*)!** Un grupo de extraterrestres está visitando la ciudad, ¡y tú viste a uno ayer!

Paso 1. Inventa cómo es el extraterrestre que viste y dibújalo. Luego, descríbeselo a un/a compañero/a, que lo va a dibujar ¡sin mirar tu dibujo! Después, tú vas a dibujar al extraterrestre que tu compañero/a te describa.

Paso 2. En parejas, comparen los dibujos. ¿Son similares el dibujo original y el dibujo del/de la compañero/a?

NOTA CULTURAL

La palabra *hispano*

The word *hispanic* is often used in the U.S. to refer to ethnicity and is usually identified with such traits as having dark hair and eyes and an olive complexion. However, Hispanics have many different faces and ethnic makeups: European, African, Asian, Native American, as well as other origins. The ethnicity of most people from Latin America combines different traits from various origins. Such is the case of people considered **mestizos** (of European and Native American origins) and **mulatos** (of European and African origins). Ethnic makeup differs from region to region. There are many unmixed Europeans in Argentina, Chile, and Uruguay. There are also unmixed Native Americans in the Andes and parts of Mexico and Central America, and a great range of mixed populations in the Caribbean region. Here are, as an example, some statistics about Colombia and Venezuela.

Colombia: 58% mestizo, 20% European, 14% mulatto, 4% African, 3% African and Native American, 1% Native American
Venezuela: 67% mestizo and mulatto, 21 % European, 10 % African, 2% Native American

Así se forma

1. Giving direct orders and instructions to others: *Usted/Ustedes* commands

Spanish has different command forms, depending on who is being addressed. In this chapter, you will learn to form command forms to use with a person that you would address formally (**usted**). You will also learn to form the command used to address more than one person (**ustedes**). You have already seen **ustedes** commands when instructions were given to more than one student (**cierren el libro, lean la oración**).

PLUS Go to *WileyPLUS* and review the Animated Grammar Tutorial and Verb Conjugator for this grammar point.

Regular forms

All **usted/ustedes** regular –**ar** verb commands end in –**e/–en**; all regular –**er/–ir** verb commands end in –**a/–an**. The appropriate ending is attached to the verb stem.

	esperar	**beb**er	**escrib**ir
usted	(no) esper**e**	(no) beb**a**	(no) escrib**a**
ustedes	(no) esper**en**	(no) beb**an**	(no) escrib**an**

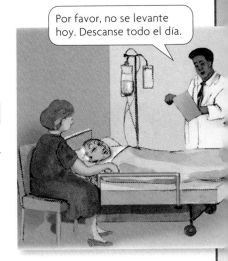

Por favor, no se levante hoy. Descanse todo el día.

Object and reflexive pronouns *are attached* to the end of all *affirmative* commands. Note that a written accent is often added[1].

> Béba**lo**.   *Drink it.*
> Siénte**se**, por favor.   *Please, sit down.*

But they *precede* the verb in all *negative* commands.

> **No lo** beba.   *Don't drink it.*
> **No se** siente todavía, por favor.   *Do not sit down yet, please.*

Stem-changing and *yo*-irregular forms

Stem-changing and **yo**-irregular verbs delete the final -**o** from the **yo** form of the present tense and add the indicated endings. The verb **ir** has an irregular command form (not based on the present tense **yo**).

Infinitivo	Presente (yo)	Mandato
decir	dig**o**	diga/digan
hacer	hag**o**	haga/hagan
repetir	repit**o**	repita/repitan
encontrar	encuentr**o**	encuentre/encuentren
dormir	duerm**o**	duerma/duerman
ir	voy	vaya/vayan

---

[1]The emphasis in command forms with more than one syllable is on the second-to-last syllable (**tome**, **beba**), so these do not need an accent mark. When adding an extra syllable, the stressed syllable becomes third-to-last, and therefore it needs an accent mark.

¿Qué nos dice la médica?

Nos da instrucciones para hacer un examen físico.

Después de examinarnos, nos da consejos.

¹ Verbs ending in **–car**, are not really irregular in their command forms but they do have a spelling change:
sacar → saque, saques, saque, ...

9-4 **¿Usted o ustedes?** Escucha estas instrucciones. Decide si esta persona le habla a *usted* o a *ustedes*.

	Usted	Ustedes
1.	☐	☐
2.	☐	☐
3.	☐	☐
4.	☐	☐
5.	☐	☐

NOTA DE LENGUA

La forma *usted* en Colombia

In Colombia, the form **usted** is often used when the **tú** form is used in many other countries. It is common to hear friends, sisters and brothers, and wives and husbands use **usted** with each other. A similar phenomenon happened in English over 500 years ago, when the informal *thou* was eventually replaced by the formal *you*.

9-5 **¿Qué dice un/a doctor/a responsable?**

Paso 1. Decide si un/a doctor/a dice estas frases a sus pacientes.

		Sí	No
1.	Coma muchas frutas y verduras.	☐	☐
2.	No haga ejercicio nunca.	☐	☐
3.	Duerma ocho horas cada noche.	☐	☐
4.	Tome vitaminas.	☐	☐
5.	No fume.	☐	☐
6.	Si tiene náuseas, corra cinco millas.	☐	☐

Paso 2. En parejas, inventen dos oraciones para cada verbo: una la dice un/a doctor/a responsable y otra la dice un/a doctor/a irresponsable. Lean sus oraciones a otro grupo para ver si pueden adivinar quién las dice.

comer	ir	beber	tomar

NOTA CULTURAL

El pabellón criollo

Venezuela's national dish, **pabellón criollo**, consists of shredded beef, rice, black beans, cheese, and fried plantain. **Pabellón** means *flag*, and **pabellón criollo** is a creole dish in which the ingredients are arranged in a way to resemble the tricolor flag of Venezuela. Others say the colors of the dish are meant to represent the different ethnic groups present in Venezuela. Many restaurants serve this dish for 4,000 **bolívares** (around $2.00 U.S. dollars).

9-6 **¿Puedo pedirlo?** Una persona con colesterol alto está en un restaurante cubano de Miami, pero no sabe qué puede comer y llama a su doctor.

Paso 1. Empareja las preguntas del paciente y las respuestas del doctor. Presta atención al uso de pronombres de objeto directo.

Paciente

1. ¿Puedo pedir sopa de pollo? _____
2. ¿Y los chicharrones de pollo? _____
3. ¿Puedo pedir masas de puerco? _____
4. ¿Y sorbete de guanábana? _____
5. ¿Y el flan de leche? _____

Doctor/a

a. No, no lo pida. Tiene mucho huevo.
b. Sí, pídalo. Es de fruta y no tiene grasa.
c. No, no los pida. Son fritos.
d. Sí, pídala. Tiene verduras y poca grasa.
e. No, no las pida. Son fritas.

 Paso 2. En parejas, uno de ustedes es el/la doctor/a y el/ otro es el/la paciente. Teniendo en cuenta los problemas de salud del/de la paciente, el/la doctor/a responde sus preguntas sobre lo que puede comer. Usen las preguntas y respuestas del Paso 1 como modelo. Después, intercambien los papeles (*reverse roles*).

Larios

SOPAS
SOUPS

SOPA DEL DÍA SOUP OF THE DAY	$3.75
SOPA DE POLLO CHICKEN SOUP	$3.50
SOPA DE FRIJOLES NEGROS BLACK BEAN SOUP	$3.50

TORTILLAS
OMELETTES

TORTILLA ESPAÑOLA *CON ARROZ Y PLÁTANOS* SPANISH OMELETTE, RICE & PLANTAINS	$6.75
TORTILLA DE PLÁTANO *CON ARROZ Y FRIJOLES NEGROS* PLANTAIN OMELETTE WITH RICE & BEANS	$5.95

ENSALADAS
SALADS

ENSALADA MIXTA HOUSE SALAD	$4.75
ENSALADA DE SARDINAS SARDINE SALAD	$6.95
ENSALADA DE TOMATE TOMATO SALAD	$3.50
SERRUCHO EN ESCABECHE PICKLED KINGFISH	$8.25
PLATO DE FRUTAS FRUIT PLATTER	$4.95

POLLO
CHICKEN

PECHUGA DE POLLO A LA PLANCHA BONELESS GRILLED CHICKEN BREAST	$8.25
POLLO ASADO ROASTED CHICKEN	$7.95
CHICHARRONES DE POLLO DEEP FRIED CHICKEN CHUNKS	$7.95
ARROZ CON POLLO CHICKEN AND YELLOW RICE	$6.95
PECHUGA DE POLLO RELLENA *CON CAMARONES* CHICKEN BREAST STUFFED WITH SHRIMP	$8.95

PESCADOS
FISH

PESCADO EMPANIZADO BREADED FISH	$9.95
PESCADO A LA PLANCHA GRILLED FISH	$9.75
BROCHETA DE CAMARONES SHRIMP KABOB	$11.75
CAMARONES EMPANIZADOS BREADED SHRIMP	$12.25
CAMARONES AL AJILLO SHRIMP IN GARLIC	$12.25
LANGOSTA ENCHILADA LOBSTER CREOLE	$20.50

Para regular el colesterol
EVITE alimentos fritos o con mucha grasa.
TOME alimentos lácteos desnatados (*skim*) o bajos en grasa.
CONSUMA alimentos altos en colesterol (huevos, camarones, etc.) con moderación.
COMA más frutas y verduras.
COMA más pan integral, cereales, frijoles y arroz.

9-7 **¿El/La doctor/a o los padres?** Lee los siguientes mandatos y decide si estas instrucciones son de un/a doctor/a a sus pacientes o de unos padres a sus hijos.

		Doctor	Padres
1.	Saquen la lengua.	☐	☐
2.	Péinense.	☐	☐
3.	Respiren profundamente.	☐	☐
4.	Digan "¡Aaah!"	☐	☐
5.	Lávense las manos.	☐	☐
6.	Hagan gárgaras (*gargle*) con sal.	☐	☐
7.	Quítense los zapatos en la casa.	☐	☐
8.	Tomen una pastilla cada dos horas.	☐	☐

9-8 **¿Quién manda?**

Paso 1. El/La profesor/a manda. Forma oraciones con mandatos que dice el/la profesor/a a sus estudiantes.

Modelo: hacer
Hagan la tarea.

1. no hablar
2. llegar
3. traer
4. no usar
5. leer

Paso 2. Ustedes mandan. Imaginen que, sólo por un día, pueden dar instrucciones u órdenes a sus padres y a sus profesores. En parejas, escriban mandatos afirmativos y negativos en los cuadros.

	Mandatos afirmativos	Mandatos negativos
A los profesores	1. 2. 3.	1. 2. 3.
A los padres	1. 2. 3.	1. 2. 3.

Paso 3. Compartan sus ideas con otro grupo y escojan el mandato más razonable (*sensible*), el más atrevido (*daring*) y el más divertido de todos.

DICHOS

Ajo, cebolla y limón, y déjese de inyección.

¿Qué significa el dicho? ¿Es verdad?

La salud

Cultura: Colombia y Venezuela

WILEY PLUS Map quizzes: As you read about places highlighted in red, find them on the map. Learn more about and test yourself on the geography of the Spanish-speaking world in *WileyPLUS*.

Antes de leer

1. ¿En qué país es posible visitar las playas del Pacífico y también las del mar Caribe?

2. ¿Con qué países tiene frontera Colombia?

3. ¿Cuál es la capital de Colombia? Indica dos ciudades importantes en la costa.

4. ¿Cuál es el río principal que pasa por Venezuela y Colombia?

5. ¿Cuál es la capital de Venezuela?

COLOMBIA

Los españoles escucharon la leyenda de El Dorado (*the Golden One*) sobre un rey cubierto en oro que vivía en una ciudad llena de oro (*gold*). Lo buscaron durante 200 años. Por fin, descubrieron un grupo de indígenas en **Colombia** que celebraban una ceremonia en la que cubrían a su líder con polvo (*powder*) de oro, pero no había ninguna ciudad de oro.

▲ Esmeraldas

Durante la época colonial, Colombia era parte de la Nueva Granada, que incluía los territorios que hoy son Panamá, Ecuador y Venezuela. Pero la Nueva Granada se independizó de España en 1810 y el líder Simón Bolívar creó la Federación de la Gran Colombia. Después, Ecuador, Venezuela y Panamá se separaron de esta Federación.

Hoy en día, Colombia es el principal productor de esmeraldas del mundo y el primer productor de oro de América del Sur. **Bogotá**, la capital de Colombia, está en un valle central. Tiene más de siete millones de habitantes y es una ciudad moderna, llena de rascacielos, tiendas de moda y grandes avenidas. Pero en esta ciudad también existen barrios (*neighborhoods*) muy pobres que contrastan con el lujo (*luxury*) de otras áreas.

▲ El espíritu del pueblo colombiano se ve en su música, sus bailes y sus diversiones populares. La cumbia y el vallenato son ritmos musicales de origen colombiano muy famosos en todo el mundo. Busca en Internet "vallenato colombiano" para escuchar un ejemplo.

Breve diccionario
cafetómano latinoamericano

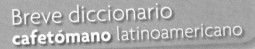

- **AMERICANO** (México, Miami): café aguado, en taza grande.
- **CAFÉ** (todos los países): cualquier cosa, pida más información.
- **CAFÉ-CAFÉ** (Chile): café de grano, normalmente en taza chica.
- **CAFÉ COMÚN** (Argentina): café aguado, en taza grande.
- **CAFÉ CON LECHE** (todos los países): autoexplicativo, pero la proporción leche/café es variable.
- **CAFÉ DOBLE** (Argentina): café cargado, en taza grande.
- **CAPUCHINO** (todos los países): un tercio de café, une tercio de leche, un tercio de espuma de leche. En Chile lleva además crema batida.
- **CAPUCCINO** (Argentina, Colombia): capuchino.
- **CARIOCA** (Brasil): café aguado, en taza chica.
- **CORTADO** (Chile, Argentina): café cargado con un toque de leche.
- **CORTADITO** (Miami): ídem.
- **CUBANO** (Miami): café muy cargado, muy dulce y muy "tacaño": menos de la mitad de una taza chica.
- **CURTO** (Brasil): café cargado en taza chica.
- **EXPRESO** (varios países): café concentrado especial en taza chica.
- **EXPRESSO** (Miami): expreso.
- **EXPRESS** (Chile): expreso.
- **GRANIZADO** (Colombia): café helado, con hielo picado, en vaso.
- **GUAYOYO** (Venezuela): café negro suave, hecho en colador de tela.
- **MARRÓN** (Venezuela): café cargado con toque de leche.
- **NEGRITO** (Venezuela): café sin leche en taza chica.
- **NEGRO** (varios países): café sin leche ni azúcar.
- **PERICO** (Colombia): café cargado con un toque de leche.
- **PINGADO** (Brasil): café con leche en taza grande.
- **TETERO** (Venezuela): leche caliente con un poco de café.
- **TINTO** (Colombia): café relativamente suave, en taza chica.

INVESTIG@ EN INTERNET

¿Sabes quién es Shakira? Es de Barranquilla, Colombia. En 2007, colaboró en la banda sonora de una película que hemos mencionado hace poco. ¿Sabes cuál es? ¿Para qué evento compuso la canción oficial en 2010? Busca información sobre Shakira en Internet y compártela con tus compañeros de clase.

◄ Colombia es el segundo productor de café del mundo, después de Brasil. Según el *Breve diccionario cafetómano latinoamericano*, ¿qué tipos de café son populares en Colombia? ¿Cuál es tu café favorito?

VENEZUELA

En Venezuela, los españoles encontraron fabulosas riquezas de oro, plata (*silver*) y perlas. El nombre del país significa "pequeña Venecia (*Venice*)". ¿Por qué? Porque a principios del siglo XVI, los españoles se encontraron con unos habitantes indígenas, los guajiros, que vivían en chozas (*huts*) suspendidas sobre unas islas muy pequeñas en el **lago Maracaibo,** que les recordaban (*reminded them*) los edificios de la famosa ciudad italiana de Venecia.

Caracas, la capital, está cerca de la costa y es una de las ciudades más cosmopolitas del continente. Los caraqueños son amantes del arte y tienen un admirable Museo de Bellas Artes y una magnífica Orquesta Sinfónica. Caracas también cuenta con (*has*) uno de los servicios de metro más sofisticados del mundo.

Caracas

▲ El "oro negro", o petróleo, es la mayor riqueza del país. La explotación de los grandes depósitos petrolíferos en el lago Maracaibo comenzó a principios del siglo XX. La industria petrolera generó mucha prosperidad en el país y su población se cuadruplicó.

◀ En Venezuela está el Salto Ángel, ¡la cascada más alta del mundo (3,281 pies/979 metros)!

Después de leer

1. ¿A qué país se refiere cada oración?

	Colombia	Venezuela
a. Es el primer productor de esmeraldas del mundo.	☐	☐
b. Los indios guajiros vivían en chozas suspendidas en un lago.	☐	☐
c. La cumbia y el vallenato son dos ritmos típicos.	☐	☐
d. La capital cuenta con un sofisticado sistema de transporte metropolitano.	☐	☐

2. ¿Con qué ciudades de Estados Unidos crees que se pueden comparar Bogotá y Caracas? ¿Por qué? Considera los siguientes detalles:

	Está/Tiene...	Una ciudad similar en Estados Unidos es...
Bogotá	• en un valle rodeado de montañas. • 7,300,000 habitantes. • muchos sitios para tomar café.	
Caracas	• en la costa. • 2,000,000 habitantes. • un sistema de metro muy sofisticado.	

Bogotá

Embajada ★

★ Museo Nacional

Parque Nacional Olaya Herrera

★ Museo de Arte Moderno

★ Villa de Simón Bolívar

★ Museo del Oro

★ La Catedral

3. Mira el siguiente mapa de Bogotá. Elige tres lugares que te gustaría visitar y di por qué.

Así se dice

Una visita al consultorio

Estás muy enfermo/a. Antes de ver al médico necesitas completar el siguiente cuestionario para pacientes.

Cuestionario sobre la salud

	Sí	No
1. ¿Le **duele la cabeza** con frecuencia?	☐	☐
2. ¿Tiene **dolor de estómago**?	☐	☐
3. ¿Tiene mucha **tos/Tose** mucho?	☐	☐
4. ¿Tiene **fiebre**?	☐	☐
5. ¿Tiene **diarrea**?	☐	☐
6. ¿Tiene **resfriados** o **gripe** con frecuencia?	☐	☐
7. ¿Tiene **alergias**?	☐	☐
8. ¿Tiene **congestión nasal**? ¿**Estornuda** mucho?	☐	☐
9. ¿Le **duele la garganta** con frecuencia?	☐	☐
10. ¿Tiene **vómitos/Vomita**?	☐	☐
11. ¿Tiene **náuseas**?	☐	☐
12. ¿Tiene **escalofríos**?	☐	☐
13. ¿**Se cansa** con frecuencia?	☐	☐
14. ¿Duerme bien?	☐	☐
15. ¿**Se siente deprimido/a**?	☐	☐

Otros síntomas _____

cansarse	_to get tired_	**la gripe**	_flu_
el resfriado	_cold_	**la salud**	_health_
el escalofrío	_chill_	**sentirse (ie, i)**	_to feel_
estornudar	_to sneeze_	**la tos**	_cough_
la garganta	_throat_	**toser**	_to cough_

NOTA DE LENGUA

To express aches, pains, and how you feel, use the following verbs and expressions:

doler (like **gustar**): _indirect object_ + **doler (ue)** + **el/la/los/las** + _body part_

Me **duelen** las piernas.	_My legs hurt._
¿Te **duele** el estómago?	_Do you have a stomachache?_

tener dolor de + _body part_

Tengo dolor de espalda.	_I have a backache._

sentirse (ie, i) + _adjective_

Se sintió/ Se siente bien, mal, enfermo/a, triste, cansado/a, etc.	_She/He felt/feels …_

9-9 ¿De quién es el diagnóstico y el tratamiento?

Paso 1. Mientras estudias en Venezuela, tus amigos Jorge, Pedro, Alberto y Daniel se enferman y van al médico. Escúchalos describir sus síntomas e indica a quién le pertenece cada diagnóstico y tratamiento.

DIAGNÓSTICO:	Otitis (infección de oído)
TRATAMIENTO:	<u>Tomar</u> antibióticos cada (*every*) 6 horas. <u>Aplicar</u> calor seco (*dry*) para aliviar el dolor.

1. Es de ☐ Jorge ☐ Pedro ☐ Alberto ☐ Daniel

DIAGNÓSTICO:	Alergia al polen
TRATAMIENTO:	<u>Cerrar</u> las ventanas. <u>Tomar</u> *Allegra* antes de salir a la calle.

2. Es de ☐ Jorge ☐ Pedro ☐ Alberto ☐ Daniel

DIAGNÓSTICO:	Gastroenteritis
TRATAMIENTO:	<u>Tomar</u> líquidos para evitar (*avoid*) la deshidratación y <u>descansar</u> mucho. No necesita medicina.

3. Es de ☐ Jorge ☐ Pedro ☐ Alberto ☐ Daniel

DIAGNÓSTICO:	Gripe
TRATAMIENTO:	<u>Tomar</u> aspirinas, líquidos y <u>descansar</u>.

4. Es de ☐ Jorge ☐ Pedro ☐ Alberto ☐ Daniel

Paso 2. Ahora, convierte las recomendaciones del médico (los verbos subrayados) en mandatos con la forma *usted*.

Modelo: **Tome antibióticos cada 6 horas.**

NOTA CULTURAL

Ayuda médica

There are different resources for medicine and healing in Latin America. Public health systems are the main providers of health care, with many well-equipped hospitals and highly trained doctors. For minor health issues, many people rely on their pharmacist, with whom a personal relationship is often developed. The pharmacist offers advice and provides over-the-counter medication. **Herbolarios**, where plants and homeopathic remedies are sold, are also common. Spiritual healers such as **curanderos** (*folk healer*) and **chamanes** heal through the use of medicinal plants and religious rituals.

DICHOS

El amor y la tos no pueden ocultarse (*hide*).

¿Por qué no pueden ocultarse ni el amor ni la tos?

9-10 **¿Qué me pasa, doctor?** Ahora tú te sientes enfermo/a también y vas al consultorio.

Paso 1. Piensa en algunos síntomas y escríbelos en una hoja con el mayor detalle posible.

 Paso 2. En parejas, túrnense en los papeles de paciente y doctor/a.

Paciente: Describe tus síntomas al doctor/a la doctora y responde sus preguntas (puedes improvisar). Después de escuchar su diagnóstico y recomendaciones, haz una o dos preguntas sobre qué cosas puedes o no puedes hacer.

Doctor/a: Escucha al/a la paciente y hazle algunas preguntas más sobre sus síntomas. Después, haz un diagnóstico y recomienda un tratamiento según el cuadro (*chart*). Responde a las preguntas del/ de la paciente.

Modelo:		
PACIENTE:	**Buenas tardes, doctor/a… Tengo muchos problemas. Estoy… / Me siento...**	
MÉDICO/A:	**A ver, ¿le duele(n)… ? ¿Tiene usted… ? Tengo varias recomendaciones: Primero... / Tome…**	
PACIENTE:	**¿Puedo… ? / ¿Tengo que… ?**	

DIAGNÓSTICO	TRATAMIENTO
gripe	tomar aspirinas, líquidos, descansar
mononucleosis	tomar ibruprofeno, líquidos, descansar mucho
acidez de estómago	tomar un líquido contra la acidez
infección de...	tomar antibióticos
resfriado	tomar muchos líquidos, descansar
bronquitis	tomar jarabe para la tos y un expectorante
depresión	ir a ver a un psicólogo o psiquiatra

Así se forma

Era medianoche y hacía mucho viento. Los niños caminaban por la calle desierta...

WILEY PLUS Go to *WileyPLUS* and review the Animated Grammar Tutorial and Verb Conjugator for this grammar point.

2. The imperfect: Descriptions in the past

Spanish has two simple past tenses: the preterit and the imperfect. You have already learned to use the preterit to talk about past actions perceived as complete and past actions within a specific time frame (yesterday, last night, etc.).

Use of the imperfect

Like the preterit, the imperfect tense also expresses actions or events that took place in the past, but the imperfect does not focus on the completion of the action. It does not express beginning and/or end; it just views an action as something that was in place or in progress. It is used primarily:

- to describe in the past (background, weather, ongoing conditions, persons, places, things, etc.).

Hacía sol.	*It **was** sunny.*
La playa **era** hermosa.	*The beach **was** beautiful.*
El mar **estaba** muy tranquilo.	*The sea **was** very tranquil.*
Los niños **llevaban** trajes de baño y camisetas.	*The children **were wearing** bathing suits and T-shirts.*
Estaban muy contentos.	*They **were** very happy.*

- to indicate that past actions were in progress, ongoing, or habitual.

Un niño **jugaba** en el agua.	*One child **was playing** in the water.*
Otro **construía** un castillo.	*Another **was building** a castle.*
A otros siempre **les gustaba** jugar con una pelota.	*Others always **liked** to play with a ball.*

- Like **hay, había** denotes existence, but in the past.

Había tres pacientes en la sala de espera.	*There **were** three patients in the waiting room.*

Note that, although most of these actions and conditions surely started and finished at some point, we do not "perceive" a beginning or end in the examples above.

The imperfect tense can be translated with the English forms below, depending on the actual meaning expressed:

Mientras **esperaba** al médico, leyó un artículo en una revista.	*While she **was waiting/waited** for the doctor, she read an article in a magazine.*
El doctor la **examinaba** una vez al año.	*The doctor **used to/would examine** her once a year.*

Forms of the imperfect

To form the imperfect in regular verbs, delete the **–ar, –er,** or **–ir** from the infinitive and add the endings indicated below. Note that the imperfect **–er/–ir** endings are identical.

	examinar	**toser**	**salir**
(yo)	examin**aba**	tos**ía**	sal**ía**
(tú)	examin**abas**	tos**ías**	sal**ías**
(Ud., él/ella)	examin**aba**	tos**ía**	sal**ía**
(nosotros/as)	examin**ábamos**	tos**íamos**	sal**íamos**
(vosotros/as)	examin**abais**	tos**íais**	sal**íais**
(Uds., ellos/ellas)	examin**aban**	tos**ían**	sal**ían**

Irregular verbs

Only three verbs are irregular in the imperfect:

ser		**ir**		**ver**	
era	éramos	iba	íbamos	veía	veíamos
eras	erais	ibas	ibais	veías	veíais
era	eran	iba	iban	veía	veían

9-11 En la época de nuestros bisabuelos.

Paso 1. El mundo era diferente en asuntos de salud cuando nuestros bisabuelos eran jóvenes. Indica si estas afirmaciones son ciertas o falsas y escribe otra afirmación cierta para el número 10.

Cuando mis bisabuelos eran jóvenes...	Cierto	Falso
1. Los doctores recetaban muchos antibióticos.	☐	☐
2. Muchas personas consumían comida rápida.	☐	☐
3. Casi todos consumían comida muy saludable (*healthy*).	☐	☐
4. El SIDA (*AIDS*) era una enfermedad peligrosa.	☐	☐
5. Todos conocían los efectos negativos de fumar.	☐	☐
6. Las personas no tenían mucho estrés.	☐	☐
7. Los jóvenes no eran activos; pasaban muchas horas sentados.	☐	☐
8. Había muchos problemas con las drogas.	☐	☐
9. Muchas personas usaban remedios caseros.	☐	☐
10. …	☑	☐

Paso 2. En parejas, contrasten el pasado (usando **antes**) y el presente (usando **ahora**). Incluyan sus afirmaciones originales.

Modelo: Los doctores recetaban muchos antibióticos.
Antes los doctores no recetaban muchos antibióticos, pero ahora sí lo hacen.

9-12 ¿Mejora la salud?

Paso 1. Una persona está tratando de mejorar su salud y te pide tu opinión. Primero quieres saber más sobre sus hábitos pasados y actuales (*current*). Escucha sus descripciones e indica si habla de los pasados (**Antes**) o los actuales (**Ahora**).

		Antes	Ahora
1.	tomar mucha cerveza los fines de semana	☐	☐
2.	comer pocas ensaladas y fruta	☐	☐
3.	ver la televisión dos o tres horas por la noche	☐	☐
4.	no tomar desayuno	☐	☐
5.	dormir menos de seis horas	☐	☐
6.	fumar bastante	☐	☐
7.	tomar mucho café todos los días	☐	☐
8.	ser poco activo	☐	☐
9.	ir al gimnasio una vez por semana	☐	☐

Paso 2. Tu amigo/a todavía tiene algunos hábitos poco saludables. Tú también hacías cosas similares antes, pero ahora tienes costumbres más sanas y ¡te sientes mucho mejor! Explícaselo en una breve carta.

Modelo: Hola Andrés:

Ya veo que tienes algunos buenos hábitos, pero todavía puedes mejorar otras cosas. ¡Vale la pena! (*It's worth it!*) **Antes yo tampoco tomaba desayuno, pero ahora como cereal todas las mañanas y tengo mucha energía…**

9-13 Cuando teníamos diez años.

Paso 1. Escribe oraciones describiendo cómo eras y qué hacías cuando tenías diez años.

1. ser (tímido/a; perezoso/a; trabajador/a…)
2. estudiar (¿Cuánto? ¿Dónde? ¿Con quién?)
3. hacer (deporte/actividades extraescolares…)
4. ver la tele (¿Cuánto? ¿Qué programas?)
5. leer (¿Qué revistas/libros/cómics?)
6. escuchar música (¿Qué tipo de música/cantante/grupo?)
7. hablar mucho por teléfono (¿Con quién?)
8. salir con mis amigos/as (¿Adónde? ¿Con qué frecuencia?)
9. trabajar (¿Dónde? ¿Con quién?)
10. querer tener o hacer… (¿Qué?)

Paso 2. Ahora, en parejas, haz preguntas a tu compañero/a sobre diferentes aspectos de su infancia (*childhood*). ¿Eran ustedes similares o diferentes cuando tenían diez años?

Modelo: **¿Cuánto estudiabas? ¿Dónde preferías estudiar? ¿Qué materia te gustaba estudiar?**

9-14 Los hábitos diarios.

Paso 1. Escribe párrafos breves comparando tus hábitos relacionados con las siguientes actividades cuando tenías quince años y ahora.

Modelo: dormir

Me acostaba a las diez de la noche y me levantaba a las siete de la mañana entre semana (*on weekdays*). Los fines de semana me acostaba tarde, pero no me levantaba hasta las once... ¡Dormía mucho! Ahora me acuesto...

1. dormir
2. comer
3. beber
4. ejercicio/deporte
5. tiempo libre

 Paso 2. En grupos pequeños, compartan y comparen sus ideas. ¿Eran sus hábitos más saludables antes o lo son ahora?

SITUACIONES

Estudiante A: Eres estudiante de primer año. Estás cansado/a y te enfermas con frecuencia. Además engordaste (*gained*) 5 libras y estás estresado/a porque los exámenes son la próxima semana... pero te encanta tu nueva "libertad" (*freedom*) y quieres disfrutarla (*enjoy it*).

Estudiante B: Tu amigo/a está cometiendo muchos errores: no come bien, no hace ejercicio, sale con los amigos/as durante la semana y duerme poco. Tú ya tienes más experiencia; habla con él/ella y ofrécele algunos consejos (*advice*).

EXPRESIONES ÚTILES

Debes + infinitivo...
　　You ought to/ should/must...
Tienes que + infinitivo...
　　You have to/must...
Puedes + infinitivo...
　　You can...
¿Por qué no + presente...?
　　Why don't you...?

NOTA CULTURAL

Gabriel García Márquez

Gabriel García Márquez was born in 1927. He is a Colombian writer and journalist. He won international acclaim in 1967 with his masterpiece, *One Hundred Years of Solitude*, a defining classic of 20th century literature. He was awarded the Nobel Prize for Literature in 1982. His journalistic work includes 1996's *News of a Kidnapping*, which details the events that followed some notorious kidnappings committed by the Colombian drug cartels. Film adaptations of his novels *Love in the Time of Cholera* and *Of Love and Other Demons* were released in 2007 and 2010 respectively.

Cultura: Remedios caseros del mundo hispano

Antes de leer

1. ¿Usan remedios caseros en tu familia? ¿Cuáles? ¿Son efectivos?

2. ¿Prefieres usar remedios caseros o farmacéuticos?

Desde que (*since*) el ser humano se dio cuenta de (*realized*) que podía aliviar sus dolencias (*aches and pains*) con la ayuda de hierbas y plantas medicinales, toda una tradición de remedios se transmitió de generación en generación. Cada cultura, cada país, cada región tiene sus propias curas. A continuación vas a encontrar algunas de las tradiciones médicas populares del mundo hispano. Recuerda que no debes tomar remedios caseros ni farmacéuticos sin consultar con tu médico/a.

▲ Un té de tilo es bueno para calmar el estrés.

▲ La flor del naranjo, los azahares.

HIPO (*HICCUPS*)

Una vez más, los consejos son múltiples. Se recomienda poner jugo de limón en la lengua o tomar sorbos (*sips*) de agua. Otros creen que se debe asustar (*scare*) al paciente. En México, las abuelitas les ponen un hilo (*string*) rojo en la frente (*forehead*) a los bebés para detener el hipo.

RESFRIADO/GRIPE/CATARRO

Todos los remedios comienzan con una limonada caliente. Lo que cambia de receta a receta son los ingredientes que se agregan (*are added*). Algunos ponen miel (*honey*) en la limonada, mientras que otros ponen ron o whisky.

ORZUELOS (*STYES*)

Se recomienda hervir (*boiling*) unos clavos de olor (*cloves*) en agua y, cuando está tibia (*lukewarm*), aplicarla al orzuelo. Según los costarricenses, es un remedio seguro. Otros afirman que lo mejor es aplicar miel. Algunos orzuelos son infecciones y, si no desaparecen por su cuenta, deben ser tratadas con antibióticos.

DOLOR DE OÍDO

Se recomienda dorar (*browning*) un ajo al fuego, ponerlo en un algodón y colocarlo en la entrada del oído.

NERVIOSISMO/ESTRÉS

Las flores del naranjo, los azahares, hervidas en agua, tienen propiedades sedantes. Un té de tilo, otra hierba medicinal, también ayuda a calmar la ansiedad.

DOLOR DE PIES

Para relajar los pies y aliviar el cansancio se deben poner en agua de sal tibia. Un masaje con una crema hidratante también hace maravillas.

La próxima vez que le preguntes a un hispanoparlante sobre remedios caseros, prepárate: quizás recibas muchos consejos (*advice*) y respuestas.

Después de leer

Empareja los siguientes remedios con los problemas que curan.

_____ limonada caliente   **a.** el estrés

_____ los azahares   **b.** el resfriado

_____ el ajo   **c.** el dolor de oído

VideoEscenas: Un deporte peligroso

▲ Jaime le cuenta a Ana su accidente deportivo.

Paso 1. Indica si los siguientes deportes son peligrosos o no. Después, compara tu lista con la de un/a compañero/a. ¿Están de acuerdo (*do you agree*) en todo?

		¿Es peligroso?	
		Sí.	**No.**
1.	el fútbol	☐	☐
2.	el tenis	☐	☐
3.	el fútbol americano	☐	☐
4.	el esquí	☐	☐
5.	el esquí acuático	☐	☐
6.	el boxeo	☐	☐

Paso 2. Mira el video prestando atención a las ideas principales. Después, indica si las siguientes afirmaciones son ciertas o falsas.

		Cierto	**Falso**
1.	Jaime jugó al futbol con sus amigos el sábado.	☐	☐
2.	Después del partido, los amigos de Jaime se enfermaron.	☐	☐
3.	Jaime tuvo un accidente jugando al fútbol.	☐	☐
4.	Jaime no va a clase porque está enfermo.	☐	☐

Paso 3. Todos los amigos de Jaime tuvieron problemas de salud la semana pasada. Mira el video otra vez e indica qué le pasaba a cada uno.

Miguel: _____

José Mari: _____

Juan: _____

Germán: _____

Así se forma

> Los niños caminaban por la calle desierta cuando de repente, ¡vieron un fantasma!

WILEY PLUS Go to *WileyPLUS* and review the Animated Grammar Tutorial and Verb Conjugator for this grammar point.

3. Talking about and describing persons, things, and actions in the past: The imperfect vs. the preterit

Although both the preterit and the imperfect tenses refer to the past, they convey different meanings. The difference is not one of time (when the event took place) but of aspect (how the event is perceived or what parts of it the focus is on). The main contrast is that, while the preterit presents the event as a complete one from beginning to end, or expresses its beginning or end points, the imperfect presents an action or event in the past with no reference to its beginning and/or end. Because it is sometimes difficult to make concrete decisions based on this general concept, here are more specific guidelines to help you decide which tense to use.

> **HINT**
>
> Review the preterit tense of regular, stem-changing, and irregular verbs in *Capítulos 6, 7,* and *8.*

The imperfect . . .	The preterit . . .
1. Describes the *middle* of a past action, state, or condition; indicates that it was *in progress*, with no emphasis on the beginning or end. Juan **estaba** enfermo. No **quería** comer. Sólo **dormía** y veía la tele.	1. Focuses on a past action or condition with an evident *beginning, end,* or *time frame.* Anita **se enfermó** el sábado. **Estuvo** enferma toda la semana. **Salió** del hospital ayer. **Pasó** tres días allí. **Se recuperó** completamente.
2. Describes a past action that was *repeated* or *habitual* over an indefinite period of time. La enfermera **visitaba** a sus pacientes todas las noches. A veces les **llevaba** jugo de naranja.	2. Indicates a *single past action*, generally quickly completed, or a *series of actions* in the past. El paciente **entró** en el consultorio. El enfermero le **tomó** la temperatura, le **explicó** el problema y le **puso** una inyección.

In addition, when narrating an incident or telling a story we use . . .

The imperfect . . .	The preterit . . .

1. To set the stage, give background information:
 	
• The date, the season
   Era el 12 de diciembre. **Era** invierno.
 	
• What time it was
   Era la medianoche.
 	
• The weather
   Hacía frío y **nevaba**.
 	
• A description of the setting
   La casa **era** muy vieja y **tenía** un árbol muy grande enfrente.
 	
• A description of the people involved, both their physical and personality traits, and also their age
   La abuela **era** bonita y muy amable. **Tenía** ochenta años.
 	
2. To indicate people's emotional/physical state or condition.
   Estaba contenta, pero **tenía** hambre.
 	
3. To describe ongoing actions.
   Ella **leía** un libro.
	1. To express an event that interrupts an ongoing (imperfect) action.
	
	Mientras ella **leía** el libro, **sonó** el teléfono.
	
	2. To narrate sequential events; moves the story forward, telling what happened
	
	Se levantó, **contestó** el teléfono y **salió** de la casa inmediatamente.

Some time expressions convey the idea of a state or repetition and are commonly used with the imperfect. Similarly, time expressions that refer to a particular point in the past or a delimited past time are often associated with the preterit.

IMPERFECTO		PRETÉRITO	
muchas veces	many times, often	una vez	once, one time
todos los días	every day	ayer	yesterday
mientras	while	el verano pasado	last summer
con frecuencia	frequently	de repente	suddenly
siempre/generalmente	always/generally	anoche	last night

Todos los veranos **íbamos** a la playa, pero el verano pasado **fuimos** a las montañas.

Note, however, that these are just tendencies and these expressions do not require the use of one tense or the other. The main criteria to choose a past tense should always be the speaker´s perspective, what she/he wants to convey.

Cuando estaba en el hospital, mi tío **vino** a verme **todos los días**.	*When I was in the hospital, my uncle came to see me every day.*
El verano pasado íbamos mucho a la playa.	*Last summer we used to go to the beach a lot.*

9-15 Nuestro gato Rodolfo.

Paso 1. Lean esta historia sobre lo que le pasó al gato.

Ayer, nuestro gato Rodolfo **se enfermó**. No **quería** comer y **tenía** diarrea. ¡Pobrecito! Por supuesto, todos **estábamos** muy preocupados. Elena y yo lo **llevamos** al veterinario y **nos sentamos** en la sala de espera, donde **había** muchos animales. Rodolfo **estaba** en una caja de cartón (*cardboard box*) y, por supuesto, no **estaba** nada contento. ¡**Tuvimos** que esperar por una hora! Por fin, el veterinario lo **examinó, descubrió** que el pobre Rodolfo **tenía** una infección intestinal y le **recetó** un antibiótico. **Volvimos** a casa e inmediatamente le **dimos** su medicamento. En poco tiempo, **se recuperó**. ¡Qué suerte! (*What luck!*)

Paso 2. Para cada verbo, indica si expresa una acción (A), o una descripción/un estado (*state*) (D/E).

1. **se enfermó**
2. no **quería** comer
3. **tenía** diarrea
4. **estábamos** preocupados
5. lo **llevamos** al veterinario
6. **nos sentamos** en la sala de espera
7. **había** muchos animales
8. Rodolfo **estaba** en una caja

9. no **estaba** nada contento
10. el veterinario lo **examinó**
11. **descubrió**
12. Rodolfo **tenía** una infección
13. le **recetó** un antibiótico
14. **volvimos** a casa
15. le **dimos** su medicamento
16. **se recuperó**

9-16 **¡Pobre Rodolfo!** La familia llevó a Rodolfo al veterinario porque notaron varios cambios en el pobre gato. En parejas, escriban oraciones sobre lo que Rodolfo hacía *casi todos los días* y lo que hizo *ayer*. ¡Usen la imaginación!

Modelo: pasear por el jardín por las noches
Siempre paseaba por el jardín por las noches, pero ayer no salió de la casa.

Casi todos los días...   **pero ayer...**

1. comer toda la comida de su tazón   ...
2. descansar junto a la chimenea   ...
3. pelear con Teo, el perro   ...
4. jugar con Elena y Juanito   ...
5. dormir una siesta por la tarde   ...
6. ¿...?   ...

9-17 **Más sobre nuestro gato Rodolfo.** Describan al gato Rodolfo y algunas de sus aventuras juveniles. Usen el pretérito o el imperfecto según el caso.

Es verdad que Rodolfo es un gato único. Cuando _____ (tener) dos años y _____ (llegar) a nuestra casa, _____ (ser) gordo y bonito. _____ (Poder) correr muy rápido y aún subir a los árboles, donde le _____ (encantar) observar los pájaros (*birds*). Año tras (*after*) año nos _____ (dar) sorpresas. Por ejemplo, normalmente _____ (tomar) agua de su tazón, pero un día ¡la _____ (tomar) del inodoro (*toilet*)! Casi siempre _____ (dormir) en el sótano, en el sofá, pero una noche _____ (dormir) afuera, en el jardín. Allí _____ (conocer) a Gitana (*Gypsy*), su gata favorita. Unos días más tarde, nos _____ (dar) otra sorpresa: ¡_____ (Comerse) el jamón de mi sándwich! Cuando yo _____ (entrar) en la cocina y lo _____ (descubrir), ¡el "delincuente" _____ (salir) corriendo de la casa! Allí _____ (ver) a Gitana y los dos _____ (escaparse). _____ (Regresar) a casa ¡tres días más tarde! Ahora tenemos una pareja de gatos durmiendo junto a la chimenea y probablemente una familia por venir.

9-18 **Martes trece.** No eres supersticioso/a, pero ayer fue martes, día 13, y ¡todo salió mal (*went wrong*)!

Paso 1. Mira la tabla de la página 319. Decide qué acciones de la primera columna hacías cuando sucedieron los eventos de la segunda columna. Escribe el número de la primera frase al lado de la segunda frase.

Paso 2. Usando las ideas del Paso 1, explica lo que hacías y lo que pasó. Luego continúa la historia contando dos cosas que pasaron por la noche.

Modelo: **Por la mañana, mientras me duchaba, se terminó el agua caliente...**

Mientras...

1.	ducharse	____	encontrar un pelo en la sopa
2.	desayunar	____	empezar a llover
3.	hacer un examen	____	congelarse (*freeze*) la computadora
4.	comer en la cafetería	____	acabarse (*run out*) el agua caliente
5.	escribir un trabajo	____	sonar mi teléfono celular
6.	volver a mi cuarto	____	derramar (*spill*) café en mi camisa

9-19 El accidente de Martín un martes trece. Narra la historia en pasado. Cambia los verbos al pretérito o al imperfecto según el caso. Debes estar preparado para explicar las razones de tus decisiones a la clase.

Martín **maneja** muy contento. No **ve** el alto (*stop sign*) y **choca** (*crashes*) con otro coche que **viene** en la dirección opuesta. Al otro conductor no le **pasa** nada, pero el pobre Martín **se lastima**. **Llega** la policía y una ambulancia que lo **lleva** al hospital. La pierna le **duele** mucho. El médico lo **examina** y lo **manda** a radiología. **Es** un mal día para Martín. **Se fractura** la pierna y **sale** del hospital en muletas. **Es** un martes trece y como dice el dicho: "Martes trece, ni te cases ni te embarques, ni de tu casa te apartes".

9-20 Un evento memorable en mi vida. En grupos, cada estudiante piensa en un evento verdadero o ficticio de su pasado. Luego van a narrarlo al grupo con muchos detalles. El resto del grupo puede hacer seis preguntas sobre los detalles. Después, el grupo decide si el evento es verdadero o no.

9-21 ¡Una noche increíble! En grupos, inventen la historia de una noche increíble. Pueden usar una de las ideas de abajo o una diferente. Un/a secretario/a escribe la historia para leérsela a la clase más tarde. Presten atención al uso del pretérito y del imperfecto.

Temas posibles:
1. una noche en la Ciudad de Nueva York
2. una noche en la sala de urgencias de un hospital
3. un sábado por la noche en una fiesta de la universidad
4. una noche viajando en autobús en Colombia o Venezuela
5. una noche en casa de los Simpson

Incluyan:
- referencia a la fecha, el día, la hora y el lugar donde estaban
- descripción del tiempo, del lugar y de las personas
- descripción de lo que pasaba en ese lugar (acciones en progreso, etc.)
- lo que pasó
- final de la historia

Dicho y hecho

ANTES DE LEER

1. El término *ayurveda* viene del idioma sánscrito: *ayus* = vida, *veda* = ciencia. Probablemente se refiere a:

   ☐ Películas de ciencia ficción hechas en la India.

   ☐ Un sistema de medicina tradicional.

2. Lee las tres descripciones a continuación y decide cuál te describe mejor.

   ☐ Individuo nervioso, de carácter activo; esbelto (*svelte*), pelo y piel (*skin*) secos.

   ☐ Individuo visceral, de carácter decidido; figura proporcionada; buen apetito.

   ☐ Individuo emocional, de carácter pacífico; figura grande, con tendencia a ganar peso.

ESTRATEGIA DE LECTURA

Scanning for details In *Capítulo 2* you practiced skimming a text to get the main idea(s). Sometimes getting the general idea of a text fulfills your purpose in reading it. Other times, you may be reading a text with a more focused purpose. Scanning consists in reading quickly over a text with the purpose of finding the specific information you are interested in or need to find. When scanning for specific details, run your eye over the text looking for key words that will lead you to the information you need. Look at the first paragraph of the article that follows, for example. If your purpose is to find specific information about where this particular form of medicine originated, you would scan until seeing **origen**, read more closely, and determine that its origins are in southern India. If your purpose were to determine the role the patient plays, you would scan until seeing **paciente** and **activo**. Read the following article first for the purpose of general understanding. You will practice scanning for specific information in *Después de leer*.

A LEER

El *ayurveda* no es solamente una medicina, es algo que te ayuda a conocerte mejor a ti mismo. El paciente tiene un papel[1] activo dentro de la terapia; es decir, cada uno debe aprender a ser su propio médico. Es la medicina tradicional más antigua de la historia, y sus conocimientos aparecen en textos de más de 5,000 años. Tiene su origen en el sur de la India y se basa en un sistema medicinal global e integral[2].

El estilo de vida de moda

El ayurveda se identifica con un estilo de vida que intenta ser beneficioso para la salud y para la belleza, mejorando la calidad de la piel y el cabello y ayudando a prevenir el envejecimiento[3]. En Occidente[4] es su perspectiva estética la que se ha puesto de moda y se ha introducido en *spas* y salones de belleza por sus buenos resultados. Incluso personajes como Madonna utilizan prácticas ayurvédicas para mantenerse sanos y jóvenes.

Sin embargo, esta ciencia ancestral no está limitada a lo estético. Abarca[5] los principales campos médicos como medicina interna completa, cirugía[6] general y específica, pediatría, ginecología, gerontología, toxicología y psiquiatría. Además, está reconocida por la Organización Mundial de la Salud.

Basándose en el estudio de los *doshas*, se trata al paciente como un individuo único, creando remedios y terapias específicos para cada persona.

---

[1] plays a role, [2] holistic, [3] aging, [4] the Western World, [5] covers, [6] surgery

Doshas o tipologías de las personas

Los *doshas* son los responsables de los cambios psico-biológicos y psico-patológicos de nuestro organismo. Existen tres *doshas*: *vata* (controla el sistema nervioso), *pitta* (responsable de las funciones digestivas y del hígado[7]) y *khapa* (controla las emociones).

Analizando las características fisiológicas, la constitución y el metabolismo, podemos reconocer cuáles son los *doshas* dominantes en cada persona:

Vata: Individuos nerviosos, de carácter activo; esbeltos, con tendencia a tener el pelo y la piel secos.

Pitta: Individuos viscerales, de carácter decidido; figura media y proporcionada y con tendencia a tener buen apetito.

Kapha: Individuos emocionales, de carácter pacífico; figura grande, con tendencia a ganar peso.

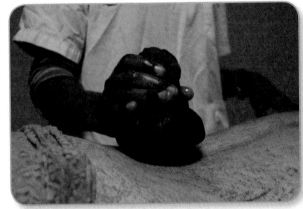

La clave para estar sanos es lograr el equilibrio entre los *doshas*, pues según el ayurveda, los desequilibrios son la causa de toda enfermedad. Observando los desequilibrios y el estado de los *doshas* se pueden determinar las causas de distintas enfermedades, curarlas y prevenirlas. También se tienen en cuenta[8] los siete tejidos del cuerpo (plasma, sangre, músculo, grasa, hueso, nervio y tejido reproductivo) y los tres desechos[9] principales que son las heces[10], la orina y el sudor[11]; en ellos se pueden encontrar signos de disfunciones o irregularidades del organismo. Además, se presta especial atención a la influencia del *agni*, que es la energía implicada en los procesos del metabolismo.

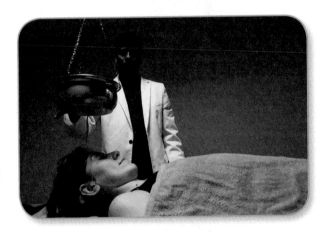

La enfermedad es una consecuencia de la falta de armonía en cualquiera de estos factores. "El ayurveda tiene tres pilares muy importantes: el primero es la dieta; el segundo, el estilo de vida; y el tercero es, si hay una enfermedad, tratarla", explica Deva Paksha, investigadora ayurvédica y terapeuta, además de fundadora de la asociación Shankha Ayurveda.

Los tratamientos

Los tratamientos ayurvédicos incluyen masajes terapéuticos, uso de aceites, ungüentos[12] e infusiones y un control de la dieta. Lo que caracteriza a los productos que se utilizan en el ayurveda es que todos parten de una base natural de plantas medicinales. Los tratamientos más conocidos del ayurveda se ocupan de la desintoxicación del organismo para limpiar el sistema nervioso y circulatorio y equilibrar el cuerpo.

El ayurveda es una alternativa para tratar diversos problemas de salud y mejorar nuestra calidad de vida y aspecto físico. Si logramos estar en equilibrio y armonía con nuestro organismo, estaremos sanos y, por consecuencia, más guapos y jóvenes.

Texto y fotografía: Rebeca Arnal / *Punto y coma*

---

[7] liver, [8] are taken into account, [9] waste, [10] feces, [11] sweat, [12] ointment

Dicho y hecho

1. Indica si las siguientes afirmaciones son ciertas o falsas según el texto.

Cierto **Falso**

☐ ☐ **a.** El ayurveda es una de las medicinas más modernas de la historia.

☐ ☐ **b.** Es una ciencia ancestral reconocida por prestigiosos organismos internacionales.

☐ ☐ **c.** Con esta ciencia se pueden mejorar el pelo, la piel y retrasar el envejecimiento.

☐ ☐ **d.** La salud se alcanza logrando el equilibrio y la armonía en nuestro organismo.

☐ ☐ **e.** Esta medicina se basa en controlar lo que comemos y cómo vivimos, pero no hay tratamientos o curas directas de las enfermedades.

2. Practica la estrategia de "*scanning*" para emparejar cada uno de estos términos con su significado.

____ dosha   **a.** La energía metabólica.

____ agni   **b.** La combinación del sistema nervioso, digestivo y emocional.

____ ayurveda   **c.** *Dosha* responsable de la digestión e hígado.

____ pitta   **d.** Un sistema de salud global que tiene más de 5,000 años.

3. Escanea el texto para buscar la información necesaria para contestar estas preguntas:

a. ¿Qué campos de la medicina tradicional incluye el ayurveda?

b. ¿Cuál es la causa de todas las enfermedades, según el ayurveda?

c. Además de estudiar los *doshas* de cada persona, ¿qué otras partes del cuerpo se consideran en un diagnóstico del ayurveda?

d. ¿De qué se componen los productos ayurvédicos?

4. ¿Has probado el ayurveda o estarías dispuesto/a (*willing*) a probarlo? Explica tu respuesta.

PARA CONVERSAR: En la sala de urgencias

Imaginen que tres de ustedes están en la sala de urgencias de la clínica de la universidad. Cada uno/a le explica al/a la recepcionista por qué necesita ver al/a la doctor/a. El/La recepcionista les hace preguntas para determinar quién va primero.

Posibilidades:

- Estabas corriendo, te caíste (*fell*) y ahora…
- Comiste unos mariscos y ahora…
- Piensas que tienes la gripe.
- Tienes bronquitis.

ESTRATEGIA DE COMUNICACIÓN

Taking Risks Many adults can feel apprehensive about speaking a second language because they do not feel they are as convincing or authoritative as they are in their first language. But sometimes it is important to just jump in and take risks when speaking a second language without worrying too much about how you sound to the listeners. A very important part of a successful communication is a positive attitude and persistence. When carrying out this activity, try your best to communicate your needs so that you will be attended to in the emergency room.

PARA ESCRIBIR: Lo qué me pasó

Esta vez vas a contar una historia sobre una enfermedad o una visita médica. Puede ser cierta o ficticia, realista o imaginativa, sobre ti o sobre otros. ¿Qué historia vas a contar? Puedes contar una historia sobre una vez que estuviste enfermo/a o tuviste un accidente, una estadía en el hospital o una visita médica. Recuerda que la historia puede ser real o ficticia, seria o cómica, etc.

ANTES DE ESCRIBIR

- Escribe un bosquejo de los eventos en orden cronológico. ¿Qué pasó? ¿Cuándo?

- Escribe una lista de los lugares donde ocurrió la historia, y algunos detalles para describirlos. Piensa en estas preguntas: ¿En qué lugar estuve? ¿Cómo eran esos lugares? ¿Qué había? ¿Cómo era el ambiente (*atmosphere*)?

- Escribe una lista de personajes relevantes, incluyendo características importantes para la historia. Puedes pensar en preguntas como: ¿Qué personas fueron relevantes para la historia? ¿Cómo eran? ¿Qué hicieron? ¿Por qué?

ESTRATEGIA DE REDACCIÓN

Narrating There are many ways to tell a story. While you're learning Spanish, here are a few ideas that may help you.

- In terms of content, think of the events and the people that are important to the story. To add details, think of questions like *What? When? Where? Who? How? Why?* and choose details (answers to those questions) that are important or will make your story more interesting.
- Tell the story in chronological order and use connecting words that will help the reader follow the sequence of actions.
- Pay attention to your use of verb tenses. Remember to use the preterit to talk about completed actions and the imperfect to describe the scene and situation, the people, the atmosphere, etc.

A ESCRIBIR

Narra la historia incorporando información sobre la situación y los personajes cuando sea apropiado. Si quieres, puedes añadir otros detalles al escribir para dar interés y emoción (*excitement*) a tu historia. Puedes seguir esta estructura general:

Primer párrafo: Comienza con una oración introductoria seguida de oraciones atractivas o misteriosas para interesar al lector. Después describe la situación y el ambiente.

Modelo: **Era la noche del jueves y estaba en mi cuarto, haciendo la tarea de español, como todos los jueves…**

Párrafos centrales: Narra la acción y los eventos de la historia, introduciendo descripciones de personajes y lugares, o añadiendo otros detalles sobre la situación cuando sea apropiado.

Modelo: **…cuando llegué al hospital, la recepcionista me miró alarmada…**

Último párrafo: Como conclusión, ofrece un desenlace (*closure*) y una reflexión final.

Modelo: **… al día siguiente no recordaba nada. Aprendí algo importante esa noche…**

Dicho y hecho

> **Para escribir mejor:** Estos conectores ayudan a marcar la secuencia cronológica de una narración.
>
> | | |
> |---|---|
> | al final | *at the end* |
> | al principio | *at the beginning* |
> | al cabo de (un mes/dos días) | *(a month/two days) later* |
> | de repente | *suddenly* |
> | después de (una hora) | *after (an hour)* |
> | después, luego, más tarde | *later* |
> | en ese momento/instante | *at that time/moment* |
> | entonces | *then* |
> | mientras (+ imperfecto) | *while (+ imperfect)* |
> | mientras tanto | *in the meantime* |

DESPUÉS DE ESCRIBIR

Revisar y editar: El contenido, la organización, la gramática y el vocabulario.

Después de escribir el primer borrador de tu composición, déjalo a un lado por un mínimo de un día. Cuando vuelvas (*you return*) a leerlo, corrige el contenido, la organización, la gramática y el vocabulario. Además, hazte (*ask yourself*) estas preguntas:

☐ ¿Está clara la historia? ¿Es interesante? ¿Hay suficientes detalles sobre los personajes, lugares y situaciones?

☐ ¿Está clara la secuencia de eventos? ¿Usé la estructura sugerida en el Paso 3? ¿Usé conectores apropiados para indicar el orden cronológico y para mejorar la fluidez (*improve the flow*)?

☐ ¿Usé el pretérito y el imperfecto correctamente para describir y narrar en el pasado?

PARA VER Y ESCUCHAR: La medicina moderna y tradicional

ANTES DE VER EL VIDEO

Empareja los tratamientos de enfermedades o dolencias (*ailments*) con las descripciones que les correspondan.

1. _____ acupuntura

2. _____ quiropráctica

3. _____ homeopatía

4. _____ remedios naturales/caseros

a. Uso de hierbas y productos comunes.

b. Tratamiento de manipulación manual del sistema músculo-esquelético.

c. Inserción y manipulación de agujas (*needles*) en el cuerpo.

d. Uso de sustancias que provocan una reacción similar a la enfermedad, diluídas (*diluted*) al extremo.

A VER EL VIDEO

Paso 1. Mira el video una vez concentrándote en la idea principal. Resúmelo en una o dos oraciones.

INVESTIG@ EN INTERNET

¿Estás familiarizado con los remedios naturales? ¿Conoces los beneficios de alguna planta medicinal? Investiga en la Internet cuáles son los beneficios de la menta y coméntalo con el resto de la clase. Pregunta a tus familiares si alguna vez han usado alguna hierba medicinal como remedio casero y busca sus propiedades.

ESTRATEGIA DE COMPRENSIÓN

Listening for a purpose, focusing on specific information If there is a particular goal for your listening (e.g. finding out what gate your plane leaves from in an airport) or you know ahead of time what specific information you need to gather from a spoken text, focusing your attention on that purpose will help you focus on the relevant information.

Paso 2. En este video, un herbolario mexicano nos explica los beneficios del uso de hierbas medicinales tradicionales. Antes de ver otra vez el video, lee las preguntas a las que vas a responder.

1. Según el video, ¿chocan (*clash*) en América Latina la medicina moderna y la tradicional, que usa hierbas medicinales?

2. ¿Por qué cree el herbolario que las hierbas medicinales son más seguras?

3. El herbolario menciona tres productos de su tienda. Anota <u>dos</u> problemas o enfermedades que trata cada uno.
   La menta:
   La caña de jabalí:
   El compuesto de hierbas:

4. ¿En qué casos puede ser peligroso (*dangerous*) el uso de hierbas medicinales?

DESPUÉS DE VER EL VIDEO

 Contesten estas preguntas en grupos:

1. ¿Conocen a alguien que haya usado alguna de las terapias mencionadas en el video? ¿Sabes cómo fue su experiencia?

2. ¿Están dispuestos/as (*willing*) a usar alguna de esas terapias u otras diferentes? ¿Cuáles? ¿Por qué?

Repaso de vocabulario activo

Adjetivos

deprimido/a   *depressed*
embarazada   *pregnant*

Adverbios

cada   *each*
de repente   *all of a sudden, suddenly*
mientras   *meanwhile/while*
por fin   *finally*
una vez/muchas veces   *once/many times*

Expresiones sobre la salud

hacer un análisis de sangre/ sacar sangre   *to do a blood test/to draw blood*
hacer una cita   *to make an appointment*
poner una inyección/una vacuna   *to give a shot/vaccination*
sacar una radiografía   *to take an X-ray*
tener dolor de (cabeza/estómago)   *to have a (head/stomachache)*
tener náuseas/ escalofríos/ vómitos   *to have nausea/chills/to be vomiting*
tomar la temperatura/la presión arterial/el pulso   *to take one's temperature/blood pressure/pulse*

Órdenes que nos da un/a doctor/a   *Things the doctor tells us to do*

Abra la boca.   *Open your mouth.*
Descanse.   *Rest.*
Diga "¡Aaah!"   *Say "¡Aaah!"*
Lleve la receta a la farmacia.   *Take the prescription to the pharmacy.*
Respire profundamente.   *Take a deep breath.*
Saque la lengua.   *Stick out your tongue.*
Tome aspirinas/las pastillas/las cápsulas.   *Take aspirin/the pills/the capsules.*
Tome líquidos.   *Take liquids.*
Vaya a la farmacia.   *Go to the pharmacy.*

Sustantivos

Algunos problemas de salud

la alergia   *allergy*
la congestión nasal   *nasal congestion*
la diarrea   *diarrhea*
la fiebre   *fever*
la gripe   *flu*
la herida (grave)   *(serious) wound*
la infección   *infection*
el resfriado   *cold (illness)*
la tos   *cough*

El cuerpo humano

la boca   *mouth*
el brazo   *arm*
la cabeza   *head*
la cara   *face*
el corazón   *heart*
el cuello   *neck*
el dedo   *finger*
el diente   *tooth*
la espalda   *back*
el estómago   *stomach*
la garganta   *throat*
el hombro   *shoulder*
el hueso   *bone*
el labio   *lip*
la lengua   *tongue*
la mano   *hand*
la nariz   *nose*
el oído   *ear (inner)*
el ojo   *eye*
la oreja   *ear (outer)*
el pecho   *chest*
el pelo   *hair*
el pie   *foot*
la pierna   *leg*
el pulmón   *lung*
el tobillo   *ankle*
la uña   *nail*

En el hospital

la ambulancia   *ambulance*
la camilla   *gurney*

el consultorio del médico/de la médica   *doctor's office*
la habitación   *room*
el hospital   *hospital*
la inyección   *shot, injection*
las muletas   *crutches*
el/la paciente   *patient*
el/la paramédico   *paramedic*
la recepción   *reception desk*
el/la recepcionista   *receptionist*
la receta   *prescription*
la sala de espera   *waiting room*
la sala de urgencias   *emergency room*
la silla de ruedas   *wheelchair*
el termómetro   *thermometer*
la vacuna   *vaccine*
la venda   *bandage*
el yeso   *cast*

Verbos

cansarse   *to get tired*
doler (ue)   *to hurt/be hurting*
enfermarse   *to get sick*
estornudar   *to sneeze*
examinar   *to examine*
fracturar(se)   *to break (one's arm)*
lastimarse   *to hurt oneself*
preocuparse   *to worry*
quedarse   *to stay*
sentarse (ie)/estar sentado/de pie   *to seat/to be seated/to be standing*
sentirse (ie, i)   *to feel*
torcer(se) (ue)   *to sprain (one's ankle)*
toser   *to cough*
vomitar   *to vomit*

Autoprueba y repaso

I. **Usted/Ustedes commands.** Da mandatos afirmativos y negativos para *usted* y *ustedes*.

   Modelo: traerlo

      Tráigalo. / No lo traiga.
      Tráiganlo. / No lo traigan.

1. traérmelos
2. examinarla
3. descansar más
4. estudiar las palabras
5. leer el libro

II. **The imperfect.** Di cómo eran estas personas y lo que hacían cuando eran niños/as.

   Modelo: yo / ser muy obediente

      Era muy obediente.

1. mis hermanos y yo / ser niños muy buenos
2. nosotros / ir a una escuela pequeña
3. yo / escuchar a mis maestras
4. José / jugar al voleibol durante el recreo
5. Ana y Tere / ver la tele por la tarde
6. tú / comer galletas todos los días

III. **The imperfect and the preterit.** Lee la historia y luego decide si los verbos entre paréntesis deben estar en el imperfecto o el pretérito.

   Modelo: Roberto no **se sentía** (sentirse) nada bien.

1. Por eso _____ (llamar) al consultorio de su doctor y _____ (hablar) con la recepcionista.
2. Roberto le _____ (explicar) que _____ (estar) enfermo.
3. La recepcionista le _____ (preguntar) qué _____ (tener).
4. Él le _____ (explicar) que le _____ (doler) todo el cuerpo y que _____ (tener) fiebre, dolor de cabeza y escalofríos.
5. Ella también _____ (querer) saber si _____ (estar) muy congestionado.
6. Roberto _____ (contestar) afirmativamente.
7. La recepcionista le _____ (decir) que le _____ (poder) dar una cita para las dos de la tarde.
8. Roberto la _____ (aceptar) y le_____ (dar) las gracias.
9. Como era temprano y _____ (sentirse) mal, _____ (dormirse) otra vez.

IV. **Repaso general.** Contesta con oraciones completas.

1. ¿Qué síntomas tenías la última vez que fuiste al médico?
2. ¿Quién y cómo era tu maestro/a preferido/a en la escuela primaria?
3. ¿Recuerdas tu primera clase en la universidad? ¿Qué clase era, quién la enseñaba? ¿Qué otros detalles recuerdas?
4. ¿Qué hiciste durante tu primer día en la universidad? ¿Cómo te sentiste?

V. **Cultura.** Contesta con oraciones completas.

1. Nombra por lo menos un país que tiene frontera con Colombia y otro que tiene frontera con Venezuela.
2. ¿De dónde proviene el nombre de Venezuela?
3. Describe por lo menos un remedio casero que sea común en América Latina.
4. ¿Quién es Gabriel García Márquez?

Las respuestas de *Autoprueba y repaso* se pueden encontrar en el **Apéndice 2.**

Así es mi casa

Así es mi casa

Así se dice

Así es mi casa
  Una mesa elegante
  En nuestra casa
  Los quehaceres domésticos

Así se forma

1. *Tú* commands
2. Perfect tenses
3. Comparisons and superlatives

Cultura

- Paraguay y Uruguay
- El patio de las casas hispanas: Un parque privado

Dicho y hecho

Para leer:
Gaudí y Barcelona

Para conversar:
Bienes raíces

Para escribir:
Dos casas

Para ver y escuchar:
Los patios de Andalucía

By the end of this chapter you will be able to:

- Describe a house or an apartment and its contents
- Talk about household chores
- Use commands in informal situations
- Talk about what has or had happened
- Make comparisons

ENTRANDO AL TEMA

1. ¿Cuántas horas por semana pasas haciendo los quehaceres (*chores*) en tu casa?

2. Piensa en las características de tu casa ideal. Al final del capítulo vas a describir la casa de tus sueños.

Así se dice

Así es mi casa

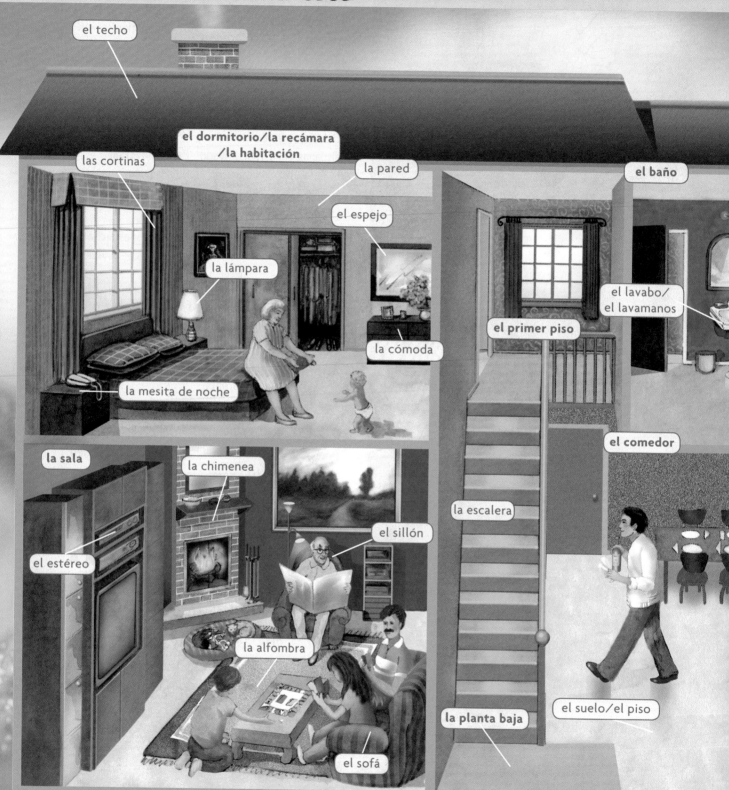

el techo

el dormitorio/la recámara /la habitación

las cortinas

la pared

el espejo

el baño

la lámpara

la cómoda

el lavabo/ el lavamanos

la mesita de noche

el primer piso

la sala

la chimenea

el comedor

el sillón

el estéreo

la escalera

la alfombra

el suelo/el piso

la planta baja

el sofá

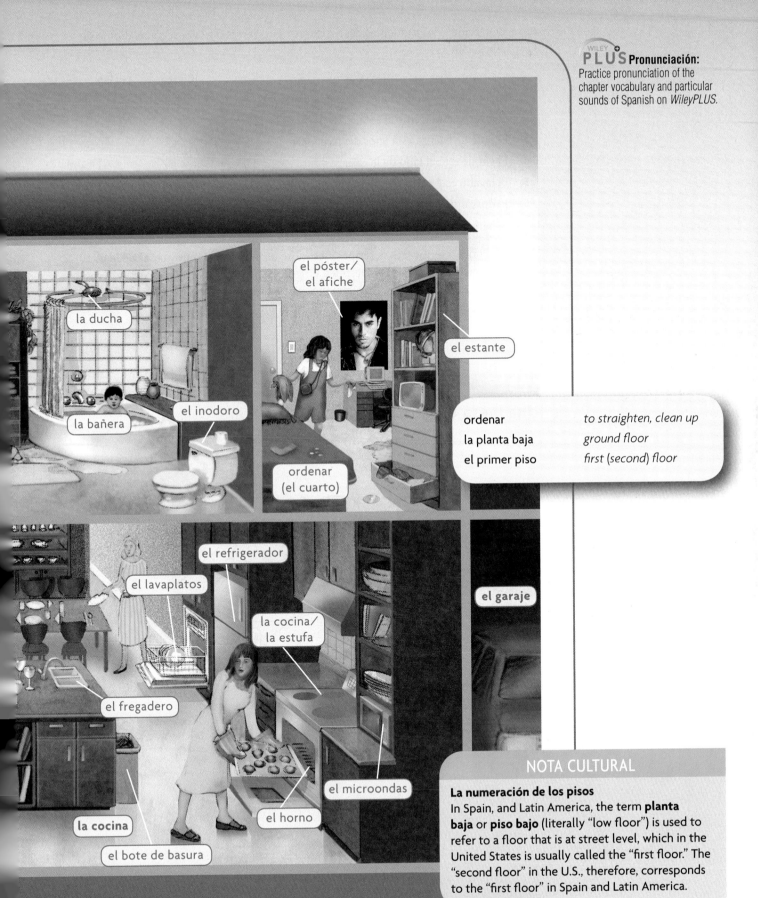

la ducha

el póster/
el afiche

el estante

la bañera

el inodoro

ordenar
(el cuarto)

ordenar	*to straighten, clean up*
la planta baja	*ground floor*
el primer piso	*first (second) floor*

el refrigerador

el lavaplatos

la cocina/
la estufa

el garaje

el fregadero

el microondas

la cocina

el horno

el bote de basura

NOTA CULTURAL

La numeración de los pisos
In Spain, and Latin America, the term **planta baja** or **piso bajo** (literally "low floor") is used to refer to a floor that is at street level, which in the United States is usually called the "first floor." The "second floor" in the U.S., therefore, corresponds to the "first floor" in Spain and Latin America.

10-1 ¿Dónde están?

Paso 1. Decide si las siguientes descripciones son ciertas o falsas, según el dibujo de las páginas 330–331.

		Cierto	Falso
1.	La lámpara está encima de la mesita de noche.	☑	☐
2.	El estéreo está frente al sofá.	☑	☐
3.	El bote de basura está lejos del fregadero.	☐	☑
4.	El garaje está al lado de la casa.	☑	☐
5.	El lavabo está cerca del horno.	☐	☑
6.	El dormitorio está debajo del techo.	☑	☐
7.	El baño está al lado del dormitorio de la niña, Elena.	☑	☐

Paso 2. Ahora, escribe tres descripciones sobre otras habitaciones y cosas de la casa, como las oraciones del Paso 1. Después, en grupos pequeños, túrnense para leer sus descripciones e identificar las habitaciones y cosas que sus compañeros describen.

Modelo: Estudiante A: **Está entre la sala y la cocina.**
Estudiante B: **Es la escalera.**

Una mesa elegante

el vaso · la copa · la taza · el plato · la cucharita · el cuchillo · la servilleta · la cuchara · el tenedor

10-2 ¿Para qué sirve?

Paso 1. Escoge tres objetos de la mesa y otras dos cosas de la casa (por ejemplo: la cómoda, el estante, el espejo, etc.) y escribe breves definiciones indicando para qué sirve cada objeto o lugar.

Modelo: (el vaso) **Sirve para beber agua.**

 Paso 2. En parejas, lee tus definiciones a tu compañero/a. Luego, él/ella identifica la palabra. Túrnense.

En nuestra casa

Elena nos habla de la vida en su casa.

Vivo en una casa grande de dos pisos que **alquilamos.** Mis padres quieren comprar una casa, pero a mí me encanta esta y no quiero **mudarme** a otra. Paso mucho tiempo en la **sala de estar,** especialmente durante el invierno, cuando hace frío y encendemos un fuego (*fire*) en la chimenea. Además, los **muebles** son muy cómodos. A veces me siento en el sofá y no quiero **moverme** de allí. Pero, otras veces, prefiero **subir** a mi **dormitorio**[1], allí **guardo** mis cosas favoritas y puedo hacer lo que quiero: **prender** o **apagar** la **luz,** escuchar la radio o ver mis programas favoritos en la tele. En verano, también pasamos mucho tiempo en el **jardín** y hacemos muchas barbacoas con los **vecinos** que viven en la casa de al lado. Lo único que no me gusta en la casa es **bajar** al **sótano** para poner la **lavadora** y la **secadora;** siempre está oscuro y oigo **ruidos** extraños. Por eso no me gusta lavar la ropa, prefiero **ayudar**[2] a poner la mesa o a lavar los platos.

alquilar	*to rent*	**mudarse**	*to move (to a new house, city, etc.)*
		el mueble	*piece of furniture*
apagar	*to turn off*		
ayudar	*to help*	**prender**	*to turn on*
bajar	*to go down*	**el ruido**	*noise*
		la sala de estar	*living room/ family room*
guardar	*to keep, to put away*	**la secadora**	*dryer*
el jardín	*yard, garden*	**el sótano**	*basement*
la lavadora	*washer*	**subir**	*to go up*
la luz	*light*	**el/la vecino/a**	*neighbor*
mover	*to move (something)*		
moverse	*to move (oneself)*		

---

[1] Remember **dormitorio** means *bedroom. Dorm* is **residencia estudiantil.**

[2] **Ayudar** requires the preposition **a** when followed by an infinitive.
When we mention the person or people that are helped, they are also preceded by **a** (**a** personal).

Ayer ayudé **a** mis amigos **a** mudarse.

Así es mi casa

10-3 **Asociaciones.** En parejas, un/a estudiante lee una palabra de su lista a su compañero/a. El/La compañero/a dice dos o tres palabras asociadas con esta palabra. El/La primer/a estudiante las escribe. Túrnense.

Modelo: Estudiante A: **prender**

Estudiante B: **la luz, el televisor, la lavadora**

Estudiante A: (el Estudiante A escribe estas palabras junto a **prender**)

Estudiante A:
bajar _____
sótano _____
secadora _____
vecino _____

_____ mueble
_____ ruido
_____ jardín
_____ alquilar
Estudiante B:

 10-4 **La casa de la familia.** En grupos pequeños, hablen de la casa de su familia.

Modelo: Estudiante A: **¿Dónde vive tu familia?**

Estudiante B: **En Denver, Colorado.**

Estudiante C: **¿Cuántos dormitorios hay en tu casa?**

10-5 **Tu apartamento o cuarto actual (*current*).**

Paso 1. En una hoja de papel, dibuja (*draw*) un plano de tu apartamento o cuarto actual (*current*). Incluye elementos arquitectónicos (puertas, ventanas) así como muebles y accesorios (televisor, estéreo, pósters...).

 Paso 2. En parejas, describe tu plano a tu compañero/a, quien lo va a dibujar. Luego, revisa el dibujo de tu compañero/a e indica qué diferencias hay entre el dibujo y tu apartamento o cuarto. Túrnense.

10-6 **¿Cómo viven los estudiantes?**

Paso 1. Hagan las preguntas de la página 335 a tres compañeros de clase. Escriban sus nombres en las columnas y anoten sus respuestas.

Paso 2. Compartan lo que aprendieron con la clase. ¿Tienen ustedes preferencias similares?

Modelo: **Yo prefiero vivir sola porque no me gusta limpiar, pero Jennifer prefiere vivir con compañeros porque no le gusta estar sola.**

	Estudiante 1:	Estudiante 2:	Estudiante 3:
1. ¿Es mejor vivir en una residencia universitaria o en un apartamento/una casa? ¿Por qué?	☐ Residencia ☐ Apartamento/casa Porque...	☐ Residencia ☐ Apartamento/casa Porque...	☐ Residencia ☐ Apartamento/casa Porque...
2. ¿Es mejor vivir solo/a o con compañeros de cuarto? ¿Por qué?	☐ Solo/a ☐ Con compañeros Porque...	☐ Solo/a ☐ Con compañeros Porque...	☐ Solo/a ☐ Con compañeros Porque...
3. ¿Qué te gusta/no te gusta del lugar donde vives ahora? ¿Por qué?	☐ Me gusta/n... ☐ No me gusta/n... Porque...	☐ Me gusta/n... ☐ No me gusta/n... Porque...	☐ Me gusta/n... ☐ No me gusta/n... Porque...

Los quehaceres domésticos (*Housekeeping chores*)

El verano pasado, los estudiantes alquilaron una casa en el campo (*countryside*) para pasar unas semanas. Todos colaboraron en los quehaceres domésticos. Cuando llegaron, Alfonso y Javier limpiaron y ordenaron los cuartos en el segundo piso. Alfonso es alérgico al polvo (*dust*), por eso prefirió **hacer las camas** y limpiar el baño mientras Javier **pasaba la aspiradora.** Durante el resto de la semana, Carmen **ponía la mesa** antes de comer y, cuando terminaban de comer, Natalia **recogía la mesa** y llevaba los platos a la cocina. Allí, Linda y Manuel estaban muy bien organizados para terminar pronto: Linda **lavaba los platos** y Manuel los **secaba.** También había un poco de trabajo que hacer fuera de la casa. Como siempre, Esteban no tenía muchas ganas de trabajar duro y solamente **sacaba la basura** por las mañanas. Por suerte, Pepita no es perezosa y **cortaba el césped** todas las semanas.

recoger—to pick up

10-7 Los quehaceres domésticos.

Paso 1. Completa la tabla escribiendo quién hacía estos quehaceres en la casa de tu familia y si tú los haces ahora. Añade dos quehaceres más.

PALABRAS ÚTILES

regar	*to water (plants)*
barrer	*to sweep*
sacudir	*to dust*

	En la casa de tu familia, ¿quién lo hacía?	Ahora, ¿lo haces?
1. hacer mi cama	Modelo: **Mi mamá la hacía.**	**Sí, la hago. / No, no la hago.**
2. poner la mesa		
3. lavar los platos		
4. sacar la basura		
5. pasar la aspiradora		
6. cortar el césped		
7. ¿...?		
8. ¿...?		

 Paso 2. Ahora, en grupos pequeños, compartan la información de sus tablas.

Modelo: **De niño, yo hacía mi cama y ahora también la hago.** O, **pero ahora no la hago.**

 Paso 3. Basándose en sus respuestas anteriores, contesten las siguientes preguntas.

1. ¿Ayudaban mucho en su casa cuando eran niños? ¿Qué quehaceres les gustaban más/menos? ¿Recibían alguna compensación por su ayuda?

2. ¿Cómo era la división de los quehaceres en su familia entre los adultos y los niños? ¿Y entre los hombres y las mujeres?

3. ¿Qué quehaceres hacen ahora? ¿Con qué frecuencia? Si viven con otras personas, ¿cómo comparten los quehaceres?

NOTA CULTURAL

El guaraní

Guaraní is one of the official languages of Paraguay, along with Spanish. It is spoken by 94% of the population, and is the only indigenous language of the Americas whose overwhelming majority of speakers are nonindigenous people. People learn Guaraní both informally from social interaction, and formally in public schools. Guaraní became part of the required curriculum in public schools following the fall of ex-President and dictator Alfredo Stroessner in 1989.

Example of Guaraní:

Mayma yvypóra ou ko yvy ári iñapytl'yre ha eteĩcha dignidad ha derecho jeguerekópe; ha ikatu rupi oikuaa añetéva ha añete'yva, iporáva ha ivaíva, tekotevẽ pehenguéicha oiko oñondivekuéra.

Translation

All human beings are born free and equal in dignity and rights. They are endowed with reason and conscience and should act towards one another in a spirit of brotherhood.

(Article 1 of the Universal Declaration of Human Rights)

Así se forma

> Ven, mi amor. No te desanimes. Camina hacia tu abuelita.

1. Giving orders and advice to family and friends: *Tú* commands

Informal **tú** commands are used to give orders or advice to persons whom you address informally as **tú** (friends, children, etc.). Note that affirmative and negative **tú** command forms differ from each other.

Affirmative *tú* commands

Regular affirmative **tú** command forms have the same form as the third person singular of the present tense.

¡Mira!	*Look!*
¡Espera!	*Wait!*
¡Vuelve!	*Come back!*

WILEY **PLUS** Go to *WileyPLUS* and review the Animated Grammar Tutorial and Verb Conjugator for this grammar point.

Some affirmative **tú** command forms are irregular:

decir	**di**	**Di**me la verdad.
hacer	**haz**	**Haz** la cama, por favor.
ir	**ve**	**Ve** al garaje para buscar los refrescos.
poner	**pon**	**Pon** la ropa en el ropero.
salir	**sal**	**Sal** de mi cuarto, por favor.
ser	**sé**	**Sé** bueno, por favor.
tener	**ten**	**Ten** paciencia. Vamos a cenar muy pronto.
venir	**ven**	**Ven** a la cocina para ayudarme.

Note that, like affirmative **usted** commands, object and reflexive pronouns follow and are attached to affirmative **tú** commands. A written accent is added in combinations of more than two syllables[1].

Muéstramelo.	*Show it to me.*
Hazlo.	*Do it.*
Póntelo.	*Put it on.*

---

[1]The oral stress in affirmative **tú** command forms is on the second-to-last syllable: **mi**ra, **com**pra (unless, of course, the verb form only has one syllable: **haz**). The oral stress does not change, but adding pronouns means adding syllables: **mí**rame, **cóm**pralo, **haz**lo.

Así es mi casa

10-8 Los quehaceres domésticos. Escribe cada mandato que escuches debajo del dibujo correcto.

a. _____

b. _____

c. _____

d. _____

e. _____

f. _____

g. _____

h. _____

i. _____

j. _____

k. _____

l. _____

10-9 ¿Quién lo debe hacer? Hoy quieres preparar una cena especial para tu mejor amigo y su madre, quienes te visitan. Ellos te están ayudando. Lee los siguientes mandatos e indica si son apropiados para tu amigo (formas de *tú*) o para su madre (formas de *usted*).

	Tu amigo	Su madre
1. Dígame si prefiere carne o pescado.	☐	☐
2. Saca el pan de la bolsa, por favor.	☐	☐
3. Tome el pan y llévelo a la mesa.	☐	☐
4. Abre la puerta del horno.	☐	☐
5. Ve a la tienda a comprar limones.	☐	☐
6. Abra esta lata (*can*) de tomates, por favor.	☐	☐
7. Ayúdame a poner la mesa.	☐	☐
8. Vaya a la sala de estar y descanse.	☐	☐

WILEY PLUS Cultura: Paraguay y Uruguay

Nacionalidades:
paraguayo/a
uruguayo/a

WILEY PLUS Map quizzes: As you read about places highlighted in red, find them on the map. Learn more about and test yourself on the geography of the Spanish-speaking world in *WileyPLUS*.

Antes de leer

1. ¿Cómo se llama el río que conecta a Paraguay con Uruguay?

2. ¿Cuál es la capital de Paraguay?

3. ¿Dónde está situada la capital de Uruguay?

4. Paraguay tiene el mismo tamaño que (*same size as*), ¿qué estado de Estados Unidos?

   ☐ Illinois ☐ Rhode Island ☒ California

Uruguay y **Paraguay**, junto con Brasil y Argentina, crearon en 1991 el Mercosur, una zona económica que corresponde a un área cuatro veces más grande que la de la Unión Europea. Durante el periodo colonial, estos dos países tuvieron una historia muy similar. Sin embargo, su situación geográfica y su destino político generaron diferencias regionales que resultaron en dos naciones con identidades muy distintas.

PARAGUAY

Paraguay es del tamaño del estado de California. Al igual que Bolivia, Paraguay está en el corazón de América del Sur y no tiene costa. El **río Paraguay** cruza el país de norte a sur y lo divide en dos partes. Casi el 95% de la población vive al este del río.

Existen en Paraguay dos lenguas oficiales, el español y el guaraní. El 94% de los paraguayos hablan y escriben en ambas (*both*) lenguas. La constitución federal y los libros de texto son escritos tanto en (*both*) español como en guaraní. Las palabras *jaguar* y *piraña* vienen del guaraní, y también el nombre del país:

pará = océano; gua = a o de; y = agua; es decir, agua que va al océano.

La dictadura militar de Alfredo Stroessner duró treinta y cinco años, hasta el año 1989, y ahora Paraguay es un país democrático.

La gente de Paraguay es muy diversa. La población incluye inmigrantes europeos y aproximadamente veinticinco grupos indígenas. El 95% de la población es de origen mestizo y la mayoría vive de la agricultura.

Así es mi casa

trescientos cuarenta y uno **341**

La capital, **Asunción**, está a orillas (*on the banks*) del río Paraguay. Es la ciudad más moderna del país y es el puerto más importante. Pero la ciudad también conserva muchos ejemplos de arquitectura colonial. Los tranvías (*trolleys*) amarillos de Asunción son una antigüedad. ¿Qué otras ciudades famosas tienen tranvías?

A partir de 1609, los jesuitas establecieron comunidades autosuficientes que agrupaban a cientos de indígenas guaraníes y los protegían de los traficantes de esclavos (*slaves*) portugueses y españoles. Mira la foto de las ruinas de las misiones en Trinidad, Paraguay. La película *The Mission* (1986) con Jeremy Irons y Robert DeNiro es un relato ficticio basado en la historia de una misión jesuita en Paraguay. Intenta ver el corto (*trailer*) de esta película, o la película entera, si puedes.

▲ Las espectaculares cataratas del **Iguazú** están en la frontera entre Argentina, Brasil y Paraguay.

URUGUAY

Uruguay es la república sudamericana más pequeña. La geografía uruguaya es uniforme: al norte están las llanuras (*flatlands*) y al sur está la Banda Oriental, una región muy plana donde está situada la capital, **Montevideo.**

La exportación de productos agrícolas y ganaderos (*livestock/beef products*) son la base de la economía del país, que es una de las más sólidas de Latinoamérica. La industria pesquera y la manufactura de productos derivados del ganado (lana, cuero, carne) son otra parte importante del sector comercial. El turismo también genera muchos beneficios y representa casi el 30% de la actividad económica.

En Uruguay la población no es muy diversa —casi un 90% de los uruguayos descienden de inmigrantes europeos, sobre todo de España e Italia. El nivel de alfabetismo (*literacy*) es de un 97%, el más alto de Latinoamérica, y la vida cultural en Uruguay es muy intensa. La legislación social de Uruguay es una de las más innovadoras de Hispanoamérica. Todas las personas que han trabajado treinta años tienen derecho a jubilarse (*retire*) con pensión.

410-491-6973
Aana

◀ Montevideo, la bella capital, está situada a orillas del Río de la Plata y el océano Atlántico; posee el mejor puerto natural de América del Sur. En esta ciudad vive la mitad (*half*) de la población del país.

Después de leer

1. Existen varios contrastes importantes entre Paraguay y Uruguay. ¿A qué país hace referencia cada oración?

	Paraguay	Uruguay
a. No tiene costas.	☑	☐
b. Su capital tiene costas en el océano Atlántico.	☐	☑
c. El español es la única lengua oficial.	☐	☑
d. El nivel de alfabetización es muy alto.	☐	☑
e. Su población es diversa; existe una gran variedad de grupos indígenas.	☑	☐
f. Su población es uniforme; casi todos descienden de inmigrantes.	☐	☑
g. Su nombre quiere decir *agua que va al océano* en guaraní	☑	☐

2. El gran número de grupos indígenas en Paraguay es evidente. ¿Esto se parece a qué país estudiado en un capítulo anterior?

☐ Venezuela   ☐ Chile   ☐ Bolivia

3. Observa la foto de las ruinas de las misiones en Trinidad, Paraguay en la página 342. ¿Conoces otras misiones como éstas en Estados Unidos o en otro país? ¿Dónde?

▲ Punta del Este, centro vacacional de fama mundial, es sinónimo de playas. Ofrece kilómetros de variada costa, desde las tranquilas aguas de sus bahías, hasta el mar abierto y las olas (*waves*) fuertes del lado del Atlántico.

▲ **Cristina Peri Rossi** (12 noviembre 1941) nació en Montevideo, donde completó sus estudios universitarios. Es considerada una de las novelistas latinoamericanas más importantes. Ha escrito más de treinta y siete obras, incluyendo novelas, poemas y cuentos cortos. Vive en España desde 1975.

Los uruguayos son grandes fanáticos del fútbol. Han conquistado dos títulos olímpicos (1924 y 1928), dos Copas mundiales (1930 y 1950), catorce campeonatos americanos y la Copa de Oro en 1980. El estadio Centenario en Montevideo es un monumento histórico del fútbol mundial y la sede del primer mundial de fútbol en 1930. La capacidad de este estadio es de 80,000 personas.

Así se forma

¡Mira! ¡Por fin he aprendido a esquiar!

WILEY PLUS Go to *WileyPLUS* and review the Animated Grammar Tutorial and Verb Conjugator for this grammar point.

2. Saying what has/had happened: Perfect tenses

Perfect tenses in Spanish correspond closely to the English ones, both in their use and in how they are formed.

The perfect tenses are formed by combining a conjugated form of **haber** (*to have*) and the past participle of a verb. To form the past participle of most Spanish verbs, add **–ado** to the stem of **–ar** verbs and **–ido** to the stem of **–er** and **–ir** verbs. When used with **haber,** the past participle does not change; it always ends in **–o.**

llamar	llam	+	–ado	=	llamado
comer	com	+	–ido	=	comido
vivir	viv	+	–ido	=	vivido

NOTA DE LENGUA

The past participle may also be used as an adjective with **estar** and with nouns to show a condition. As an adjective, it agrees in gender and number with the noun it describes. You have used this construction in previous chapters.

La puerta está **cerrada.**   *The door is **closed.***

Duermo con las ventanas **abiertas.**   *I sleep with the windows **open.***

Mis amigos/as están **sentados/as** en el sofá.   *My friends are **seated** on the sofa.*

The following **–er** and **–ir** verbs have irregular past participles.

abrir	**abierto**	*opened, open*
decir	**dicho**	*said, told*
escribir	**escrito**	*written*
hacer	**hecho**	*done, made*
morir	**muerto**	*died, dead*
romper (*to break*)	**roto**	*broken*
poner	**puesto**	*put, placed*
ver	**visto**	*seen*
volver	**vuelto**	*returned*
devolver	**devuelto**	*returned*
resolver (*to resolve*)	**resuelto**	*resolved*

The present perfect: Saying what *has* happened

The present perfect uses the present tense of **haber** with the past participle of the verb.

presente de *haber* + participio pasado		
(yo)	**he llamado**	(*I have called*)
(tú)	**has llamado**	(*you have called*)
(Ud., él/ella)	**ha llamado**	(*you have called, he/she has called*)
(nosotros/as)	**hemos llamado**	(*we have called*)
(vosotros/as)	**habéis llamado**	(*you have called*)
(Uds., ellos/ellas)	**han llamado**	(*you/they have called*)

—¿Me **has llamado** tú esta tarde?   *Have you called me this afternoon?*
—No, yo no **he llamado** a nadie hoy.   *No, I haven't called anyone today.*

The conjugated form of **haber** and the past participle must remain together, so object and reflexive pronouns immediately precede the **haber** form.

Todavía no **lo** <u>he terminado</u>.   *I haven't finished **it** yet.*
Le <u>he escrito</u> varias veces.   *I have written (**to**) **him** several times.*

- Similarly to English, the present perfect describes actions that began in the past but are still connected to the present in that the event still continues or its consequences are still felt in the present.

He vivido aquí tres meses.   *I **have lived** here for three months.*
Juan **ha viajado** mucho y siempre   *Juan **has travelled** a lot and he always tells*
cuenta historias interesantes.   *interesting stories.*

He perdido mi libro de español y   *I **have lost** mi Spanish book and now I*
ahora tengo que comprar otro.   *need to buy another one.*

- Note that the time period that frames the action is not over yet. When the action is completed in a period of time that is over, *the preterit,* not the present perfect, is used. Compare:

He estudiado mucho hoy, por eso   *I **have studied** a lot today so now I am*
ahora voy a jugar al tenis.   *going to play tennis.*

El semestre pasado **estudié** mucho.   *Last semester **I studied** very hard.*

DICHOS

Sobre gustos no hay nada escrito.
Del dicho al hecho hay largo trecho (*distance*).
Dicho y hecho.

¿Cuál de estos refranes es el título de tu libro de español? ¿Cuál se refiere a las preferencias individuales? ¿Cuál se refiere a las personas que hablan mucho pero no hacen nada?

Así es mi casa

(10-14) Una visita especial. Tus amigos Max y Nicolás acaban de mudarse a su nuevo apartamento y hacen una fiesta para celebrarlo. Estás muy impresionado/a ¡porque todo está perfecto! Escucha a Max, anota todo lo que han hecho e indica la persona que hizo cada cosa.

Modelo: Oyes: He pasado la aspiradora.

        Marcas: **Max (Yo)**

                              ☑

	Max (yo)	Nicolás (él)	Los dos (nosotros)
1.	☐	☐	☐
2.	☐	☐	☐
3.	☐	☐	☐
4.	☐	☐	☐
5.	☐	☐	☐
6.	☐	☐	☐
7.	☐	☐	☐
8.	☐	☐	☐

(10-15) ¿Qué hay de nuevo? Este fin de semana han ocurrido muchas cosas. Usando verbos del cuadro, escribe oraciones para describir estos cambios.

fracturarse	aprender a	sacar
afeitarse	pintar	ganar
cortarse		

Modelo: **Octavio se ha fracturado una pierna.**

Octavio

Esteban

Rubén

El profesor Marín-Vivar

Javier

Linda

Camila

(10-16) Experiencias.

HINT

* = irregular past participle

Paso 1. Completa la columna *Yo* con información verdadera sobre tus experiencias especificando dónde has ido, qué has ganado, etc. Añade otra experiencia interesante en la última línea.

Modelo: **1. He viajado a Paraguay.**

	Yo	Un/a compañero/a
1. viajar a otro país		
2. conocer a alguien famoso		
3. ganar una competencia		
4. visitar un lugar fascinante		
5. practicar deportes de aventura		
6. hacer* algo peligroso		
7. comer algo exótico		
8. ver* un concierto/una obra de teatro muy especial		
9. participar en un evento especial/importante		
10. ¿...?		

Paso 2. Mientras caminas por el aula, haz preguntas a tus compañeros para averiguar si alguien ha hecho algo similar. Si un/a estudiante responde afirmativamente, anota su nombre en la columna *Un/a compañero/a* en la tabla de arriba. Todos los nombres deben ser de personas diferentes. Responde también a las preguntas de tus compañeros/as, hablando de tus experiencias.

Modelo: —**¿Has viajado a Paraguay?**
—**Sí, he viajado a Paraguay. / No, no he viajado a otros países. / No, pero he viajado a Uruguay.**

Paso 3. ¿Quién tiene el mayor número de compañeros/as en la lista? ¿Qué experiencias compartes con otros/as estudiantes de la clase?

Modelo: **Abel y yo hemos viajado a Paraguay.**

SITUACIONES

Son compañeros de apartamento y comparten (*share*) los quehaceres. Este fin de semana era el turno de limpiar de Estudiante B, pero cuando Estudiante A llega a casa el domingo por la tarde, todo está desordenado y sucio.

Estudiante A: Pregunta a tu compañero/a por qué no ha hecho cada uno de los quehaceres, escucha sus respuestas y dile lo que debe hacer.

Estudiante B: Inventa excusas para explicar por qué no has limpiado.

(10-17) ¡Qué mentiroso (*What a liar*)!

Paso 1. Escribe en un papel tres oraciones describiendo cosas que has hecho (o no has hecho). Piensa en actividades poco frecuentes o atípicas. Dos deben ser ciertas y una falsa.

Modelo: **He montado en elefante.**
He jugado al tenis con Rafael Nadal.
Nunca he visto el océano.

 Paso 2. En grupos de cuatro personas, tomen turnos: una persona lee sus oraciones; después de cada afirmación, los compañeros le hacen preguntas. La persona que contesta tiene que inventar los detalles de la experiencia falsa para hacerla creíble. Después, el grupo vota para decidir qué experiencia es falsa y la persona que hizo la afirmación explica si lo era o no.

The past perfect: Saying what *had* happened

The past perfect uses the imperfect tense of **haber** and the past participle of the verb. It corresponds to the English *had eaten, had spoken*, etc.

...pero, Juanito, me dijiste que ya habías ordenado tu cuarto.

imperfecto de *haber* + participio pasado		
(yo)	**había llamado**	(*I had called*)
(tú)	**habías llamado**	(*you had called*)
(Ud., él/ella)	**había llamado**	(*you/he/she had called*)
(nosotros/as)	**habíamos llamado**	(*we had called*)
(vosotros/as)	**habíais llamado**	(*you had called*)
(Uds., ellos/ellas)	**habían llamado**	(*you/they had called*)

- As in English, the past perfect is used to describe an action that had already occurred prior to another event or given time in the past that is either explicit or part of the context.

Cuando llegaron los abuelos, ya **habíamos limpiado** la casa.

*When our grandparents arrived, we **had** already **cleaned** the house.*

A las diez de la noche aún no **habían cenado**.

*At 10 pm they **had** not **eaten** dinner yet.*

La universidad me cambió mucho. Nunca **había sido** tan responsable.

*College changed me very much. I **had** never **been** so responsible.*

10-18 **¿Qué ocurrió primero?** Decide para cada oración qué acción ocurrió primero (márcala con un "1") y cuál sucedió después (márcala con un "2"). Luego decide si cada oración es lógica o ilógica.

Modelo: Esteban <u>llegó</u> a su casa cansado porque ya <u>había estudiado</u> más de tres horas.
                          2   **1**
          Lógico.   **Ilógico.**
          ☑   ☐

		Lógico	Ilógico
1.	Alfonso ya había hecho la cama cuando se despertó.	☐	☐
2.	Pepita sacó la basura. Ya había cortado el césped.	☐	☐
3.	Natalia lavó los platos. Ya había recogido la mesa.	☐	☐
4.	Esteban había secado los platos y los lavó.	☐	☐
5.	Manuel ordenó su cuarto cuando ya había barrido el patio.	☐	☐

10-19 **¡Qué hijos tan irresponsables!** Los padres salieron de la casa. ¿Qué descubrieron al regresar? ¿Qué habían y qué no habían hecho los hijos?

Modelo: ordenar la sala
           Probablemente no habían ordenado la sala.

1.	pasar la aspiradora	**5.**	sacar la basura
2.	hacer las camas	**6.**	lavar los platos
3.	invitar a amigos/as a la casa	**7.**	ver muchas películas
4.	comer toda la comida	**8.**	romper una ventana

10-20 **Las experiencias de la vida.**

Paso 1. Escribe tres oraciones describiendo algunas cosas interesantes que ya habías hecho antes de los dieciocho años y tres cosas que todavía no habías hecho.

Modelo: Ya **había jugado** muchos torneos de tenis.

           Todavía **no había aprendido** a nadar.

Cosas que ya había hecho antes de los dieciocho años.	Cosas que todavía no había hecho antes de los dieciocho años.
1.	1.
2.	2.
3.	3.

 Paso 2. En grupos, compartan sus experiencias y pidan más detalles sobre las experiencias de sus compañeros/as.

Cultura: El patio de las casas hispanas: Un parque privado

Antes de leer

¿Tiene tu casa un patio o una terraza (*deck*)? ¿Qué haces allí?

◀ Un patio tradicional hispano, en Colombia. ¿Qué actividades pueden realizarse en esta parte de la casa?

Uno de los elementos más representativos de muchas viviendas hispanas es el patio. Muchas casas —incluso las más pequeñas— tienen algún tipo de patio. El diseño tradicional del patio hispano, rodeado de (*surrounded by*) paredes altas, es una mezcla (*mix*) de influencias romanas y árabes. En estas dos culturas la privacidad era muy importante y las casas estaban separadas de la calle por paredes y muros (*walls*). La luz y el aire entraban en los cuartos por las ventanas, las puertas y los balcones que rodeaban el patio central.

Las casas hispanas de estilo colonial tienen este tipo de patio central, con una fuente (*fountain*) y plantas; pero, en las casas más modernas, el patio generalmente está detrás de la casa. A diferencia de las terrazas, tan populares en Estados Unidos, los patios de las casas de los hispanos no tienen pisos de madera (*wood*). El suelo frecuentemente está cubierto de losas de cerámica o piedra (*stone*).

El patio, un lugar privado al aire libre (*open air*), es un espacio fundamental de las viviendas hispanas porque tiene varias funciones importantes. Es un sitio cómodo (*comfortable*) para tomar un poco de sol o respirar aire fresco y recibir visitas o celebrar una pequeña fiesta.

Después de leer

Nombra dos similitudes entre los patios o terrazas de las casas en Estados Unidos y el patio de las casas hispanoamericanas.

▲ Ernesto y Javier, compañeros de piso/
apartamento, discuten sobre los quehaceres
domésticos.

 Paso 1. Escribe una lista de los quehaceres que haces en tu residencia o apartamento. Si vives con otras personas, escribe otra lista indicando lo que hacen ellos/ellas. Cuando termines, compara tu lista con la de un/a compañero/a.

Paso 2. Mira el video y presta atención a las ideas principales. Después imagina que eres amigo de Ernesto y Javier. Has escuchado su conversación y la resumes para otro amigo común en un mensaje electrónico.

Modelo: **¿Sabes qué pasó ayer? Ernesto y Javier discutieron sobre los quehaceres domésticos…**

Paso 3. Mira el video otra vez y responde las siguientes preguntas.

- ¿Por qué está Javier enojado con Ernesto?

- ¿Qué quehaceres debe hacer Ernesto? Escribe al menos cuatro.

- ¿Cuál es el último quehacer que le pide Javier a Ernesto? ¿Cómo reacciona Ernesto?

 Paso 4. En grupos de cuatro personas, dos estudiantes van a escribir consejos para Javier y los otros dos para Ernesto. Después compartan sus ideas. ¿Qué sugerencias pueden funcionar mejor?

Así se forma

Es tan guapo como Gael García Bernal, ¿no?

PLUS Go to *WileyPLUS* and review the Animated Grammar Tutorial for this grammar point.

3. Comparing and expressing extremes: Comparisons and superlatives

We can compare adjectives (**guapo/a, inteligente**), adverbs (**bien, mal, tarde**), nouns (**dinero, amigos, problemas**) and verbs (**estudiar, comer**).

Comparisons of equality

	= (Equality)
Adjective (guapo)	Ana es **tan** guapa **como** Elena.
Adverb (tarde)	Llegué **tan** tarde **como** tú.
Noun (dinero...)	No tengo **tanto** dinero **como** mis padres.
	Rita no hace **tanta** tarea **como** nosotros.
	Nadie tiene **tantos** tíos **como** yo.
	Tienes **tantas** clases **como** Roberto.
Verb (leer)	Leo **tanto como** tú.

- Note that the adjective in a comparison (**guapa**) agrees with the noun it refers to (**Ana**).

- Note also the word order *verb + comparison expression* (**tanto como**) when comparing actions.

10-21 **¿Son parecidos (*Are they alike*)?** Mira los dibujos y decide si las oraciones son ciertas o falsas.

1. Octavio es tan inteligente como Javier.

2. Javier es tan atlético como Manuel.

3. Camila es tan alta como su hermana.

4. El ogro está tan gordo como su amigo.

5. Alfonso tiene tanto dinero como su profesor.

6. Linda tiene tantas flores como Inés.

7. Natalia estudia tanto como Rubén.

8. Pepita come tanto como Esteban.

10-22 **Otras personas y yo.** Escribe comparaciones de igualdad entre algunos/as compañeros/as de clase, o entre algún/alguna compañero/a de clase y tú. Tienes cinco minutos. Algunos/as estudiantes van a leer sus comparaciones a la clase. Incluye:

1. características personales   **Soy tan… como…**
2. cosas que tienen   **… tiene tanto/a/os/as… como...**
3. actividades en las que participan   **… estudia tanto como…**

Teo, ¡corres más rápido que yo! ¡No te escapes!

Comparisons of inequality

	+	−	=
Adjective (guapo)	Ana es **más** guapa **que** yo.	…**menos** guapa **que**…	…**tan** guapa **como**…
Adverb (tarde)	Luis llegó **más** tarde **que** tú.	…**menos** tarde **que**…	…**tan** tarde **como**…
Noun (dinero…)	Tienes **más** dinero **que** él.	…**menos** dinero **que**…	…**tanto** dinero **como**… …**tanta** tarea **como**… …**tantos** tíos **como**… …**tantas** tías **como**…
Verb (leer)…	Leo **más que** tú…	**menos que**…	**tanto como**…

- Otros ejemplos:

Este apartamento es **más/menos** caro **que** el otro.
*This apartment is **more/less** expensive **than** the other one.*

Ella limpia su apartamento **más/menos** frecuentemente **que** yo.
*She cleans her apartment **more/less** frequently **than** I.*

Esta casa tiene **más/menos** ventanas **que** la otra.
*This house has **more/fewer** windows **than** the other one.*

Ella paga **más/menos que** tú.
*She pays **more/less than** you.*

- Use **de** instead of **que** before a number.

El sillón costó **más/menos** de $625.
*The armchair cost **more/less** than $625.*

Some Spanish adjectives and adverbs have irregular comparative forms. These forms do not use **más** or **menos**.

Adjetivo		Adverbio		Comparativo	
bueno/a	*good*	bien	*well*	**mejor**	*better*
malo/a	*bad*	mal	*badly*	**peor**	*worse*
joven	*young*			**menor**	*younger*
viejo/a	*old*			**mayor**	*older (referring to age of a person)*

Esta película es **buena.**	*This movie is **good.***
Esa es **mejor que** esta.	*That one is **better than** this one.*
Ese restaurante es **malo.**	*That restaurant is **bad.***
Aquel es aún **peor.**	*That one is even **worse.***

 10-23 ¿**De acuerdo (***Do you agree***)?** En grupos de tres personas, digan si ustedes están de acuerdo o no con las siguientes generalizaciones. Si no están de acuerdo, indiquen su opinión. Túrnense.

Modelo: El español es más difícil que el inglés.
Sí, el español es… O, No, el español no es… Es más fácil.
O, **El español es tan difícil/fácil como el inglés.**

1. La clase de español es más divertida que la clase de matemáticas.
2. Las mujeres de esta clase son más inteligentes que los hombres.
3. Los hombres de esta clase estudian más que las mujeres.
4. Las mujeres, en general, gastan menos dinero que los hombres.
5. Los hombres hispanos bailan mejor que los hombres estadounidenses.
6. Los coches estadounidenses son mejores que los japoneses.
7. El dinero es más importante que el amor.
8. Vivir en la ciudad es mejor que vivir en el campo.
9. El alcohol es peor que los cigarrillos.

 10-24 **Entre nosotros.**

Paso 1. Formen grupos de tres personas. Primero, escriban los nombres de las personas en cada columna de la tabla de la página 355. Luego, háganse preguntas para completar el cuadro y apunten la cantidad (*quantity*). Después, hagan comparaciones usando la información del cuadro.

Modelo: horas de estudio por día
¿Cuántas horas estudias por día?
Tengo más/menos clases que Juan. O, **Tengo tantas clases como Juan.**

1. Número de clases este semestre			
2. Horas para hacer los quehaceres domésticos por semana			
3. Horas de trabajo por semana			
4. Tiempo para deportes/ actividades extracurriculares cada semana			
5. Horas de descanso (televisión, amigos/as) por día			
6. Horas para leer o escribir correos electrónicos/ o navegar en Internet por día			
7. Horas que duermes cada noche			

Paso 2. Ahora, basándose en la información anterior, comparen sus estilos de vida. Aquí tienen algunas preguntas que pueden servirles para empezar la conversación:

- ¿Quién está más ocupado? ¿Quién tiene más tiempo para descansar?
- ¿Quién es más activo? ¿Quién es más tranquilo?
- ¿Quién tiene una vida más equilibrada? ¿Quién está estresado?
- ¿Quién está más concentrado en sus estudios? ¿Quién tiene más variedad en sus actividades?

(10-25) Quiero alquilar un apartamento. Decides alquilar un apartamento en Asunción, Paraguay. Lee los tres anuncios y escribe cuatro oraciones comparando los tres apartamentos. ¿Cuál prefieres y por qué? Usa comparaciones para explicar tu preferencia.

1.

ENCANTADOR PENTHOUSE
en Manorá, G 5,200,000, 3 habs., 2 baños con terraza, jacuzzi, bar. BUENA VISTA 565-2132

2.

ESTUDIO AMUEBLADO.
C/Igatimí. G 4,000,000. Bello. 1 hab., baño, sala, comedor, cocina. Totalmente equipado. Muebles nuevos. Inversor. NUEVOS HORIZONTES 592-2100

3.

PENTHOUSE AMUEBLADO.
Avda. Carlos Antonio López. 4 habs., 5 baños, 3 balcones, 2 terrazas techadas, amplias áreas de servicio. Vista panorámica, 2 parqueos techados, ascensor. G 10,250,000. Lucía. 541-1987

10-26 Las fotos de mi amiga.

 Paso 1. Comparen las siguientes fotos. Hagan varias comparaciones, en cada caso, basadas en las fotografías.

Modelo: **La casa en Mérida es más grande que la choza en el campo.**

Grupo 1: Familia

1.

Una familia indígena en México

2.

La familia de Gustavo y Elvira, en San Juan, Puerto Rico

3.

Un padre con sus hijos en Paraguay

Grupo 2: Casas

4.

Casa en la ciudad, Mérida, Yucatán, México

5.

Casa (choza) en el campo, Yucatán, México

6.

Apartamento en San Juan, Puerto Rico

Grupo 3: Comidas

7.

Preparación de un plato maya

8.

Desayuno en México D.F.

9.

Desayuno en Madrid, España

Paso 2. Imaginen que cada uno de ustedes es miembro de una de las familias de las fotos anteriores (1–3). En sus grupos, expliquen a los otros los aspectos más positivos de sus vidas, comparándolas con las de las otras fotos. Usen su imaginación.

The superlative

The superlative form of the adjective is used when persons or things are singled out as being *the most . . . , least . . . , best . . . , worst . . . , tallest . . . ,* etc. To form the superlative use:

WILEY PLUS Go to *WileyPLUS* and review the Animated Grammar Tutorial for this grammar point.

> **el/la/los/las** + (noun) + **más/menos** + (adjective) + **de...**

La cocina **es el lugar más popular de** nuestra casa.
The kitchen is the most popular place in our house.

Note the use of the preposition **de** in Spanish superlatives, not **en**, which is often incorrectly used by English speakers.

Liliana es **la más alta de la** clase.
~~Liliana es **la más alta en la** clase.~~

To form the superlative of **bueno/a, malo/a,** we use the same irregular forms as in the comparative.

> **el/la/los/las + mejor(es)/peor(es)** + (noun) + **de...**

Los mejores restaurantes **de** la ciudad están en el centro.
The best restaurants in the city are downtown.

(10-27) Premios Superlativo (*Superlative Awards*). Cada año se conceden en tu universidad los premios Superlativo. Este año tu clase de español forma parte del jurado *(jury)*.

Paso 1. En grupos pequeños, piensen en cuatro nominados/as para la(s) categoría(s) que va a asignar su instructor/a. Escriban los nombres en la columna *Nominado*. Añadan una categoría más en la última línea y las nominaciones correspondientes.

	Nominado	Votos	Nominado	Votos	Nominado	Votos	Nominado	Votos
1. la clase más fácil								
2. la clase más aburrida								
3. el mejor lugar para estudiar								
4. la peor comida de la cafetería								
5. el edificio más feo								
6. el lugar más romántico								
7. el evento (o fiesta) más popular								
8. la mejor residencia								
9. ¿...?								

Paso 2. Compartan sus nominaciones y su nueva categoría con la clase. Un/a representante de cada grupo las escribe en la pizarra. Después voten para decidir los ganadores de estos premios.

(10-28) ¿Cuál es el mejor?

Paso 1. Primero, escoge (*choose*) tres de las siguientes categorías. Luego, para cada categoría, usa superlativos para escribir tu opinión sobre tres aspectos.

Modelo: actores:

> **Para mí, Sean Penn es el mejor de todos.**
> **Jack Black es el menos guapo de todos.**
> **En mi opinión, Will Farrell es el más divertido.**

1. películas recientes
2. programas de televisión
3. revistas
4. actores/actrices
5. cantantes/grupos musicales
6. restaurantes en la ciudad
7. equipos deportivos
8. ciudades de Estados Unidos

 Paso 2. En grupos, lean sus opiniones a sus compañeros y escuchen las de ellos. ¿Están de acuerdo?

Mendoza, Argentina. Según la tienda, ¿cuáles son los mejores productos de Argentina? ¿Puedes identificar tres? ▶

 (10-29) Un anuncio comercial. En grupos, escriban un anuncio comercial de treinta segundos para la televisión. Comparen tres productos similares (hamburguesas de tres restaurantes populares, por ejemplo) usando comparativos y superlativos. Después van a presentar sus anuncios a la clase.

INVESTIG@ EN INTERNET

¿Cuál es el río más caudaloso (*largest*) del mundo?
¿Cuál es la ciudad más poblada del continente americano?
¿Cuál es la catarata más alta del mundo?
¿Cuál es la ciudad más austral (*southernmost*) del mundo?

Dicho y hecho

ANTES DE LEER

¿Cuál es tu edificio u obra arquitectónica favorita? ¿Lo has visitado personalmente?
Explica por qué te gusta.

ESTRATEGIA DE LECTURA

Using a bilingual dictionary   When you encounter an unknown word that seems
key to understanding the text, try first to guess its meaning based on context or
association with related words you know (word families). If you still cannot make out
what it means, a bilingual dictionary can be helpful. It is important, however, that you
limit use of a dictionary and avoid looking up every word you might not know, since
this habit often leads to missing the point of the text.

When you look up a word, you will need to search for its basic form: the infinitive of
a verb, the singular form of a noun, etc. Once you find the correct entry, be sure to go
over the different English equivalents or definitions given to determine which is the
most logical in the context of what you're reading.

Look at these words from the article that follows and decide for each 1) what part of
speech it is (verb, noun, etc.), and 2) what form of the word you would look for in a
Spanish-English dictionary.

tirar   **nenúfares**
roto   **destacan**

As you read the article, circle these and other new words that seem key in
understanding the general message and try some of the strategies you have practiced
in earlier chapters to interpret their meanings (for example cognates, context, word
families, etc.). Once you have exhausted other strategies, go ahead and look up any
words you're still struggling with in a Spanish-English dictionary.

A LEER

Barcelona, conocida familiarmente como "Barna", es una de las capitales
mundiales de la arquitectura. Te proponemos disfrutar de[1] dos obras[2] creadas
por Antoni Gaudí (Reus, 1852 – Barcelona, 1926) y declaradas Patrimonio de la
Humanidad por la UNESCO.

CASA BATLLÓ, "UNA SONRISA ARQUITECTÓNICA"

La casa del nº 43 del Paseo de Gracia fue construida en 1875. En el año 1900
Gaudí fue contratado por su propietario, don José Batlló Casanovas, para tirar la casa
y levantar una nueva, pero finalmente se decidió hacer una reforma. El resultado,
finalizado en 1906, es una de las obras más poéticas e inspiradas del arquitecto. La
fachada está revestida[3] de cerámica vidriada y fragmentos de cristales rotos de colores
cuya colocación exacta[4] dirigió personalmente Gaudí desde la calle. Sus columnas
tienen forma ósea[5] y presentan motivos vegetales. Esta espectacular fachada es
comparada con la serie *Los nenúfares* de Claude Monet. El piso principal también fue
reformado y decorado por Gaudí, que incluso diseñó sus muebles. www.casabatllo.es

---

[1] enjoy, [2] works, [3] covered, [4] whose exact placement, [5] are shaped like bones

Dicho y hecho

CASA MILÁ O "LA PEDRERA"

Este edificio fue un encargo[6] del matrimonio Pere Milá y Roser Segimon, y se levantó entre 1906 y 1910, en el nº 92 del Paseo de Gracia. Su fachada nos lleva a los paisajes[7] naturales visitados por Gaudí: la masa de piedra ondulante rematada[8] con azulejos[9] blancos en la parte superior, recuerda a una montaña nevada. También destacan los balcones de hierro en forma de plantas y la azotea[10], cuyas chimeneas semejan cabezas de guerreros. Solamente se puede visitar la azotea, el ático y la planta baja, que recrea el hogar de una familia burguesa barcelonesa de principios del siglo XX. El resto del edificio continúa habitado. www.lapedreraeducacio.org

Como apunta Joan Bassegoda, experto en la obra de Gaudí: "Gaudí observó que muchas de las estructuras naturales están compuestas de materiales fibrosos como la madera[11], los huesos, los músculos o los tendones, […] y las trasladó a la arquitectura […]. Las Casas Batlló y Milá fueron el punto culminante de su arquitectura naturalista. La primera, revestida de pedazos de cristales de colores y rematada con formas orgánicas de cerámica vidriada, y la segunda, con su aspecto de acantilado[12], parecen símbolos del mar y de la tierra"

Texto: *Punto y coma*
Fotografía: Clara de la Flor

---

[6] commission, [7] landscapes, [8] topped, [9] tiles, [10] terrace roof, [11] wood, [12] cliff

DESPUÉS DE LEER

1. Responde a estas preguntas sobre el texto:

   a. ¿Cuál de los edificios es obra completa de Gaudí?

   b. ¿Qué características comparten (*share*) ambos edificios?

   c. La casa Batlló es también conocida popularmente como Casa de los Bostezos (*yawns*) y Casa de los Huesos. ¿Puedes explicar por qué?

2. En la Casa Milá y otros edificios de Gaudí aún viven familias. ¿Te gustaría vivir en una de estas casas? ¿En cuál? ¿Por qué?

PARA CONVERSAR: Bienes raíces (*Real estate*)

Trabajen en grupos de tres personas. Uno/a de ustedes es agente de bienes raíces con propiedades en Latinoamérica. Dos de ustedes quieren comprar una propiedad en Costa Rica, Ecuador o Uruguay. Comparen las opciones que se presentan en la página 361.

- ubicación (*location*)
- precio
- tipo de vivienda
- ventajas (*advantages*) y desventajas de cada una
- su decisión

80% vendido
Primera Etapa
¡LLAME YA!

CONDOMINIO
BALCONES DE SANTA ANA

Una nueva forma de vivir...

Envueltos por la verde naturaleza

Entrega Inmediata

BALCONES DE SANTA ANA está compuesto por 16 condominios independientes de 248 a 293 mts² cada uno.
Situado en Santa Ana, la zona de más plusvalía en San José, cuenta con piscina, casa club, zona de juegos, generosos jardines y hermosas vistas sobre los cerros de Escazú. Localizado a sólo 5 minutos de Multiplaza, 700 mts. de Santa Ana y fácil acceso a la pista San José - Caldera.

En la bella playa de Atacames, Ecuador.

Suites Playa Atacames

Usted merece un espacio propio para disfrutar de sus vacaciones.
• Frente al mar
• Departamentos de dos dormitorios, sala, cocina, comedor y balcón
• Pisos de cerámica
• Áreas comunales
• Tres piscinas
• Micromercado
• Áreas de estacionamiento

TODO ESTO POR:
$36.000US

En la más exclusiva ciudad vacacional de Latinoamérica, Punta del Este, Uruguay.

Condominios Península

Propiedades en venta. Amplios y luminosos ambientes, frente al mar y próximo a todo.

• Living-Comedor
• Terraza
• Dos dormitorios, dos baños
• Cocina
• Lavadero
• Dormitorio y baño de servicio
• Garage
• Muebles

$98.000US

Dicho y hecho

PARA ESCRIBIR: Dos casas

En esta composición, vas a describir dos casas diferentes. Algunas opciones son:

- Tu casa y la casa de otra persona
- Las casas de dos personas diferentes
- Tu casa ahora y tu casa ideal
- ¿...?

ANTES DE ESCRIBIR

Elige las dos casas que vas a comparar y escribe cuáles son en el cuadro a continuación. Después, piensa en algunas características de cada una y escríbelas en el cuadro.

	Casa 1	Casa 2
Tamaño		
Lugar (*place/location*)		
Muebles		
¿?		
¿?		

A ESCRIBIR

Escribe la primera versión de tu composición. Aquí hay un bosquejo (*outline*) que te puede ayudar.

Párrafo 1: "En esta composición, voy a describir dos casas (muy diferentes / muy parecidas, que son diferentes en algunos aspectos pero parecidas en otros aspectos). La primera es _____ y la segunda es _____."

Párrafo 2: Tres aspectos de la Casa 1. O un aspecto de las dos casas.

Párrafo 3: Tres aspectos de la Casa 2. U otro aspecto de las dos casas.

Párrafo 4: Otro aspecto de las dos casas.

Párrafo 5: Conclusión.

Para escribir mejor

Estas palabras te pueden ayudar a escribir tu composición.

pies cuadrados *square feet*

sótano *basement*

despensa *pantry*

chimenea *fireplace*

elevador/ascensor *elevator*

escalera de incendios *fire escape*

camino de entrada *driveway*

ESTRATEGIA DE REDACCIÓN

Organizing a comparison There are many ways to organize a comparison. Here are two common organizational schemes.

Scheme 1: House by house
First, describe all the characteristics of one house, then describe all the characteristics of the other house, and finally, draw comparisons between the two.

Scheme 2: Characteristic by characteristic
Choose one characteristic (for example, size, location, etc.) and describe that characteristic of each house. Then, in a separate paragraph, choose another characteristic, and describe that characteristic of each house, and so on.

Can you think of another way to organize your comparison?

DESPUÉS DE ESCRIBIR

Revisar y editar: El contenido, la organización, la gramática y el vocabulario. Después de escribir el primer borrador de tu composición, déjalo a un lado por un mínimo de un día sin leerlo. Cuando vuelvas a leerlo, corrige el contenido, la organización, la gramática y el vocabulario. Hazte estas preguntas:

☐ ¿Describí claramente tres características de cada casa?

☐ ¿Está clara la organización?

☐ ¿Es lógica la conclusión – si las casas son muy parecidas o diferentes?

Los comparativos. Subraya todos los usos comparativos que usaste, como **tan…como, tanto/a/ os/as como, más…que, menos…que.** Revísalos bien para corregir posibles errores.

 PARA VER Y ESCUCHAR: Los patios de Andalucía

Paso 1. Andalucía es una región al sur de España. En este video, vas a aprender sobre algunos de los usos y las características de los patios de esta región. Trabajando con un/a compañero/a, piensen en lo que han aprendido sobre los patios de las casas hispanas (p. 350) y escriban tres o cuatro frases para describir sus características.

ESTRATEGIA DE COMPRENSIÓN

Predicting content One way of enhancing comprehension is to make predictions about what you are about to hear. Look at the title of this segment, Los patios de Andalucía, and, thinking about what you read about patios in Cultura (p. 350), determine which of these words you think you're likely to hear in the video. Are there other words you're likely to hear?

☐ árabe   ☐ aire   ☐ cerámica

☐ luz   ☐ fuentes   ☐ plantas

A VER EL VIDEO

Ahora mira y escucha el video y contesta las preguntas a continuación. Puedes ver y escucharlo una segunda vez.

Paso 1. Los cuatro elementos básicos de los patios son:

1. _____   **2.** _____   **3.** _____   **4.** _____

Paso 2. Elige qué frase del video va con qué oración. Nota que cada oración usa el presente perfecto.

_____ **1.** El patio _____ un lugar muy importante en las casas.   **a.** hemos vivido

_____ **2.** En esta casa _____ desde 1987.   **b.** ha sido

_____ **3.** La casa _____.   **c.** se ha reconstruido

DESPUÉS DE VER EL VIDEO

 Ahora, diseña (*design*) un patio tradicional. Es decir, en una hoja de papel, dibuja un patio que te gustaría tener en tu casa. No olvides los cuatro elementos básicos de los patios que se mencionaron en el video. Después, comparte tu dibujo con otros estudiantes.

Repaso de vocabulario activo

Adverbio

peor   *worse*

Sustantivos

En el baño   *In the bathroom*

la bañera   *bathtub*

la ducha   *shower*

el espejo   *mirror*

el inodoro   *toilet*

el lavabo/el lavamanos   *bathroom sink*

En la cocina   *In the kitchen*

la cocina/la estufa   *stove*

el fregadero   *kitchen sink*

el horno   *oven*

el lavaplatos   *dishwasher*

el microondas   *microwave*

el refrigerador   *refrigerator*

En la mesa   *On the table*

la copa   *goblet*

la cuchara   *spoon*

la cucharita   *teaspoon*

el cuchillo   *knife*

el plato   *plate*

la servilleta   *napkin*

la taza   *cup*

el tenedor   *fork*

el vaso   *glass*

Las partes de la casa

el baño   *bathroom*

la chimenea   *fireplace*

la cocina   *kitchen*

el comedor   *dining room*

el dormitorio/la recámara/la habitación   *bedroom*

la escalera   *stairs*

el garaje   *garage*

el jardín   *garden/backyard*

la pared   *wall*

la planta baja   *ground floor*

el primer piso   *first (second) floor*

la sala/el cuarto de estar   *living room/family room*

el sótano   *basement*

el suelo/el piso   *floor*

el techo   *roof/ceiling*

Las cosas en la casa/el apartamento

la alfombra   *carpet*

la cómoda   *bureau, dresser*

las cortinas   *curtains*

el cubo de la basura/el bote de basura   *garbage can*

el estante   *shelf*

el estéreo   *stereo*

la lámpara   *lamp*

la lavadora   *washing machine*

la luz   *light*

la mesita (de noche)   *nightstand*

los muebles   *furniture*

el póster/el afiche   *poster*

la secadora   *clothes dryer*

el sillón   *armchair*

el sofá   *sofa*

Otras palabras útiles

el ruido   *noise*

el vecino/la vecina   *neighbor*

Verbos y expresiones verbales

alquilar   *to rent*

apagar   *to turn off*

ayudar   *to help*

bajar   *to go down*

cortar el césped   *to mow the lawn*

guardar   *to put away*

hacer la cama   *to make the bed*

lavar/secar los platos   *to wash/dry dishes*

mover(se) (ue)   *to move (oneself)*

mudarse   *to move (from one residence to another)*

ordenar el cuarto   *to tidy up the room*

pasar la aspiradora   *to vacuum*

poner/quitar la mesa   *to set/clear the table*

prender   *to turn on*

resolver (ue)   *to solve*

romper   *to break*

sacar la basura   *to take out the trash*

subir   *to go up*

Autoprueba y repaso

I. Affirmative *tú* commands. ¿Qué le dice la mamá a los diferentes miembros de la familia?

    Modelo: Irma / ir al mercado
        Irma, ¡ve al mercado!

1. Beatriz / hacer la cama
2. María / pasar la aspiradora
3. Luis / devolver los libros
4. Laila / poner la mesa
5. Juanito / sacar la basura

II. Negative *tú* commands. ¿Qué le dice el hermano mayor al menor?

    Modelo: no ponerte mi ropa
        No te pongas mi ropa, por favor.

1. no prender el estéreo
2. no usar mi computadora
3. no tocar mis cosas
4. no decirme mentiras (*lies*)
5. no preocuparte

III. The present perfect. ¿Qué han hecho las siguientes personas esta semana?

    Modelo: yo / dormir mucho
        He dormido mucho.

1. la abuela / trabajar en el jardín
2. todos nosotros / lavar y secar la ropa
3. papá / limpiar el garaje
4. mi hermana / salir dos veces a bailar

IV. The past perfect. Una noche hubo una tormenta y un apagón (*blackout*). ¿Qué habíamos hecho antes del incidente?

    Modelo: nosotros / terminar nuestro proyecto
        Habíamos terminado nuestro proyecto.

1. yo / apagar la computadora
2. tú / imprimir tu trabajo escrito
3. nosotros / hacer la tarea para la clase de español
4. Linda y Teresa / leer la novela para la clase de inglés

V. Equal comparisons. Haz comparaciones de igualdad.

    Modelo: Teresa tiene dos clases por la tarde. Yo tengo dos clases también.

        Tengo tantas clases por la tarde como Teresa. O, Teresa tiene tantas clases por la tarde como yo.

1. Los estudiantes son simpáticos. Los profesores también son simpáticos.
2. Ana tiene mucha paciencia. Susana también tiene mucha paciencia.
3. Alberto compró dos libros. Su hermano también compró dos.

VI. Unequal comparisons and the superlative.

A. Di qué elemento de la serie es más grande, mejor, etc., que el otro.

    Modelo: grande: Nueva York, Toronto
        Nueva York es más grande que Toronto.

1. caro: el reloj Rolex, el reloj Timex
2. mejor: ir de vacaciones a la playa, ir de vacaciones a las montañas
3. divertido: limpiar la casa, ver la tele

B. Di qué elemento de la serie es el mejor, el más interesante, etc., de los tres.

    Modelo: vieja: Roma, Boston, Calgary
        Roma es la más vieja de las tres.

1. rico: Bill Gates, su profesor/a, Barack Obama
2. mejor: el Ford, el Subaru, el Honda
3. interesante: las revistas *National Geographic, Newsweek, Movie Line*

VII. *Repaso general.*

1. ¿Cómo es tu casa o apartamento?
2. ¿Tienes tantas clases como tu mejor amigo/a? ¿Quién estudia más?
3. ¿Cuál es la mejor película que has visto últimamente (*lately*)? ¿Y la más cómica?

VIII. *Cultura.*

1. ¿Cuál es la diferencia principal, en términos de la composición étnica, entre Paraguay y Uruguay?
2. ¿Quién es Cristina Peri Rossi?
3. ¿Por qué es tan importante el patio en las casas hispanas?

Las respuestas de *Autoprueba y repaso* se pueden encontrar en el **Apéndice 2.**

11

WILEY
PLUS

Amigos y algo más

Así se dice

Amigos y algo más
  Las etapas de la vida
  Hablando del amor...

Para estar en contacto:
Las llamadas telefónicas

Así se forma

1. Introduction to the subjunctive mood: Will, influence, desire, and request
2. The subjunctive with expressions of emotion
3. The future tense and the conditional

Cultura

- Panamá
- Los cibercafés: Otro modo de consolidar amistades

Dicho y hecho

Para leer:
Los amantes de Teruel

Para conversar:
Problemas en una relación amorosa

Para escribir:
La reseña de una película

Para ver y escuchar:
La tecnología une a las familias

By the end of this chapter you will be able to:

- Talk about human relationships and the stages of life
- Express wishes and requests related to other people's actions
- Express emotional reactions and feelings about other people's actions
- Talk about what will and would happen

ENTRANDO AL TEMA

1. ¿Conoces algo acerca del Canal de Panamá?
2. ¿Tienes amigos o familiares que han conocido a su novio/a por Internet?

Así se dice

Amigos y algo más

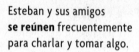
la amistad

juntos/as

Pepita y Natalia tienen una gran **amistad**. Son amigas porque **se llevan** muy **bien**: se divierten juntas y tienen intereses similares.

el amor

Linda y Manuel **se enamoraron** a primera vista hace dos años y todavía **están** tan **enamorados** como el primer día.

Esteban y sus amigos **se reúnen** frecuentemente para charlar y tomar algo.

reunirse (con)

encontrarse (ue) con

A veces Carmen **se encuentra con** Alfonso cuando va a clase.

la cita

Inés **sale con** Octavio hace ya unos meses. Esta noche tienen **una cita** para una cena romántica.

Camila **rompió con** su novio recientemente pero todavía **piensa en** él. A veces **llora** porque lo **extraña**.

Las etapas de la vida

la infancia

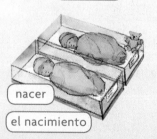

nacer

el nacimiento

la niñez

los niños

la juventud/la adolescencia

los jóvenes/los adolescentes

la madurez

los adultos

una cita	a date	Inés y Octavio tienen una cita esta noche. Van a ir al cine y a un restaurante romántico.
	an appointment	El jueves tengo cita para el dentista.
	a quote	Busquen citas famosas sobre el amor en Internet.

El Día de San Valentín, Manuel y Linda **se comprometieron**. Ahora que **están comprometidos**, viven **juntos**.

WILEY PLUS Pronunciación: Practice pronunciation of the chapter vocabulary and particular sounds of Spanish in *WileyPLUS*.

la boda

encontrarse (ue) con	to run into
extrañar	to miss
llevarse bien/mal	to get along/not get along
la luna de miel	honeymoon
juntos/as	together
reunirse (con)	to get together (with)
romper con	to break up with
salir (irreg.) (con)	to go out (with)

La profesora Falcón y su esposo, Juan, **se casaron** hace diez años y todavía están **casados**. Fue **una boda** pequeña pero muy elegante.

los recién casados

dar a luz

Después de **la boda, los recién casados se fueron de luna de miel.**

Nancy, la esposa del profesor Marín-Vivar, **está embarazada**. Van al hospital porque Nancy va a **dar a luz** muy pronto.

la vejez

los ancianos

la muerte

11-1 El ciclo de la vida.

Paso 1. Aunque la vida de cada persona es única, ¿cuál te parece el orden cronológico más común o frecuente para los siguientes sucesos? Escríbelos en un orden lógico en tu cuaderno.

10 criar (*raise*) a los hijos	7 irse de luna de miel	1 nacer
8 estar embarazada	11 morir	3 salir con un chico/chica
4 enamorarse	5 comprometerse	9 dar a luz
6 casarse	2 divertirse con amigos	

 Paso 2. En grupos pequeños, comparen lo que escribieron en el Paso 1. ¿Qué diferencias encuentran? ¿Qué otras posibilidades hay?

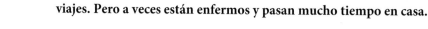

11-2 Amistad o algo más.
En parejas, hagan listas de palabras que asocian a los siguientes conceptos. Deben poder justificar la relación entre las palabras de su lista y el concepto. Tienen cinco minutos y no pueden repetir palabras. Compartan sus listas con la clase. ¿Quién tiene más palabras?

La amistad	La juventud	El amor	El matrimonio

11-3 Las etapas de la vida.

Paso 1. Escoge tres etapas de la vida y escribe una breve descripción de cada una sin mencionar la etapa explícitamente.

Modelo: **En esta etapa, la gente no trabaja; van a pasear, ven la televisión o hacen**

viajes. Pero a veces están enfermos y pasan mucho tiempo en casa.

 Paso 2. Lee una de tus descripciones a tu compañero/a, que va a intentar identificarla. Túrnense hasta leer todas las descripciones.

11-4 Preguntas personales.

Paso 1. En parejas, entrevista a tu compañero/a y anota sus respuestas.

Estudiante A: Vas a entrevistar a tu compañero/a sobre la amistad.

1. ¿Con quién te reúnes[1] en tu tiempo libre? ¿Tienes buenos amigos en la universidad?

2. ¿Tienes muchos amigos fuera de la ciudad? ¿Los extrañas? ¿Cómo te mantienes en contacto con ellos?

3. ¿Quién es tu mejor amigo/a? ¿Por qué piensas en esta persona como tu mejor amigo/a?

4. En tu opinión, ¿qué características debe tener un/a amigo/a?

Estudiante B: Vas a entrevistar a tu compañero/a sobre las relaciones amorosas.

1. ¿Has tenido o tienes una relación romántica seria? (Si la respuesta es no: ¿Has estado enamorado/a?) ¿Qué características son importantes en tu pareja (*significant other*)?

2. ¿Tienes amigos que están comprometidos? ¿Estás comprometido/a? ¿Es importante para ti regalar o recibir un anillo?

3. Respecto al matrimonio, ¿quieres casarte, o estás casado/a? (¿Qué tipo de boda quieres? / Si ya estás casado/a, ¿cómo fue tu boda?)

4. ¿Quieres tener hijos, o ya los tienes? ¿Cuántos quieres tener? ¿Prefieres tener una familia grande o pequeña?

Paso 2. Formen grupos con personas que entrevistaron sobre el mismo tema y compartan las respuestas que obtuvieron. ¿Pueden llegar a algunas conclusiones?

11-5 Pensamientos sobre la amistad.

Paso 1. En grupos de tres, lean los siguientes pensamientos y luego indiquen la idea central de cada uno. Apunten sus ideas para luego compartirlas con la clase.

Modelo: "La amistad supone sacrificios y sólo el que está dispuesto a hacerlos sin molestia comprende la amistad". (Noel Clarasó, escritor español)
Es necesario hacer sacrificios por los amigos.

1. "Al amigo no lo busques perfecto. Búscalo amigo". (José Narosky, escritor argentino)

2. "Un buen amigo es un hombre para el cual (*for whom*) no tenemos secretos y que, a pesar de (*in spite of*) todo, nos aprecia". (León Daudí, escritor español)

3. "Cada uno (*Each one*) muestra lo que es en los amigos que tiene". (Baltasar Gracián, jesuita y escritor español)

4. "A los amigos, como a los dientes, los vamos perdiendo con los años, no siempre sin dolor". (Santiago Ramón y Cajal, médico español)

Paso 2. Ahora hablen de sus mejores amigos/as: quiénes son y por qué son buenos/as amigos/as.

PALABRAS ÚTILES

Pienso en...
I think about (something or someone)
¿Qué piensas de...?
What do you think about...? (opinion)
Pienso/Creo que...
I think/believe that...

---

[1]The present tense conjugation of **reunirse** is: **me reúno, te reúnes, se reúne, nos reunimos, os reunís, se reúnen.** Note the accents.

Hablando del amor

Es difícil definir el amor, esa química misteriosa que nos transforma. Sin embargo, todos lo sentimos tarde o temprano, y cuando llega ese "alguien especial", hay una magnífica explosión interna y la vida cambia de color. Lee los siguientes anuncios personales y aprende las nuevas expresiones para poder hablar del amor y de las relaciones.

Amigos y algo más

♥

Liliana Matamoros. Viuda, 50 años, **sincera, cariñosa;** con mucha personalidad e independencia. Soy arquitecta, me encanta leer buenos libros y viajar. Mi media naranja (*my soulmate, other half*) puede ser **soltero,** viudo o **divorciado.** Mi único requisito es que sepa **comunicarse** bien. Busco solamente un compañero. ¡No me quiero casar! Si usted **está listo** para una relación como la que deseo, escríbame al Apartado Postal 555, San Jacinto, Honduras.

♥

Arturo Flores. Estoy divorciado, tengo 45 años y soy administrador de negocios y estudiante de artes plásticas. Creo que **me he olvidado** un poco del amor. No **recuerdo** cuándo fue la última vez que salí a divertirme. Nací en Perú, pero ahora soy ciudadano de EE.UU. Mi signo es Leo, soy romántico y deportista. Serio, responsable, católico. No bebo ni fumo. Busco amistades. Enviar foto. Dirección: 375 Forest Ave., Des Plaines, Illinois, EE.UU.

♥

Irma Murillo. Soltera, 28 años, abogada. Busco un príncipe de buen carácter, divertido y **comprensivo. Creo** en el amor a primera vista (*love at first sight*); no creo en el **divorcio** ni en la separación. Soy optimista y romántica de pies a cabeza. Nos vamos a cuidar y estar juntos para toda la vida. Dirección: Apartamentos Los Pinos, Apto. C, 125 metros oeste Catedral. Moravia, Costa Rica.

♥

Roberto R. Mendoza. Soltero, 27 años, artista comercial. Apasionado y romántico. Busco a la compañera de mi vida. Mi única condición es: "Usted no debe ser **celosa**". Mi experiencia es que los celos **matan** el amor. Dirección: Barrio Sta. Marta, Calle Atlántica No. 1180, San Salvador, El Salvador.

♥

Genoveva Vásquez. Maestra, soltera, 35 años. Mi signo es Sagitario. Soy amistosa, expresiva, atractiva e inteligente. Busco una persona generosa y tranquila. Dirección: 18 Av. A, 119, Zona 1, Ciudad de Guatemala, Guatemala.

♥

Gregorio José Ramírez. Soltero, 32 años, profesor universitario. Me gustaría recibir correos electrónicos de chicas de 25 a 32 años con fines matrimoniales. Soy responsable, sin vicios, delgado y simpático. Siempre **me acuerdo de** los cumpleaños y otras fechas especiales. Nunca **tengo celos,** no **me quejo de** nada y solamente **me enojo** cuando alguien **miente.** Busco a alguien que pueda **reírse de** los problemas de la vida, alguien optimista y **fiel.** Dirección: Cerrado del Cóndor, 175 Bis. Acayucán, México, D.F.

acordarse (ue) de...	to remember . . .	olvidarse de...	to forget . . .
recordar (ue)	to remember	olvidar	to forget
cariñoso/a	affectionate	creer (irreg.)	to believe
celoso/a	jealous	enojarse	to get/become angry
tener celos	to be jealous	estar listo/a	to be ready
fiel	faithful	matar	to kill
soltero/a	single	mentir[1] (ie, i)	to lie
viudo/a	widower/widow	quejarse de...	to complain about . . .
reírse[2] (de...) (irreg.)	to laugh (at . . .)		

NOTA DE LENGUA

Remember that past participles used as adjectives agree with the noun they describe. This form is used throughout this chapter.

Linda y Manuel están **enamorados**.
Mi hermana está **casada**.

11-6 **¿Qué dicen?** Busca la declaración que mejor corresponda a cada circunstancia.

	Circunstancias		Declaraciones
f	1. Es muy cariñoso.	a.	"Te amo con todo mi corazón". 6
d	2. Es celoso.	b.	"Quiero verte. Hace mucho tiempo que no te veo". 3
b	3. Extraña a su novia.	c.	"¡Hola, Paco! ¿Qué hay de nuevo?" 5
e	4. Rompió con su novio.	d.	"¡Estoy furioso! ¡Mi novia bailó con otro chico en la fiesta!" 2
c	5. Se encuentra con su amigo.	e.	"Lo siento, pero ya no te amo y no puedo salir más contigo". 4
a	6. Está enamorado.	f.	"Me gustan los abrazos (hugs)". 1
i	7. ¡Dio a luz ayer!	g.	"La verdad (truth) es muy importante para mí". 10
h	8. Se olvidó del cumpleaños.	h.	"¡Ay! Lo siento. Estaba tan ocupado que ni pensé en la fecha". 8
j	9. Es muy comprensiva.	i.	"Mira al bebé. ¡Qué precioso es!" 7
g	10. No miente.	j.	"Entiendo exactamente cómo te sientes". 9

11-7 **Anuncios personales.** En grupos, contesten las siguientes preguntas.

1. ¿Qué anuncio de la sección *Hablando del amor* (p. 372) es el más interesante? ¿Por qué?

2. Según los anuncios, ¿quién va a tener menos dificultad en encontrar pareja? ¿Por qué?

3. ¿Quién va a tener más dificultad en encontrar pareja? ¿Por qué?

---

[1]The present tense of **mentir** is: **miento, mientes, miente, mentimos, mentís, mienten.**
[2]The present tense of **reírse** is: **me río, te ríes, se ríe, nos reímos, os reís, se ríen.**

Amigos y algo más

11-8 **Una invitación a una boda hispana.** Trabaja con un/a compañero/a. Examinen la siguiente invitación a una boda en América Latina e indiquen los siguientes datos:

los nombres de los novios: _____

los nombres de los padres de los novios: _____

_____

_____

_____

la fecha de la boda: _____

la ciudad en que se celebra: _____

Luis Felipe Cabezas Burgos   Víctor José Luna Castillo
María Teresa Hernández de Cabezas   Gabriela Consuelo Valladares de Luna

Los invitan a presenciar el próximo enlace de sus hijos

Mónica y Eduardo

*y tienen el gusto de invitarle(s) a la ceremonia religiosa
que se celebrará el viernes 31 de agosto, a las 7 de la tarde,
en la Iglesia del Carmen, Avda. España con Avda. Federico Boyd,
y a la cena que se servirá a continuación
en el Salón Las Tinajas,
Hotel Paitilla, Avenida Balboa, Ciudad de Panamá*

Se ruega confirmación
31 de julio, 2011

C/13 Condado del Rey, 2824   C/50 Torrijos Carter
Apartado Postal: 87-3547   Apartado Postal: 87-1751
Tel. (507) 239-7100   Tel. (507) 269-0205

NOTA CULTURAL

Los padrinos

In many places in Latin America, there is a tradition of selecting **padrinos**, or godparents, to assist with a wedding. The bride's family asks close relatives and friends to contribute a specific item to the event. This custom of sponsorship, in addition to deflecting some of the financial burden from the bride's family, establishes a strong social bond that serves to honor people on both sides of the relationship. Here are three examples of roles of wedding **padrinos**:

Padrinos de velación (*vigil, watching over*): A stable couple that serves as an example for the newlyweds, the **padrinos de velación** pay for the costs of the religious ceremony. There are also the **padrinos de anillos** (*rings*) and the **padrinos de pastel** (*wedding cake*).

11-9 **Cita a ciegas (*Blind date*).**

Paso 1. Piensa en un/a amigo/a (hermano/a, etc.) que no tenga pareja, pero que quiera encontrar a su media naranja (*soulmate, other half*). Escribe su nombre aquí:

_____

Paso 2. Quizás (*Maybe*) puedes encontrar una media naranja para tu amigo/a en la clase de español o, al menos, organizar una cita a ciegas. Escribe una descripción interesante y atractiva de tu amigo/a; describe algunas de sus características físicas, cualidades personales y también lo que él/ella busca en una pareja y en una relación.

 Paso 3. Camina por la clase y entrevista a varias personas para encontrar tres candidatos/as para tu amigo/a. Haz preguntas sobre estos/as candidatos/as y toma notas. Describe también a tu amigo/a.

Modelo: Estudiante A: **Mi amigo se llama... ¿Tú tienes un amigo o una amiga?**
Estudiante B: **Tengo una amiga; se llama...**
Estudiante A: **Mi amigo es... y busca una chica...**
Estudiante B: **Mi amiga es... Dime, ¿qué tipo de música le gusta a tu amigo?...**

(Los dos estudiantes toman notas).

Paso 4. Ahora, comparte con la clase los resultados de tu búsqueda (*search*). ¿Encontraste a un candidato/a interesante para tu amigo/a? ¿Por qué te parecen compatibles?

(11-10) Citas sobre el amor.

 Paso 1. En parejas, lean las siguientes citas sobre el amor. Discutan si están de acuerdo o no y decidan cuáles son sus favoritas.

1. "El amor es el único tesoro (*treasure*) que se multiplica al dividirlo (*multiplies when divided*)". (Anónimo)

2. "La raíz (*root*) de todas las pasiones es el amor. De él nace la tristeza, el gozo (*joy*), la alegría y la desesperación". (Lope de Vega, escritor español [1562-1635])

3. "Ama como puedas, ama a quien puedas, ama todo lo que puedas, pero ama siempre". (Amado Nervo, escritor mexicano [1870-1919])

4. "No hacemos el amor. El amor nos hace". (Mario Benedetti, escritor uruguayo [1920-2009])

5. "Hombre invisible busca mujer transparente para hacer lo nunca visto". (Pintado en un metro (*subway*) de Madrid, España)

Paso 2. Ahora, escriban su propia (*own*) cita y compártanla con sus compañeros de clase.

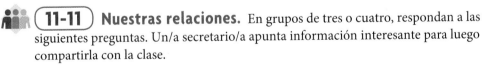 (11-11) **Nuestras relaciones.** En grupos de tres o cuatro, respondan a las siguientes preguntas. Un/a secretario/a apunta información interesante para luego compartirla con la clase.

- ¿Es posible el amor a primera vista?
- ¿Existe sólo una media naranja para cada persona o existen varias?
- ¿Cuáles son las ventajas (*advantages*) o desventajas de ser soltero/a?
- ¿Cuáles son las ventajas o desventajas de casarse joven?
- ¿Creen que es mejor vivir juntos antes de casarse? ¿Por qué?

Cultura: Panamá

Mar Caribe

Golfo de San Blas

COSTA RICA

Bocas del Toro

Coco Solo

Colón

Ciudad de Panamá

Golfo los Mosquitos

Archipiélago de San Blas

Canal de Panamá

Balboa Vacamonte

David

PANAMÁ

La Palma

Golfo de Chiriquí

Santiago

Chitré

Golfo de Panamá

Yaviza

COLOMBIA

Nacionalidad: panameño/a

▲ Una niña kuna de las islas de San Blas

Antes de leer

1. ¿Qué océanos se conectan por el Canal de Panamá?

2. ¿Cuál es la capital de Panamá?

La pollera es el vestido tradicional de las mujeres panameñas. Se teje con hilo fino en colores fuertes y pueden tardar hasta un año en hacerse. ▼

Cristóbal Colón llegó a Panamá en 1502. En el siglo XVI, llegaron otros españoles para explorar sus tierras y establecer rutas comerciales entre Europa y las Américas. Todas las expediciones españolas a América del Sur pasaron por Panamá y esta función de conexión entre el norte y el sur ha atraído al istmo a grupos de personas de diferentes partes del mundo. Durante la construcción del Canal de Panamá, llegaron inmigrantes del Medio Oriente, del este y del sur de Asia, europeos, norteamericanos y africanos antillanos para aprovechar las oportunidades de trabajo y de comercio.

Casi el 70% de los panameños son mestizos, y otro 20% se divide entre personas de ascendencia africana y española. Un 10% de la población pertenece a grupos indígenas, siendo los kuna, de **las islas de San Blas,** los más conocidos. Los festivales del país reflejan la influencia de los diferentes grupos étnicos. En la zona de **Colón** se observan tradiciones africanas, como las congas y el festival del Cristo Negro. En la zona de **Bocas del Toro** se baila el Palo de Mayo (*Maypole dance*), de origen europeo.

INVESTIG@ EN INTERNET

Investiga sobre alguno de los grupos indígenas de Panamá y después comparte la información con tus compañeros de clase. Busca información sobre dónde viven, cómo es su cultura, qué lengua hablan, etc. Si encuentras fotografías, imprímelas y tráelas a clase.

▲ La Ciudad de Panamá

▲ La selva tropical

Por su clima tropical, en Panamá es posible practicar deportes acuáticos todo el año —las costas del país cuentan con casi 1,500 islas. Panamá también tiene algunas de las selvas tropicales más espectaculares del mundo. Al igual que en su vecina Costa Rica, en Panamá se han establecido varios parques nacionales para proteger la diversidad ecológica. La capital del país, **la Ciudad de Panamá,** está en la parte del Canal que desemboca en el océano Pacífico. En su zona colonial, conocida como el Casco Antiguo, se conservan edificios de arquitectura francesa, italiana y española, que contrastan con los rascacielos, centros comerciales, hoteles y bancos de la zona moderna.

EL CANAL DE PANAMÁ

En 1902, Estados Unidos comenzó la construcción del Canal de Panamá, que sería el mayor canal navegable del continente, con 82.6 kilómetros (50 millas) de largo. Es una de las mayores maravillas de la ingeniería moderna. Cuenta con tres esclusas (*locks*) que levantan los barcos 15.24 metros (85 pies) sobre el nivel del mar. A cada lado del canal, hay selvas densas y montañas verdes. Cerca de la entrada del Canal al océano Pacífico, hay una vista impresionante: el arco de metal del Puente de las Américas, que atraviesa el canal y pertenece a la Carretera (*Highway*) Panamericana que se extiende desde Alaska hasta la punta de América del Sur en la ciudad de Ushuaia, capital de la Tierra del Fuego, Argentina.

El 31 de diciembre de 1999, Estados Unidos entregó (*handed over*) el Canal a los panameños. En 2007 comenzaron las obras para la ampliación del canal, que está previsto que acaben en 2014, fecha del centenario de la inauguración del canal. Gracias al tránsito de barcos por el Canal (unos 15,000 al año), Panamá es muy importante para el comercio mundial. La Zona del Canal, que es libre de impuestos (*taxes*), es otro atractivo del país. El dólar estadounidense y el balboa panameño son las monedas oficiales del país.

¿CRUZAR EL CANAL A NADO?

En 1913, dos nadadores profesionales de Nueva York, un hombre y una mujer, obtuvieron permiso para cruzar el Canal de Panamá nadando. En 1914, los primeros en atravesar el canal entero, de océano a océano, fueron dos empleados del canal. Luego, en 1928, el autor y aventurero Richard Halliburton cruzó el canal a nado en 10 días (la travesía típica de un barco de carga es de unas nueve horas). Se requiere la misma cantidad de trabajo para hacer pasar por el canal a una persona a nado que para hacer pasar un barco enorme de muchas toneladas, y se cobra el pasaje según el peso en toneladas. El precio más alto pagado para cruzar el Canal de Panamá fue de $317,142 por el carguero MSC Fabienne en 2008. El más bajo lo pagó el señor Halliburton, quien sólo pagó 36 centavos. El precio promedio es de $54,000.

▲ Richard Halliburton

Después de leer

1. ¿Por qué es la Zona del Canal muy atractiva para hacer compras?

2. ¿Cuál es la función de una esclusa?

3. ¿Por qué hay una mezcla tan interesante de grupos étnicos en Panamá?

Así se forma

Quiero que aprendan el subjuntivo.

i¿El qué?!

WILEY PLUS Go to *WileyPLUS* and review the Animated Grammar Tutorial and Verb Conjugator for this grammar point.

1. Introduction to the subjunctive mood: Expressions of will, influence, desire, and request

Introduction

Most verb tenses that you have studied (present, preterit, imperfect, etc.) are part of the indicative mood. The indicative is used for stating facts, communicating specific knowledge, and asking questions that express events or facts considered to be true, part of reality.

Vamos a visitar a Jaime.   *We are going to visit Jaime.*

Hoy **está** en casa.   *He is at home today.*

The subjunctive mood is another set of verb tenses. It often expresses events or ideas that are subjective or not part of reality. It conveys a speaker's wishes, attitudes, hopes, fears, doubts, uncertainties, and other personal reactions to events and to the actions of others[1]. Compare the following examples with the ones above.

Quiero que **visitemos** a Jaime.   *I want us to visit Jaime.*

Espero que **esté** en casa.   *I hope that he is at home.*

You have already used forms of the subjunctive in **usted/ustedes** and **tú** commands. In this and subsequent chapters you will be introduced to some tenses and uses of the subjunctive.

Present subjunctive forms

To form the present subjunctive of <u>regular</u> verbs, delete the final **–o** from the **yo** form of the present indicative and add the endings indicated below.

	bailar → baile	comer → come	vivir → vive
(yo)	bail**e**	com**a**	viv**a**
(tú)	bail**es**	com**as**	viv**as**
(Ud., él, ella)	bail**e**	com**a**	viv**a**
(nosotros/as)	bail**emos**	com**amos**	viv**amos**
(vosotros/as)	bail**éis**	com**áis**	viv**áis**
(Uds., ellos, ellas)	bail**en**	com**an**	viv**an**

> **HINT**
>
> To form the present subjunctive, always think "opposite endings": **–ar** verbs have endings with **–e; –er** and **–ir** verbs have endings with **–a.**

---

[1] English has a subjunctive mood too, although it is not used as frequently as in Spanish. Note that the subjunctive forms are often mistaken for other forms of the indicative. Here are some examples:

It is imperative that Mr. Brown *appear* before the judge.

If I *were* you...

The director insists that the report *be* sent through express mail.

- Stem-changing –**ar** and –**er** verbs follow the pattern of the present indicative — stem changes occur in all forms except **nosotros** and **vosotros**. Stem-changing –**ir** verbs also follow the pattern of the present indicative, but they have an additional stem change in the **nosotros** and **vosotros** forms (e → i and o → u).

pensar (e → ie)	volver (o → ue)	preferir (e → ie, i)	pedir (e → i, i)	dormir (o → ue, u)
piense	vuelva	prefiera	pida	duerma
pienses	vuelvas	prefieras	pidas	duermas
piense	vuelva	prefiera	pida	duerma
pensemos	volvamos	prefiramos	pidamos	durmamos
penséis	volváis	prefiráis	pidáis	durmáis
piensen	vuelvan	prefieran	pidan	duerman

- Verbs ending in -**gar**, -**car**, and -**zar** have spelling changes in all persons in the present subjunctive. They are the same spelling changes that occur in the **yo** form of the preterit.

–**gar** (g → gu)	llegar	→	lle**gue**, lle**gues**, …
–**car** (c → qu)	tocar	→	to**que**, to**ques**, …
–**zar** (z → c)	almorzar	→	almuer**ce**, almuer**ces**, …

- Verbs with irregular **yo** forms in the present indicative follow the same pattern in the present subjunctive, but show the irregularity in all the persons, not only the **yo** form.

conocer	(conozco)	**conozca, conozcas, …**	salir	(salgo)	**salga, salgas, …**
decir	(digo)	**diga, digas, …**	tener	(tengo)	**tenga, tengas, …**
hacer	(hago)	**haga, hagas, …**	traer	(traigo)	**traiga, traigas, …**
poner	(pongo)	**ponga, pongas, …**	venir	(vengo)	**venga, vengas, …**

- The following verbs are the only ones with irregular forms in the present subjunctive.

dar	dé, des, dé, demos, deis, den
estar	esté, estés, esté, estemos, estéis, estén
ir	vaya, vayas, vaya, vayamos, vayáis, vayan
haber	haya, hayas, haya, hayamos, hayáis, hayan
saber	sepa, sepas, sepa, sepamos, sepáis, sepan
ser	sea, seas, sea, seamos, seáis, sean

- **Haya** is the subjunctive form of **hay** (*there is, there are*).

  Espero que **haya** otras soluciones.   *I hope that **there are** other solutions.*

11-12 **Recomendaciones románticas.** Tu amigo/a quiere mejorar su relación con su novio/a.

Paso 1. Indica si, en tu opinión, estas acciones son importantes o no.

Es importante que...	Es bueno que...	No es importante que...	
			...lo/la llames todos los días.
			...llegues a tiempo a las citas.
			...lo/la lleves a ver películas románticas.
			...lo/la invites cuando sales con tus amigos.
			...le regales flores y chocolates el día de San Valentín.
			...recuerdes su aniversario.

Paso 2. Ahora, indica si estas acciones son (o no son) importantes, o buenas. Usa esta construcción y la forma del presente del subjuntivo del verbo indicado: *(No) Es (muy) importante/bueno que + subjuntivo.*

Modelo: contarle tus secretos

No es importante/bueno que le cuentes tus secretos.

1. llevarla a restaurantes caros
2. hablarle de tus ex-novias
3. ir con ella de compras
4. decirle "te quiero" todos los días
5. ser simpático con sus amigos
6. darle siempre prioridad respecto a otros amigos

11-13 **La agencia *E-Namórate.***

Paso 1. En este momento no tienes novio/a y quieres probar (*try*) un servicio de Internet para encontrar a la persona de tus sueños. Completa el formulario de la página 381.

Paso 2. En grupos pequeños, compartan y comparen sus preferencias sobre las cualidades que buscan en una pareja. ¿Qué es importante para todos? ¿Qué hábitos o características no quieren?

Ficha personal *E-Namórate*

Nombre: ______________________________

Edad: ______________________________

¿Fumas? ☐ Sí. ☐ No.

Describe brevemente tu personalidad: ______________________________

____

Indica tus intereses y pasatiempos: ______________________________

____

¿Qué buscas en una pareja? cariñoso y fiel

Es indispensable que...	Es importante que...	No es importante que ...	
sea ~~jubilado~~		sea alto o bajo ~~gay~~	...sea fiel.
disfrute de la vida		religioso	...sea comprensivo/a.
			...sea sincero/a.
			...me dé regalos.
			...sepa cocinar.
			...tenga sentido del humor.
			...esté conmigo mucho tiempo.
			...se acuerde de mi cumpleaños.
			...sea religioso/a.

Ahora describe otros hábitos o características que buscas. Puedes escribir varias cualidades en cada oración:

Es indispensable que... ______________________________.

Es importante que... ______________________________.

No es importante que... ______________________________.

Es necesario que no... fume o ronque.

Juanito, quiero que ordenes tu cuarto ahora mismo.

The subjunctive with expressions of will, influence, desire and request

Complex sentences express more than one idea, and therefore have more than one clause (each of which has its own verb). When a clause is dependent on another to have any meaning, it is a *subordinate clause*.

Main clause	Subordinate clause
<u>Mi novia quiere</u>	[que le diga la verdad.]
My girlfriend wants	[*that I tell her the truth.*]
<u>Espero</u>	[que te diviertas en tu cita.]
I hope	[*that you have fun in your date.*]

It will help you to know that *the subjunctive is only used in some subordinate clauses, never in main clauses or simple sentences.*

You have learned how to express what someone wants or prefers to do by using verbs such as **querer/preferir/desear** + *infinitive*.

| **Quiero ir** a la fiesta. | *I want to go to the party.* |
| **Desean cantar** una canción. | *They want to sing a song.* |

Note that in the sentences above, the subject is the same in both the main clause and its subordinate clause. To express someone's wish, desire, preference, recommendation, request, or suggestion that *someone else do something* or that *something happen*, use *a verb of wish/request/preference* + **que** + *subjunctive form.*

Quiero que **vayas** a la fiesta.	*I want you to go (that you go) to the party.*
Desean que Eva **cante** una canción.	*They want Eva to sing (that Eva sings) a song.*
Piden que **traigas** el coche.	*They ask you to bring (that you bring) the car.*

Note that in these sentences two subjects are involved: one in the main clause, expressing a wish or request (verb in the indicative), and one in the subordinate clause, responsible for the action desired or requested (verb in the subjunctive.)
To summarize:

expression of wish/request (*indicative*)	+ **que** +	action desired/requested (*subjunctive*)
(Yo) **Quiero**	**que**	(tú) **vayas** a la fiesta.

Here are some verbs that express wishes, suggestions and requests and require use of the subjunctive in the subordinate clause when the subjects of the main and subordinate clauses are different:

aconsejar	*to advise*	**preferir (ie, i)**	*to prefer*
desear	*to wish*	**querer (ie)**	*to want*
insistir (en)	*to insist (on)*	**recomendar (ie)**	*to recommend*
pedir (i, i)	*to request*	**sugerir (ie, i)**	*to suggest*

| **Insisten** en que **lleguemos** a tiempo. | *They insist that we arrive on time.* |
| Te **sugiero** que lo **invites** a la fiesta. | *I suggest that you invite him to the party.* |

Impersonal generalizations, where there is no specific subject in the main clause, also trigger the use of the subjunctive when they express a wish, recommendation or request.

Es + (bueno/mejor/necesario/importante/urgente...) + que + subjuntivo

Es importante que **escuches** a tus amigos.

It´s important that you listen to your friends.

Es bueno que **usemos** Internet para conectar con los amigos**, pero es mejor** que **pasemos** tiempo con ellos.

It´s good that we use Internet to connect with friends, but it is better that we spend time with them.

NOTA DE LENGUA

The verbs **recomendar, sugerir,** and **pedir** are often used with indirect object pronouns (**me, te, le, nos, os, les**), as one recommends, suggests, etc. something to someone else.

Te sugiero que vayas.   *I suggest that you go.*

DICHOS

Consejo no pedido, consejo mal oído.

¿Cómo puedes explicar este dicho?

Advice not asked for is advice not heard.

(11-14) **Las mamás y los niños**

Paso 1. ¿Quién pide estas cosas: Juanito a su mamá o la mamá a Juanito?

pedir - to ask for

	Juanito a la mamá.	La mamá a Juanito.
1. No es bueno que veas tanta televisión.	☐	☑
2. Te recomiendo que hagas la cama inmediatamente.	☐	☑
3. Es mejor que hagas la tarea ahora.	☐	☑
4. Prefiero que me des chocolate.	☑	☐
5. No quiero que me pongas el abrigo.	☑	☐
6. Es importante que me compres ese videojuego.	☑	☐
7. Te aconsejo que no seas desobediente.	☐	☑

Paso 2. ¿Qué otras cosas quiere la madre que hagan Juanito y el perro? En algunos casos hay más de una posible respuesta.

Modelo: **Quiere que Juanito se quite el pijama / se vista / se ponga calcetines y zapatos.**

1. Quiere que…   **2.** Le sugiere que…   **3.** La madre insiste en que…

4. Le dice al perro que…   **5.** Le pide que…   **6.** Quiere que…

11-15 **¿Qué prefieres en un/a compañero/a de apartamento?**

Paso 1. Quieres encontrar a una persona para compartir tu apartamento. Escribe qué quieres (o no quieres) de un/a compañero/a de apartamento.

Modelo: hacer la cama todos los días
Quiero/Es importante/No es necesario que haga la cama todos los días.

1. fumar

2. hablar por teléfono celular día y noche

3. escucharme cuando yo hablo

4. tener intereses similares a los míos

5. beber mucha cerveza

6. prender la tele a las dos de la mañana

7. pagar las cuentas a tiempo

8. comerse toda la comida que yo compro

9. ayudarme a limpiar el apartamento

10. ¿? _____

Paso 2 Ahora, compartan sus preferencias en grupos pequeños. ¿Serían (*would be*) ustedes buenos compañeros de apartamento?

11-16 Todos piden algo.

Paso 1. Indica los deseos, las recomendaciones y las sugerencias que las siguientes personas tienen para ti. Completa cada oración con varias actividades.

1. El/La profesor/a de español me recomienda que…

2. Mi mamá me pide que…

3. Mis amigos me dicen que…

4. Mi compañero/a de cuarto insiste en que yo…

5. Mis hermanos quieren que…

 Paso 2. Comparen sus oraciones en grupos. ¿Reciben todos ustedes las mismas recomendaciones? ¿Qué indican estas recomendaciones sobre los hábitos o la personalidad de ustedes?

11-17 **Consejos para todos.** Ustedes colaboran en una organización estudiantil que ofrece apoyo (*support*) a otros estudiantes. Muchos estudiantes les escriben correos electrónicos pidiendo consejo. En grupos, respondan a estos estudiantes con sus consejos y recomendaciones.

Modelo: "Mi novio ha roto conmigo y lo extraño mucho. Estoy deprimida y no puedo concentrarme en los estudios".

Recomendamos que salgas con tus amigos y también sugerimos que conozcas a otras personas. Además (*besides*), es importante que…

1. Estoy muy estresado y no duermo bien. ¡Ayúdenme, por favor!

2. Mi compañero/a de cuarto es muy desordenado/a y nuestro cuarto es un desastre. Además, nunca encuentra sus bolígrafos y "toma prestados" los míos y los pierde también. ¿Qué puedo hacer?

3. ¿Tienen algunas ideas sobre cómo puedo vivir bien y divertirme con poco dinero?

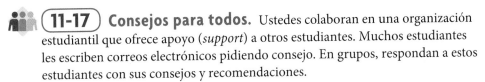

NOTA CULTURAL

Panama hats

What are called Panama hats, or just Panamas, are actually made in Ecuador. The hat became known as the Panama hat when workers involved in the construction of the Panama Canal used them as protection against the sun. It gained popularity in the United States when, in 1906, president Theodore Roosevelt was photographed wearing one during an inspection of the construction of the Canal. Panama hats are woven by hand with straw made from the leaves of the toquilla palm. Coarser hats may take a few hours to weave, while the finer hats may take up to five months. Constantly dipping their fingers in water, the weavers split the fiber into thin pieces and braid ring after ring of palm leaves into a fabric so soft and dense that it feels like silk. The hats are then pummeled, trimmed, and scrubbed. The finest Panamas have a smooth texture in which the weave is barely perceptible, but if held up to the light, a spiral of rings is visible. These rings indicate where new strands were started in the weaving. It is the number of rings that determines the quality of the Panama hat. The cheaper hats may have up to ten rings, whereas the finer quality hats contain as many as forty rings. Prices range accordingly, from $20 up to several hundred dollars.

Así se dice

Para estar en contacto: Las llamadas telefónicas

Pepita y Natalia visitan la Ciudad de Panamá y desean comunicarse con amigos y familiares. Lean la conversación y aprendan las nuevas expresiones.

NATALIA: Vamos a buscar un teléfono público para llamar a mi amigo Carlos. Creo que vive en la ciudad de Colón, que está cerca de aquí.

PEPITA: ¿Tienes su número de teléfono?

NATALIA: No. A ver si (*Let's see if*) lo encuentro en esta **guía telefónica**. Necesito su **código de área** porque creo que es una llamada **de larga distancia**.

PEPITA: ¿No puedes usar tu **teléfono celular**?

NATALIA: No, pero tengo una **tarjeta telefónica**. (*Natalia encuentra el número y llama a su amigo*).

NATALIA: Hay un **contestador automático**… Pero no quiero **dejar un mensaje**.

PEPITA: A propósito (*By the way*), necesito hacer una llamada a mi familia para decirles que estamos aquí y que todo está bien. (*Pepita marca* (dials) *el número*). ¡Ay! **¡La línea está ocupada!**

NATALIA: Podemos llamar otra vez más tarde. Ahora tengo hambre. ¿Quieres almorzar en ese restaurante?

dejar	*to leave*	**el mensaje**	*message*
la llamada telefónica	*telephone call*	**ocupado/a**	*busy*
largo/a	*long*	**tarjeta**	*card*

NOTA DE LENGUA

Ways of answering the phone vary from country to country. Here are some common examples:

Aló	Bueno	Diga
Hola	Dígame	Sí

To ask whether or not someone is in:

¿(Puedo hablar) Con Carlos, por favor?
¿Está Carlos?

To ask who's calling:

¿De parte de quién?

11-18 **Las llamadas telefónicas.** Escucha las siguientes descripciones e identifica el término al que se refieren.

1. ___   4. ___   **a.** el código de área   **d.** el teléfono celular

2. ___   5. ___   **b.** el contestador automático   **e.** la tarjeta

3. ___   6. ___   **c.** el mensaje   **f.** la guía telefónica

11-19 **Hábitos telefónicos.** Primero, contesta las siguientes preguntas en la columna *Yo*. Después, en parejas, háganse las preguntas y completen la columna *Mi compañero/a* con la información obtenida. ¿Tienen hábitos parecidos o diferentes?

	Yo	Mi compañero/a
¿A quién llamas con mucha frecuencia?		
¿Quién te llama mucho?		
¿Haces muchas llamadas de larga distancia? ¿A quién?		
¿Cómo prefieres comunicarte con tus amigos, por teléfono o por correo electrónico? ¿Por qué?		
¿Tienes un teléfono en casa o usas solamente un teléfono celular?		
¿Qué aspectos negativos tienen los teléfonos celulares?		

NOTA CULTURAL

Rubén Blades

Rubén Blades is a singer and songwriter from Panama City. His Cuban mother and Colombian father were both musicians. He is famous for salsa music with socially conscious lyrics that address urban problems and seek unification among all Latin Americans. Having earned a law degree from Harvard University, he ran for the presidency of Panama in 1994 as the head of a movement with a platform of social equity between cultural and social groups across all economic classes. In September 2004, he was appointed minister of tourism for a five-year term.

One of his most famous songs is *Pedro Navaja* (1978), a narrative about a mugging with a surprise ending. It topped all records for salsa songs, selling more than a million copies and earning gold and platinum records in Spanish-speaking countries as well as in the United States. Try to listen to the song and locate the lyrics online.

DICHOS

Quien tiene un amigo, tiene un tesoro.

¿Qué significa este dicho? ¿Estás de acuerdo?

Cultura: Los cibercafés: Otro modo de consolidar amistades

Antes de leer

¿Has hecho amigos a través de Internet? ¿Cuáles son las ventajas y desventajas de este método de conocer a nuevas personas?

Hacer amigos es un ejercicio crucial para todos nosotros. Los métodos para lograrlo pueden ser múltiples: desde entablar (*start up*) una conversación en la universidad o en el trabajo, hasta conocer a gente en fiestas o discotecas. Sin embargo, como ya sabes, también puedes hacer nuevos amigos sin salir de casa, gracias a Internet.

El número de usuarios (*users*) de Internet se ha duplicado desde 2005. Sin embargo, todavía hay millones de personas que no tienen computadoras en casa. Si (*If*) quieren conectar con amigos, hacer investigación para sus trabajos de universidad, o incluso leer su propio correo electrónico, necesitan ir a un cibercafé. Alrededor del 60% de las personas que visitan uno de estos locales, lo hacen para "chatear" con amigos o familiares.

Estos locales fueron muy populares en los años 90. En 1994, España fue el primer país del mundo hispano en tener cibercafés. Estos aún existen en pueblos pequeños y grandes ciudades; por ejemplo, según estadísticas del Ministerio de Comercio e Industrias de Panamá, desde 1997 al verano de 2010 se aprobaron 1,850 licencias de este tipo de negocios en Panamá.

Actualmente, los cibercafés ofrecen además de bebidas, comida y una computadora en estaciones cómodas y semi privadas, toda una red de servicios adicionales. Los servicios incluyen la venta de celulares, artículos de oficina y copiadoras, así como llamadas nacionales e internacionales, juegos de video y hasta cursos de computadoras y de inglés. Con estos servicios, los dueños garantizan la supervivencia del negocio.

Es sorprendente que el éxito actual de estos cibercafés no se deba a las computadoras, sino a los servicios adicionales y a algo tan simple como la extensión del horario de atención al público.

La próxima vez que vayas de viaje a América Latina o a España y necesites ponerte en contacto con alguien, visita esta website www.cybercafes.com o pregunta directamente por el cibercafé más cercano.

▲ Un cibercafé en México

Después de leer

1. Indica si las siguientes afirmaciones son ciertas o falsas, y corrige las que sean falsas:

	Cierto	Falso
a. La única manera de hacer amistades es en fiestas y discotecas.	☐	☐
b. La mayoría de personas que visitan un cibercafé es para hacer investigaciones.	☐	☐
c. El futuro de los cibercafés está basado en servicios como el teléfono.	☐	☐

2. Elige una ciudad en un país de habla hispana. Visita el enlace www.cybercafes.com y busca los cibercafés que haya en esa ciudad.

▲ Cristina se enoja con su marido, Enrique.

Paso 1. Responde a estas preguntas antes de ver el video.

1. ¿Por qué razones discuten (*argue*) frecuentemente las parejas?
2. ¿Te consideras (*Do you consider yourself*) una persona celosa?
3. ¿Te molesta que tu novio/a tenga amigos cercanos del sexo opuesto? ¿Te molestaría (*would it bother you*) que hablen mucho por teléfono o que vayan solos al cine o a un restaurante?

Paso 2. Mira el video e indica si estas afirmaciones son ciertas o falsas. Si son falsas, corrígelas.

	Cierto	Falso
1. Enrique tiene una cita con otra mujer.	☐	☐
2. Cristina le pide a Enrique que explique la situación.	☐	☐
3. Cristina ha pedido el divorcio.	☐	☐
4. La madre de Enrique está en la fiesta de cumpleaños de Cristina.	☐	☐

Paso 3. Lee las siguientes preguntas. Si sabes algunas respuestas (*answers*), puedes escribirlas ahora. Después mira el video otra vez para comprobar (*check*) y completar tus respuestas.

1. ¿Por qué cree Cristina que Enrique tiene una amante (*lover*)?
2. ¿Qué le pide Enrique a Cristina? ¿Cómo responde ella?
3. ¿Qué le sugiere Cristina a Enrique?
4. ¿Con quién hablaba Enrique por teléfono? ¿Qué le dijo esa persona?

Así se forma

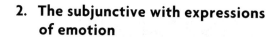

Espero que llame...

WILEY **PLUS** Go to *WileyPLUS* and review the Animated Grammar Tutorial and Verb Conjugator for this grammar point.

2. The subjunctive with expressions of emotion

The subjunctive is also used when a speaker expresses emotional reactions and feelings (joy, hope, sorrow, anger, etc.) about the actions or condition of another subject.

Me alegro de que mi amigo me **visite**.   *I'm glad that my friend is visiting me.*

Es increíble que **llegue** mañana.   *It's incredible that he is arriving tomorrow.*

Esperamos que **pueda** quedarse unos días.   *We hope that he can stay a few days.*

Note that the main clauses in the previous examples, expressing the speaker's emotions/feelings, are in the indicative, while the subordinate clauses, which express the actions or condition of another person or thing, are in the subjunctive.

expression of emotion (*indicative*)	+	**que**	+	action/condition of another person/thing (*subjunctive*)
Me alegro de		**que**		mi amigo me **visite**.

Here are some verbs and expressions of emotion that require use of the subjunctive in the subordinate clause when the subject is different:

alegrarse (de)	*to be glad (about)*	**temer**	*to fear, be afraid*
esperar	*to hope, expect*	**¡Ojalá que**[1]**…!**	*I hope, wish*
sentir (ie, i)	*to be sorry, regret*		

Me alegro de que **estén comprometidos**.   *I am glad that they are engaged.*
¡Ojalá que me **inviten** a la boda!   *I hope that they invite me to the wedding.*

Gustar, **encantar** and similar verbs can also be used to express emotional reactions and preferences. Here are a few more:

fascinar	*to be fascinating, fascinate*
molestar	*to be annoying, bother*
sorprender	*to be surprising, surprise*

Me gusta que Celia **venga**, pero   *I like that Celia is coming, but*
me molesta que siempre **llegue** tarde.   *it bothers me that she is always late.*

Remember that if there is no change of subject in the subordinate clause, the infinitive is used, not **que** + *subjunctive*.

One subject
Siento no **poder** ir a la reunión.
I regret not being able to go to the meeting.

Change of subject
Siento que ellos no **puedan** ir a la reunión.
I regret that they can't go to the meeting.

---

[1] This expression comes from Arabic and it means literally "I hope to Allah", or "God willing." In modern Spanish it is synonymous with "I hope". It is always followed by a verb in the subjunctive.

There are also some impersonal expressions of emotion.

Es + fantástico/terrible/increíble… + [que + subjuntivo]

es una lástima	*it´s a shame*	**es ridículo**	*it´s ridiculous*
es extraño	*it´s strange*	**es horrible**	*it´s horrible*
es fantástico	*it´s wonderful*	**no es justo**	*it´s not fair*

Es una lástima que no **puedas** venir.　　*It´s a shame that you cannot come.*

(11-20) ¿Es lógico? Escucha lo que dice Natalia y decide si es lógico o no. Si no es lógico, corrígelo.

Lógico　Ilógico

1. ☐　☐
2. ☐　☐
3. ☐　☐
4. ☐　☐

Lógico　Ilógico

5. ☐　☐
6. ☐　☐
7. ☐　☐

(11-21) Reacciones y emociones. Describe las reacciones o emociones de las personas según las situaciones.

Modelo:　Juanito, Elena y el perro **sienten que llueva.**

1. Juanito, Elena y el perro se alegran de que…

2. Nancy y su marido temen que…

3. Esteban se alegra de que…

4. Linda y Manuel esperan que…

5. Pepita siente que Natalia…

6. Camila espera que su ex-novio…, pero teme que…

(11-22) **Mis deseos.** Continúa cada oración expresando tus deseos al respecto. Usa las frases entre paréntesis y presta atención a si hay un cambio de sujeto o no.

Modelo: Jaime no estudió mucho. (pasar el examen)

Espero que pase el examen.

No estudié mucho. (pasar el examen)

Espero pasar el examen.

1. Mi hermana se queja de que no tiene novio. (por fin encontrar a alguien especial)
2. Bea y su compañera de cuarto siempre discuten (*argue*). (llevarse mal)
3. No me acordé del cumpleaños de mi amiga. (no enojarse conmigo)
4. Mañana cumplo veintiún años. (nadie olvidarse de mi cumpleaños)
5. Quiero ir a Costa Rica. (poder ir este verano)
6. Pedro rompió con su novia y no sale de casa. (estar deprimido)

(11-23) **Reacciones.** En parejas, uno de ustedes hace una declaración. El otro responde, expresando sus deseos. Inventen una situación más al final. Túrnense.

Modelo: Estudiante A lee: Mi abuelo está en el hospital.

Estudiante B ve: estar enfermo, salir pronto

Estudiante B dice: **Es una lástima que esté enfermo. ¡Ojalá que salga pronto!**

Estudiante A:
Situaciones
El mes pasado me comprometí.
Mi hermana va a dar a luz hoy.
¿…?
Reacciones
no poder ir al teatro, haber entradas mañana
haber perdido, encontrar pronto
¿…?

Estudiante B:
Situaciones
Ya no hay entradas para el teatro hoy.
¡No encuentro mi celular!
¿…?
Reacciones
estar enamorado/a, ser muy feliz
tener un sobrinito, todo ir bien
¿…?

SITUACIONES

Los dos están pasando por unos días difíciles. Hablen por teléfono para contarse sus problemas. Expliquen cómo se sienten, qué quieren o esperan. Escuchen también la situación de su amigo/a. Reaccionen con empatía, ofrezcan sugerencias y expresen sus deseos para él/ella.

Estudiante A: Estás deprimido/a porque tu pareja rompió contigo.
Estudiante B: Estás enojado/a por algo que hizo tu amigo/a.

PALABRAS ÚTILES

¿Cómo se contesta el teléfono?

¡Hola!	*Argentina*
¡Sí!/¡Diga!/¡Dígame!	*España*
¡Bueno!/¡Mande!	*México*
¡Aló!	*otros países*

11-24 Nuestros sentimientos (*feelings*).

Paso 1. Escoge una persona (por ejemplo, un/a hermano/a o amigo/a) y un lugar (por ejemplo esta universidad o esta ciudad) y escribe un breve párrafo describiendo qué te gusta, sorprende o molesta de cada uno. Al final, explica qué quieres o esperas de ellos.

 Paso 2. Comparte tus ideas con un/a compañero/a y comenta sus ideas.

| Modelo: | Estudiante A: | **Me encanta que mi amigo Leo sea tan divertido. También me gusta mucho que siempre sea honesto conmigo.** |
| | Estudiante B: | **Sí, a mí también me gusta que mis amigos sean divertidos y me molesta que no siempre sean honestos.** |

 ## 11-25 El valor de la amistad.

Paso 1. Lee el título del texto a continuación y observa la fotografía. En parejas, respondan a las siguientes preguntas: ¿qué relación une a las personas de la foto? ¿Qué valor o cualidades tiene la amistad para ustedes?

el valor de la

POR DORIS TORRES
La amistad es una de las relaciones más importantes y hermosas de la vida. Somos afortunados cuando contamos con amigos verdaderos. Este vínculo nos brinda confianza, solidaridad y apoyo, tanto en los momentos buenos como en los malos, y nos hace sentir entendidos y aceptados incondicionalmente. Todos queremos tener y ser amigos excepcionales.

AMISTAD

Paso 2. Lean el párrafo acerca de la amistad y, en parejas, contesten estas preguntas.

1. ¿Qué dice el artículo acerca de la amistad? ¿Estás de acuerdo?
2. ¿Qué nos dan nuestros amigos?
3. ¿Qué queremos todos?
4. Y tú, ¿tienes buenos amigos? ¿Eres un/a buen/a amigo/a?

Paso 3. Ahora compartan con su compañero/a lo que ustedes aprecian (*appreciate*) de sus amigos, explicando sus razones y/o dando ejemplos. Usen expresiones de emoción de este capítulo.

Así se forma

WILEY PLUS Go to *WileyPLUS* and review the Animated Grammar Tutorial and Verb Conjugator for this grammar point.

> **HINT**
>
> Remember: Add the future endings to the entire infinitive, not the stem.

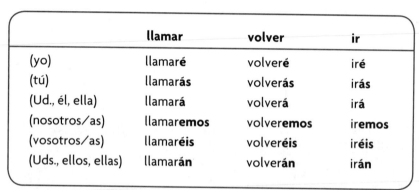

> Viajarás por todo el mundo, te casarás con una persona fenomenal, encontrarás el trabajo de tus sueños...

3. Talking about what *will* and *would* happen: The future and the conditional

Talking about what *will* happen: the future tense

The future tense of all regular –**ar**, –**er**, or –**ir** verbs is formed by adding the same set of endings to the infinitive.

	llamar	volver	ir
(yo)	llamar**é**	volver**é**	ir**é**
(tú)	llamar**ás**	volver**ás**	ir**ás**
(Ud., él, ella)	llamar**á**	volver**á**	ir**á**
(nosotros/as)	llamar**emos**	volver**emos**	ir**emos**
(vosotros/as)	llamar**éis**	volver**éis**	ir**éis**
(Uds., ellos, ellas)	llamar**án**	volver**án**	ir**án**

—¿**Irás** a la fiesta con Jorge?   *Will you go to the party with George?*
—**Iré** si me invita.   *I'll go if he invites me.*

The following verbs add regular future endings to the irregular stems shown (not to the infinitive).

Infinitivo	Raíz	Formas del futuro
hacer	har–	haré, harás, hará, haremos, haréis, harán
decir	dir–	diré, dirás, ...
poder	podr–	podré, podrás, ...
querer	querr–	querré, querrás, ...
saber	sabr–	sabré, sabrás, ...
poner	pondr–	pondré, pondrás, ...
salir	saldr–	saldré, saldrás, ...
tener	tendr–	tendré, tendrás, ...
venir	vendr–	vendré, vendrás, ...

Los novios **harán** un viaje a la Ciudad de Panamá.   *The bride and groom **will take** a trip to Panama City.*

The future of **hay** (there is, there are) is **habrá** (there will be).

Habrá varios cibercafés en la Ciudad de Panamá.   ***There will be** various Internet cafes in Panama City.*

(11-26) En el año 2050.

Paso 1. En grupos de cuatro, indiquen si están de acuerdo o no con los siguientes pronósticos.

Modelo: Los jovenes se conocerán bien antes de casarse.
Sí, muchos jóvenes querrán conocerse mejor antes de casarse. *O,* **No, la mayoría de los jóvenes se casará pronto.**

1. Los amigos se verán menos que ahora.
2. Habrá más sitios de redes sociales (*social networking sites*).
3. Habrá más niños en el mundo.
4. El uso de la tecnología y de las computadoras aumentará.
5. Las "citas rápidas" (*speed dating*) se harán con hologramas.
6. Encontraremos una cura para el SIDA y el cáncer.
7. Se harán bodas "virtuales".
8. También, dentro de cuarenta años…

Paso 2. En sus grupos, escojan uno de los siguientes temas y escriban 5 predicciones para 2050: Las relaciones amorosas / La medicina / La educación / El medio ambiente / La tecnología.

Modelo: **En las ciudades, mucha gente irá en bicicleta para ahorrar dinero.**

(11-27) Quiromancia (*Palmistry*). La quiromancia es el arte de pronosticar el futuro leyendo las líneas de la palma de la mano.

Paso 1. Observa la ilustración de la página 396 mientras examinas la palma de la mano de tu compañero/a y dile cómo será su futuro. Túrnense.

> graduarte en…   ser… (profesión)   vivir en…   hacer un viaje a…
>
> casarte con…   tener… (hijos/nietos)   ganar la lotería…

Modelo: **Esta línea de tu mano me dice que… tendrás cinco hijas.**

Paso 2. ¿Qué te parecen las predicciones de tu compañero/a? Escribe 4 ó 5 oraciones describiendo algunas de sus predicciones y explica si estás de acuerdo o no.

Modelo: **Andrew dice que tendré muchos hijos y creo que tiene razón: ¡tendré muchos hijos porque me encantan los niños!**

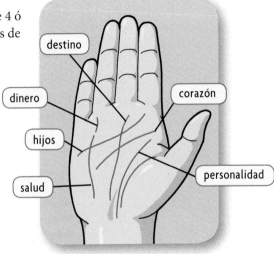

Yo me casaría con una doctora.

Yo me casaría con una cantante.

Talking about what *would* happen: the conditional

The conditional tells what *would* potentially happen in certain circumstances. Example: I *would*[1] go to the San Blas Islands (*if I had the money*).

—¿**Visitarías** el canal de Panamá?   ***Would** you **visit** the Panama Canal?*

—Sí, e **iría** a San Blas.   *Yes, **I** would also **go** to San Blas.*

The conditional of all regular **-ar, -er,** and **-ir** verbs is formed by adding the following endings to the *entire infinitive*. Note that the conditional endings are identical to the imperfect tense endings of **-er** and **-ir** verbs.

	llamar	**volver**	**ir**
(yo)	llamaría	volvería	iría
(tú)	llamarías	volverías	irías
(Ud., él, ella)	llamaría	volvería	iría
(nosotros/as)	llamaríamos	volveríamos	iríamos
(vosotros/as)	llamaríais	volveríais	iríais
(Uds., ellos, ellas)	llamarían	volverían	irían

Verbs that have an irregular stem in the future tense also form the conditional with that same irregular stem and regular conditional endings.

Infinitivo	Futuro	Formas del condicional
hacer	**haré**	**haría, harías, haría, haríamos, haríais, harían**
poder	**podré**	**podría, podrías,** ...
poner	**pondré**	**pondría, pondrías,** ...
querer	**querré**	**querría, querrías,** ...
saber	**sabré**	**sabría, sabrías,** ...
tener	**tendré**	**tendría, tendrías,** ...
decir	**diré**	**diría, dirías,** ...
salir	**saldré**	**saldría, saldrías,** ...
venir	**vendré**	**vendría, vendrías,** ...

—¿**Podrías** ayudarnos?   ***Would** you **be able** to help us?*

—Ella dijo que lo **haría.**   *She said that she **would do** it.*

The conditional of **hay** (*there is, there are*) is **habría** (*there would be*).

Dijo que no **habría** ningún problema.   *He said that **there would be** no problem.*

---

[1] When *would* implies *used to* (*habitual past action*), the imperfect is used:

Cada verano, iba a Centroamérica.   *Every summer, I would go to Central America.*

11-28 ¿Lo harías?

 Paso 1. En grupos de 3 personas, escriban sus nombres en la primera línea de la siguiente tabla. Después, háganse las preguntas y anoten las respuestas en las columnas.

	_____	_____	_____
1. ¿Romperías con tu pareja por correo electrónico o con un mensaje de texto?			
2. ¿Invitarías a una pareja nueva a casa de tus padres?			
3. ¿Apoyarías la prohibición de "demostraciones públicas de afecto" en todos los espacios públicos?			
4. ¿Cambiarías la edad legal para casarse? ¿Qué edad te parece apropiada?			
5. ¿Eliminarías el uso de diamantes en los anillos de compromiso y otras joyas?			
6. ¿Adoptarías un/a bebé de otro país?			
7. ¿Te enamorarías de alguien de otro país?			
8. ¿Donarías dinero para la prevención del embarazo de adolescentes (*teenage pregnancy*)?			
9. ¿Mantendrías una relación amistosa con una ex-pareja?			

Paso 2. Compartan sus datos con la clase y calculen los porcentajes (*percentages*) de estudiantes a favor y en contra para cada pregunta.

11-29 Soluciones. ¿Qué harían ustedes para empezar a resolver los siguientes problemas? En grupos de 3 ó 4 personas, propongan 1 ó 2 soluciones para cada categoría usando el condicional. Un/a secretario/a escribe las ideas.

Categorías

1. el embarazo en adolescentes
2. la violencia doméstica
3. el divorcio
4. el acecho (*stalking*)
5. el SIDA
6. el acoso (*harrassment*) sexual

Dicho y hecho

PARA LEER: Los amantes de Teruel

ANTES DE LEER

1. ¿Conoces alguna historia famosa sobre dos personas que se amaban pero a quienes les ocurrió una tragedia?

2. Localiza la ciudad de Teruel en un mapa de España. Busca al este de Madrid.

Detalle de *El amor nuevo*, de Jorge Gay ▼

ESTRATEGIA DE LECTURA

Establishing the chronological order of events   When reading a text that narrates events that happened in the past, it can be helpful to plot out the order in which the various events took place. For example, as you read the article that follows, jot down what happened in the following years:

1217: _____

1222: _____

1555: _____

Using your completed timeline, write a brief and basic synopsis of the story of these famous lovers.

A LEER

En 1555, durante las obras de reforma de la Iglesia de San Pedro de Teruel (España), se descubrieron dos momias enterradas[1] juntas, y con ellas, un antiguo documento donde se narraba su triste historia. Fue el inicio de una de las leyendas más románticas de la tradición española: *Los amantes de Teruel,* la tragedia de un amor sólo unido en la muerte.

LA LEYENDA DE LOS AMANTES

Nuestra historia tuvo lugar en el año 1217, en Teruel, reconocido por la UNESCO como Patrimonio de la Humanidad. Los protagonistas fueron dos jóvenes que, poco a poco, descubrieron que la amistad que les había unido desde pequeños se convertía en un sentimiento mucho más fuerte: amor.

Pero como en las grandes tragedias de la literatura clásica, su pasión se interrumpiría por diferencias económicas. Ella, Isabel de Segura, pertenecía a una de las familias más ricas de la ciudad. Pero él, Juan Diego Martínez de Marcilla, sólo era el segundo hijo de nobles empobrecidos. Cuando el joven Diego ganó suficientes fuerzas para pedir a Don Pedro Segura la mano de su hija, éste le dijo que no, porque no tenía las riquezas que su hija se merecía[2]. Sólo la insistencia de Isabel hizo cambiar de opinión a

Don Pedro y concedió[3] a Juan un plazo[4] de cinco años —o sea, hasta el año 1222— para juntar el dinero necesario. El joven se fue a la guerra[5] mientras su amada se quedaba contando los días que pasaban hasta su regreso. Durante todo ese tiempo, Don Pedro trataba de[6] casar a su hija con alguien digno y, cuando faltaban unos días para que concluyera el plazo, la convenció para que aceptara en matrimonio con Don Pedro Fernández de Azagra.

El mismo día de la boda, regresó un triunfante Marcilla, que, al entrar en la ciudad, escuchó las campanas de boda. Al saber que era su querida Isabel, por quien tan valerosamente[7] había peleado batalla tras batalla, se fue corriendo hacia el lugar donde se celebraba el enlace. Cuando ambos se encontraron, Juan le pidió un beso de despedida que ella, mujer casada, se negó[8] a darle para no atentar contra[9] su honor. En ese momento, Juan, con el corazón roto, cayó muerto a sus pies.

---

[1] buried, [2] deserved, [3] granted, [4] period of time, [5] war, [6] **trataba de** tried to, [7] bravely, [8] refused to, [9] **atentar contra** to challenge

Al día siguiente, en la iglesia de San Pedro, tuvo lugar el funeral de Juan. Durante la ceremonia, una dama cubierta[10] se acercó al joven y, tras descubrir su cara, se reclinó[11] para darle un beso. Ya no volvió a separarse de él.

REPRESENTACIONES ARTÍSTICAS DE LOS AMANTES DE TERUEL

Versos, óperas, esculturas y cuadros han intentado captar la esencia de una gran historia de amor que ha conquistado los corazones de la gente desde que se dio a conocer a mediados del siglo XVI. Entre ellos se encuentra la gran obra del pintor Antonio Muñoz Degrain (1840-1924), maestro de Pablo Ruiz Picasso, que se puede contemplar en el Museo del Prado de Madrid. Representa a Isabel, ya fallecida[14], abrazando el cuerpo sin vida de su amado.

En un tono más cubista y colorido, el pintor de Zaragoza Jorge Gay (1950) también se inspiró en los amantes en su cuadro "El amor nuevo", que puede verse en el Mausoleo de los Amantes, situado en el pueblo de Teruel. Pero sin duda, la pieza estrella de este edificio creado para honrar la memoria de los enamorados es la escultura de Juan de Ávalos (1911-2006). En ella se representan las figuras de

Era la bella Isabel, que no pudo soportar el daño[12] causado a su amado y abandonó la vida rozando[13] sus labios. La ciudad decidió enterrarlos juntos para que, por fin, pudieran descansar eternamente unidos.

Isabel y Diego con las cabezas inclinadas una hacia la otra y con la mano izquierda de ella extendida hacia la de él, sin apenas rozarla, como símbolo de su amor imposible.

Además, la ciudad que los vio nacer celebra cada año las "Bodas de Isabel Segura". En estas fiestas, la gente se transporta al siglo XIII llevando trajes medievales y participando en representaciones teatrales del drama.

La música también se ha acordado de ellos. El compositor Tomás Bretón (1850-1923) les dedicó una ópera en 4 actos. Por último, la literatura ha querido honrar su memoria con varias obras de teatro que narran la historia de los enamorados. Entre las más famosas se encuentra *Los amantes de Teruel*, de Juan Eugenio Hartzenbusch (1806-1880), que cerró su obra con la despedida de Isabel que resume todo lo que fue su historia: "El cielo que en la vida nos aparta nos unirá en la tumba".

Texto: Noemí Monge / *Punto y coma*
Foto: Fundación Amantes de Teruel

---

[10] veiled, [11] leaned over, [12] hurt, pain, [13] brushing, [14] dead

DESPUÉS DE LEER

1. ¿Cierto o falso?

		Cierto	Falso
a.	La familia de Juan era rica y no quería que él se casara con una muchacha pobre.	☐	☐
b.	Juan se fue a la guerra durante cinco años para juntar el dinero necesario y poderse casar con Isabel.	☐	☐
c.	En el día de su boda con Don Pedro, Isabel le dio un último beso a Juan.	☐	☐
d.	Isabel murió al darle un beso al cadáver de Juan.	☐	☐

2. ¿Qué semejanzas y diferencias encuentras entre la historia de los "amantes de Teruel" y la de Romeo y Julieta de Shakespeare?

3. De todas las obras mencionadas basadas en esta historia, ¿cuál te gustaría conocer más y por qué?
   - ☐ El cuadro del pintor Antonio Muñoz Degrain, en el Museo del Prado de Madrid, que representa a Isabel, ya fallecida, abrazando el cuerpo sin vida de su amado.
   - ☐ El cuadro cubista del pintor Jorge Gay, en el Mausoleo de los Amantes en el pueblo de Teruel.
   - ☐ La escultura de Juan de Ávalos, que representa las figuras de Isabel y Diego con las cabezas inclinadas una hacia la otra y con la mano izquierda de ella extendida hacia la de él, sin apenas rozarla, como símbolo de su amor imposible.
   - ☐ La ópera de Tomás Bretón.
   - ☐ La obra de teatro de Juan Eugenio Hartzenbusch, *Los amantes de Teruel,* en la que Isabel dice: "El cielo que en la vida nos aparta nos unirá en la tumba".

Dicho y hecho

Problemas en una relación amorosa

La famosa doctora Isabel tiene un programa muy popular en Radio Cadena Univisión. Ofrece consejos a las personas que llaman con problemas de todo tipo.

 Dos de ustedes van a crear un diálogo entre una persona que llama y la doctora Isabel. Antes de interpretar el diálogo, anoten aquí sus ideas sobre el problema y los consejos.

El problema amoroso

- ¿Entre quiénes es el problema?
- ¿Cuál es el problema?
- ¿Cuánto tiempo ha durado?
- Otros detalles

Los consejos que da la doctora Isabel

- ¿Qué debe hacer la persona que llama?
- ¿Qué se recomienda para la pareja de la persona que llama?
- Otros detalles

Después, interpreten el diálogo como si fueran una persona que llama y la doctora Isabel.

ESTRATEGIA DE COMUNICACIÓN

Checking for understanding When talking on the phone, you don't have the benefit of seeing your listener's facial expressions or body language, and therefore aren't always aware of how they are receiving your message or of when they might have something to interject. It's a good idea to make sure the person you're talking to is "still with you" by providing the information you want to communicate in small chunks followed either by brief pauses (to allow your listener to interject a question, ask for clarification, etc.) or by simple questions to make sure she/he is following you. Here are some questions you can use.

¿Entiende?/¿Entiendes?
¿Ve?/¿Ves?

Act out your dialog standing or sitting back to back so that you can't see each other's faces and apply these strategies in your conversation.

PARA ESCRIBIR: La reseña (*review*) de una película

En esta composición vas a escribir una reseña de una película con una historia de amor. Es para un periódico de la comunidad del lugar donde vives —quieren publicar reseñas de películas recientes y también de algunas más viejas.

ANTES DE ESCRIBIR

Paso 1. ¿Qué película voy a reseñar?

Piensa en una película que tenga una historia de amor. No tiene que ser una película romántica, pero sí debe tener una historia de amor en algún momento. Algunas películas de amor o con un tema romántico son:

Gone with the Wind	*Casablanca*
A Love Story	*When Harry Met Sally*
Pretty Woman	*Ghost*
The Princess Bride	*Shrek*
Slumdog Millionaire	*Sex and the City*
Twilight	*Avatar*

El título de la película que voy a reseñar: _____

Año: _____

Director: _____

Actores principales: _____

Un resumen de la trama (*plot*)[1]: _____

_____

_____

Paso 2. Las cualidades positivas y negativas de la película. Probablemente ya tienes una opinión general sobre la película que vas a reseñar: lo que te gusta o no te gusta de la película, si es buena o mala, etc. En una reseña normalmente se incluyen comentarios positivos y negativos. Escribe algunos aquí.

Cualidades positivas	Cualidades negativas
1.	1.
2.	2.
3.	3.

---

[1]Las reseñas generalmente cuentan partes de la trama en presente, por ejemplo: **El hombre quiere que la chica lo espere, pero ella le pide que la olvide...**

Dicho y hecho

Justifying your opinion In writing something such as a movie review, an underlying goal is to share your opinion and make it credible for your reader. To support your opinion, you may...

- cite other people, especially experts in a particular topic.
- use anecdotes from your own experience.
- interview or poll others, looking for opinions similar to your own.

Use one or more of these strategies to make your movie review convincing for your readers.

A ESCRIBIR

Escribe una primera versión de tu reseña.

Primer párrafo: Presenta la película que vas a reseñar, incluyendo los datos más relevantes y un breve resumen de la trama sin revelar el final.

Párrafos centrales: Elabora tu opinión sobre las cualidades y/o partes débiles de la película. También considera las estrategias de redacción que leíste antes: puedes citar a otros, usar anécdotas de tu experiencia o encuestar a varias personas sobre su opinión acerca de la película.

Párrafo final: Indica si recomiendas al público que vea esta película y por qué.

Para escribir mejor

Estas palabras te pueden ayudar a escribir tu reseña:

la actuación = *performance*
la adaptación (de una novela, un cuento o una obra de teatro) = *adaptation*
la banda sonora = *soundtrack*
los efectos especiales = *special effects*
el guión = *script*
la estrella = *the star*
protagonizar = *to star* (*in a movie*)
el personaje (principal) = (*main*) *character*
la trama = *plot*

DESPUÉS DE ESCRIBIR

Revisar y editar: el contenido, la organización, la gramática y el vocabulario.
Después de escribir el primer borrador de tu reseña, déjalo a un lado por un mínimo de un día sin leerlo. Cuando vuelvas a leer la reseña, corrige el contenido, la organización, la gramática y el vocabulario. Hazte estas preguntas:

☐ ¿Describí con claridad mi opinión sobre la película, incluyendo las cualidades negativas y positivas?

☐ ¿Tiene cada párrafo una oración temática?

☐ ¿Tienen todas las ideas de cada párrafo relación con la oración temática?

☐ ¿Describí los eventos de la película con suficientes detalles?

☐ Además de otros aspectos generales de gramática, ¿usé el subjuntivo correctamente en las oraciones que expresan deseos, peticiones o emociones?

PARA VER Y ESCUCHAR: La tecnología une a las familias

ANTES DE VER EL VIDEO

 En parejas o grupos pequeños, respondan a estas preguntas.

1. ¿Cómo se comunican con su familia y sus amigos? ¿Usan los mismos medios de comunicación o no?

2. ¿Qué medio de comunicación prefieren? ¿Por qué?

3. Muchas personas usan programas de redes sociales como Facebook o Twitter para manterse en contacto con sus amigos. ¿Cuáles son algunos aspectos positivos y negativos de estos medios de comunicación?

ESTRATEGIA DE COMPRENSIÓN

Interpret and guess meaning through context As mentioned in *Capítulo 2*, it is very likely that you will not know or understand every word when you listen to a text in a foreign language. Although you can still ignore unknown words and focus on what you do understand, now that you know more Spanish, you can also use the general context (topic) and the textual context (the sentence where the word appears) to guess what certain words might mean.

A VER EL VIDEO

Paso 1. Mira el video prestando atención a las ideas principales y responde a estas preguntas.

1. ¿Qué sistema de comunicación usa la familia del video? ¿Por qué?

2. ¿Qué ventajas ofrece este sistema de comunicación en comparación con otros como el teléfono?

Paso 2. Abajo hay algunas palabras del video que probablemente no conoces. Mira el video prestando atención a las oraciones donde aparecen estas palabras (el principio de cada oración aparece entre paréntesis) y adivina (*guess*) su significado.

(Para ellos es importante…)	a pesar de	_____
(Skype es un programa…)	gratuitamente	_____
(y te permite comunicarte…)	cualquier	_____
(Skype es muy…)	útil	_____

DESPUÉS DE VER EL VIDEO

 En grupos pequeños, respondan a estas preguntas.

¿Creen que el uso de Internet nos ayuda a comunicarnos o nos aísla (*isolate*) más? ¿Qué peligros existen?

Repaso de vocabulario activo

Adjetivos

cariñoso/a   *affectionate*
celoso/a   *jealous*
comprensivo/a   *understanding*
divorciado/a   *divorced*
fiel   *faithful*
juntos/as   *together*
sincero/a   *sincere, honest*
soltero/a   *single*
viudo/a   *widower/widow*

Expresiones útiles

el amor a primera vista   *love at first sight*
felicidades   *congratulations*
Ojalá que...   *I hope . . .*

Sustantivos

Las llamadas telefónicas
Telephone calls

el código de área   *area code*
el contestador automático   *answering machine*
la guía telefónica   *phone book*
la línea está ocupada   *the line is busy*
la llamada   *the phone call*
   de larga distancia   *long distance*
la tarjeta telefónica   *phone card*
el teléfono celular   *cell phone*

Las relaciones y más   *Relationships and more*

el/la adulto/a   *adult*
la amistad   *friendship*
el amor   *love*
los ancianos   *the elderly*
   la anciana   *old lady*
   el anciano   *old man*
la boda   *wedding*
la cita   *date; appointment; quote*
el divorcio   *divorce*
las etapas de la vida   *stages of life*
la infancia   *infancy*

los jóvenes/los adolescentes   *young people/ adolescents*
la juventud/la adolescencia   *youth/adolescence*
la luna de miel   *honeymoon*
la madurez   *maturity*
el marido   *husband*
la muerte   *death*
el nacimiento   *birth*
la niñez   *childhood*
los niños   *children*
los recién casados   *newlyweds*
la vejez   *old age*
la vida   *life*

Verbos reflexivos

acordarse de (ue)   *to remember*
alegrarse (de)   *to be glad (about)*
casarse (con)   *to get married (to)*
comprometerse (con)   *to get engaged (to)*
comunicarse   *to communicate*
divorciarse   *to get divorced*
enamorarse (de)   *to fall in love (with)*
encontrarse (ue) (con)   *to meet up (with) (by chance)*
enojarse   *to get angry*
irse   *to leave, go away*
olvidarse (de)   *to forget (about)*
quejarse (de)   *to complain (about)*
reírse (de)   *to laugh (at)*
reunirse (con)   *to meet, get together (with)*
separarse (de)   *to separate (from)*

Otros verbos y expresiones verbales

aconsejar   *to advise*
creer (irreg.)   *to believe*
dar a luz   *to give birth*
dejar un mensaje   *to leave a message*
encantar   *to delight*

esperar   *to hope, expect*
estar casado/a (con)   *to be married (to)*
estar embarazada   *to be pregnant*
estar enamorado/a (de)   *to be in love (with)*
estar juntos/as   *to be together*
estar listo/a   *to be ready*
estar prometido/a   *to be engaged*
extrañar   *to miss*
fascinar   *to fascinate*
insistir (en)   *to insist (on)*
llevarse bien/mal   *to get along well/poorly*

llorar   *to cry*
matar   *to kill*
mentir (ie, i)   *to lie*
molestar   *to bother*
nacer   *to be born*
olvidar   *to forget*
pensar (ie) (en)   *to think (about)*
recomendar (ie)   *to recommend*
recordar (ue)   *to remember*
resolver (ue)   *to resolve*
romper (con)   *to break up (with)*
salir (irreg.) (con)   *to go out (with)*
sentir (ie, i)   *to feel*
sugerir (ie, i)   *to suggest*
temer   *to fear*
tener celos   *to be jealous*

Autoprueba y repaso

I. Present subjunctive. Indica lo que quiere el/la profesor/a. Completa las oraciones con la forma correcta del verbo. Usa el presente del subjuntivo.

Modelo: traer la tarea a clase (yo, nosotros)
Quiere que traiga la tarea a clase.
Quiere que traigamos la tarea a clase.

1. estudiar más (nosotros, Ana y Linda)
2. hacer la tarea (Esteban, nosotros)
3. volver pronto (Juan, nosotros)
4. divertirse en clase (yo, nosotros)
5. ser puntual/es (los estudiantes, tú)
6. ir a la biblioteca (yo, todos los estudiantes)

II. The subjunctive with expressions of will, influence, desire, and request. Tus amigos van de vacaciones a Puerto Rico. Indica lo que deseas o recomiendas que hagan.

Modelo: desear / no haber problemas durante el viaje.
Deseo que no haya problemas durante el viaje.

1. Es mejor / que ir durante el invierno
2. recomendarles / que explorar las playas remotas
3. desear / que divertirse mucho durante su visita a San Juan
4. sugerirles / que visitar el bosque pluvial (*rain forest*)
5. Es importante / que hablar en español todo el tiempo
6. pedirles a todos / que comprarme un regalo

III. The subjunctive with expressions of emotion. Es tu primera cita con una persona muy especial. Expresa tus sentimientos.

Modelo: esperar / que (él/ella) ser muy sincero/a conmigo
Espero que sea muy sincero/a conmigo

1. alegrarse de / que (nosotros) tener una cita esta noche
2. Me gusta / que (él/ella) llevarme a un buen restaurante
3. temer / que (él/ella) llegar un poco tarde
4. Es increíble / que (él/ella) querer salir conmigo
5. esperar / que (él/ella) no olvidarse de la cita
6. Ojalá / que (nosotros) poder comunicarnos bien

IV. The future tense and the conditional.

A. El futuro. Indica lo que harán estas personas el próximo año.

1. Lidia / romper con su novio
2. Yo / salir con más frecuencia
3. Nosotros / visitar algunos países hispanos
4. Tú / tener nuevos amigos
5. Jorge y Tomás / viajar a Panamá

B. El condicional. Indica lo que harían estas personas en el papel (*role*) de presidente del gobierno estudiantil.

1. Yo / eliminar las clases los viernes
2. Pedro / abrir el centro estudiantil las 24 horas
3. Tú / poner un límite de tres clases por estudiante por semestre
4. Linda y Martina / hablar con el decano (*dean*) todas las semanas
5. Nosotros / hacer cambios en la biblioteca y en la cafetería

V. Repaso general. Contesta con oraciones completas.

1. ¿Qué etapa de la vida te parece la más interesante? ¿Y la menos interesante? ¿Por qué? ¿Qué hace normalmente la gente durante estas etapas?
2. ¿Con quién/es te llevas muy bien? ¿Qué te gusta de estas personas?
3. ¿Haces muchas llamadas de larga distancia? ¿Qué tipo de teléfono usas? ¿A quién llamas? ¿De qué hablan?
4. Es viernes por la noche. ¿Qué quieres que hagan o no hagan tus amigos?
6. ¿Qué prefieres que haga o no haga la persona con quien vives (o un pariente)?
7. ¿Qué te gusta o te molesta que hagan tu profesores? ¿Qué quieres o esperas que hagan de forma diferente?

VI. *Cultura*

1. ¿Cuáles son las dos monedas oficiales de Panamá?
2. Describe algo sobre el Canal de Panamá: su historia, su estructura, su impacto, etc.
3. ¿Dónde se fabrican los sombreros de Panamá?

Las respuestas de *Autoprueba y repaso* se pueden encontrar en el **Apéndice 2.**

Vive la naturaleza

Así se dice

Vive la naturaleza
   Aventuras al aire libre
La naturaleza y el medio
ambiente

Así se forma

1. *Para* and *por* (A summary)
2. The subjunctive with expressions of doubt or negation
3. *Se* + verb constructions

Cultura

- Costa Rica
- Los parques nacionales en el mundo hispano

Dicho y hecho

Para leer:
Cinco horas de pura adrenalina

Para conversar:
Una excursión

Para escribir:
Una carta

Para ver y escuchar:
Ollantaytambo: parque
nacional en peligro

By the end of this chapter you will be able to:

- Talk about the environment and outdoor adventures
- Express destination, purpose, and motive
- Express doubt and disbelief
- Talk about activities with an unspecified or unknown subject

ENTRANDO AL TEMA

¿Piensas en los problemas del medio ambiente (*environment*)? ¿Cuáles son los más serios?

Vive la naturaleza

Así se dice

Vive la naturaleza

la cascada/la catarata

el bosque

¡Me fascinan las nuevas **aventuras**!

la naturaleza

peligroso

El *rafting* no es **peligroso**, ¡es **emocionante**!

practicar el balsismo/ el *rafting*

remar

el río

el kayak

la balsa

¡En una semana **nos vamos de vacaciones**!

practicar el *parasail*

hacer un viaje en crucero/en barco

el océano

la ola

la isla

hacer *surf*

pescar

el mar

la arena

el bote/la lancha

hacer esnórquel

el pez (los peces)

bucear

el andinismo/el alpinismo

escalar (la montaña)

dar una caminata

el ciclismo de montaña

WILEY
PLUS **Pronunciación:**
Practice pronunciation of the
chapter vocabulary and particular
sounds of Spanish in *WileyPLUS*.

al aire libre	*outdoors*
dar una caminata	*to hike*
emocionante	*exciting*
escalar	*to climb*
la fogata	*campfire*
el fuego	*fire*
el mar	*sea*
peligroso	*dangerous*
remar	*to row*

el cielo

la luna

el valle

montar a caballo

las estrellas

el caballo

la tienda de campaña

el campamento

la fogata

acampar

el fuego

el saco de dormir

Vive la naturaleza

NOTA DE LENGUA

Many terms referring to adventure sports have been borrowed from English, although the pronunciation is adapted to the sounds of Spanish, for instance: **el esnórquel, el rafting, el parasail, el surf.** They are often used with the verb **hacer**, eg. **Me encanta hacer surf.**

12-1 ¿Es peligroso? ¿Emocionante?

Paso 1. Indica si, en tu opinión, las siguientes actividades son peligrosas o emocionantes. Indica también cuáles has hecho y si te gustaría hacerlas por primera vez/otra vez.

	¿Peligroso?			¿Emocionante?		¿Lo has hecho?		¿Quieres hacerlo (otra vez)?	
	Sí	Un poco	No	Sí	No	Sí	No	Sí	No
pescar			✓	✓		✓			✓
nadar en el mar		✓			✓	✓		✓	
construir castillos de arena				✓	✓	✓		✓	
hacer surf		✓		✓			✓		✓
bucear	✓			✓			✓		✓
practicar el parasail	✓			✓			✓		✓
practicar el balsismo		✓		✓		✓		✓	
escalar montañas	✓			✓		✓		✓	
montar a caballo		✓		✓		✓		✓	
saltar en paracaídas									

Paso 2. Ahora, compartan sus respuestas en grupos de cuatro o cinco personas y respondan a las siguientes preguntas: ¿Qué miembros del grupo son los más aventureros? ¿Qué actividades del cuadro quieren hacer? ¿Cuáles no son tan interesantes para el grupo?

12-2 **El balsismo.** Tú y dos amigos/as quieren vivir una aventura y deciden descender un río juntos. Lean la información sobre *Rafting y algo más* en la página 411 y luego, contesten las siguientes preguntas:

1. ¿Qué equipo se necesita para practicar el balsismo?
2. ¿Cuáles son las cosas más importantes que debe ofrecer la compañía de rafting?
3. ¿Qué clasificación de ríos prefieren? ¿Por qué?
4. ¿Qué ríos prefieren navegar? ¿Por qué?

Rafting y algo más

El *rafting* en Latinoamérica permite explorar y conocer santuarios remotos y fascinantes de la naturaleza. Algunos ejemplos:

El río Savegre, en Costa Rica: un paraíso con aguas cristalinas, fauna abundante y bella selva[1] tropical. ▶

▲ **El río Usumacinta, en México:** revela remotos templos y pirámides mayas, selva densa y cascadas impresionantes.

▲ **El río Futaleufú, en Chile:** pasa por bosques de la Patagonia y por espectaculares paisajes[2].

◀ **El río Colco, en Perú:** pasa por dramáticos cañones con cataratas altas y vistas de volcanes activos.

Clasificación de ríos

Clase 1: Corriente moderada, sin rápidos.

Clase 2: Rápidos suaves y algo de oleaje, apto para toda la familia.

Clase 3: Rápidos más fuertes, olas grandes y algunas pendientes escalonadas. Es apto para todas las edades, pero se debe tener más precaución.

Clase 4: Rápidos fuertes, olas grandes, rocas en el camino y, en algunas partes, pendientes muy pronunciadas. Sólo para mayores de dieciséis años.

Clase 5: Rápidos muy fuertes, sólo para personas experimentadas.

Clase 6: Río peligroso y no explorado. Cuando alguien logra navegar un río de clase 6, éste se transforma en clase 5.

Equipo

los remos

el casco

el chaleco salvavidas

LA COMPAÑÍA DE RAFTING DEBE TENER:

- Equipo en buen estado
- Guías experimentados
- Guías capacitados en cursos de rescate[3] y primeros auxilios[4]
- Seguro[5] contra accidentes.

[1]*jungle* [2]*landscapes* [3]*rescue* [4]**primeros...** *first aid* [5]*insurance*

12-3 ¿Recuerdas las palabras?

 Paso 1. Escucha las siguientes palabras y, para cada una, escribe otra palabra relacionada con ella.

Modelo: Oyes: pescar

Escribes: el bote/la lancha O el pez O el mar

1. la catarata - la montaña, el agua
2. _____
3. _____
4. _____
5. _____
6. _____
7. _____
8. _____

Paso 2. Ahora, trabajen en parejas. Cada uno/a de ustedes lee unas definiciones mientras el/la otro/a escucha e identifica la palabra.

Modelo: Estudiante A (lee): Es una porción de tierra rodeada por agua, como Cuba.
Estudiante B (escucha e identifica): **una isla**

Estudiante A:

1. Es agua que cae desde lo alto de un río, como la del Niágara.
2. Es un terreno plano (*flat*) entre montañas, como San Fernando, en California.
3. Es una gran extensión de mar, como el Pacífico.
4. Es un terreno con muchos árboles y plantas.
5. Es donde están el sol, la luna y las estrellas.
6. Hacemos esto en los campamentos para poder cocinar o para calentarnos.
7. Cuando acampamos, lo usamos para dormir.

Estudiante B:

1. Este deporte se practica en los ríos con una balsa.
2. Es la práctica de capturar peces.
3. Se hace cuando se viaja en un barco grande como un hotel.
4. Sólo se puede practicar cuando hay olas.
5. También se conoce como escalar montañas.
6. Es la práctica de caminar por el campo, un bosque, etc.
7. Se practica bajo el agua y con equipo especial para admirar la vida marina.

Aventuras al aire libre

Es primavera y los estudiantes **están de vacaciones**. Van con sus amigos a lugares muy diferentes.

Linda e Inés dan un ▶ paseo por **el campo**, donde viven los abuelos de Linda.

la granja · la vaca · la hierba · la gallina · el cerdo · la tierra

Esteban está explorando **la selva** costarricense. Tiene miedo porque hay muchos animales e insectos.

la colina	*hill*
la hierba	*grass*
la tierra	*earth, land*
tener miedo	*to be afraid*

▲ Natalia y Pepita dan una caminata por **el desierto** de Arizona. La familia de Natalia vive cerca de allí.

DICHOS

Más vale pájaro en mano que cien volando (*flying*).
En boca cerrada no entran moscas.

¿Conoces el equivalente en inglés de estos dos dichos?

12-4) La palabra diferente.

Paso 1. Lee las siguientes listas de palabras y subraya (*underline*) la palabra que es diferente.

1. **a.** el mosquito **b.** el pájaro **c.** el cerdo **d.** la mosca **e.** la mariposa
2. **a.** el valle **b.** la colina **c.** la tierra **d.** la granja **e.** el río
3. **a.** la serpiente **b.** el cerdo **c.** la vaca **d.** la gallina **e.** el caballo
4. **a.** tener miedo **b.** acampar **c.** escalar **d.** bucear **e.** hacer ciclismo
5. **a.** el relámpago **b.** la luna **c.** las estrellas **d.** el sol **e.** el cielo

 Paso 2. Con un/a compañero/a, comparen las palabras que subrayó cada uno. ¿Son las mismas? Si son diferentes, expliquen sus criterios.

12-5) Aventureros.

Paso 1. Caminando por la clase, haz preguntas a tus compañeros y anota sus nombres y sus respuestas en la tabla. **Atención:** No puedes poner el nombre del/de la mismo/a estudiante en más de un espacio.

Modelo: bucear

Estudiante A: **¿Has buceado alguna vez?**
Estudiante B: **Sí, he buceado.**
Estudiante A: **¿Dónde? ¿Cuándo?**
Estudiante B: **En Cancún. El verano pasado./Hace dos años.**
Estudiante A: **¿Con quién fuiste?/¿Viste peces?...**

HINT

* = these verbs have an irregular past participle

	Nombre	¿Cuándo?	¿Dónde?	Algo más...
hacer* esnórquel				
practicar el parasail				
viajar por un desierto				
dar una caminata por una selva				
vivir en/visitar una granja con muchos animales				
descender un río en balsa/kayak/canoa				
ver* una catarata grande				
ver una serpiente (fuera de un zoológico)				
hacer un viaje en crucero				
hacer surf				
escalar una montaña				
acampar				

Paso 2. Ahora, compartan con la clase las aventuras que han llevado a cabo. Si dos o más estudiantes han hecho la misma actividad, comparen sus experiencias.

Así se forma

1. *Para* and *por* (A summary): Stating purpose, destination, and motive

WILEY PLUS Go to *WileyPLUS* and review the Animated Grammar Tutorial for this grammar point.

You have been using **para** and **por** since *Capítulo 2*. Both prepositions often translate as *for* in English, but convey very different meanings in Spanish. The following charts review some of their more frequent uses and meanings.

Para *indicates:*		
1. Purpose/Goal	*in order to + infinitive*	Sonia fue a Costa Rica para ver los bosques tropicales.
	for; used for + noun	Llevó un impermeable para la lluvia.
2. Recipient	*for*	Sacó unas fotos del bosque para su madre.
3. Destination	*toward*	Sonia sale para Panamá el viernes.
4. Deadline	*by, for*	Tiene que estar allí para el lunes.
5. Employment	*for (in the employ of)*	Ella trabaja para una compañía hotelera.

Por *indicates:*		
1. Cause, reason, motive	*because of*	Esteban no terminó su trabajo por la visita de sus amigos.
	on behalf of	Su amiga habló con el profesor por él.
	for (the sake of)	Es tímida, pero lo hizo por su amigo.
2. Duration of time	*for, during*	Después habló con Esteban por media hora.
	in, at	Esteban trabajó en el proyecto por la tarde.
3. Exchange, price	*for (money)*	Compró un diccionario por diez dólares.
	for	Él le dio las gracias por[1] el diccionario.
	in exchange for	Cambió el café por un té.
4. General physical movement in and around a given place	*down, by, along, through*	Ahora camina por el campus con sus libros y su diccionario.

[1]To thank someone for something, always use **gracias por…**

(12-6) **¿Para o por?** Identifica cuál de los dos significados indicados expresa cada preposición y escoge la opción que le corresponde.

Time Deadline (**para**) or duration (**por**)?	1. Hemos trabajado en este proyecto para/por dos semanas. 2. El proyecto de la clase de historia es para/por el próximo lunes.
Place Destination (**para**) or movement around, along, through (**por**)?	3. Salgo para/por el campus en cinco minutos, ¿vienes conmigo? 4. Esta tarde vamos a pasear para/por el centro.
People Recipient (**para**) or reason: because of, for the sake of, on behalf of (**por**)?	5. Carmen estudia y trabaja para/por sus hijas. Quiere darles una buena educación y ser un buen modelo. 6. Sé hablar francés para/por mi madre. Es de Montreal. 7. Tengo que comprar fresas para/por Rosa. No puede ir al mercado y me ha pedido que vaya para/por ella.
Purpose Objective (**para**) or cause (**por**)?	8. Te puedo prestar mis notas para/por el examen, pero tienes que ir a la clase para/por entender el material. 9. Hoy no puedo visitarte para/por un problema del coche.

12-7 **¡A la montaña!** Tú y unos amigos van a una montaña para escalar y acampar en el monte Chirripó en Talamanca, Costa Rica. Tú y otro/a amigo/a conversan sobre el viaje. Completen la conversación con *por* o *para*.

TÚ: Salimos _____ el Chirripó el sábado a las seis de la mañana.

AMIGO/A: ¿_____ cuántos días van?

TÚ: _____ tres o cuatro días. Vamos _____ acampar y escalar el pico más alto de la región.

AMIGO/A: ¡Qué emocionante! ¿Van a tomar la ruta que va _____ el río?

TÚ: Sí, y luego vamos a dar una caminata _____ el bosque hasta encontrar un buen lugar _____ acampar.

AMIGO/A: ¿Saben tus amigos armar la tienda de campaña?

TÚ: Creo que no. Pero yo puedo hacerlo mientras ellos buscan leña (*wood*) _____ la fogata.

AMIGO/A: ¿Están ellos en buenas condiciones físicas _____ subir el monte?

TÚ: Pues, espero que sí. Vamos a salir muy temprano _____ la mañana y llegar a la cumbre (*summit*) _____ el mediodía, antes de que empiece a llover.

AMIGO/A: Es un buen plan. A propósito (*by the way*), tu saco de dormir se ve muy nuevo. ¿Dónde lo compraste?

TÚ: Lo compré en una tienda de descuento _____ $38.00.

AMIGO/A: Buen precio… y antes de que se me olvide, tengo algo _____ ustedes: un mapa topográfico de la región _____ que no se pierdan.

TÚ: Muchas gracias _____ el mapa. ¡Nos va a ser muy útil!

AMIGO/A: Pues, ¡buen viaje!

El monte Chirripó ▼

12-8 **Nuestra aventura.** En grupos pequeños, imaginen que tienen una semana libre (*free, off*) y deciden organizar una aventura para sus próximas vacaciones. Usen las siguientes preguntas para formular su plan. Un/a secretario/a puede escribir el plan.

1. ¿Adónde van? ¿Cuándo van a salir para ese lugar?
2. ¿Por cuánto tiempo van a estar allí?
3. ¿Para qué van?
4. ¿Cómo van a viajar? ¿Cuánto piensan pagar por el viaje?
5. ¿Dónde van a alojarse? ¿En un hotel? ¿Van a acampar?
6. ¿Qué cosas necesitan llevar? ¿Para qué?
7. ¿Qué piensan hacer por la mañana/tarde/noche?
8. ¿Para qué fecha tienen que volver?

Así se dice

La naturaleza y el medio ambiente

A causa de los **problemas** ambientales que existen en el **mundo,** una gran cantidad de científicos cree que nuestro **planeta** está en peligro. A muchas personas, especialmente a los jóvenes, **les importa** el medio ambiente y **les interesan** las posibles soluciones al problema de la contaminación.

¿Qué se puede hacer para **conservar** el planeta Tierra?

Podemos: controlar la **contaminación** producida por las fábricas...

... y por los vehículos;

reducir la contaminación que **destruye**[1] **la capa de ozono** y **contribuye**[1] al **calentamiento global;**

controlar la **deforestación** y plantar más árboles;

prevenir los **incendios forestales;**

evitar el uso excesivo de **pesticidas;**

proteger[2] los animales que están en peligro de extinción;

prevenir la contaminación de ríos y mares;

no **desperdiciar los recursos naturales;**

reducir el consumo de **gasolina;**

y **recoger**[2] y **reciclar** la basura.

a causa de	because of	destruir (irreg.)	to destroy	el medio ambiente	environment
la capa	layer	evitar	to avoid	el mundo	world
contribuir (irreg.)	to contribute	importar	to matter	recoger	to pick up, gather
desperdiciar	to waste	el incendio forestal	forest fire	el recurso	resource

1 **Contribuir and destruir** change the **i** to **y** in all forms of the present tense except with the **nosotros** and **vosotros** forms: **destruyo, destruyes, destruye, destruimos, destruís, destruyen.**

2 **Proteger** and **recoger** change the **g** to **j** in the **yo** form of the present tense: **protejo, proteges ; recojo, recoges...**

Vive la naturaleza

NOTA DE LENGUA

In Chapters 4 and 11 you learned to use **gustar, encantar, fascinar** and **molestar** to express likes and dislikes. The verbs **interesar** and **importar** also have a similar structure, that is, they are used with indirect object pronouns (**me, te, le, nos, os, les**) and the verb is in the third-person singular or plural in agreement with the subject (what is interesting or important.)

importar — *to be important to, to matter* — **Nos importan** los problemas de contaminación.

interesar — *to be interesting to, to interest* — **Me interesa** el uso de energías renovables.

(12-9) Serios problemas ecológicos.

Paso 1. ¿Cuánto te importan los siguientes problemas ecológicos: mucho, bastante (*quite a bit*) o poco?

	Mucho	Bastante	Poco
la contaminación del agua			
la lluvia ácida			
el uso de pesticidas tóxicos			
la deforestación			
la destrucción de la capa de ozono			
los incendios forestales			
el calentamiento global			
la extinción de especies animales			
la escasez del agua			
la cantidad de basura generada			
los derrames de petróleo (*oil spills*)			

Vista aérea del derrame de petróleo de 2010 en el Golfo de México.

PALABRAS ÚTILES

afectar	*to affect*	el petróleo	*crude oil*
derretirse (i, i)	*to melt*	respirar	*to breathe*
la escasez	*scarcity, shortage*	la sequía	*drought*

 Paso 2. En grupos, comparen y expliquen sus razones.

Modelo: **A mí me importa mucho la contaminación del agua porque destruye la vida marina y también afecta a los humanos. Por ejemplo, las mujeres embarazadas no pueden comer algunos tipos de pescado porque tienen mucho mercurio…**

▲ ¿Un mundo ideal?

12-10 **El medio ambiente.** Consideren los siguientes problemas. En parejas, piensen en al menos (*at least*) una actividad —pequeña o grande— que puede contribuir a resolver ese problema. Luego, compartan sus ideas con el resto de la clase.

Problema	Para resolverlo
Se usan pesticidas tóxicos. (Es posible que exista una relación entre el uso de estos pesticidas y el cáncer).	Podemos comprar frutas y verduras orgánicas.
Los incendios forestales y la tala de árboles (*cutting down of trees*) causan la deforestación.	
Se desperdicia el agua. Muchas regiones sufren sequías.	
La producción de energía eléctrica es una de las causas más importantes de la contaminación medioambiental.	
Estados Unidos constituye el 5% de la población del mundo, pero genera el 30% de la basura mundial.	
La combustión de gasolina y de gasóleo (*diesel*) produce mucha contaminación ambiental.	
El crecimiento de la población y la contaminación causan la extinción de muchas especies animales.	

12-11 **¡Protege tu mundo!** En grupos de cuatro, imaginen que forman parte de un comité universitario para la protección del medio ambiente. Su objetivo es crear un folleto (*brochure*) con consejos sobre cómo proteger el medio ambiente en su vida diaria. Piensen en acciones apropiadas para los siguientes aspectos:

- el transporte
- el consumo de energía
- la reducción de la basura
- el consumo de agua
- ¿otros?

Modelo: **Ve a la universidad a pie o en bicicleta.**

INVESTIG@ EN INTERNET

Averigua (*find out*):

1. ¿Cuál es la montaña más alta de América del Sur y cuántos pies mide?
2. ¿Cuál es la cascada más alta del mundo y dónde está?
3. ¿Cuál es la selva tropical más extensa del mundo y en qué países se encuentra?
4. ¿Cuál es el río navegable más largo del mundo?
5. ¿Cuál es el lago navegable más alto del mundo y dónde está?

Ésta es la cascada más alta del mundo. Mide ▶ 3,211 pies (979 metros).

Antes de leer

1. ¿Qué quiere decir Costa Rica en inglés?

2. ¿Qué es el ecoturismo?

WILEY PLUS Map quizzes: As you read about places highlighted in red, find them on the map. Learn more about and test yourself on the geography of the Spanish-speaking world in *WileyPLUS*.

MÉXICO

BELICE — Isla de la Bahía

JAMAICA

MAR CARIBE

GUATEMALA

HONDURAS

EL SALVADOR

NICARAGUA

Nacionalidad: **costarricense**

OCÉANO PACÍFICO

COSTA RICA

Volcán Irazú

Golfo de Nicoya — San José

Puerto Limón
Canal de Panamá

Colón

Golfo de San Blas
Archipiélago de San Blas

Panamá

América Central

PANAMÁ

COLOMBIA

| 0 | 100 | 200 Millas |
| 0 | 100 | 200 Kilómetros |

◀ Un misterio arqueológico de Costa Rica son las más de 300 esferas que se han encontrado en ese país. Sus medidas varían desde algunos centímetros hasta los 2 metros de diámetro. Hoy en día se usan como decoraciones en edificios de gobierno, hospitales y escuelas, y también como símbolo de estatus en las casas de algunas personas ricas y poderosas.

El primer explorador europeo que llegó a **Costa Rica** fue Cristóbal Colón, el 18 de septiembre de 1502. Colón hacía su cuarto y último viaje a las Américas y, cuando se acercaba a la costa, un grupo de indígenas caribes salió en canoas a su encuentro. Los caribes llevaban aros de oro en la nariz y las orejas. Por eso, los españoles le dieron a la región el nombre de Costa Rica.

En Costa Rica existían varias civilizaciones miles de años antes de la llegada de Colón. Entre los misterios relacionados con los habitantes precolombinos se encuentra la existencia de miles de esferas perfectas, hechas de granito, que se encontraron en la costa oeste de este país centroamericano. Algunos hallazgos (*findings*) arqueológicos muestran evidencia de una influencia de los olmecas y los náhuatl —dos grupos indígenas originarios de México. Cuando los españoles comenzaron a colonizar estas tierras, había ocho grupos indígenas principales en Costa Rica, pero, hoy en día, sólo un 1.5% de la población costarricense pertenece a estos grupos. Los españoles trajeron esclavos africanos y unos 70,000 de sus descendientes viven en el país al día de hoy. El otro 94% de la población del país está compuesto por blancos y mestizos.

Cuando México se rebeló contra España en 1821, Costa Rica y el resto de Centroamérica se unieron para formar la República Federal de América Central. En 1856, el mercenario estadounidense William Walker intentó invadir Costa Rica desde Nicaragua. Bajo el liderazgo del presidente Juan Rafael Mora Porras, las tropas costarricenses derrotaron a Walker con la ayuda de un ejército formado por cinco países centroamericanos. Aunque el 29 de octubre de 1821 es la fecha oficial de la independencia de Costa Rica, fue en 1856 cuando se consolidó la soberanía nacional de Costa Rica como estado independiente.

▲ El volcán Irazú

▲ Los turistas pueden observar monos y distintos tipos de pájaros en Costa Rica.

Hoy en día, Costa Rica tiene la reputación de ser uno de los países más estables y prósperos de América Latina. De hecho, en 1948 Costa Rica se convirtió en la primera república en el mundo en no tener fuerzas armadas. Su sólida reputación democrática, sin embargo, se vio en peligro a principios del siglo XXI. Tres ex-presidentes fueron acusados de abuso de poder y corrupción. En el año 2010 Laura Chinchilla Miranda se convirtió en la primera mujer en ser elegida presidente del país.

La capital de Costa Rica, **San José,** es una ciudad diversa, con hermosos parques y lugares históricos. Sin embargo, la verdadera atracción del país está en su topografía, su fauna y su flora. Costa Rica se distingue por sus playas, ríos, cascadas, volcanes y montañas, así como por su abundante vegetación. Los volcanes son una de las características más destacadas del país. A unos treinta kilómetros de San José y de Cartago (la capital original), hay cuatro volcanes. Dos de ellos, el Poás y el **Irazú,** a veces están activos. Desde el Irazú (que mide 3,432 metros de altura) se pueden ver las costas del mar Caribe y del océano Pacífico al mismo tiempo.

Costa Rica es uno de los países latinoamericanos con mayor conciencia ecológica, ya que protege más del 25% de su territorio. Existen más de quince reservas y parques nacionales con una biodiversidad sorprendente: 14,000 especies de plantas y árboles; 1,000 especies de mariposas y 850 especies de pájaros. Costa Rica goza hoy de una imagen turística única basada en su riqueza ecológica y en el ecoturismo, que ofrece viajes a áreas naturales para apreciarlas y aprender sobre ellas. El ecoturismo también incorpora programas de reciclaje, eficiencia enérgetica, conservación del agua y creación de oportunidades económicas para las comunidades locales.

Después de leer

1. ¿Te parece una buena idea el ecoturismo? ¿Lo has hecho alguna vez?
2. ¿Dónde se puede hacer ecoturismo en Estados Unidos?
3. ¿Te gustaría vivir en un país sin fuerzas armadas? ¿Por qué?

NOTA CULTURAL

Los ticos

In Spanish, we can say that something is small or that we have an affection towards it by using **–ito** or **–ico** at the end of the word:

abuela → abuel**ita**

momento → momen**tito**, momen**tico** (¡Espérame un momen**tico**!)

People from Costa Rica are called **ticos** (*masculine*) and **ticas** (*feminine*). It is said that this is because they are famous for using diminutive endings very frequently.

Monteverde, un bosque nubloso ▼

Vive la naturaleza

Así se forma

Creo que podemos escalar este pico.

Sí, pero dudo que podamos escalarlo hoy.

WILEY PLUS Go to *WileyPLUS* and review the Animated Grammar Tutorial and Verb Conjugator for this grammar point.

2. The subjunctive with expressions of doubt or negation

In *Capítulo 11* you learned that when the main clause in a complex sentence expresses desire, a request or an emotion, the verb in the subordinate clause is in the subjunctive. Similarly, when the main clause expresses doubt, uncertainty, or disbelief, the subjunctive is used in the subordinate clause.

Dudo que la gente **use** más el autobús. *I doubt that people will use the bus more.*

No creo que todos **reciclemos** el papel. *I don't think that we all recycle paper.*

expression of doubt/uncertainty/ disbelief (indicative)	+ **que** +	action that is doubted/ uncertain (subjunctive)
(Yo) **No estoy seguro de**	que	Ernesto **tenga** un coche híbrido.

Some verbs and expressions of doubt, uncertainty, or disbelief are:

dudar	to doubt	**Dudo** que **haya** un programa de reciclaje aquí.
no estar seguro/a (de)	not to be sure	**No estamos seguros de** que **haya** paneles solares.
no creer	not to believe	¿**No crees** que **podamos** ahorrar agua?
no pensar	not to think	**No pienso** que **exista** una solución rápida.

• When **creer, pensar** and **estar seguro/a** express certainty, they are followed by the indicative.

El presidente **está seguro de/cree/piensa** que **debemos** proteger nuestros recursos naturales.

The president is sure/believes/thinks that we must protect our natural resources.

• Certainty can also be expressed with the verb **saber** and the expression **seguro que.**

Sé que **podemos** reciclar muchos tipos de plástico.

I know that we can recycle many types of plastic.

Seguro que la universidad **prefiere** usar menos energía.

Surely the university prefers to use less energy.

Impersonal generalizations expressing doubt or uncertainty also trigger the use of the subjunctive in the subordinate clause.

Es + (**posible/imposible/probable/improbable...**) + [**que** + *subjuntivo*]

Es probable que el gobierno **apruebe** leyes para proteger el medio ambiente.

It´s likely that the government will pass laws to protect the environment.

Notice that some impersonal generalizations, however, can express certainty or unequivocal affirmations. In this case, the verb in the subordinate clause is in the indicative.

Es + (**cierto/verdad/obvio...**) + [**que** + *indicativo*]

Es obvio que debemos cambiar nuestros hábitos.

It´s obvious that we must change our habits.

(12-12) ¿Qué opinas tú?

Paso 1. Completa las siguientes opiniones subrayando la opción correcta. Después, añade dos opiniones más.

1. Creo que mucha gente (ignora/ignore) la destrucción de la capa de ozono.
2. Dudo que mucha gente (intenta/intente) reducir su consumo de gasolina.
3. Es probable que no (reciclamos/reciclemos) lo suficiente.
4. Es verdad que (debemos/debamos) proteger las especies animales en peligro de extinción.
5. Dudo que (es/sea) fácil dejar de consumir productos derivados del petróleo.
6. Es imposible que a la gente no le (importa/importe) vivir en un mundo contaminado.
7. Creo que...
8. No creo que...

Paso 2. En grupos pequeños, hablen sobre las opiniones anteriores. ¿Están de acuerdo con las oraciones 1 a 6? Compartan también sus opiniones personales (7 y 8). ¿Qué opinan sobre las afirmaciones de sus compañeros?

Modelo: Estudiante A: **Estoy de acuerdo con la número 1; creo que mucha gente todavía ignora la destrucción de la capa de ozono.**

Estudiante B: **Yo no estoy de acuerdo; no creo que mucha gente ignore la destrucción de la capa de ozono, pero creo que los gobiernos sí la ignoran y ese es el problema...**

(12-13) ¿Energías renovables? Completa las siguientes oraciones sobre las ventajas y desventajas de las energías renovables.

1. Es posible que productos como el biodiésel no _____ (ser) muy estables.
2. Sabemos que el hidrógeno _____ (producir) mucha energía y no _____ (contaminar).
3. Es probable que las energías renovables _____ (ser) más caras ahora, pero muchas compañías piensan que _____ (poder) encontrar formas de producirlas con menos costo.
4. Algunos expertos dudan que el etanol _____ (ayudar) al medio ambiente: el aumento de la producción de maíz puede perjudicar (*damage*) la tierra.
5. Es obvio que no _____ (existir) soluciones perfectas, pero también es verdad que (nosotros) _____ (deber) encontrar alternativas.

12-14 Deportes de aventura. Expresen sus opiniones sobre los deportes de aventura.

Paso 1. Escribe oraciones expresando tu opinión sobre estos deportes de aventura.

Modelo: El ciclismo de montaña requiere mucha experiencia.

No estoy de acuerdo. Dudo que *requiera* mucha experiencia.

1. Escalar rocas (*rock climbing*) requiere entrenamiento (*training*) especial.
2. Ir en kayak en un lago o en el mar no es peligroso.
3. El buceo en aguas profundas requiere instrucción.
4. Hacer *snowboard* es más peligroso que esquiar.
5. Es difícil viajar de mochila en las montañas por tres días.
6. Hacer esnórquel y montar a caballo son deportes de aventura.
7. Acampar durante una semana es muy fácil, cualquiera (*anyone*) puede hacerlo.

 Paso 2. Ahora, comparen sus opiniones en parejas o grupos pequeños.

SITUACIONES

Estás en Costa Rica con tu amigo/a y deciden practicar el rafting. Creen que van a descender un río de clase 3 pero, al llegar al punto de partida, descubren que en realidad ¡es un río de clase 5! Como no sabes nadar, tienes miedo. Tu amigo/a es muy aventurero/a e insiste en descender el río. Ustedes hablan de la situación.

Tú: ¡Ay! ¿Un río de clase 5? ¡Ni pensarlo! ¡No sé nadar! Dudo que pueda hacerlo.

Tu amigo/a: ¡No pasa nada! No creo que nos falte el equipo necesario.

Expresiones útiles

No creo que...

¿Estás seguro de que...?

Dudo que...

No pienso que...

No estoy seguro de que...

Espero que...

Para negarse (*to refuse*)	**Para animar** (*to encourage*)
¡Ni pensarlo!	¡Vamos hombre/mujer!
¡Ni hablar!	¡No pasa nada!
¡De ninguna manera!	¡Qué sí, hombre/mujer!
¡Ni loco/a!	¡Anímate!

12-15 Las Cabañas Bataburo. Ustedes piensan hacer un viaje por la selva de Ecuador. Están considerando ir a las Cabañas Bataburo. Para llegar, van a navegar por el río Tinguino en canoas con motor. Lean la siguiente información en la página 425.

Cabañas Bataburo

¿Desean más información?
Busquen las "cabañas
Bataburo" en Internet.

En el corazón místico y salvaje de la selva primaria del territorio huaorani, se han construido las Cabañas Bataburo. El diseño de las cabañas sigue las técnicas y los estilos de la construcción huaorani y está en total armonía con la selva. Al mismo tiempo, y sin perder el sentimiento de aventura de este paraíso lleno de misterio, les ofrecemos muchas comodidades. Tenemos alojamiento en habitaciones dobles o matrimoniales con baños compartidos, mosquiteros, electricidad y una torre de observación de unos 132 pies de altura. El comedor sirve excelente comida típica local como mandioca, frutas recogidas en granjas selváticas cercanas y pescado del río. También servimos carne de res, pollo y comida vegetariana.

Algunas actividades:

- Excursión en bote por el río, desde donde se ven monos, tucanes, anacondas y otros animales de la selva; pesca de pirañas.

- Caminatas de 5 a 6 horas con guías nativos, para observar la flora y la fauna en su hábitat.

- Recorrido nocturno con guía para la observación de insectos (tierra) y caimanes (río).

- Excursión con indígenas huaorani, durante la cual nos muestran los árboles y las plantas que usan para construir (*build*) sus casas, fabricar sus armas (*weapons*) y crear sus medicinas.

- Visita a Bameno, un pueblo huaorani, donde aprendemos sobre la cultura y forma de vida de este grupo.

Ahora comenten y compartan sus reacciones respecto a los siguientes asuntos, incluyendo los aspectos positivos y negativos de cada uno. Aquí tienen algunas preguntas que pueden usar como guía, pero intenten pensar en otras.

1. La localización de las cabañas: ¿Qué tipo de servicios piensas que hay en esta zona? ¿Crees que será fácil llegar? ¿Crees que habrá acceso a un teléfono o a Internet?

2. El alojamiento (*lodging*): ¿Crees que te va a gustar alojarte en estas cabañas? ¿Qué servicios necesitas? ¿Crees que ofrecen esos servicios?

3. La comida: ¿Qué crees que vas a comer? ¿Es posible que pruebes (*try*) algo nuevo? ¿Crees que te va a gustar la comida?

4. Las actividades: ¿Qué actividades es probable que hagas? ¿Qué otras actividades es posible que ofrezcan?
   ¿Van a ir a las Cabañas Bataburo o prefieren buscar una alternativa?

POSIBLES REACCIONES

¡Qué bueno que...!
Dudo que...
Me fascina/encanta que...
(No) Me gusta que...
Estamos seguros/as de que...
Es posible/probable/... que..

Vive la naturaleza

Cultura: Los parques nacionales en el mundo hispano

PLUS

Antes de leer

1. ¿Cuáles son algunos parques nacionales famosos en Estados Unidos? ¿Has visitado alguno?

2. Cuando viajas, ¿prefieres visitar un parque nacional, o prefieres conocer una ciudad?

▲ El quetzal

▲ Un ñandú en Chile

La protección del medio ambiente no es una idea nueva en el mundo hispano. La creación de parques nacionales y reservas en estos países ocurrió en la primera mitad (*half*) del siglo XX. Hay muchos parques de notable belleza en España y América Latina, pero algunos de los parques y reservas más conocidos están en Costa Rica: los "bosques nubosos", en la reserva de Monteverde, protegen a los quetzales, pájaros sagrados (*sacred*) para los mayas, y cada verano miles de tortugas (*turtles*) ponen sus huevos en las playas del parque nacional Tortuguero.

Otros países también tienen parques espectaculares. México combina las reservas naturales con monumentos arqueológicos: un ejemplo es Xcaret, en Yucatán. Allí es posible admirar ruinas mayas entre la flora y la fauna de la región. En las selvas del interior de Venezuela están los tepuyes, altas mesetas (*plateaus*) rodeadas de nubes y de vegetación tropical. En las Islas Galápagos, de Ecuador, podemos ver de cerca las aves (*birds*) y los reptiles que inspiraron la teoría de la evolución de Charles Darwin. Torres del Paine, en el sur de Chile, es famoso por sus montañas de granito, costas impresionantes y glaciares gigantescos. Este parque de 450,000 acres protege a los guanacos (animales parecidos a las llamas) y a los ñandúes.

Hoy en día, los países hispanos continúan creando parques y reservas para reflejar el aumento de la conciencia ecológica y el interés de sus habitantes por el ecoturismo.

Después de leer

1. Empareja los parques y las reservas que se mencionaron en la lectura con sus descripciones.

_____ Hay enormes glaciares y se protege a los guanacos y a los ñandúes.

_____ Se puede ver las aves y los reptiles que inspiraron a Darwin.

_____ Las tortugas ponen sus huevos en las playas.

_____ Tiene ruinas mayas y mucha flora y fauna.

_____ Protege a los quetzales.

_____ Se puede visitar mesetas tropicales entre las nubes.

a. Costa Rica: la reserva de Monteverde

b. Costa Rica: el parque nacional Tortuguero

c. México: Xcaret

d. Ecuador: las Islas Galápagos

e. Chile: las Torres del Paine

f. Venezuela: los tepuyes

2. De todos los parques y las reservas que se mencionaron en la lectura, ¿cuáles te gustaría visitar más y por qué?

3. ¿Qué efectos negativos tiene el turismo sobre los parques nacionales? ¿Existen soluciones para este tipo de problemas?

VideoEscenas: ¡Vamos a Cuzco!

▲ Isabela y J.J. están de vacaciones en Perú.

 Paso 1. Cuando ustedes van de vacaciones, ¿prefieren ir a un hotel o prefieren acampar? En parejas, hagan una lista de las ventajas y desventajas de quedarse en un hotel y de acampar.

Paso 2. Mira el video y responde a las siguientes preguntas.

1. ¿Qué van a hacer Isabela y J.J. ahora?

2. ¿Dónde quiere quedarse J.J. esta noche?

3. ¿Qué piensa Isabela de esa idea?

4. ¿Por qué no pueden ir a acompar?

Paso 3. Mira el video e indica si estas afirmaciones son ciertas o falsas. Corrige las oraciones falsas.

	Cierto	Falso
1. J.J. e Isabela van a viajar a Lima.	☐	☐
2. Su plan era quedarse en un hotel.	☐	☐
3. Isabela cree que un hotel es muy caro.	☐	☐
4. Isabela duda que tengan un buen plan.	☐	☐

DICHOS

Conozco al viajero por las maletas.

¿Qué crees que significa este dicho?

Así se forma

3. Activities with a general or unknown subject: *Se* + verb constructions

To talk about activities for which the subject is general, not specific or unknown, Spanish commonly uses a **se** + *verb* construction. English uses such words as *one, people, you* for general or unspecified subjects and the passive voice[1] when the subject is not mentioned.

Se prohíbe hacer fogatas.	*Making bonfires **is prohibited**.*
Se aprobó la ley sobre el uso de pesticidas.	*The law about the use of pesticies **was passed**.*
En la selva **se escuchan** muchos animales.	*In the jungle **one can hear** many animals.*

WILEY PLUS Go to *WileyPLUS* and review the Animated Grammar Tutorial and Verb Conjugator for this grammar point.

In these constructions, **se** is always used with a verb in the third-person singular, except when it refers to a plural noun, then the verb is also plural.

Aquí **se vende** lechuga orgánica.	*Organic lettuce **is sold** here.*
No **se recicla** bastante.	***People don't recycle** enough.*
Se venden mapas. *(sign on store window)*	*Maps **are sold** here.*
En mi residencia **se usan** bombillas de bajo consumo.	*In my dorm **they use** energy saving light bulbs.*

Can you guess what the following signs say?

---

[1] The English passive voice is formed with the verb *to be + the past participle*: The house *was built* in 1821.

12-16 **¿Dónde se ven estos anuncios?** Escucha los anuncios y letreros (*signs*) que dan instrucciones o información al público. Escribe el número del anuncio al lado del lugar donde puede encontrarse. Para algunos casos, puede haber más de una opción.

_____ en un hotel

_____ en un periódico

_____ en un restaurante

_____ en un aeropuerto

_____ en un banco

_____ en un hospital

12-17 **¿Dónde estoy?**

Paso 1. Completa las siguientes oraciones con **se** y la forma apropiada del verbo entre paréntesis. ¿Sabes qué lugar se describe aquí?

En este lugar _____ (estudiar) mucho y, algunas veces, también _____ (hacer) juegos. Algunas veces _____ (escribir) oraciones o párrafos y también _____ (hablar) mucho, pero generalmente no _____ (poder) hablar inglés.

 Paso 2. En parejas, escojan uno de estos lugares y describan qué se hace, se puede hacer o no se puede hacer en estos lugares. ¿Qué pareja puede hacer la descripción más completa?

1. en el centro comercial
2. en la montaña
3. en la playa/el mar

Paso 3. Ahora vamos a adivinar. De forma individual, piensa en un lugar que es familiar para todos (la biblioteca, el cine, la cafetería de la universidad, un restaurante… o un lugar popular del campus o la ciudad) y escríbelo.

 Paso 4. En grupos, una persona del grupo contesta las preguntas de sus compañeros sobre las cosas que *se hacen, se pueden hacer* o *no se pueden hacer* en el lugar que pensó. ¿Quién puede adivinar el lugar?

Modelo: **En este lugar, ¿se trabaja? / ¿Se venden bebidas? / ¿Se puede dormir? / ¿Se necesita dinero?...**

NOTA CULTURAL

El peregrinaje (*pilgrimage*) a la Basílica de los Ángeles

Every August, thousands of **ticos** make a pilgrimage to the city of Cartago to honor the patron saint of Costa Rica, the **Virgen de los Ángeles.** She is called **"La Negrita"** for the color of her skin. The event is extraordinarily large and some believers walk for days or even weeks to get to Cartago.

▶ "La Negrita", santa patrona de Costa Rica

Dicho y hecho

ANTES DE LEER

Lee los títulos y observa las fotografías. Intenta anticipar el tema del texto.

ESTRATEGIA DE LECTURA

Using questions to predict and summarize content (What? Who? Where? When? How? Why?) You have learned that trying to predict the content of a text can help you interpret it more accurately. One way to set about predicting what you might find in a text and after looking at its title and headings, and observing any visuals, is to brainstorm by asking yourself questions about it: what could this text talk about, who might be mentioned, etc. Jot down your answers to these questions, in Spanish, based on your initial observation and skimming of the article:

¿Qué acciones o eventos puede mencionar el texto? ¿Qué personas pueden ser parte de la historia? ¿Dónde sucede (*takes place*) la historia? ¿Cuándo sucede esto? ¿Cómo sucede? (imagina partes del proceso o acciones específicas) ¿Por qué lo hacen?

After you read the selection carefully, you can ask those questions again. The answers will help you summarize the main ideas.

A LEER

Si usted es un ciclista amante de la aventura y los desafíos[1], el Camino de la Muerte puede ser una buena opción durante su estadía en Bolivia. La antigua ruta a Yungas, al Noreste de la ciudad de La Paz, se ha convertido en un atractivo muy popular para quienes buscan experiencias llenas de adrenalina. Según cuentan aquellos que lo han vivido, el *tour* "vale cada centavo, es un poco intimidante pero increíble".

¿Qué hace tan popular al Camino de la Muerte? No importa cuántas veces lo preguntemos, parece imposible encontrar una respuesta precisa. Esta ruta era famosa mucho antes de que las empresas de turismo ofrecieran excursiones en bicicleta. En este camino[2] de tierra que bordea[3] precipicios[4] de 300 metros de profundidad, eran frecuentes los derrumbes[5] y los autobuses desbarrancados[6], sobre todo durante la estación lluviosa. En 1995, Yungas fue denominado como el camino más peligroso del mundo por el Banco Interamericano de Desarrollo. Pero, no es sólo el peligro lo que atrae a los visitantes. Las características geográficas de la zona forman un impresionante paisaje de precipicios, ríos y cascadas que se combinan con una exuberante vegetación.

---

[1] challenges, [2] road, path, [3] skirts, goes along, [4] cliffs, [5] landslides, [6] run off the road

LA AVENTURA

Para hacer el camino en bicicleta es necesario contratar a una agencia que ofrezca este servicio. Ésta transporta a los pasajeros hasta la cumbre[7] (lugar donde comienza el descenso) y les provee de todo el equipamiento necesario. Un guía acompaña al grupo y un vehículo de apoyo[8] los sigue durante todo el itinerario. Éstas son las condiciones mínimas de seguridad que garantizan un descenso sin contratiempos.

Antes de llegar al Camino de la Muerte hay unos 21 kilómetros de asfalto; pero, a una altura[9] aproximada de 4,000 metros, el viento y la lluvia ocasionales pueden ser el primer desafío a enfrentar. Así empieza el trayecto, que toma aproximadamente cinco horas y se transforma en el escenario perfecto para disfrutar de[10] la velocidad, la adrenalina y la naturaleza. "No puedo describir lo que he sentido, es emocionante, definitivamente hay que vivirlo, se lo recomiendo a todos", dice Thomas, un turista inglés, minutos después de terminar los 64 kilómetros del recorrido. Luego sonríe y celebra junto a sus compañeros, levantando los brazos y gritando victoria.

Texto y fotografía: María Teresa Ardaya / *Punto y coma*

[7]summit, [8]support, [9]elevation, [10]enjoy

DESPUÉS DE LEER

1. Resume las ideas principales del texto usando las preguntas de la estrategia de lectura (pág. 430). Es posible que no haya respuestas a todas las preguntas en el texto. ¿Anticipaste algunas ideas correctamente?

2. Ahora, responde a estas preguntas sobre el texto:
   - ¿Por qué es peligrosa la ruta por el Camino de la Muerte?
   - Además del sentido de aventura, ¿qué otros atractivos ofrece esta excursión en bicicleta?
   - Esta ruta sólo se puede hacer con una agencia especializada. ¿Qué ofrecen estas agencias?

3. ¿Te gustaría hacer esta ruta en el Camino de la Muerte? ¿Por qué? ¿Hay otra actividad de aventura que te gustaría hacer? Si no, ¿qué tipo de actividades prefieres durante tus vacaciones?

PARA CONVERSAR: Una excursión

Piensas hacer una excursión con unos compañeros de clase durante las vacaciones de verano. Una persona quiere hacer rafting en alguno de los ríos mencionados en la página 411, otra persona sugiere una visita a las *Cabañas Bataburo* en la selva de Ecuador (página 425) y otra desea hacer el tour en bicicleta por el *Camino de la muerte*. Trata de convencer a tus compañeros de que la excursión que tú sugieres es la mejor.

PALABRAS ÚTILES

Creo que les va a gustar _____ porque...
Consideren las ventajas de _____.
Me parece que a todos nos va a gustar _____ porque...

Dicho y hecho

Carta #1

Hola, me llamo Francisco y quiero ir a un país con muchos bosques y quizás rocas para escalar. Me interesa un viaje ecológico que no deje una fuerte huella de carbono (*carbon footprint*) porque me molesta hacerle daño a la naturaleza. Quiero conocer un país de Centroamérica. ¿Qué me recomiendan ustedes?

Carta #2

Mi nombre es Elena y me encanta la naturaleza. Me gusta mucho hacer rafting y estoy muy orgullosa de haber descendido ríos de clase 4. También me gusta acampar, pero no quiero escalar ni dar caminatas muy largas. No tengo pasaporte, así que no puedo salir del país. Gracias por su ayuda.

Carta #3

Soy Tim y a mi esposa y a mí nos gusta pescar, bucear y montar a caballo. No nos gusta montar en bicicleta ni hacer surf. Los padres de mi esposa, Shari, eran de Jamaica y nos da mucha pena que nunca haya visitado su país, así que queremos viajar a algún lugar del Caribe para después ir a Jamaica.

PARA ESCRIBIR: Una carta

Eres agente de viajes y recibiste estas tres cartas de personas a quienes les gustan mucho las aventuras al aire libre. Vas a elegir <u>una</u> carta y escribir una respuesta en la que recomiendas un viaje adecuado para ese/a cliente/a.

ANTES DE ESCRIBIR

Piensa en <u>los lugares</u> y <u>las actividades</u> que vas a recomendar y los que no vas a recomendar para tu cliente y anota tus razones en tu cuaderno o en una hoja de papel.

ESTRATEGIA DE REDACCIÓN

Getting your reader's attention When writing something like a letter that offers your opinions or suggestions, the idea is to persuade the reader to agree with you and follow your advice. Getting your reader's attention right from the start can help you achieve this goal. One way to get the reader's attention is to begin your letter in an unexpected way. Here are some examples:

- Begin with an interesting detail: *Muchos de los remedios y medicamentos que usted tiene en la casa en este momento tienen su origen en la selva amazónica.*
- Begin with a short annecdote: *En un viaje reciente a Costa Rica, a mi tía la siguió el mismo monito* (little monkey) *durante tres días.*
- Begin with a question: *¿Alguna vez pensó que su visita a un lugar puede dañar* (harm) *el medio ambiente?*
- Begin with figurative language: *Una excursión a un parque ecológico le recarga las baterías.*

Use one of these, or your own unique way of getting your reader's attention.

A ESCRIBIR

Escribe una primera versión de tu carta. Usa Internet para buscar detalles sobre el lugar o los lugares que vas a recomendar. Trata de llamar la atención al comienzo del texto, siguiendo las ideas de la sección *Estrategia de redacción*.

Para escribir mejor

Recuerda que las estructuras para hacer recomendaciones y dar opiniones con el subjuntivo pueden ayudarte mucho con la carta, y que también debes escribir tu carta con la forma *usted* porque no conoces a la persona a quien te diriges.

(No) Le recomiendo/aconsejo... que... (vaya, considere...)

(No) Creo/Pienso/Es posible... que... (tenga, usted pueda...)

DESPUÉS DE ESCRIBIR

Revisar y editar: La organización. Después de escribir el primer borrador de tu carta, déjalo a un lado por un mínimo de un día sin leerlo. Cuando vuelvas a leerlo, corrige el contenido, la organización, la gramática y el vocabulario. Hazte estas preguntas:

☐ ¿Empiezo la carta llamando la atención?

☐ ¿Describo las actividades que recomiendo de forma clara y con muchos detalles?

☐ ¿Tiene cada párrafo una oración principal y tienen todas las ideas de cada párrafo relación con la oración principal?

☐ ¿Revisé la gramática, especialmente el uso del subjuntivo y de las preposiciones *para* y *por*?

PARA VER Y ESCUCHAR: Ollantaytambo: parque nacional en peligro

ANTES DE VER EL VIDEO

1. El Parque Arqueológico de Ollantaytambo está en la ruta entre Cuzco y Machu Picchu.
   Esto quiere decir que está en: ☐ Bolivia   ☐ Perú   ☐ Costa Rica
   y que tiene influencia cultural de: ☐ los mayas   ☐ los aztecas   ☐ los incas

2. El título de este video es *Ollantaytambo: parque nacional en peligro.* Dado el enfoque de este capítulo, ¿cuál crees que va a ser el peligro que enfrenta (*faces*) este lugar?

A VER EL VIDEO

ESTRATEGIA DE COMPRENSIÓN

Monitoring your comprehension As you listen to and watch the video, you will notice that there are three main themes. A good strategy is to watch the entire segment, then during the second viewing, pause to jot down a brief summary or list of ideas and words within each theme. Monitoring your comprehension as you go helps ensure that you will have understood the main ideas of the entire video.

DESPUÉS DE VER EL VIDEO

1. ¿Cierto o falso? Ollantaytambo es un pueblo y también un parque nacional.

2. Indica todo lo que hace mucha gente hoy, igual que hace 500 años, en Ollantaytambo.   ☐ la ropa   ☐ la agricultura   ☐ las casas

3. Elige uno de los siguientes peligros y describe el problema específico que enfrenta Ollantaytambo:
   - la contaminación (trenes y autobuses)
   - el calentamiento global (los nevados, el agua)
   - la deforestación (construcción de hoteles, etc.)

Repaso de vocabulario activo

Adjetivos

emocionante   *exciting*
peligroso/a   *dangerous*

Palabras y expresiones útiles

a causa de   *because of*
para   *for, in order to, toward, by*
por   *for, because of, during, through, on behalf of, along*

Sustantivos

La naturaleza   *Nature*

el agua   *water*
la arena   *sand*
el bosque   *forest*
el castillo de arena   *sand castle*
la catarata/la cascada   *waterfall*
el cielo   *sky*
la colina   *hill*
el desierto   *desert*
la estrella   *star*
la fogata   *campfire*
el fuego   *fire*
la granja   *farm*
la hierba   *grass*
la isla   *island*
la luna   *moon*
el mar   *sea*
el océano   *ocean*
la ola   *wave*
el relámpago   *lightning*
el río   *river*
la selva   *jungle, rain forest*
el sol   *sun*
la tierra   *earth, land*
la tormenta   *storm*
el valle   *valley*

Los animales y los insectos

la araña   *spider*
el caballo   *horse*
el cerdo   *pig*
la gallina   *hen, chicken*
la mariposa   *butterfly*
la mosca   *fly*
el mosquito   *mosquito*
el pájaro   *bird*
el pez (los peces)   *fish*
la serpiente   *snake*
la vaca   *cow*

Aventuras y otras palabras

al aire libre   *outdoors*
el alpinismo/el andinismo   *mountain climbing*
la aventura   *adventure*
la balsa   *raft*
el barco   *ship*
el bote   *boat*
la cámara   *camera*
el campamento   *camp*
el ciclismo de montaña   *mountain biking*
el crucero   *cruise*
el kayak   *kayak*
el saco de dormir   *sleeping bag*
la tienda de campaña   *tent*

El medio ambiente
The environment

la basura   *garbage*
el calentamiento global   *global warming*
la capa de ozono   *ozone layer*
la contaminación   *pollution*
la deforestación   *deforestation*
la destrucción   *destruction*
la escasez   *scarcity, shortage*
la especie animal   *animal species*
la extinción   *extinction*
la gasolina   *gas*
el incendio forestal   *forest fire*
la lluvia ácida   *acid rain*
el mundo   *world*
el pesticida tóxico   *poisonous pesticide*
el planeta   *planet*
el problema   *problem*
el recurso natural   *natural resource*
la sequía   *drought*

Verbos y expresiones verbales

acampar   *to go camping*
bucear   *to scuba dive*
conservar   *to save, conserve*
contribuir (irreg.)   *to contribute*
dar una caminata   *to hike*
desperdiciar   *to waste*
destruir (irreg.)   *to destroy*
dudar   *to doubt*
encantar   *to be very pleasing, delight, love, enchant*

escalar una montaña   *to climb a mountain*
estar de vacaciones   *to be on vacation*
estar seguro/a (de)   *to be sure of*
evitar   *to avoid*
fascinar   *to be fascinating, fascinate*
hacer esnórquel   *to snorkel*
hacer surf   *to surf*
hacer un viaje en barco/crucero   *to go on a boat/cruise*
importar   *to be important, matter*
interesar   *to be interesting, interest*
ir(se) de vacaciones   *to go on vacation*
molestar   *to be annoying, bother*
montar a caballo   *to ride a horse*
nadar   *to swim*
pescar   *to fish*
practicar el balsismo/el rafting   *to go rafting*
practicar el parasail   *to parasail*
prevenir   *to prevent*
proteger   *to protect*
reciclar   *to recycle*
recoger   *to pick up, gather*
reducir   *to reduce*
remar   *to row*
sacar/tomar fotos   *to take photos*
saltar en paracaídas   *to go parachute jumping*
tener miedo   *to be afraid*

Autoprueba y repaso

I. *Para* and *por*. Indica lo que hiciste el verano pasado. Completa las oraciones con la forma **yo** del verbo en el pretérito y *por* o *para*. Sigue el modelo.

Modelo: trabajar / el Banco Nacional
Trabajé para el Banco Nacional.

1. trabajar / poder ir a Costa Rica
2. salir / Costa Rica el 6 de agosto
3. estar allí / un mes
4. viajar / todo el país
5. comprar un libro sobre los bosques nubosos / mi madre
6. comprarlo / tres mil colones

II. The subjunctive with expressions of doubt or negation.

A. Escribe tus reacciones.

Modelo: dudar / que la balsa / pasar por ese cañón
Dudo que la balsa pase por ese cañón.

1. no creer / que ustedes / encontrar el remo
2. es posible / que el guía / no saber hablar español
3. dudar / que los kayaks / llegar a tiempo
4. no estar seguro/a de /que (nosotros) / estar remando bien
5 no creer /que (tú) / poder ir con nosotros

B. Contesta las preguntas.

Modelo: ¿Tiene Roberto la tienda de campaña? (creer)
Creo que la tiene.
¿Tiene el mapa? (no creer)
No creo que lo tenga.

1. ¿Cuesta el viaje más de doscientos dólares? (pensar)
2. ¿Hay un problema serio? (no creer)
3. ¿Es muy larga la caminata al río? (dudar)
4. ¿Son los guías buenos? (es probable)
5. ¿Vienen con nosotros nuestros amigos? (estoy seguro/a de)

III. *Se* + verb constructions. Completa las siguientes oraciones.

Modelo: En España _____ castellano, catalán, vasco y gallego. (hablar)
En España se hablan castellano, catalán, vasco y gallego.

1. En Centroamérica _____ arroz y frijoles. (comer)
2. En Argentina _____ tango. (bailar)
3. En México se _____ muchas lenguas indígenas. (hablar)
4. En Puerto Rico _____ bomba. (bailar)
5. En Cuba _____ muchas frutas tropicales. (producir)
6. En Centroamérica _____ café de gran calidad. (cultivar)

IV. *Repaso general.* Contesta con oraciones completas.

1. ¿Qué actividades o deportes al aire libre te interesan más?
2. ¿Dónde no crees que puedas pasar unas buenas vacaciones: en la selva, en las montañas o en una granja? ¿Por qué?
3. ¿Has viajado mucho? ¿A dónde has viajado? ¿A qué lugares fuiste? ¿Para qué? ¿A dónde más quieres ir? ¿A dónde es probable que vayas en el futuro?
4. ¿Piensas que estamos haciendo suficiente para proteger el medio ambiente? En tu opinión, ¿qué es importante que hagamos?
5. ¿Cómo crees que será la situación del medio ambiente en 10 años? ¿Qué te parece probable, posible o imposible para entonces?

V. *Cultura.*

1. ¿Por qué se llaman *ticos* las personas de Costa Rica?
2. ¿Qué tipo de turismo se practica mucho en Costa Rica? ¿Cómo se describe?
3. Explica uno de los siguientes temas relacionados con Costa Rica.
- la esferas de piedra
- Irazú
- "La negrita"

Las respuestas de *Autoprueba y repaso* se pueden encontrar en el **Apéndice 2.**

De viaje

Así se dice

De viaje
  Se van de viaje
En el hotel y en la estación
  En el hotel
  En la estación

Así se forma

1. The subjunctive with impersonal expressions (A summary)
2. The subjunctive with indefinite entities
3. *Hacer* in time constructions

Cultura

- Guatemala y El Salvador
- El alojamiento en el mundo hispano

Dicho y hecho

Para leer:
Maravillas iberoamericanas

Para conversar:
¡Problemas en el viaje!

Para escribir:
Un nuevo alojamiento

Para ver y escuchar:
Alojamientos en España

By the end of this chapter you will be able to:

- Talk about travel and carry out simple travel transactions
- State recommendations, emotional reactions, and doubts through impersonal expressions
- Refer to unspecified or nonexistent persons and things
- Indicate how long an action has been going on, or how long ago it happened

ENTRANDO AL TEMA

1. Cuando viajas, ¿qué medio de transporte prefieres? ¿Prefieres un hotel de lujo o un pequeño hotel familiar?

2. ¿Sabes qué porcentaje de la población de Guatemala es de origen maya?

De viaje

Así se dice

De viaje

la aerolínea

el vuelo

la llegada

despegar

el aeropuerto

AeroSA

VUELO	SALIDA	LLEGADA
901 Quito	8:15	
515 San Salvador	9:05	
782 Guatemala	DEMORA	
701 Lima	11:45	

aterrizar

la salida

el horario

el avión

la puerta de salida

1   **2**

el boleto/el billete

la demora

la tarjeta de embarque

despedirse de

facturar

el pasajero/ la pasajera

el maletín

el/la piloto

la maleta

tener prisa

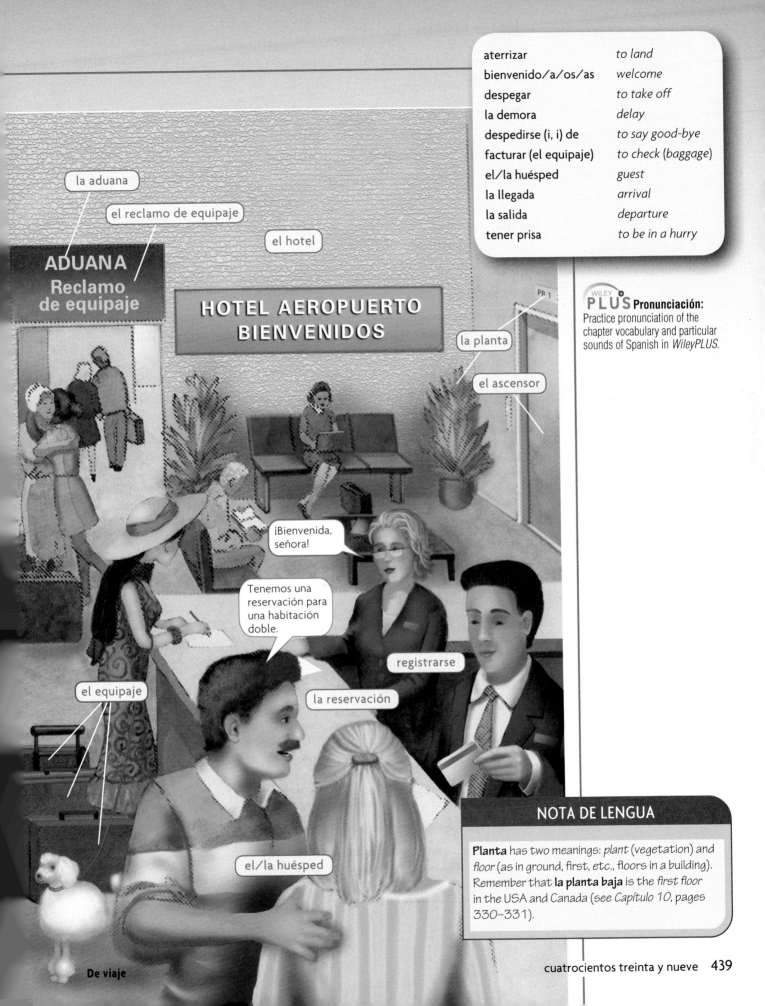

la aduana

el reclamo de equipaje

el hotel

la planta

el ascensor

ADUANA
Reclamo
de equipaje

HOTEL AEROPUERTO
BIENVENIDOS

aterrizar	*to land*
bienvenido/a/os/as	*welcome*
despegar	*to take off*
la demora	*delay*
despedirse (i, i) de	*to say good-bye*
facturar (el equipaje)	*to check (baggage)*
el/la huésped	*guest*
la llegada	*arrival*
la salida	*departure*
tener prisa	*to be in a hurry*

WILEY PLUS+ **Pronunciación:**
Practice pronunciation of the
chapter vocabulary and particular
sounds of Spanish in *WileyPLUS*.

¡Bienvenida,
señora!

Tenemos una
reservación para
una habitación
doble.

registrarse

la reservación

el equipaje

el/la huésped

NOTA DE LENGUA

Planta has two meanings: *plant* (vegetation) and
floor (as in ground, first, etc., floors in a building).
Remember that **la planta baja** is the *first floor*
in the USA and Canada (see *Capítulo 10*, pages
330–331).

De viaje

13-1 Conexiones.

Paso 1. Lee las palabras del cuadro y empareja las palabras que, en tu opinión, están relacionadas.

aterrizar	el/la piloto	el boleto	el ascensor	el hotel
el avión	el/la huésped	el/la pasajero/a	el equipaje	la computadora portátil
la maleta	despegar	el aeropuerto	el maletín	la tarjeta de embarque

Modelo: el boleto
          la tarjeta de embarque

 Paso 2   Ahora, compara tus asociaciones con un/a compañero/a. ¿Son similares o diferentes? Explica las asociaciones.

Modelo: **Para mí el boleto y la tarjeta de embarque están relacionados porque los dos son de papel/porque los necesitas para viajar en avión.**

13-2 Hablando de viajar.
En parejas, tomen turnos entrevistándose. Lee las preguntas a tu compañero/a y anota sus respuestas. Pide más detalles (ejemplos, explicar por qué, etc.).

Estudiante A

1. ¿Cuántas veces has viajado en avión? ¿A qué lugares?

2. ¿Te gusta viajar en avión o te da miedo volar?

3. ¿Cuál es tu parte favorita del viaje? ¿Qué no te gusta? ¿Te gusta despegar? ¿Y aterrizar?

4. ¿Qué aerolínea prefieres?

5. ¿Conoces varios aeropuertos? ¿Cuáles son? ¿Qué aeropuerto te gusta menos? ¿Por qué?

Estudiante B

1. ¿Has tenido una demora en algún viaje? ¿Cuánto tiempo tuviste que esperar? ¿Qué hiciste?

2. ¿Ha perdido la aerolínea tu equipaje alguna vez?

3. ¿Ha habido algún pasajero problemático cerca de ti? ¿Qué hacía?

4. ¿Has sido huésped en algún hotel? ¿Dónde?

5. ¿Quién hizo las reservas? ¿Llevaste tu equipaje a la habitación o lo llevó un botones?

Se van de viaje

Antes del viaje, los estudiantes van a **sacar los pasaportes** en la oficina de correos...

... y hacer las maletas/empacar.

el/la asistente de vuelo

Cuando **suben al** avión, ¿quiénes los saludan?

la ventanilla

el asiento

el pasillo

Camila prefiere el asiento de la **ventanilla,** Rubén prefiere el del **pasillo.** Todos **se abrochan el cinturón. Parece que** les gusta **volar.**

Ahora, después de hacer escala en México, **bajan del avión** en Guatemala. Van a **disfrutar de** su viaje, ¿verdad? ¿A qué **países** has viajado tú?

abrocharse	*to fasten*	**el país**	*country*
disfrutar (de)	*to enjoy (something)*	**parecer (que)**	*to seem (that)*
hacer escala	*have a layover*	**volar (ue)**	*to fly*

NOTA DE LENGUA

Many words take the prefix **des-** to indicate something is undone or reversed. Some examples that apply to travel are:

desabrocharse (el cinturón)	*to unfasten one's seatbelt*
deshacer (el equipaje)	*to unpack*

13-3 ¿Antes, durante o después?

Paso 1. Decide si las siguientes actividades normalmente se hacen antes, durante o después de un vuelo.

	Antes del vuelo	Durante el vuelo	Después del vuelo
llegar al aeropuerto			
abrocharse el cinturón de seguridad			
despedirse de la asistente de vuelo			
sacar el pasaporte			
pedirle un refresco al asistente de vuelo			
enviar una tarjeta postal			
esperar porque hay una demora			
facturar el equipaje			
registrarse en el hotel			
ir a la puerta de salida con la tarjeta de embarque			
hacer escala			

Paso 2. Ahora, imagina que tienes una sobrina que va a viajar por primera vez en avión. Elige cuatro de las actividades mencionadas arriba y escribe recomendaciones para tu sobrina con las siguientes frases. Puedes añadir detalles a tus recomendaciones. ¡Recuerda que debes usar el subjuntivo!

> Te recomiendo que...   Te sugiero que...   Te aconsejo que...

Modelo: Te recomiendo que llegues al aeropuerto dos horas antes de tu vuelo.

13-4 Mis preferencias.

Paso 1. Escribe un párrafo describiendo lo que más te gusta y lo que menos te gusta de viajar en avión.

Modelo: Lo que más me gusta es empacar las maletas porque…
Lo que menos me gusta son las demoras y hacer escala porque…

 Paso 2. Comparte tus respuestas con un/a compañero/a y después, con toda la clase. ¿Hay algunas cosas que mencionaron muchas personas?

SITUACIONES

Estás en un vuelo internacional y quieres dormir porque estás muy cansado/a. El/La pasajero/a a tu lado quiere conversar contigo. Intenta evitar la conversación sin ser grosero/a (*rude*). Primero, él/ella se presenta (**Hola. Me llamo… ¿Y tú?…**).

Así se forma

1. The subjunctive with impersonal expressions (A summary)

Use the subjunctive in clauses that follow impersonal expressions formed with the verb **ser.**

> **Es** + *importante/bueno/necesario...* + **que** + subjuntivo

> Es fenomenal que podamos visitar Guatemala por un mes, ¿verdad?

- to express wishes, recommendations, and requests for someone else to do something or something to happen:

es bueno/buena idea	*it's good/a good idea*
es importante	*it's important*
es mejor	*it's better*
es necesario/es preciso	*it's necessary*
es urgente	*it's urgent*

Go to *WileyPLUS* and review the Animated Grammar Tutorial and Verb Conjugator for this grammar point.

Es importante que **hagas** la reservación.

It's important that you make the reservation.

- to express emotional reactions to the actions or conditions of another person or thing:

es extraño	*it's strange*
es fantástico/fenomenal	*it's wonderful*
es horrible	*it's horrible*
es ridículo	*it's ridiculous*
es una lástima	*it's a shame*
no es justo	*it's unfair*

Es una lástima que **te vayas** tan temprano.

It's a shame that you are leaving so early.

- to express doubts and uncertainties:

es imposible	*it's impossible*
es improbable	*it's improbable*
es posible	*it's possible*
es probable	*it's likely*

Es posible que **perdamos** la conexión en Miami.

It's possible that we'll miss the connection in Miami.

Remember that if there is no specific subject after the impersonal expression, the infinitive is used instead of **que** + *subjunctive*.

Es necesario ir al aeropuerto temprano.

It's necessary to go to the airport early.

Es necesario **que vayamos** al aeropuerto temprano.

*It's necessary **for us to/that we go to** the airport early.*

Note that expressions such as **es verdad, es cierto,** and **es obvio** used affirmatively <u>require the indicative</u>, not the subjunctive, as they introduce factual vs. subjective statements.[1]

Es verdad/cierto que **hace** calor en San Salvador en el verano.

*It's **true** that it **is** hot in San Salvador in the summer.*

Es obvio que Carmen **necesita** un ventilador.

*It's **obvious** that Carmen **needs** a fan.*

(13-5) Los primeros días de Esteban en la Ciudad de Guatemala. Basándote en los dibujos, dile a Esteban lo que piensas que debe hacer. Atención: Algunas expresiones requieren el subjuntivo y otras no.

Modelo: Es obvio que… Es importante que…
Es obvio que estás muy cansado porque anoche saliste con tus amigos, pero es importante que te levantes para ir a clase.

1. Es verdad que…
Es necesario que…

El lunes tengo un examen sobre los mayas.

2. Es obvio que…
Es mejor que…

3. Es probable que…
Es bueno que…

Restaurante Guatemala

4. Es bueno que…
Es mejor que…

Los Mayas

5. Es buena idea que…
Es obvio que…

Los mayas

6. (…)

---

[1]Note that when the statement is negative, the subjunctive is used: **No es verdad/cierto** que **haga** calor en San Salvador. **No es obvio** que Carmen **necesite** un ventilador.

13-6 **¡Qué situación!** Las vacaciones de primavera están cerca y el periódico de la universidad necesita una sección sobre cómo reaccionar en situaciones problemáticas. En grupos de cuatro, escriban sus reacciones y consejos para cada situación con expresiones de la lista.

Es posible/imposible que...	Es urgente que...	Es importante/necesario que...
Es una lástima que...	Es obvio que...	Es cierto/verdad que...

1. Me voy de viaje mañana y ¡no puedo encontrar mi pasaporte!
   Es obvio que… En primer lugar, es importante que… Es urgente que…

2. Tengo que salir para el aeropuerto en veinte minutos y ¡no estoy listo/a!

3. Estoy en el aeropuerto y anuncian que el vuelo tiene una demora de cinco horas.

4. Estoy en el avión y el piloto anuncia que vamos a pasar por una zona de tormenta y que el avión tiene problemas mecánicos.

5. Estoy en la aduana y la inspectora sospecha que tengo algo ilegal en la maleta.

6. Estoy en un hotel y descubro que en el baño no hay agua caliente y que hay una araña en la cama.

 13-7 **Un vuelo en la aerolínea Buena Suerte.** En parejas, imaginen que vuelan juntos en el vuelo 13 con destino a Antigua, Guatemala. Este vuelo tiene algunas "sorpresas". Primero, el/la Estudiante A lee sus opiniones y el/la Estudiante B escucha y reacciona con oraciones completas. Después, cambien los papeles (*switch roles*).

Modelo: Estudiante A: Es interesante que no haya asientos reservados.
Estudiante B: **Sí, sí, es interesante que no haya asientos reservados.**
O, **¿Interesante? ¡Es ridículo que no haya asientos reservados!**

Estudiante A
1. Es extraño que la asistente de vuelo no dé instrucciones.
2. Es posible que el asistente de vuelo sirva langosta.
3. Es bueno tener películas en español.
4. Es emocionante que haya muchas turbulencias.
5. Es obvio que este vuelo es un poco diferente.

Estudiante B
1. Es mejor tener asientos pequeños.
2. Es posible fumar en el baño.
3. Es verdad que un bebé está llorando.
4. Es fenomenal que el piloto esté tomando un cóctel.
5. Es probable que no vuele con la aerolínea en el futuro.

13-8 **Un hotel terrible.** Durante tus últimas vacaciones, tu experiencia en el hotel fue terrible. Escribe una carta al director del hotel explicando lo que pasó y expresando tu indignación. Usa expresiones impersonales.

Estimado Señor Director:

Le escribo para expresar mi indignación por la terrible experiencia que tuve en su hotel durante mis últimas vacaciones…

(Es ridículo que…/Es imposible que…, etc.)

Deben ustedes mejorar su servicio. (Es necesario que…/Es importante que…)

Atentamente,

PLUS **Map quizzes:** As you read about places highlighted in red, find them on the map. Learn more about and test yourself on the geography of the Spanish-speaking world in *WileyPLUS*.

Antes de leer

Estudia el mapa para contestar las preguntas. Indica si la frase se refiere a Guatemala, El Salvador o los dos.

	Guatemala	El Salvador	Los dos
1. Tiene cuatro países vecinos.	☐	☐	☐
2. Su capital tiene un nombre igual o muy similar al nombre del país.	☐	☐	☐
3. Es el país más pequeño de Centroamérica.	☐	☐	☐
4. Tiene costa en el océano Pacífico solamente.	☐	☐	☐
5. Las famosas ruinas de Tikal se encuentran aquí.	☐	☐	☐

MÉXICO

▲ Tikal

Nacionalidades:
guatemalteco/a
salvadoreño/a

BELICE

Mar Caribe

GUATEMALA

Antigua ● Guatemala

HONDURAS

Océano Pacífico

San Salvador

EL SALVADOR

América Central

Guatemala y **El Salvador** forman parte de Centroamérica y tienen un clima y una geografía similares. Sus tierras son muy fértiles y fáciles de cultivar y ambos países tienen volcanes.

El clima de la región es agradable, pero los huracanes y las tormentas son comunes. En 1998, el huracán Mitch causó grandes daños (*damages*) en toda el área.

Rigoberta Menchú ▶

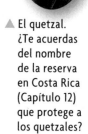

GUATEMALA

La mitad de la población guatemalteca es de origen maya. Por eso, Guatemala tiene la cultura indígena más dinámica de todos los países centroamericanos. Las ruinas mayas más impresionantes están en Tikal, en la selva guatemalteca.

Las ruinas de Tikal

Originalmente, la capital del país era la ciudad de **Antigua**. Después de varios terremotos (*earthquakes*) catastróficos, la capital fue trasladada (*moved*) a la **Ciudad de Guatemala**. Hoy en día, Antigua es un importante destino turístico por la belleza de su paisaje (*landscape*) y su arquitectura colonial.

En la década de 1960, la lucha entre grupos revolucionarios y el ejército nacional desató (*initiated*) una guerra civil que duró más de 30 años. Rigoberta Menchú, una mujer maya cuyos familiares murieron durante la guerra, ganó el Premio Nobel de la Paz por contribuir a poner fin a los treinta y seis años de guerra civil en Guatemala. En 1996 se puso en marcha un plan para alcanzar la reconciliación y, finalmente, la paz. Hoy en día, el país goza de un gobierno y elecciones democráticas.

Antigua, Guatemala

La moneda oficial de Guatemala es el quetzal, nombre del pájaro que también aparece en la bandera del país.

▲ El quetzal. ¿Te acuerdas del nombre de la reserva en Costa Rica (Capítulo 12) que protege a los quetzales?

◀ El lago Atitlán y el volcán del mismo nombre son visitados por miles de turistas cada año.

EL SALVADOR

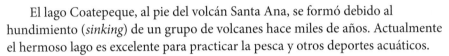

El Salvador es el país más pequeño de Centroamérica y también el más poblado. Allí viven más de 6 millones de personas en 8,124 millas cuadradas (21,040 kilómetros cuadrados). También tiene impresionantes volcanes. El volcán Izalco permaneció activo entre 1770 y 1966.

De 1980 a 1992 el país vivió una terrible guerra civil que se cobró unas 75,000 vidas. Durante ese tiempo, muchos salvadoreños salieron del país para mudarse a Estados Unidos. Hoy en día, El Salvador tiene un gobierno democrático.

▲ El volcán Izalco

El lago Coatepeque, al pie del volcán Santa Ana, se formó debido al hundimiento (*sinking*) de un grupo de volcanes hace miles de años. Actualmente el hermoso lago es excelente para practicar la pesca y otros deportes acuáticos.

El Salvador se encuentra en el Anillo de Fuego del Pacífico y está sujeto a frecuentes terremotos y actividad volcánica. El terremoto de 1986 dejó 1,500 muertos, 10,000 heridos y 60,000 viviendas destruidas. El 13 de enero de 2001, un terremoto de 7.6 en la escala de Richter resultó en la muerte de más de 900 personas y un mes después, en un nuevo terremoto, murieron otras 300 personas y 20% de las viviendas (*housing*) del país fueron destruidas. En 2005, la erupción del volcán Santa Ana causó la muerte de 2 personas.

Hoy en día, el país está más tranquilo. Muchos salvadoreños han emigrado a otros países y en 2006, el dinero que enviaron a El Salvador representó el 16% del producto interno bruto (*GDP*). En 2001, El Salvador sustituyó su moneda nacional, el colón salvadoreño, por el dólar estadounidense.

El lago Coatepeque

Después de leer

1. Decide a qué país le corresponde cada oración: El Salvador, Guatemala o los dos.

	El Salvador	Guatemala	Los dos
a. El 50% del país es de origen maya.	☐	☐	☐
b. Hoy en día tiene un gobierno democrático.	☐	☐	☐
c. La moneda oficial es el dólar estadounidense.	☐	☐	☐
d. Una mujer de este país ganó el Premio Nobel.	☐	☐	☐
e. La bandera es azul y blanca.	☐	☐	☐
f. Tiene volcanes y lagos famosos.	☐	☐	☐

2. ¿Conoces otro lugar que se encuentra en el Anillo de Fuego del Pacífico? ¿También ha sufrido terremotos como El Salvador?

Así se dice

En el hotel y en la estación

En el hotel

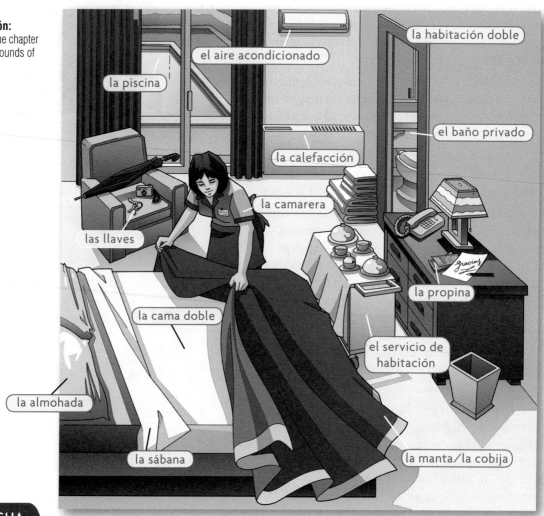

la habitación doble
el aire acondicionado
la piscina
el baño privado
la calefacción
la camarera
las llaves
la propina
la cama doble
el servicio de habitación
la almohada
la sábana
la manta/la cobija

NOTA DE LENGUA

Note the difference between **salir** (*to leave, go out*) and **dejar** (*to leave something behind*): Camila **salió** de su habitación y **dejó** el paraguas.

Los huéspedes han salido a visitar la ciudad. **Dejaron** una nota y **una propina** para **la camarera** y también dejaron olvidadas otras cosas: **las llaves**, la cámara y un paraguas.

dejar	*to leave, to leave behind*
(habitación/cama) sencilla/doble	*single/double (room/bed)*
el hostal	*hostel*
el hotel de (tres/cuatro...) estrellas	*(three-/four-...) star hotel*
la pensión	*guesthouse*

13-9 **Buscan hotel.** Imaginen que van a ir a Antigua, Guatemala, para participar en un curso intensivo de español y necesitan hacer reservaciones en un hotel.

Paso 1 Indica la importancia que los siguientes servicios y características de un hotel tienen para ti.

	Indispensable	Importante	Conveniente	No me importa
baño privado				
cambio diario de toallas y sábanas				
servicio de habitación				
servicio diario de camarera				
servicio de lavandería				
teléfono privado				
aire acondicionado				
televisión con cable				
minibar				
acceso a Internet				
piscina				

 Paso 2. Compara tus respuestas con dos compañeros/as y después con toda la clase. Decidan, como grupo, quiénes son viajeros de cinco estrellas, viajeros de tres estrellas y viajeros económicos.

13-10 **¿Hotel Best Eastern u Hostal Las Flores?** Tú y tu amigo/a buscan un hotel para alojarse durante su estancia en Guatemala. Cada uno/a tiene información sobre un hotel diferente, así que hablan por teléfono para compartir sus datos y tomar una decisión.

Paso 1.

Estudiante A: Lee la información sobre el Hotel Best Eastern y marca las características más interesantes.

El **Hotel Best Eastern** está ubicado en el centro de la ciudad y le ofrece un ambiente agradable y la comodidad necesaria para hacer su estancia placentera. Nuestras habitaciones están completamente equipadas y decoradas con elegancia, y nuestros profesionales le ofrecen servicio personalizado:

- 152 habitaciones dobles
- Servicio de limpieza (diario)
- Baños privados con ducha
- Servicio de habitación 24 horas
- Aire acondicionado
- Piscina y gimnasio

- Teléfono e Internet en la habitación
- Restaurante: Eastern Grill
- Televisión
- Parqueo ($15/día)

Precio: $125/día

Estudiante B: Lee la información sobre el Hostal Las Flores y marca las características más interesantes.

Precio:
Suite: $95/día
Habitación sencilla: $70/día

El **Hostal Las Flores** se encuentra en una casa colonial en una tranquila área residencial de Antigua, a 15 minutos a pie del centro. Este pequeño hotel familiar se caracteriza por la atención personalizada, para que usted se sienta como en casa. Comience el día con el desayuno casero y café de Guatemala. Descanse en su habitación, disfrute del jardín o de la sala de estar donde puede ver la televisión o navegar por el Internet.

- 4 suites dobles con baños privados
- 6 habitaciones sencillas con baños compartidos
- Servicio de limpieza (dos veces/semana)

- Aire acondicionado en suites
- Sala común con televisión, teléfono, Internet
- Desayuno incluido; café disponible todo el día

Paso 2. Compartan la información más relevante sobre sus hoteles y háganse preguntas sobre otros detalles que les interesan; comparen las ventajas y desventajas de cada uno y decidan a qué hotel van a ir.

13-11 ¿Cómo se dice? Llamas al hotel y hablas con el/la recepcionista sobre los servicios que deseas. El problema es que has olvidado algunas palabras... Explica al/a la recepcionista lo que deseas *sin usar las palabras entre paréntesis;* el/la recepcionista identifica la palabra y confirma contigo, el/la cliente. Túrnense. ¡Atención! Cubran la parte de su compañero/a.

Modelo: una habitación (doble)

Estudiante A: **Deseo una habitación para dos personas.**

Estudiante B: **¿Quiere decir usted que desea una habitación doble?**

Estudiante A: **Sí, sí, una habitación doble.**

Estudiante A
1. una habitación (sencilla)
2. un baño (privado)
3. (la llave)
4. otra (almohada)

Estudiante B
1. otra (toalla)
2. otra (cobija)
3. el servicio (de habitación)
4. una (sábana) más

En la estación

PLUS Pronunciación: Practice pronunciation of the chapter vocabulary and particular sounds of Spanish in *WileyPLUS*.

el andén	*platform*
los aseos/el baño	*restroom(s)*
el boleto/el billete	
...de ida/sencillo	*one-way ticket*
...de ida y vuelta	*round-trip ticket*
perder (el tren/autobús)	*to miss (the train/bus)*
la taquilla	*ticket window*

13-12 ¿Cierto o falso? Escucha las siguientes afirmaciones e indica si son ciertas o falsas. Si son falsas, corrígelas para que sean ciertas.

Modelo: Oyes: La taquilla es el lugar donde subes al tren.
         Marcas: Falso
         Escribes: **El andén es el lugar donde subes al tren.**

	Cierto	Falso	
1.	☐	☐	_____
2.	☐	☐	_____
3.	☐	☐	_____
4.	☐	☐	_____
5.	☐	☐	_____

13-13 **Un viaje a Sevilla en el AVE.** Ustedes están en Madrid (España) y quieren viajar en el tren de alta velocidad (AVE). Lean esta descripción en un folleto (*brochure*) de RENFE (Red Nacional del Ferrocarriles Españoles).

AVE

Los trenes de alta velocidad AVE conectan Madrid con el sur y noreste de España. Estos trenes, con velocidades de hasta 360 km/h, ofrecen servicios tales como cafetería, tienda, canales para escuchar música, videos, pasatiempos para niños, aseos y acceso para silla de ruedas[1]. Puede viajar en clase Club, Preferente o Turista. La clase Club incluye aparcamiento, servicio de restaurante a la carta y servicio de bar en su asiento. Puede usted viajar con su mascota (perros pequeños y gatos), transportar su bicicleta y llevar una maleta y un maletín. Renfe[2] promete extrema puntualidad con demoras de sólo minutos. Si su tren se demora más de quince minutos, puede obtener la devolución de una parte del costo de su viaje.

Precios (en euros) de Madrid a:						
	Ciudad Real	**Córdoba**	**Sevilla**	**Zaragoza**	**Lleida**	**Barcelona**
Turista:	40.10	66.90	81.40	58.80	78.80	135.70
Preferente:	60.10	100.40	122.20	86.50	118.30	203.50
Clase Club:	72.10	120.50	146.50	103.80	141.90	244.20

[1]*wheelchair access,* [2]**Red Nacional de Ferrocarriles Españoles,** the Spanish National Railroad System

Parece interesante, ¿verdad? Ahora un/a estudiante hace el papel del empleado de la Renfe y el otro/la otra es el/la pasajero/a. Hagan las siguientes transacciones:

1. comprar un boleto para una de las ciudades que menciona el folleto
2. pedir información (sobre horario/ equipaje/ comida/ andenes/ aseos, etc.)
3. hablar de posibles demoras y tratar de resolver los problemas que puedan causar

Modelo: Empleado/a de Renfe: **Buenos días. ¿En qué puedo servirle?**
         Pasajero/a: **Deseo comprar…**
         Empleado/a: **Muy bien, señor/ita, aquí lo tiene. Cuesta...**

Cultura: El alojamiento (*lodging*) en el mundo hispano

Antes de leer

1. ¿Qué tipo de viajero eres?

2. ¿Prefieres un hotel de cinco estrellas, de dos estrellas o un hostal para jóvenes?

El Parador de Granada ▶

El mundo hispano les ofrece a todos los viajeros el alojamiento ideal para que su visita sea memorable. Para los empresarios o los turistas exigentes (*demanding*), todas las ciudades importantes cuentan con hoteles de calibre excepcional y cadenas reconocidas mundialmente, como los hoteles Meliá o Hilton. Para los trotamundos, los jóvenes con un presupuesto módico (*modest*) o los viajeros menos exigentes, hay hostales y pensiones (hoteles modestos, a veces en casas privadas) que son más "caseros" y económicos. Estos establecimientos no tienen los lujos o las comodidades de los grandes hoteles, pero en cambio (*on the other hand*) ofrecen la oportunidad de conocer mejor a los habitantes del lugar y de estar en un ambiente amigable.

Entre los hospedajes más bellos y pintorescos del mundo hispano están los paradores[1] nacionales o históricos. En España, algunos son antiguos monasterios, castillos o palacios. En la opulencia de la Alhambra, con vista a los Jardines del Generalife[2], se encuentra uno de los más bellos paradores de España: El Parador de Granada.

El sitio fue un antiguo convento franciscano donde reposaron los restos (*remains*) de los Reyes Católicos hasta 1521, año en que fueron trasladados a la catedral de Granada.

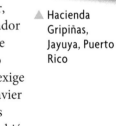

▲ Hacienda Gripiñas, Jayuya, Puerto Rico

Si dirigimos los ojos hacia América del Sur, Venezuela nos ofrece Los Frailes, un parador de excepcional belleza enclavado en lo alto de los Andes. Se trata de un antiguo monasterio convertido en hospedaje para el viajero que exige lo mejor. En México, el Hotel Parador San Javier era una hacienda en Guanajuato, pero hoy es patrimonio cultural del país. Puerto Rico también tiene un sistema de paradores por toda la isla.

No importa cuáles sean tus intereses o gustos, el mundo hispano te espera con un lugar especial para satisfacer tus necesidades y expectativas.

Parador Los Frailes, Venezuela ▼

De viaje

Después de leer

1. ¿Qué ofrecen los paradores que no tienen los grandes hoteles?

2. ¿Qué era anteriormente el Parador de Granada?

3. ¿Te gustaría pasar unos días en uno de estos paradores? ¿En cuál? ¿Por qué?

4. ¿Hay alojamientos similares a los paradores en tu país? ¿Cómo se llaman?

---

[1]Historical buildings transformed into luxurious hotels.
[2]The 14th century summer palace of the Moorish kings of Granada.

Así se forma

Prefiero una habitación que tenga una cama doble...

PLUS Go to *WileyPLUS* and review the Animated Grammar Tutorial and Verb Conjugator for this grammar point.

2. Talking about unknown or nonexistent persons or things: The subjunctive with indefinite entities

We use adjectives to describe or modify nouns, but often a description involves a complex idea that cannot be expressed with just one adjective, so we use an adjectival clause. Adjectival clauses are, therefore, subordinate clauses that modify a noun in the main clause. Compare the following examples:

Vamos a un hotel **lujoso.**   →   Vamos a un hotel **que tiene piscina y gimnasio.**
Busco un hotel **barato.**   →   Busco un hotel **que no cueste más de $100 al día.**

We use the *subjunctive* in adjectival clauses following **que** when the person or thing we refer to is either (1) *nonspecific* (*unidentified, hypothetical, unknown*) or (2) *nonexistent* in the mind of the speaker.

Busco un hotel que **cueste** menos de $100 al día.
*I'm looking for a hotel that **costs** less than $100 per day.*

Queremos un guía que **pueda** ayudarnos.
*We want a guide who **can** help us.*

Necesitamos un coche que **tenga** aire acondicionado.
*We need a car that **has** air-conditioning.*

In contrast, if the person or thing is *known, identified,* or *definitely exists* in the mind of the speaker, the *indicative* is used in the clause following **que.**

Me quedo en un hotel que **tiene** piscina y gimnasio.
*I am staying at a hotel that **has** a pool and a gym.*

Hay un agente que **puede** ayudarle.
*There is an agent who **can** help you.*

Alquilamos un coche que **tiene** aire acondicionado.
*We rented a car that **has** air-conditioning.*

If we are *asking whether someone/something exists* or *saying that someone/something does not exist,* we also use the *subjunctive.*

¿Hay alguien aquí que **pueda** ayudarnos?
*Is there someone here who **can** help us?*

No hay ningún hotel aquí que **tenga** piscina.
*There isn't any hotel here that **has** a pool.*

DICHOS

No hay mal que por bien no venga.

¿Puedes explicar el significado de este dicho en español?

13-14 **¿Hay o no hay?** Escucha las oraciones y decide si hay o no hay las cosas que se mencionan. Pon atención a la forma del verbo.

Modelo: Oyes: ...un pueblo en Guatemala que tiene ruinas mayas.
    Marcas: ☐ Sí hay... ☐ No hay...
    Oyes: ...una ciudad en Guatemala que sea tan grande como la Ciudad de Nueva York.
    Marcas: ☐ Sí hay... ☐ No hay...

1. ☐ Sí hay... ☐ No hay...
2. ☐ Sí hay... ☐ No hay...
3. ☐ Sí hay... ☐ No hay...
4. ☐ Sí hay... ☐ No hay...
5. ☐ Sí hay... ☐ No hay...
6. ☐ Sí hay... ☐ No hay...

13-15 **Un sondeo.**

Paso 1. En grupos de tres o cuatro personas, respondan a las preguntas del cuestionario y escriban el número de personas que contestan afirmativamente. Anoten también sus nombres y algún detalle interesante (por ejemplo: ¿Qué otro idioma hablan?).

¿En su grupo hay alguien...	Número	Nombre(s)	Detalles
1. ...que hable otro idioma*?			
2. ...que sepa pilotar un avión o un barco?			
3. ...que tenga boletos de tren o avión para un viaje?			
4. ...que venga a clase en autobús, metro o tren?			
5. ...que haga deportes de aventura?			
6. ...que piense ir a un país hispano pronto?			
7. ...que sea vegetariano/a?			
8. ...que esté comprometido/a o casado/a?			

* además de inglés y español

Paso 2. Compartan con la clase sus datos y los detalles más interesantes. Un/a secretario/a anota el número total de respuestas afirmativas en la pizarra.

Modelo: **En nuestro grupo no hay nadie que esté casado/a, pero sí hay una persona que está comprometida. Se va a casar en abril, ¡en una granja!**

13-16 **Preguntas personales.** En parejas, háganse las siguientes preguntas y anoten las respuestas. Escribe una pregunta más para hacerle a tu compañero/a.

Modelo: ¿Hay alguien en tu familia que… saber / hablar español?

Estudiante A: **¿Hay alguien en tu familia que *sepa* hablar español?**

Estudiante B: **Sí, mi tía *sabe*… O, No, no hay nadie en mi familia que *sepa*…**

Estudiante A
¿Hay alguien en tu familia que…
…tener / más de ochenta años? (¿Quién?)
…saber / tocar un instrumento? (¿Quién? ¿Qué instrumento?)
…conocer / una persona famosa? (¿Quién? ¿A quién?)
…haberse / graduado en esta universidad? (¿Quién? ¿Qué carrera estudió?)
…ser / muy interesante o especial? (¿Por qué?)

Estudiante B
¿Conoces a algún/alguna estudiante que…
…haber / sacado una "A" en todas sus clases? (¿Quién?)
…tomar / una clase muy original? (¿Quién? ¿Qué clase?)
…tener / más de cuarenta años?
…jugar / en uno de los equipos de la universidad?
…ser / muy interesante o especial? (¿Por qué?)

 13-17 **El mundo real y el mundo ideal.** Trabajen en grupos de tres. Su profesor/a les va a asignar un tema y van a comparar lo real y lo ideal con el mayor número de detalles posible. En cada grupo, un/a secretario/a escribe las oraciones. Al concluir, él/ella las comparte con la clase.

Modelo: Nuestros empleos

Tenemos empleos que son bastante aburridos / que no pagan mucho dinero… Queremos / Buscamos empleos que nos den un poquito más de dinero / que sean interesantes…

1. Nuestros/as profesores/as
2. Nuestras clases
3. Nuestros/as compañeros/as de cuarto
4. Nuestra residencia/nuestro apartamento
5. Nuestra universidad
6. Nuestra comunidad/ciudad

NOTA CULTURAL

La pupusa salvadoreña

The **pupusa** is the national dish of El Salvador. It is made with two corn tortillas filled with meat, beans, sometimes cheese, and normally has tomato salsa, **curtido** (pickled cabbage relish, similar to coleslaw or sauerkraut), and a bit of spicy chile.

VideoEscenas: Necesito descansar

▲ Cristina y Enrique buscan un hotel.

Paso 1. En tu opinión, ¿qué cosas esperas (*expect*) encontrar en cualquier hotel? ¿Y en un hotel de lujo (*luxury*)?

	En cualquier hotel	En un hotel de lujo
un secador de pelo	☐	☐
champú y gel de baño	☐	☐
una bata de baño (*bathrobe*)	☐	☐
un televisor	☐	☐
acceso a Internet	☐	☐
una cafetera	☐	☐
un reloj despertador	☐	☐
un reproductor de CD/DVD	☐	☐

Paso 2. Mira el video e indica si las siguientes afirmaciones son ciertas o falsas. Si son falsas, corrígelas.

	Cierto	Falso
1. Cristina y Enrique han reservado una habitación doble en el hotel.	☐	☐
2. Cristina y Enrique esperan muchos servicios y extras en un hotel.	☐	☐
3. La recepcionista les ofrece una habitación doble con muchos servicios.	☐	☐

Paso 3. ¿Recuerdas algunas de las cosas que quieren Enrique y Cristina? ¿Y recuerdas qué ofrece el hotel? Haz una lista con las cosas que pide Enrique, otra lista con cosas que pide Cristina y <u>subraya</u> las cosas que sí tiene el hotel. Después, mira el video otra vez para corregir y completar tus listas.

Enrique:

Cristina:

Así se forma

¿Cuánto tiempo hace que tienen su reservación?

Hace tres meses.

3. Indicating that an action has been going on for a period of time: *Hacer* in time constructions

WILEY PLUS Go to *WileyPLUS* and review the Verb Conjugator for this grammar point.

Hacer **to express an action that has been going on for a period of time**

Spanish uses a special construction to indicate that an action or condition started in the past is still going on.

> **hace** + *time* + **que** + present tense[1]

Hace dos días **que están** en Guatemala. *They **have been** in Guatemala **for** two days.*
Hace veinte minutos **que esperamos** el tren. *We **have been waiting** for the train **for** twenty minutes.*

To ask how long an action or condition has been going on, use the question:

> **¿Cuánto tiempo hace que** + *present tense?*

—**¿Cuánto tiempo hace que** Esteban estudia en la biblioteca? *How long has Esteban been studying at the library?*
—**Hace tres horas que está** allí. *He has been there for three hours.*

13-18 **¿Hace mucho o poco tiempo?** Lee las siguientes oraciones y escoge la respuesta más lógica. Usa la primera como modelo.

1. …Arturo está buscando un apartamento.
   ☑ Hace tres meses que…   ☐ Hace tres minutos que…

2. …Silvia espera a su amigo.
   ☐ Hace media hora que…   ☐ Hace dos semanas que…

3. …Carlos tiene un resfriado.
   ☐ Hace dos años que…   ☐ Hace dos días que…

4. …Miguel espera en el tráfico.
   ☐ Hace un mes que…   ☐ Hace cuarenta y cinco minutos que…

5. …Margarita navega en Internet.
   ☐ Hace quince minutos que…   ☐ Hace quince días que…

---

[1]In this construction, the word **hace** never changes.

13-19 **¿Cuánto tiempo hace?** ¿Cuánto tiempo hace que estas personas participan en las actividades? ¿En cuál de las situaciones te gustaría estar (*would you like to be*)?

Modelo: Hace dos horas que Javier trabaja en su proyecto de química.

Javier / dos horas

Inés / quince minutos

Linda y Manuel / media hora

Esteban / dos horas

Alfonso / una hora

Octavio / cuarenta minutos

Manuel / veinte minutos

13-20 **Entrevista.** En parejas, háganse las siguientes preguntas y compartan unos detalles más, como en el modelo.

Modelo:
Estudiante A: **¿Cuánto tiempo hace que estudias en la universidad?**
Estudiante B: **Hace tres años que estudio en la universidad, ¿y tú?**
Estudiante A: **Yo estudio en esta universidad hace dos años, pero antes estudiaba en otra universidad.**

Estudiante A
1. ¿Cuánto tiempo hace que estudias en la universidad?
2. ¿Dónde vives ahora? ¿Cuánto tiempo hace que vives allí?
3. ¿Tienes novio/a? ¿Cuánto tiempo hace que lo/la conoces?
4. ¿Tocas algún instrumento musical? ¿Cuánto tiempo hace que lo tocas?

Estudiante B
1. ¿Cuánto tiempo hace que estudias español?
2. ¿Quién es tu mejor amigo/a? ¿Cuánto tiempo hace que lo/la conoces?
3. ¿Cuánto tiempo hace que no hablas con tus padres? ¿Y con tus abuelos?
4. ¿Practicas algún deporte? ¿Cuánto tiempo hace que lo practicas?

Hacer to express *ago*

We also use an expression with **hace** to indicate how long ago an action took place.

¿Todavía están empacando?
¡Yo terminé hace tres horas!

> *preterit tense* of the verb + **hace** + *the amount of time*

El avión despegó **hace diez minutos.**   *The plane took off **ten minutes ago.***
Llegamos a Guatemala **hace dos semanas.**   *We arrived in Guatemala **two weeks ago.***

- Statements about how long ago something took place have two possible word orders.

> *preterit* + **hace** + *time*   or   **Hace** + *time* + **que** + *preterit*

Vi a Greta **hace una hora.**   or   **Hace una hora que vi** a Greta.
I saw Greta an hour ago.   *I saw Greta an hour ago.*

- Note that in answering questions with the *ago* construction, we can omit the verb

—¿Cuánto tiempo hace que compraste el boleto?   *How long ago did you buy your ticket?*

—Hace dos meses (que compré el boleto).   *(I bought my ticket) Two months ago.*

(13-21) ¿Cómo es nuestra vida social?

Paso 1. Contesta las preguntas en la tabla de la página 461 indicando en la columna *Yo* cuánto tiempo hace (horas, días, semanas, meses, años) que pasaron estas cosas. Añade otra pregunta y contéstala también.

Modelo: ¿Cuándo fue la última vez (*the last time*) que fuiste a un concierto?

Hace seis meses que fui a un concierto. O, Fui a un concierto hace seis meses. O, Hace seis meses.

SITUACIONES

Tu amigo/a y tú van a ir de vacaciones juntos/as y tienen que organizar el viaje. Deben decidir adónde van a ir, qué medio de transporte van a usar y dónde van a alojarse.
Estudiante A: Te encantan la naturaleza y las montañas, pero ir a una playa es aceptable también. Eres muy activo/a y prefieres unas vacaciones activas y de aventura. **Estudiante B:** Te fascinan la arquitectura, los museos y el teatro, así que prefieres ir a una ciudad interesante. Para ti, las vacaciones son para disfrutar de pequeños lujos y relajarte.

	Yo	Mi compañero/a
1. ¿Cuándo fue la última vez que fuiste a un concierto?		
2. ¿Cuándo fue la última vez que comiste algo delicioso?		
3. ¿Cuándo fue la última vez que fuiste al cine?		
4. ¿Cuándo fue la última vez que jugaste un deporte?		
5. ¿Cuándo fue la última vez que viste a tu mejor amigo/a?		
6. ¿Cuándo fue la última vez que te divertiste mucho?		
7. ¿Cuándo estuviste en una reunión familiar especial?		
8. ¿Cuándo hiciste un viaje divertido?		
9. ¿...?		

 Paso 2. Ahora, en parejas, hagan estas preguntas a su compañero/a y escriban sus respuestas en la columna derecha. Pregunten también sobre algunos detalles. Túrnense.

Modelo: Estudiante A: **¿Cuándo fue la última vez que fuiste a un concierto?**
Estudiante B: **Hace seis meses.**
Estudiante A: **¿De quién? / ¿Te gustó? / ¿Dónde fue?...**

(13-22) Otras actividades memorables.

Paso 1. Prepara una lista de tres cosas interesantes que hiciste hace un tiempo (*some time ago*).

Modelo: **Visité Antigua.**

 Paso 2. En grupos pequeños, compartan sus actividades y háganse preguntas para averiguar cuándo se hicieron las actividades y otros detalles.

Modelo: Estudiante A: **¿Cuándo visitaste Antigua?**
Estudiante B: **Hace cinco años.**
Estudiante C: **¿Con quién fuiste?/¿Cómo fuiste?/¿Qué viste?...**

Las ruinas de Tikal

INVESTIG@ EN INTERNET

La actual Guatemala fue el centro de la civilización maya. Elige uno de los siguientes aspectos de la civilización maya para investigar y compartir en la clase. Si encuentras imágenes que puedas imprimir, tráelas a clase también.

la arquitectura   las matemáticas
la religión   la escritura
la astronomía   el arte y la artesanía

Dicho y hecho

PARA LEER: Maravillas iberoamericanas

ANTES DE LEER

1. Hay muchas listas "oficiales" de las "maravillas del mundo". Empareja las siguientes listas con sus ejemplos.

____ **1.** Las maravillas del mundo antiguo

    a. Stonehenge y la Gran Muralla China

____ **2.** Las maravillas del mundo medieval[1]

    b. El Monte Everest y el Gran Cañón

____ **3.** Las maravillas de la ingeniería (*engineering*)

    c. La Gran Pirámide de Giza y la estatua de Zeus en Olimpia

____ **4.** Las maravillas del mundo natural

    d. El Puente Golden Gate y el Canal de Panamá

2. La organización UNESCO (*United Nations Educational, Scientific and Cultural Organization*) ha nombrado muchos sitios como "Patrimonios de la Humanidad" (*World Heritage Sites*). Preservar estos lugares se considera parte del interés internacional. En el año 2010, había un total de 911 sitios con esta denominación. De la lista a continuación, elige los lugares que crees que pertenecen a esta lista.

☐ El Parque Nacional Iguazú, Argentina y Brasil
☐ La ciudad de Venecia, Italia
☐ El Parque Nacional Yellowstone, Wyoming, Montana e Idaho, EE.UU.
☐ Los centros históricos de Guanajuato y de Oaxaca, México
☐ Las Vegas, Nevada, EE.UU.
☐ La catedral de Colonia, Alemania
☐ EuroDisney, París, Francia

ESTRATEGIA DE LECTURA

Skim, question, read, recall, and review (SQ3R) "SQ3R" is a 5-step strategy to improve reading comprehension. Read the steps that follow, then apply them to the text you're about to read.

Skim (two minutes): Glance through the whole reading. Identify the major headings and the subheadings, check for introductory and summary paragraphs, etc. Resist reading further at this point, but see if you can identify 3 to 6 major ideas.

Question (usually less than 30 seconds): Ask what the text is about: What is the question that this text is trying to answer? Or, ask yourself, what question do I have that this text might help answer? Repeat this process with each subsection of the text, turning each heading into a question.

Read (at your own pace): Read one section at a time, looking for the answer to the question you proposed for each section.

Recall (about a minute): Say out loud or write down a key phrase that sums up the major point of the section and answers the question. This should be in your (the reader's) own words, not just a phrase from the text.

Review (less than five minutes): After repeating steps 2–4 for each section, test yourself by covering up the key phrases you jotted down and seeing if you can recall them. Do this right after you finish reading the text. If you can't recall one of your major points, that's a section you need to reread.

---

[1]Aunque la lista fue elaborada en la Edad Media, las estructuras contenidas no pertenecen a esa época necesariamente.

A LEER

El 7 del julio de 2007 se conocieron los resultados de la votación de las Nuevas Maravillas del Mundo. Entre las seleccionadas, tres pertenecen a Iberoamérica: Chichén Itzá en la Península del Yucatán, el Cristo Redentor de Río de Janeiro y el Machu Picchu en Cuzco.

El empresario suizo Bernard Weber anunció una competencia para elegir los mejores monumentos del siglo XXI. Para ello, pidió la participación de todo el mundo a través de sus votos en la página Web oficial o vía SMS. Finalmente, el 7 de julio de 2007, el resultado se hizo público en un programa de televisión, y todos pudimos conocer las siete Nuevas Maravillas del mundo moderno.

Pero el evento tuvo su polémica. Algunos protestaron porque veían en el concurso solamente un fin lucrativo, y otros se quejaron porque la participación no fue igualitaria, ya que[1] no todo el mundo tiene acceso a Internet o a un teléfono móvil. Estos motivos fueron secundados por la UNESCO, que no aceptó los resultados, indicando que la lista de candidatos no se había realizado con criterios artísticos o educativos sino[2] con demasiada importancia al valor sentimental.

CHICHÉN ITZÁ (MÉXICO)

Curiosamente, el florecimiento[3] de esta ciudad coincidió con la agonía de la cultura maya que tuvo lugar en el siglo IX. Chichén Itzá llegó a ser considerada la capital del Yucatán después de la ocupación del caudillo tolteca[4] Quetzalcóatl- Kukulcán.

Como si el paso del tiempo no le hubiese afectado[5], en la ciudad todavía se pueden ver grandes templos como el de los Guerreros[6], conjuntos arquitectónicos como el grupo de las Mil Columnas y, sobre todo, la Pirámide de Kukulcán, una de las más altas de la arquitectura maya. En 1988, la UNESCO le dio el estatus de Patrimonio de la Humanidad.

CRISTO REDENTOR (BRASIL)

Inaugurado el 12 de octubre de 1931, vigila[7] la ciudad de Río de Janeiro desde lo más alto del Cerro[8] del Corcovado, a más de 700 metros de altura. Aunque la escultura es relativamente joven, la idea de su creación data de 1859, cuando el padre Pedro Maria Boss buscó financiación para construir una gran figura religiosa.
Con motivo del centenario de la Independencia se dio el visto bueno[9] al proyecto. En abril de 1922 se puso la primera piedra y cuatro años más tarde empezó su construcción sobre el diseño del escultor francés Paul Landowski.

MACHU PICCHU (PERÚ)

Construida en el siglo XV, está localizada en el llamado Santuario Histórico de Machu Picchu, que tiene más de 32,592 hectáreas. La existencia de la ciudad está marcada por dos fechas: 1532 y 1911. En 1532, los españoles conquistan Perú, y Machu Picchu se abandona y se olvida. 1911 es el año de su descubrimiento por parte del historiador estadounidense Hiram Bingham.
Situada a 2,432 metros de altitud, sirvió de zona de descanso y escondite[10] para el Emperador Inca Pachakuteq. En ella hay tres tipos de edificios: las residencias del rey, las de la aristocracia y las religiosas. También es Patrimonio de la Humanidad desde 1983.

Texto: Noemí Monge / *Punto y coma*
Fotografía: Redacción Pyc

---

[1]given that, since, [2]but rather, [3]flourishing, [4]**caudillo tolteca** leader of the Toltec tribe, [5]**como si.... no le hubiese afectado** as if.... had not affected it, [6]warriors, [7]watches over, [8]hill, [9]**se dio el visto bueno** gave the green light, [10]hideout

Dicho y hecho

DESPUÉS DE LEER

1. ¿Quién eligió las Nuevas Maravillas del Mundo?

2. ¿Por qué fue esta competencia criticada por algunas personas y por la UNESCO?

3. ¿Qué características tienen en común Chichén Itzá y Machu Picchu? ¿En qué aspectos es diferente el Cristo Redentor?

4. ¿Cuál de los tres lugares te gustaría visitar y por qué? Busca en Internet cuántas horas de vuelo hay entre tu ciudad y ese lugar.

PARA CONVERSAR: ¡Problemas en el viaje!

 En grupos, seleccionen una de las siguientes situaciones y resuelvan el problema. Al final, dos grupos pueden representar las situaciones frente a la clase.

ESTRATEGIA DE COMUNICACIÓN

Resolving conflict In situations such as those described below, it's a good idea to assume the person on the other side of the conversation has as much interest as you do in resolving the conflict or problem. However, you should assess the situation quickly when conflict arises, and decide what you're willing to compromise on, and what you're willing to give up. That way, you're prepared to work with the other person to achieve an outcome that is satisfactory to both sides.

1. En la aduana:

    Personajes: *Dos pasajeros/as y el/la inspector/a de aduanas.*

    Situación: *Dos pasajeros/as jóvenes llegan a la aduana del aeropuerto. El/La inspector/a de aduanas sospecha que hay un problema.*

    Modelo: Inspector/a: *(a los pasajeros)* **Abran las maletas, por favor... ¿Qué es esto?**

                    Pasajero/a 1:   ...

                    Inspector/a: ...

                    Pasajero/a 2:   ...

2. En la recepción de un hotel:

    Personajes: *Tú, tu amigo/a y el/la recepcionista.*

    Situación: *Ustedes están un poco desilusionados/as con el hotel porque su habitación, las condiciones del baño, etc. no son buenas. Hablan con el/la recepcionista para tratar de resolver los problemas.*

    Modelo: Tú: **Perdón, señor/señorita, pero tenemos algunos problemas con nuestra habitación.**

                 Recepcionista: **¿Sí? ¿Qué tipo de problemas?**

                            Tú: ...

                       Amigo/a: ...

PARA ESCRIBIR: Un nuevo alojamiento

Imagina que quieres abrir un nuevo hotel, parador u hostal en algún lugar de América Latina. Ya has pensado qué tipo de alojamiento va a ser y dónde, pero ahora necesitas dinero para construirlo. Por eso vas a escribir una descripción del lugar que capte la atención de los inversores (*investors*).

ANTES DE ESCRIBIR

Paso 1 El tipo de alojamiento. Primero debes pensar en el tipo de alojamiento que quieres abrir. Lo único que es obligatorio es que sea en algún lugar en América Latina. Puedes usar una de estas ideas o inventar otra:

- ☐ un hotel boutique de cuatro estrellas
- ☐ una pensión (*guest house*)
- ☐ ¿…? _____

- ☐ un parador
- ☐ un hostal para jóvenes

Paso 2. El lugar. Ahora piensa en el lugar donde quieres abrir tu alojamiento. Aquí hay algunas ideas:

- ☐ una ciudad grande
- ☐ un pueblo en las montañas
- ☐ ¿…? _____

- ☐ un sitio arqueológico
- ☐ una atracción turística importante

Si no sabes mucho sobre ese lugar, busca información en Internet.

ESTRATEGIA DE REDACCIÓN

Using figurative language to draw attention In this prospectus, you're trying to convince investors to invest in your project. You can make the information more engaging by using figurative language such as similes and metaphors. Look at the examples that follow, and try to use figurative language of your own in your prospectus.

El hotel va a ser un paraíso en la Tierra.
La piscina será una fuente de la juventud.
Quiero ofrecer a mis clientes camas tan suaves como las nubes.

A ESCRIBIR

Escribe una primera versión de tu folleto. Piensa en los siguientes factores:

- El número de cuartos individuales, dobles y *suites*.

- El precio por noche para cada tipo de cuarto.

- Otros servicios: piscina, portero (*doorman*), transporte al aeropuerto, excursiones con guía a los sitios locales, renta de equipo de deportes, etc.

Dicho y hecho

> **Para escribir mejor:** Es importante que los inversores entiendan bien tus planes: cómo será tu hotel, qué cosas son necesarias y qué cosas son simplemente buena idea o preferibles. El uso de verbos en el futuro y las siguientes construcciones con el subjuntivo te pueden ayudar:
>
> Estará junto al mar.
> Es importante que haya piscina.
> Es preferible que tenga un restaurante de cinco tenedores.
> Quiero ofrecer habitaciones que tengan aire acondicionado.
> Necesito empleados que hablen varios idiomas.

DESPUÉS DE ESCRIBIR

Revisar y editar: El contenido, la organización, la gramática y el vocabulario. Después de escribir el primer borrador de tu folleto, déjalo a un lado por un mínimo de un día sin leerlo. Cuando vuelvas a leerlo, corrige el contenido, la organización, la gramática y el vocabulario. Hazte estas preguntas:

- ☐ ¿Describí claramente el lugar y el tipo de hotel que he planificado?
- ☐ ¿Di muchos detalles sobre los servicios que debe ofrecer el hotel?
- ☐ ¿Está clara la organización del folleto?
- ☐ Además de revisar otros aspectos generales de gramática, ¿usé el subjuntivo correctamente cuando era necesario?

PARA VER Y ESCUCHAR: Alojamientos en España

ANTES DE VER EL VIDEO

Mira las fotos e indica qué tipo de alojamiento es. Si no estás seguro/a, intenta adivinar.

1. _____

2. _____

3. _____

4. _____

A VER EL VIDEO

Paso 1 Mira el video y anota los cognados que escuches (no importa si son palabras que has estudiado o si no los sabes escribir bien). Después, en grupos de tres personas, comparen sus listas.

Paso 2. Mira el video de nuevo y anota las características principales de cada tipo de alojamiento.

	Camping Villsom	Hostal Callejón del Agua
Precio		
Servicio		
Otros		

	Hotel San Gil	Parador de Carmona
Precio		
Servicio		
Otros		

DESPUÉS DE VER EL VIDEO

En grupos pequeños, expliquen en qué alojamiento preferirían quedarse en una visita a Sevilla.

Repaso de vocabulario activo

Expresiones impersonales

es bueno   *it's good*

es cierto   *it's true*

es emocionante   *it's exciting*

es extraño   *it's strange*

es fenomenal   *it's wonderful*

es horrible   *it's horrible*

es importante   *it's important*

es imposible   *it's impossible*

es improbable   *it's improbable*

es interesante   *it's interesting*

es mejor   *it's better*

es necesario   *it's necessary*

es obvio   *it's obvious*

es posible   *it's possible*

es preciso   *it's necessary*

es probable   *it's probable*

es ridículo   *it's ridiculous*

es una lástima   *it's a pity*

es urgente   *it's urgent*

es verdad   *it's true*

no es justo   *it's not fair*

Sustantivos
En el aeropuerto/En el avión
In the airport/In the plane

la aduana   *customs*

la aerolínea   *airline*

el asiento   *seat*

el/la asistente de vuelo   *flight attendant*

el avión   *plane*

el boleto/el billete   *ticket*

la demora   *delay*

el equipaje   *luggage*

el horario   *schedule*

la llegada   *arrival*

la maleta   *suitcase*

el maletín   *briefcase*

el país   *country*

el/la pasajero/a   *passenger*

el pasaporte   *passport*

el pasillo   *aisle*

el/la piloto   *pilot*

la puerta de salida   *gate (at airport)*

el reclamo de equipaje   *baggage claim*

la salida   *departure*

la tarjeta de embarque   *boarding pass*

la ventanilla   *window*

el vuelo   *flight*

En el hotel/En la habitación
In the hotel/In the room

el aire acondicionado   *air conditioning*

la almohada   *pillow*

el ascensor   *elevator*

el baño privado   *private bath*

la calefacción   *heating*

la cama doble   *double bed*

la cama sencilla   *single bed*

la cobija/la manta   *blanket*

la habitación doble   *double room*

la habitación sencilla   *single room*

el hostal   *hostel*

el hotel de ... estrellas   *...-star hotel*

la llave   *key*

la pensión   *guest house*

la piscina   *pool*

la planta/la planta baja   *(main) plant, floor*

la propina   *tip*

la reservación   *reservation*

la sábana   *sheet*

el servicio de habitación   *room service*

Las personas en el hotel

la camarera   *maid (hotel)*

el/la huésped   *guest*

el/la recepcionista   *receptionist*

En la estación

el andén   *platform*

los aseos/el baño   *restrooms*

el boleto/el billete   *ticket*

   ...de ida/sencillo   *one-way...*

   ...de ida y vuelta   *round-trip...*

la taquilla   *ticket window*

perder (el tren, el autobús...)   *to miss (the train, the bus...)*

Verbos y expresiones verbales

abrocharse el cinturón   *to fasten one's seatbelt*

aterrizar   *to land*

bajar de   *to get off*

dejar   *to leave*

despedirse (i, i) de   *to say good-bye*

despegar   *to take off*

disfrutar (de)   *to enjoy*

empacar   *to pack*

facturar   *to check (baggage)*

hacer escala   *have a layover*

hacer las maletas   *to pack*

parece que...   *it seems that...*

registrarse   *to register, check in*

subir a   *to get on, board*

tener prisa   *to be in a hurry*

volar (ue)   *to fly*

sacar los pasaportes   *to get passports*

Autoprueba y repaso

I. The subjunctive and the indicative with impersonal expressions. Completa las oraciones combinando la información de las declaraciones con la expresión impersonal indicada.

Modelo: No llevo mi computadora portátil. Es mejor que…
Es mejor que no lleve mi computadora portátil.

1. El avión llega tarde. Es una lástima que…
2. Tengo todo el equipaje. Es bueno que…
3. Vamos a la aduana. Es urgente que…
4. No puedo encontrar el boleto. Es horrible que…
5. No hay asistentes de vuelo. Es extraño que…
6. No me gusta volar. Es cierto que…

II. The subjunctive with indefinite entities.

A. Estás en un hotel y pides varias cosas. Escribe oraciones con las palabras indicadas.

Modelo: necesitar una habitación / no costar mucho
Necesito una habitación que no cueste mucho.

1. necesitar una habitación / estar en la planta baja
2. preferir un cuarto / tener camas sencillas
3. querer un baño / ser más grande
4. necesitar una llave / abrir el minibar

B. Estás en un hotel y hablas con el/la recepcionista. Completa la conversación usando el subjuntivo o el indicativo del verbo entre paréntesis según la situación.

1. Tú: Busco una habitación que _____ (tener) vista al mar.

   Recepcionista: Tenemos una habitación que _____ (tener) vista al mar. ¿Desea verla?

2. Tú: Prefiero una habitación que _____ (estar) cerca de la piscina.

   Recepcionista: Lo siento, pero no tenemos ninguna habitación que _____ (estar) cerca de la piscina.

3. Tú: Busco una habitación que_____ (ser) económica.

   Recepcionista: No hay habitaciones en este hotel que _____ (ser) económicas.

4. Tú: Prefiero cenar en un restaurante que _____ (servir) comida vegetariana.

   Recepcionista: Pues, en el hotel hay un restaurante que _____ (servir) comida vegetariana.

III. *Hacer* in time expressions

A. Di cuánto tiempo hace que …

Modelo: estudiar en esta universidad.
Hace un año que estudio en esta universidad.

1. estar en clase
2. estudiar español
3. conocer al/ a la profesor/ a de español
4. vivir en la misma casa o apartamento
5. tener licencia de conducir un auto

B. Di cuánto tiempo hace que pasó lo siguiente.

Modelo: ir a la biblioteca.
Hace dos días que fui a la biblioteca.

1. hablar con su familia
2. comprar un regalo para alguien
3. hacerse un examen médico
4. visitar un museo
5. llegar a la universidad

IV. *Repaso general.* Contesta con oraciones completas.

1. En el aeropuerto, ¿qué información encontramos en el horario?
2. ¿Qué hacen los pasajeros al llegar al aeropuerto? ¿Y en la estación de tren?
3. ¿Qué tipo de hotel buscas para tus próximas vacaciones?
4. ¿Conoces algún lugar económico para ir de vacaciones?
5. ¿Cuándo fue la última vez que volaste en avión?

V. *Cultura*

1. Nombra tres similitudes y tres diferencias entre El Salvador y Guatemala.
2. Describe la pupusa salvadoreña o el pepián guatemalteco.
3. Describe el tipo de alojamiento conocido como *parador*.

Las respuestas de *Autoprueba y repaso* se pueden encontrar en el **Apéndice 2.**

El mundo moderno

Así se dice

El mundo moderno
El carro y el tráfico
Reacciones
Los números ordinales

Así se forma

1. *Nosotros* (Let's) commands
2. The subjunctive with adverbial expressions of condition or purpose
3. The imperfect subjunctive

Cultura

- Honduras y Nicaragua
- La globalización y las culturas indígenas

Dicho y hecho

Para leer:
La radio

Para conversar:
Pero sólo quería...

Para escribir:
Recomendaciones para un viaje

Para ver y escuchar:
Unidos por la globalización

By the end of this chapter you will be able to:

- Talk about new technologies and media
- Talk about cars and driving
- Make suggestions
- Express conditions and purpose
- React to past actions and events

ENTRANDO AL TEMA

1. ¿Te consideras tecnológicamente moderno/a? ¿Qué aparatos (*devices*) tienes?

2. ¿Envías (*send*) muchos mensajes de texto? ¿Qué abreviaturas usas?

El mundo moderno

El mundo moderno

WILEY PLUS **Pronunciación:**
Practice pronunciation of the
chapter vocabulary and particular
sounds of Spanish in *WileyPLUS*.

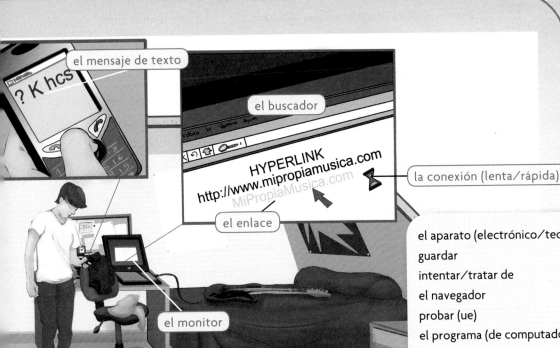

el mensaje de texto

? K hcS

el buscador

HYPERLINK
http://www.mipropiamusica.com
MiPropiaMusica.com

la conexión (lenta/rápida)

el enlace

el monitor

el aparato (electrónico/tecnológico)	*device, gadget*
guardar	*to save*
intentar/tratar de	*to try, attempt*
el navegador	*browser*
probar (ue)	*to try, test out*
el programa (de computadora)	*software*
la red social (virtual)	*social network*
el manos libres	*handsfree*

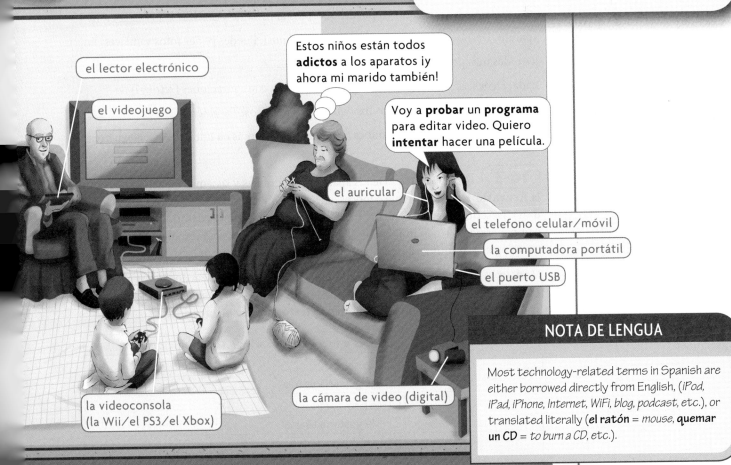

el lector electrónico

el videojuego

Estos niños están todos
adictos a los aparatos iy
ahora mi marido también!

Voy a **probar** un **programa**
para editar video. Quiero
intentar hacer una película.

el auricular

el telefono celular/móvil

la computadora portátil

el puerto USB

la videoconsola
(la Wii/el PS3/el Xbox)

la cámara de video (digital)

NOTA DE LENGUA

Most technology-related terms in Spanish are
either borrowed directly from English, (*iPod,
iPad, iPhone, Internet, WiFi, blog, podcast,* etc.), or
translated literally (**el ratón** = *mouse,* **quemar
un CD** = *to burn a CD,* etc.).

14-1 **¿Qué buscan?** Imagina que trabajas en una tienda de aparatos electrónicos. Escucha lo que dicen las personas y después, decide qué cosa buscan.

1. ☐ un videojuego   ☐ una cámara de video   ☐ un monitor
2. ☐ una computadora portátil   ☐ una videoconsola   ☐ un manos libres
3. ☐ un monitor   ☐ una cámara de video   ☐ un videojuego
4. ☐ un control remoto   ☐ un programa   ☐ una computadora portátil

5. ☐ un teléfono celular   ☐ un videojuego   ☐ un control remoto
6. ☐ un lector electrónico   ☐ un monitor   ☐ una cámara de video
7. ☐ un manos libres   ☐ un videojuego   ☐ un monitor
8. ☐ una computadora portátil   ☐ un programa   ☐ un auricular

14-2 **Las redes sociales.** Usa las palabras de la lista para completar estas recomendaciones sobre el uso de una red social.

intentar	rápida	trata de
gratis	conectada a Internet	guardarlas

"Bueno, si quieres conectarte con tus amigos por Internet, te recomiendo usar una red social. Puedes encontrar varias a través de algún buscador. Primero, tu computadora tiene que estar _____. Es mejor si tienes una conexión _____ porque así puedes ver fotos al instante y _____ en tu aparato. Después, debes crear una cuenta (*account*). Puedes poner fotos y enlaces. En las redes más populares, es completamente _____, o sea, que no cuesta nada. Debes _____ vigilar (*watch*) tus configuraciones (*settings*) de privacidad porque si no, todos tus datos serán públicos. También _____ evitar (*avoid*) la adicción. Yo nunca paso más de tres horas en línea en un día. ¡Suerte!"

14-3 **Descríbelo.** De los aparatos, programas y sistemas mencionados en la Actividad 14-1 y otros que conoces, elige los 3 que más usas (o que más te gustaría usar). Descríbelos en la siguiente tabla. Después, comparte tus descripciones con un/a compañero/a. ¿Tienen impresiones y preferencias similares o diferentes respecto a la tecnología? Por último, ¿piensan que la tecnología puede causar adicción?

Modelo: **Yo uso muchísimo mi iPhone. Creo que lo uso unas dos horas al día en total. Me encanta porque puedo leer mi correo electrónico, hacer llamadas y enviar mensajes de texto con un solo aparato.**

Aparato/Sistema	¿Lo usas o te gustaría usarlo?	Descripción
	☐ Lo uso ☐ Me gustaría usarlo	
	☐ Lo uso ☐ Me gustaría usarlo	
	☐ Lo uso ☐ Me gustaría usarlo	

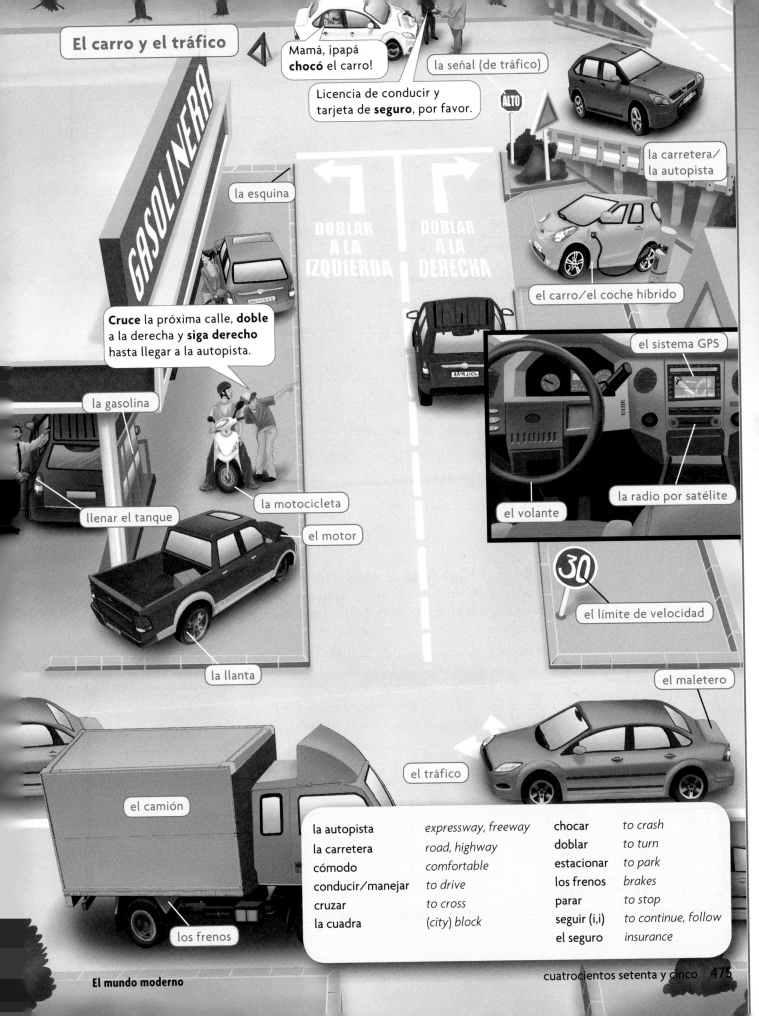

El carro y el tráfico

Mamá, ¡papá **chocó** el carro!

Licencia de conducir y tarjeta de **seguro**, por favor.

la señal (de tráfico)

ALTO

la carretera/ la autopista

la esquina

DOBLAR A LA IZQUIERDA

DOBLAR A LA DERECHA

el carro/el coche híbrido

el sistema GPS

Cruce la próxima calle, **doble** a la derecha y **siga derecho** hasta llegar a la autopista.

la gasolina

la radio por satélite

el volante

la motocicleta

llenar el tanque

el motor

el límite de velocidad

30

la llanta

el maletero

el tráfico

el camión

los frenos

la autopista	*expressway, freeway*	chocar	*to crash*
la carretera	*road, highway*	doblar	*to turn*
cómodo	*comfortable*	estacionar	*to park*
conducir/manejar	*to drive*	los frenos	*brakes*
cruzar	*to cross*	parar	*to stop*
la cuadra	*(city) block*	seguir (i,i)	*to continue, follow*
		el seguro	*insurance*

Many words that refer to driving and transportation vary in different regions of the Spanish-speaking world. Here are some examples:

México	España	Argentina
carro	coche	auto
parquear	aparcar	estacionar
camión	autobús	colectivo

14-4 **¿Qué es?** Empareja las palabras con las oraciones que mejor las describen.

_e_ **1.** Vehículo grande, para transportar grandes cargas.

_a_ **2.** Cuando llegas a tu destino, haces esto con el carro.

_g_ **3.** En la intersección de dos calles, hay cuatro.

_h_ **4.** Es el "corazón" del auto.

_b_ **5.** Lo mueves con las manos para manejar el coche.

_d_ **6.** Agradable, conveniente.

___ **7.** Un grupo de edificios entre calles paralelas.

_c_ **8.** Ir de un lado de la calle al otro.

_j_ **9.** Te permite escuchar música mientras conduces.

_i_ **10.** En él guardas el equipaje.

a. estacionar

b. el volante

c. cruzar

d. cómodo

e. el camión

f. la cuadra

g. la esquina

h. el motor

i. el maletero

j. la radio por satélite

14-5 **¿Qué clase de conductor eres?** Trabajen en parejas. Haz preguntas a tu compañero/a para completar el cuadro de abajo. Luego, decide si tu compañero/a presenta un riesgo (_risk_) alto, medio o bajo para una compañía de seguros.

Nombre: _____

Marca (_brand_) y modelo de carro [1]			
Número de años con licencia de conducir			
Número de accidentes			
Número de multas (_tickets_)			
¿Alguna vez se te ha acabado (_run out_) la gasolina?	☐ Nunca	☐ 1-2 veces	☐ Más de 2 veces
¿Sabes cambiar una llanta desinflada (_deflated, flat_)?	☐ Sí		☐ No
¿Usas el cinturón de seguridad?	☐ Siempre	☐ A veces	☐ Nunca
¿Te pones impaciente cuando hay mucho tráfico?	☐ Siempre	☐ A veces	☐ Nunca
¿Respetas el límite de velocidad?	☐ Siempre	☐ A veces	☐ Nunca
Esta persona presenta un riesgo:	☐ Alto	☐ Medio	☐ Bajo

[1]Si no tienes carro, di la marca y el modelo de un carro que a veces manejas (ej. el de tu familia, etc.).

14-6 **Señales (*Signs*) para los automovilistas.** Tu amigo/a está manejando por una ciudad latinoamericana y tú lo/a guías. Al ver cada letrero, dile lo que debe hacer. Usa mandatos con formas de *tú*.

Modelo: **No manejes/conduzcas a más de 90 km. por hora.**

Velocidad máxima
90 km/h.

Prohibido girar en U.

Prohibido doblar a
la izquierda.

Prohibido seguir
derecho.

Prohibido estacionar
o detenerse.

Ceder el paso.

No tocar la bocina.

Pararse.

No cambiar de carril.

NOTA CULTURAL

The metric system

In Spanish-speaking countries the metric system is used to measure distances. The formula for converting kilometers to miles, and vice versa, is:

1 km = 0.62 mi
1 mi = 1.61 km

Think of 100 kilometers as being 62 miles.

What's the speed limit on most highways in Latin America?
☐ 50 km/h ☐ 120 km/h ☐ 250 km/h
And on the roads where you live? _____ km/h

14-7 **Para ver un poco de Puebla.** Tu amigo/a y tú acaban de llegar a Puebla, México. Han alquilado un carro para visitar la ciudad.

Paso 1. Están listos/as para comenzar su visita y piden consejo al/a la recepcionista del hotel. Él/Ella les da indicaciones para llegar a su primer destino. Escuchen atentamente para identificar el lugar al que llevan estas indicaciones. Recuerden que ahora están en el Hotel Colonial (el estacionamiento del hotel es la "E" en su mapa).

¿Dónde están? ¿Qué se puede ver?

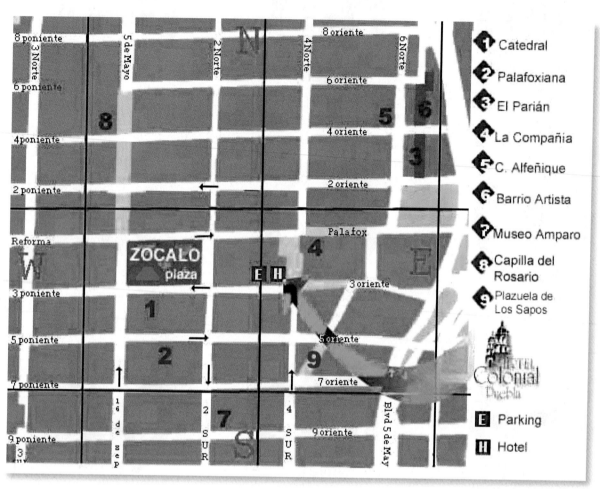

Paso 2. Es tu segundo día en Puebla. Ayer por la tarde visitaste tres atracciones turísticas recomendadas en el folleto (ver la página 479). Escribe los nombres de estos lugares aquí.

1. _____

2. _____

3. _____

Estos lugares te encantaron y hoy le recomiendas a tu amigo/a que los visite también. Usando el mapa del Paso 1, túrnense dando instrucciones para llegar desde el hotel (sin mencionar el destino final) y escuchando. ¡Cuidado! Hay calles de una sola vía (*one way*). ¿Qué lugares recomienda tu amigo/a?

1. _____

2. _____

3. _____

LUGARES INTERESANTES EN PUEBLA

La Catedral
Su construcción comenzó en 1575. Es una joya de la arquitectura colonial. Sus torres° son las más altas del país.

La Biblioteca Palafoxiana
Está clasificada como monumento histórico de México. Fue fundada en 1646.

Mercado El Parián
Es la antigua° plazuela de San Roque. Se construyó en 1801. Hoy es un mercado donde se puede encontrar artesanías, dulces°, téxtiles, etc.

Iglesia de la Compañía de Jesús
Otra de las famosas iglesias de la ciudad. Es de estilo barroco, tiene torres blancas y un bello altar.

El barrio del Artista
Es una plazuela con una fuente° hermosa y muchos talleres de artistas.

La casa del Alfeñique
Esta casa del siglo XVIII tiene mucha ornamentación blanca y por eso se llama *alfeñique*, un dulce poblano°.

Capilla° del Rosario
Este ejemplo del arte barroco novohispano se considera una de las maravillas de México. El interior de la capilla es de estuco cubierto con lámina de oro de veintidós quilates.

La Plazuela de los Sapos°
Rodeada de casas típicas y bazares de antigüedades, tiene una fuente muy linda en el centro. Aquí se puede contratar a mariachis y tríos.

El Museo Amparo
Una de sus exhibiciones más importantes es sobre las culturas mesoamericanas.

torres *towers;* **antigua** *former;* **dulces** *candy;* **poblano** *from Puebla;* **fuente** *fountain;* **Capilla** *Chapel;* **Sapos** *Toads*

PLUS Map quizzes: As you read about places highlighted in red, find them on the map. Learn more about and test yourself on the geography of the Spanish-speaking world in *WileyPLUS*.

Antes de leer

	Honduras	Nicaragua	Los dos
1. Está en Centroamérica.	☐	☐	☐
2. Tiene dos lagos muy grandes.	☐	☐	☐
3. Tiene fronteras con tres países.	☐	☐	☐
4. Tiene costa en el Caribe y en el Pacífico.	☐	☐	☐

Iglesia de Nuestra Señora de los Dolores en el centro de Tegucigalpa

HONDURAS

Las dos ciudades más importantes de Honduras son **Tegucigalpa,** la capital, y **San Pedro Sula,** el centro industrial del país. Tegucigalpa está situada en la montañosa zona central.

En Honduras viven varios grupos étnicos. Sus habitantes originales eran los mayas y los lencas. Para el año 800 d. C., los mayas habían abandonado inexplicablemente sus ciudades. Cuando llegaron los españoles, a principios del siglo XVI, sólo encontraron las ruinas de **Copán,** una gran ciudad de palacios y pirámides.

La región más aislada y remota del país se llama **La Mosquitia.** Allí viven 50,000 indígenas misquitos. En la costa caribeña también viven los garífunas o *garinagu,* quienes llegaron a Honduras en el siglo XVIII huyendo de (*fleeing*) la esclavitud (*slavery*) en las colonias inglesas del Caribe. Los garífunas tienen relación cultural con otros descendientes africanos del Caribe, como los de Jamaica.

Los hondureños también se llaman "catrachos" o "catrachas". Esta palabra proviene (*derives*) del apellido del general hondureño Florencio Xatruch, quien en 1857 dirigió a las fuerzas hondureñas contra la invasión del filibustero estadounidense William Walker.

El voseo

En Honduras y Nicaragua se usa la forma *vos* en vez de *tú*. El *vos* se usa de diferentes maneras en varios países (incluyendo Argentina, Chile y Uruguay). Éstas son algunas conjugaciones principales:

	Tú	Vos
hablar	hablas	hablás
comer	comes	comés
vivir	vives	vivís
ser	eres	sos

Te lo doy **a ti.** = Te lo doy **a vos.**
Voy **contigo.** = Voy **con vos.**

NICARAGUA

Nicaragua, el país más grande de Centroamérica, se caracteriza por sus hermosos lagos y volcanes. Tiene 6 millones de habitantes de distintos grupos étnicos: mestizos (69%), indígenas (5%), descendientes europeos (17%) y africanos (9%, el más grande de Centroamérica), entre otros. **Managua,** la capital desde 1852, está junto al lago que lleva el mismo nombre. Un 25% de la población del país vive en Managua.

Nicaragua se independizó de España en 1821. Aunque la dictadura de la familia Somoza gobernó el país entre 1937 y 1979, Nicaragua fue uno de los primeros países en firmar la Carta (*Charter*) de las Naciones Unidas en 1945. Un episodio dramático en la historia de Nicaragua fue el terremoto de 1972, que destruyó el 90% de Managua. Los revolucionarios sandinistas, opuestos a la dictadura de los Somoza, tomaron el poder entre 1979 y 1990. En las elecciones de 1990 los nicaragüenses eligieron a la primera mujer presidente de las Américas, Violeta Barrios Torres de Chamorro.

A Nicaragua se la conoce como: la tierra de lagos y volcanes, y la tierra de poetas.

La Tierra de Lagos y Volcanes. Su diversidad biológica, clima tropical, volcanes activos y precios económicos la hacen un destino popular para los turistas, surfistas y biólogos. El gran **lago de Nicaragua** o lago Cocibolca tiene más de 8,000 km² y es el más grande de Centroamérica. En éste se encuentra la isla de **Ometepe,** la más grande del mundo situada en un lago. Según la leyenda, unos indígenas precolombinos, los nicaraos, vinieron desde el norte cuando cayó la gran ciudad de Teotihuacán. (¿Recuerdas dónde estaba Teotihuacán? Mira el mapa en el *Capítulo 4*). Sus líderes religiosos les dijeron que viajaran hacia el sur hasta encontrar un lago con dos volcanes y así se establecieron en Ometepe.

▲ Rubén Darío (1867-1916), el "padre del modernismo hispanoamericano"

La Tierra de Poetas. Los famosos poetas Rubén Darío, Ernesto Cardenal y Gioconda Belli son todos de Nicaragua. Investiga un poco sobre ellos en Internet.

Después de leer

1. Decide si las siguientes oraciones describen a Honduras, a Nicaragua o a los dos países.

	Honduras	Nicaragua	Los dos
a. Tiene la isla más grande del mundo situada en un lago.	☐	☐	☐
b. Hay una comunidad garífuna muy grande.	☐	☐	☐
c. La bandera es azul y blanca.	☐	☐	☐
d. A su gente se les llama catrachos.	☐	☐	☐
e. La población es muy diversa.	☐	☐	☐
f. Se usa la forma *vos* en vez de *tú.*	☐	☐	☐

2. Managua tiene una población de _____ (repasa el primer párrafo del texto: 25% de 6 millones), más o menos parecida a la de:

☐ Filadelfia   ☐ Detroit   ☐ Memphis

3. ¿Cómo se diría la siguiente oración en Honduras o Nicaragua usando la forma *vos*?

☐ Vives en Managua y eres nicaragüense.

☐ Vivís en Managua y sos nicaragüense.

Así se dice

WILEY PLUS **Pronunciación:**
Practice pronunciation of
the chapter vocabulary and
particular sounds of Spanish
in *WileyPLUS*.

Reacciones

¡Caramba!	Oh, my gosh!
¡Claro!/¡Por supuesto!	Of course!
Lo siento mucho.	I'm so sorry.
¡Qué barbaridad!	How awful!
¡Qué lástima!	What a shame!
¡Qué lío!	What a mess!
¡Qué suerte!	What luck!
¡Socorro!/¡Auxilio!	Help!

¡Qué lío!

NOTA DE LENGUA

Note the following patterns you can use to express a wide variety of reactions in addition to those above:

¡Qué + noun!   What (a)…!

¡Qué desastre/escándalo/suerte!

¡Qué + adjective!   How…!

¡Qué divertido/aburrido!

14-8 **¿Qué dirías?** ¿Qué dirías en las siguientes situaciones? Usa todas las reacciones de la lista. Hay más de una respuesta posible.

1. Un amigo de tu compañero/a de cuarto ha tenido un accidente y está en el hospital.

2. Estás en el centro de Tegucigalpa, Honduras, y ¡tu coche tiene una llanta desinflada!

3. Estás manejando muy rápidamente por las calles de San Francisco, y ¡descubres que los frenos no funcionan!

4. Tu mejor amigo/a te cuenta que su conexión a Internet es muy lenta y no puede hacer investigación para trabajos de clase casi nunca.

5. Estás perdido/a y el sistema GPS no funciona.

6. Tu tía rica te pregunta si quieres un lector electrónico para tu cumpleaños.

Así se forma

1. Making suggestions: *Nosotros* (Let's) commands

WILEY **PLUS** Go to *WileyPLUS* and review the Verb Conjugator for this grammar point.

Sigamos la carretera 95 y tratemos de llegar a Managua antes de las cinco de la tarde.

To express a suggestion or command with *let's*, Spanish uses the **nosotros** form of the present subjunctive.

Revisemos la batería.	*Let's check the battery.*
No **esperemos** más.	*Let's not wait any longer.*

- In **nosotros** commands, as in other command forms, object and reflexive pronouns are attached to an affirmative command but placed before a negative command.

    Hagámos**lo** mañana.   No **lo** hagamos en este momento.

- To form the affirmative *let's* command of a reflexive verb, delete the final **-s** of the present subjunctive form before adding the pronoun **nos**. Note the written accent.

    levantemos → levantemo– + **nos** = ¡**Levantémonos!**

- The verbs **ir** and **irse** have irregular affirmative *let's* commands...

    ¡**Vamos!** Or ¡**Vámonos!**   *Let's go!*

...and an alternative form: **vamos a** + *infinitive.*

    ¡**Vamos a parar** aquí!   *Let's stop here!*

However, the negative counterparts do use the subjunctive form.

¡**No vayamos allí!**/¡**No nos vayamos allí!**	*Let's not go there!*
¡**No paremos** aquí!	*Let's not stop here!*

(14-9) Un fin de semana en Tegucigalpa.

Paso 1. Vas a viajar de Managua a Tegucigalpa con unos amigos. Una persona del grupo es un poco mandona (*bossy*) y siempre insiste en organizarlo todo. Determina el orden cronológico de sus sugerencias. Escribe el número al lado de cada oración.

____ Levantémonos a las seis de la mañana.

____ Durante el viaje, miremos el sistema GPS cada 15 minutos.

____ Salgamos a las siete en punto.

____ Al llegar, estacionémonos en el Hotel Honduras Maya.

____ Almorcemos en el camino.

____ Hoy, llevemos el carro a la gasolinera para llenar el tanque y revisar las llantas.

____ Acostémonos temprano esta noche para estar en forma para el viaje de mañana.

____ Luego, busquemos un buen restaurante para cenar.

Paso 2. En general eres muy flexible, pero no estás de acuerdo con todas las sugerencias de tu amigo/a. Responde a las sugerencias que no te gustan y ofrece una alternativa. Usa mandatos con formas de *nosotros*.

Modelo: **No, no nos levantemos a las seis, mejor levantémonos a las ocho.**

(14-10) Planificar un itinerario. Tú y dos amigos/as deciden continuar su viaje por Honduras dos días más, pero tienen preferencias diferentes. Usen los mandatos con formas de *nosotros* para expresar sus sugerencias y acuerden (*agree on*) un plan interesante para todos/as.

Estudiante A: Te encanta la arquitectura, visitar museos o pasear por las calles de una ciudad para observar a la gente e ir de compras. También te gusta salir por la noche y te parece importante tener un hotel cómodo para descansar.

Estudiante B: A ti te fascina la naturaleza. Te encanta practicar deportes de aventura o tomar el sol en la playa. Por supuesto, al final del día prefieres dormir bajo las estrellas que bajo el techo de un hotel.

Estudiante C: ¡A ti te gusta todo! Ayuda a tus amigos/as a planificar un viaje con algo para todos/as.

Piensen en:

1. cuándo quieren salir y regresar.
2. adónde quieren ir.
3. si van en moto, coche, autobús o tren.
4. lo que quieren (o no quieren) hacer durante el viaje.
5. lo que deben llevar (ropa, comida, etc.).
6. dónde van a dormir (acampar, hoteles, etc.).
7. cuánto dinero van a llevar para los gastos (*expenses*).

Modelo: Estudiante A: **Quedémonos en Tegucigalpa un día más.**
          Estudiante B: **No, no, vayamos a la playa en La Mosquitia.**
          Estudiante C: **Tengo una idea, vayamos a San Pedro Sula. Un día podemos visitar la ciudad y las ruinas mayas de Copán y otro día vamos a la playa…**

NOTA CULTURAL

El gallo pinto

Gallo pinto is the national dish of both Costa Rica and Nicaragua. Nicaraguan *gallo pinto* uses red beans, while the Costa Rican version uses black beans. The rivalry between these two countries for cooking the biggest *gallo pinto* started in 2003 when Costa Rica set a record in the Guinness Book of World Records. Nicaragua topped it a few days later. Costa Rica recaptured the title in 2005. However, in 2008, Nicaragua broke the record again with 22,000 dishes of rice and beans. In 2009, Costa Rica cooked a *gallo pinto* that was twice as big (50,000 dishes), winning the title once again.

Así se forma

No podemos continuar el viaje a menos que descubra el problema pronto.

2. The subjunctive with adverbial expressions of condition or purpose

Adverbs indicate under which conditions or circumstances something is done: when, how, where, what for, etc. Adverbial clauses, therefore, are those which express these types of meanings about the main clause.

When adverbial clauses express a condition or purpose for the main clause, the following conjunctions are used:

a menos (de) que	unless
con tal (de) que	provided that
en caso de que	in case
para que	so that, in order that

These conjunctions denote purpose (*so that*) and condition/contingency (*unless, provided that, in case*), and they always require the use of the subjunctive, since they indicate that the speaker considers the outcomes to be indefinite or pending (they may or may not take place).

PLUS Go to *WileyPLUS* and review the Animated Grammar Tutorial and Verb Conjugator for this grammar point.

Trae una batería extra **en caso de que** la **necesites**.	*Bring an extra battery **in case** you **need** it.*
Te presto mi lector electrónico **con tal de que** lo **cuides**.	*I'll lend you my e-reader **provided that** you **take good care** of it.*
No me envíes mensajes de texto **a menos que tengas** alguna noticia importante.	*Don't text me **unless** you **have** some important news.*
Descarga un programa antivirus **para que** tu computadora no **sea** vulnerable.	*Download antivirus software **so that** your computer **is** not vulnerable.*

When the subject does not change (the same person is the subject of the main verb and the verb after the conjunction), **para que** + *subjunctive* is replaced by the preposition **para** + *infinitive*.

Vamos a la tienda **para que** Leo **compre** un monitor nuevo.	*We are going to the store **so that** Leo **may buy** a new monitor.*
Voy a la tienda **para comprar** un monitor nuevo.	*I'm going to the store **to buy** a new monitor.*

14-11 **Los jóvenes y las redes sociales virtuales.** Completa las oraciones de la izquierda con las frases correspondientes de la derecha.

_____ **1.** Puedes usar una red (*network*) social como Facebook...

a. en caso de que alguien quiera usarla para robar tu identidad.

_____ **2.** Debes tener cuidado con la privacidad de tu información...

b. con tal de que las usemos de forma sensata.

_____ **3.** Tus amistades pueden volverse más superficiales...

c. para mantenerte en contacto con tus amigos.

_____ **4.** No escribas cosas ofensivas ni pongas fotos cuestionables...

d. a menos que pases más tiempo con tus amigos.

_____ **5.** No aceptes una invitación para ser amigos...

e. a menos que conozcas a esa persona.

_____ **6.** Usar redes sociales es divertido...

f. para que no tengas problemas en la escuela o el trabajo.

 Paso 2. En parejas, comenten si están de acuerdo o no con estas recomendaciones y expliquen sus razones. ¿Tienen otras recomendaciones para alguien que quiere usar Facebook? ¿Crees que es posible ser adicto/a a las redes sociales?

14-12 **¿Qué necesitas para el viaje?** Vas a pasar una semana en Managua y quieres llevar todos tus aparatos electrónicos. Completa las siguientes oraciones explicando tus razones.

Modelo: computadora / en caso de

Voy a llevar mi computadora en caso de que tenga tiempo para hacer la tarea.

1. un reproductor de MP3 / para (que)

2. un reproductor de DVD portátil / en caso de que

3. mi teléfono móvil / para (que)

4. un sistema GPS / en caso de que

5. una videoconsola / a menos que

6. una cámara de video digital / para (que)

14-13 **¿Para qué?** Alfonso va a viajar a Copán para ver las ruinas mayas y está preparando el equipaje. Mira la página 487. ¿Por qué o para qué lleva esas cosas?

Modelo: **Alfonso lleva un paraguas en caso de que llueva.**

 (14-14) **¿Realmente necesitamos eso?** Están empacando antes de partir hacia las ruinas de Copán y las maletas están muy pesadas. ¡Tienen demasiadas cosas! Trabajen en parejas.

Paso 1. Prepara una lista de 3 objetos cuestionables que pusiste en tu equipaje. Tú piensas que es importante llevar estas cosas y que pueden ser útiles o importantes durante el viaje. Escribe tus razones. ¡Usa tu imaginación!

Estudiante A:

una flauta
unas cortinas
fotos de tu familia

Estudiante B:

una lámpara pequeña
una raqueta de tenis
un libro de biología

Paso 2. Ahora lee tu lista y tus razones a tu compañero/a. Háganse preguntas y respondan a las preguntas de su compañero/a.

¿Qué objetos van a llevar? ¿Cuáles van a dejar?

Detalle de las ruinas de ▶
Copán, Honduras

Así se dice

Los números ordinales

primer[1], primero/a	*first*	**sexto/a**	*sixth*
segundo/a	*second*	**séptimo/a**	*seventh*
tercer, tercero/a	*third*	**octavo/a**	*eighth*
cuarto/a	*fourth*	**noveno/a**	*ninth*
quinto/a	*fifth*	**décimo/a**	*tenth*

(14-15) Trivia. ¿A cuántas preguntas puedes responder correctamente en dos minutos? Preparados, listos... ¡ya! (*Ready, set....go!*)

1. ¿Cuál es el **cuarto** día de la semana (según los hispanos)?
2. Cuando estás muy contento y todo va bien estás en el **séptimo**…
3. ¿Cómo se llama el **noveno** mes?
4. ¿Sobre qué país aprendiste en el **décimo** capítulo de *Dicho y hecho*?
5. ¿De qué material es la **segunda** medalla en las Olimpiadas?
6. ¿Quién es el **tercer** estudiante más alto de la clase?
7. ¿Cuál es el **quinto** planeta desde el Sol?
8. ¿Quién fue el **sexto** presidente de Estados Unidos?
9. ¿Cuál fue el **primer** día de clases este semestre?
10. ¿Cómo se llama la **primera** y **octava** nota de la escala musical?

SITUACIONES

Están en Managua, Nicaragua. Una persona es policía de tráfico y acaba de parar a un/a conductor/a que ha cometido varias infracciones.

Estudiante A. Acabas de parar a un/a conductor/a que iba demasiado rápido en una zona escolar y además ignoró una señal de ALTO. Tienes que pedirle la licencia de conducir, explicarle la infracción y ponerle una multa (*ticket*).

Estudiante B. Eres turista en Nicaragua y te ha parado un/a policía. Por desgracia, olvidaste tu licencia de conducir en el hotel. Piensa en cómo justificarte y persuadir al/a la policía para que no te ponga una multa (*ticket*).

DICHOS

Para aprender a caminar, primero hay que gatear.
Sin segundo, no hay primero.
A la tercera va la vencida.

¿Qué dicho te gusta más, el primero, el segundo o el tercero? ¿Por qué?

---

[1]**Primero** and **tercero** become **primer** and **tercer** when they immediately precede a masculine, singular noun: **El ascensor está en el** *tercer* **piso.**

14-16 **Suba al quinto piso.** En parejas, uno/a de ustedes se aloja en el Hotel Plaza Libertad, el/la otro/a es el/la recepcionista. El/La huésped llama a la recepción para averiguar dónde encontrar algunos lugares o servicios. El/la recepcionista responde a las preguntas según la *Guía para huéspedes*. Tomen turnos como huésped y recepcionista.

Modelo: Quieres cortarte el pelo.

Huésped: **Buenas tardes. ¿Me podría decir dónde se encuentra la peluquería del hotel?**

Recepcionista: **Suba/Vaya al quinto piso. Allí está la peluquería.**

Hotel Plaza Libertad

GUÍA PARA HUÉSPEDES

	Piso
Recepción	Planta baja
Restaurante	2
Bar	2
Piscina	9
Gimnasio	9
Salas de computadoras con wifi gratis	3, 7
Balcón con vista panorámica	10
Peluquería	5
Boutique	1
Garaje	Sótano
Bebidas y hielo	2, 4, 6, 8

Estudiante A:

1. Deseas tomar una bebida y cenar.
2. Quieres hacer ejercicio.
3. Quieres comprar un regalo para tu novio/a.
4. Deseas leer tu correo electrónico.

Estudiante B:

1. Deseas unos refrescos y hielo para la habitación.
2. Quieres sacar fotos panorámicas de la plaza Libertad.
3. Deseas descargar música para poner en tu iPod.
4. Quieres nadar un rato.

VideoEscenas: ¡Se va el autobús!

▲ J.J. e Isabela continúan su viaje en Perú.

 Paso 1. Lee las siguientes afirmaciones sobre los viajes y marca si tú haces o no estas cosas cuando viajas. Después, compara tus respuestas con un/a compañero/a. ¿Quién es el/la viajero/a más organizado/a? ¿Quién es más espontáneo/a?

		Siempre	A veces	Nunca
1.	Cuando viajo, me gusta planificar todo detalladamente.	☐	☐	☐
2.	Si es posible, hago reservaciones y compro boletos para viajar antes del viaje.	☐	☐	☐
3.	Generalmente, llevo comida cuando viajo.	☐	☐	☐
4.	Llamo a mis padres frecuentemente para que sepan que estoy bien.	☐	☐	☐
5.	Siempre llevo un mapa y una guía turística.	☐	☐	☐

Paso 2. Mira el video y resume la historia siguiendo las indicaciones.

Modelo: J.J. quiere… pero Isabela… Al final, el autobús…

Paso 3. Intenta responder a estas preguntas según (*according to*) lo que recuerdas. Después, mira el video otra vez para completar o corregir tus respuestas.

1. ¿A dónde se dirige el autobús que van a tomar?

2. ¿Qué dos cosas quiere hacer J.J. antes de tomar el autobús?

3. ¿Qué dos cosas quiere hacer Isabela antes de tomar el autobús?

4. ¿Por qué Isabela debe llamar por teléfono?

Cultura: La globalización y las culturas indígenas

Antes de leer

1. Para ti, ¿qué significa la *globalización*?
2. ¿Cuál es la conexión entre el fenómeno de la globalización y la tecnología?

Desde hace años, existe una gran polémica sobre si la globalización es algo positivo o negativo para las culturas indígenas.

Por una parte, la globalización se considera un peligro para las culturas indígenas del mundo. En esta visión, el capitalismo moderno, conducido principalmente por Estados Unidos y Europa, establece reglas de libre mercado que no favorecen a los países menos desarrollados (*developed*). Desde esta perspectiva, el libre mercado genera pobreza, desigualdad, conflictos sociales, destrucción cultural y daños ecológicos. En consecuencia, este sistema provoca la pérdida de identidad de las culturas indígenas, como, por ejemplo, a través de la sustitución de las comidas regionales por la comida rápida de las grandes cadenas.

Por otra parte, se considera que la globalización ha contribuido al desarrollo del mundo. Los avances en la tecnología, como la radio y las comunicaciones por satélite o la Internet, han abierto nuevas posibilidades para el desarrollo de las comunidades indígenas. En los primeros años de Internet, hubo problemas de acceso y falta de conocimientos sobre cómo usar computadoras entre comunidades que casi no conocían el teléfono. Pero, hoy en día, gracias a la tecnología inalámbrica, un mejor acceso y la instrucción adecuada, los indígenas de muchas comunidades en Latinoamérica y otras regiones han mostrado al mundo no sólo sus culturas, sino también sus problemas y necesidades inmediatas. El impacto de las nuevas telecomunicaciones ha llevado a estas comunidades los beneficios de la mensajería instantánea, el video digital y el aprendizaje a distancia. Hoy en día, estas comunidades aprovechan la tecnología con motivos sociales,

educativos, políticos y hasta comerciales.

En conclusión, la globalización es un fenómeno que seguirá afectando a nuestra sociedad. Mientras que para algunos será una amenaza (*threat*), para otros será un progreso. Y tú, ¿qué crees?

Después de leer

1. ¿Por qué piensan algunas personas que la globalización pone en peligro el futuro de las culturas indígenas de Latinoamérica y otras partes del mundo?

2. ¿Cuáles eran los obstáculos al uso de Internet que enfrentaban los indígenas hace algunos años? ¿Han superado esos obstáculos?

3. ¿Cómo ves tú el futuro de las culturas indígenas en un mundo cada vez más pequeño? Comparte tu visión con algunos compañeros de clase.

Así se forma

> Me recomendaron que llevara la cámara para sacar fotos de las ruinas mayas.

WILEY PLUS Go to *WileyPLUS* and review the Animated Grammar Tutorial and Verb Conjugator for this grammar point.

3. The imperfect subjunctive: Reacting to past actions or events

In the previous chapters, you have studied various linguistic contexts that require the use of the subjunctive. So far, you have practiced using the present subjunctive to express actions that take place in the present or in the future.

Espero que **se diviertan** en Copán.　　*I hope that **they (will) have a good time** in Copán.*

The imperfect (past) subjunctive is used in the same kinds of situations as the present subjunctive (after expressions of influence, emotion, doubt, etc.), but it expresses actions or events that took place in the past. In general, when the verb of the *main clause* is in a past tense (usually preterit or imperfect), the imperfect subjunctive is used in the *subordinate clause*.

Main clause	Subordinate clause
Es bueno… *present indicative*	…que **llenes** el tanque antes de salir. *present subjunctive*
Les **recomendé**… *past indicative*	…que **llenaran** el tanque antes de salir. *imperfect subjunctive*
Siempre les **recomendaba**… *past indicative*	…que **llenaran** en tanque antes de salir. *imperfect subjunctive*

Formation of the imperfect subjunctive

To form the imperfect subjunctive of all verbs (–**ar**, –**er**, and –**ir**), use the **ellos** form of the preterit indicative as a base (**compraron**). Then, delete the –**ron** ending from it (**compra–**) and add the following endings: –**ra**, –**ras**, –**ra**, –**ramos**, –**rais**, –**ran**[1].

The imperfect subjunctive automatically reflects all irregularities of the preterit.

	comprar	volver	salir
(Preterit →)	compra~~ron~~	volvie~~ron~~	salie~~ron~~
(yo)	comprara	volviera	saliera
(tú)	compraras	volvieras	salieras
(usted, él, ella)	comprara	volviera	saliera
(nosotros/as)	compráramos	volviéramos	saliéramos
(vosotros/as)	comprarais	volvierais	salierais
(ustedes, ellos/as)	compraran	volvieran	salieran

[1] In Spain and in certain dialects of Spanish, the imperfect subjunctive has an alternate set of endings: –**se**, –**ses**, –**se**, –**semos**, –**seis**, –**sen** (**comprase**, **comprases**…). These forms are frequently found in writing.

Other examples:

	(Preterit)		Imperfect subjunctive
dormir	**durmieron**	→	**durmiera, durmieras, …**
estar	**estuvieron**	→	**estuviera, estuvieras, …**
ir/ser	**fueron**	→	**fuera, fueras, …**
leer	**leyeron**	→	**leyera, leyeras, …**
pedir	**pidieron**	→	**pidiera, pidieras, …**
tener	**tuvieron**	→	**tuviera, tuvieras, …**

HINT

Remember to use the preterit tense, not the infinitive stem, to form the imperfect subjunctive. Review the regular, stem-changing, and irregular preterit tense verbs in *Capítulos* 5, 6, and 7.

- **Hubiera** is the imperfect subjunctive form of **haber.**

  Nos alegramos de que **hubiera** sistema GPS en el carro.   *We were happy that **there was** a GPS system in the car.*

- In *Capítulo 11* you learned that **ojalá (que)** is always followed by the subjunctive, since it expresses a hope or desire. While **ojalá** followed by the present subjunctive indicates that there is a possibility a situation will occur, when followed by the imperfect subjunctive it indicates that a situation is not likely to occur or is impossible.

  Ojalá (que) me **regalen** un iPad para mi cumpleaños.   *I hope they give me an iPad for my birthday (maybe someone will.)*

  Ojalá (que) me **regalaran** un iPad para mi cumpleaños.   *I wish (If only) they would give me an iPad for my birthday (but it's likely no one will.)*

14-17 ¿Hoy o ayer? Esta semana Octavio está un poco estresado. Es un experto en tecnología y todos le piden ayuda. Escoge la forma apropiada en cada oración.

1. Esteban le pidió que repare / reparara su lector electrónico.
2. Su profesor/a espera que instale / instalara un programa de cálculo en su computadora portátil.
3. Sus amigos quieren que los ayude / ayudara a conectar la cámara digital al puerto USB.
4. Camila le rogó (*begged*) que vaya / fuera con ella a comprar una cámara de video digital.
5. Su abuelita quería que grabe / grabara unas fotos digitales en un CD.
6. Inés desea que se olvide / se olvidara de todos estos aparatos y salga/ saliera a cenar con ella.

NOTA DE LENGUA

Some teachers allege that text messaging is going to lead young people to forget how to spell words correctly. Try to match these common abbreviations with the phrases they stand for. Then, share your opinion. Are these teachers right?

1. k rsa	a. Por favor	4. nls	d. No lo sé
2. tvl	b. ¿Qué quieres?	5. x fa	e. ¡Qué risa!
3. k krs?	c. Adiós	6. a 2	f. Te veo luego

14-18 **Una visita al/a la consejero/a.** Se está terminando el semestre y Esteban quiere mejorar sus notas. Fue a ver a su consejero/a, pero… no recuerda bien sus recomendaciones.

Paso 1. Escucha y anota las recomendaciones que Esteban dice que le dio su consejero/a. Si piensas que la recomendación es incorrecta, escribe la versión correcta.

Modelo: (Oyes:)   Me recomendó que estudiara en la biblioteca.

(Anotas:)   **Le recomendó que estudiara en la biblioteca.**

(Oyes:)   Me dijo que saliera más con mis amigos.

(Corriges y anotas:)   **Probablemente le dijo que saliera menos con sus amigos.**

Paso 2. Tú también tenías algunos consejos para Esteban. ¿Qué le recomendaste?

Le recomendé que… _____.

Le sugerí que… _____.

14-19 **Hace unos años…** ¿Qué pasaba en tu vida durante los periodos indicados?

Paso 1. Completa las siguientes oraciones sobre el pasado y el presente.

Modelo: Cuando tenía diez años, mis padres no querían que yo **jugara mucho con videojuegos ni viera la televisión muchas horas.**

1. Cuando tenía diez años,
   a. mis padres no querían que yo…
   b. yo esperaba que mis padres…
   c. quería que mis amigos…

2. Cuando estaba en la escuela secundaria,
   a. mis padres querían que yo…
   b. mis maestros recomendaban que yo…
   c. yo buscaba un/a novio/a que…

3. Cuando vine a la universidad,
   a. yo temía que mi nuevo/a compañero/a de cuarto…
   b. yo esperaba que los profesores…
   c. yo esperaba que los otros estudiantes…

4. Ahora,
   a. mis padres quieren que yo…
   b. mis amigos quieren que yo…
   c. y yo quiero que…

Paso 2. En parejas, comenten y comparen lo que pasaba y pasa en sus vidas durante los períodos indicados. Túrnense. Al final, compartan algunos de sus deseos, temores y esperanzas con la clase.

14-20 **¿Qué hicieron en la clase?** Un/a compañero/a de clase estuvo enfermo/a y te llama para saber lo que se discutió en clase. Completa la conversación. ¡Atención! Todos los verbos deben estar en el subjuntivo: algunos en el presente y otros en el imperfecto.

COMPAÑERO/A: Hola, ¿qué tal? Te llamo para saber lo que la profe quiere que _____ (hacer) para el lunes.

TÚ: Hola, espero que _____ (sentirse) mejor. Pues, la profe dijo que quería que _____ (estudiar) los verbos en el imperfecto del subjuntivo y que _____ (escribir) una composición sobre los aztecas.

COMPAÑERO/A: ¿Explicó cuánto tenemos que escribir?

TÚ: Sí, dijo que quería dos párrafos y que recomendaba que _____ (usar) al menos una fuente (*source*) de Internet o de la biblioteca. Como siempre, insistió en que _____ (tener) cuidado con los acentos y la ortografía. Ya conoces a la profe.

COMPAÑERO/A: ¿Ya encontraste tu fuente adicional?

TÚ: No. Busqué en la red, pero no encontré nada que me _____ (servir).

COMPAÑERO/A: Pues si tú no encontraste nada, dudo que yo _____ (tener) mejor suerte. Es mejor que (yo) _____ (ir) a la biblioteca.

TÚ: Creo que tienes razón. ¡Ojalá que _____ (encontrar) algo! ¡Ah!, se me olvidaba. También dijo que _____ (hacer) los ejercicios del manual y, claro, que _____ (usar) un lápiz o bolígrafo de otro color para hacer las correcciones. Tú sabes.

COMPAÑERO/A: Sí, por supuesto. Gracias otra vez. Te veo el lunes en clase.

14-21 **Mis deseos...**

Paso 1. Consideren los seis temas a continuación. ¿Qué deseos tienes respecto a estos temas? Escribe tus deseos usando *Ojalá que + presente subjuntivo*, cuando crees que es posible que ese deseo ocurra, y *Ojalá que + imperfecto subjuntivo*, cuando opinas que es poco probable (*not likely*) que ese deseo ocurra.

la tecnología	el coche	los viajes
la universidad	la salud	el trabajo

Modelo: **Ojalá que pueda comprar una Wii pronto.**
Ojalá que hubiera un coche rápido, seguro y que no contaminara.

 Paso 2. Ahora, compartan sus ideas en grupos pequeños. ¿Tienen ideas similares? ¿Qué ideas son más populares?

Dicho y hecho

ANTES DE LEER

¿Escuchas la radio habitualmente? Si lo haces, ¿qué tipo de programas escuchas: programas de música, noticias, debate político? Si no, ¿qué aparatos usas para escuchar música y para conocer las noticias?

ESTRATEGIA DE LECTURA

Understanding sentence structure Spanish written texts often use longer, more complex sentences than English ones, and word order in Spanish is more flexible than it is in English. Naturally, when reading authentic texts (written for a native-speaking audience), you will encounter sentences with these characteristics. It is important that you focus on the main parts of the sentence first by locating the main verb, subject and object (note that they may not be overtly expressed if they are clear from the context or were mentioned in a previous sentence).

Try to identify subordinate clauses that may be embedded in a sentence by spotting words that introduce subordinate clauses: **que, para que, a menos que, hasta que,** etc. Then, think about how the idea expressed in the subordinate clause complements or completes the meaning of the sentence.

Read the following article through focusing on the main ideas. Then, go back to each sentence you did not understand clearly and try to identify its main parts and general structure. As always, it is not necessary to understand every single word to get the message.

▲ Uso de una "tablet" como GPS.

A LEER

La radio, ese artefacto donde escuchamos noticias y música, era en la época de nuestros abuelos el equivalente al televisor. Después de la cena, las familias se reunían junto al receptor de radio para escuchar las noticias o radionovelas de reencuentros[1] entre hijos perdidos y madres que nunca los habían olvidado.

La radio era entonces la pequeña ventana al mundo exterior. Era, casi, el único lazo de unión con personas que estaban lejos y el vínculo[2] con lo que pasaba en otros lugares del mundo. La misma tecnología que usa la radio como sistema de telecomunicación está omnipresente en nuestras vidas. El televisor, el teléfono móvil o celular, el GPS, el WiFi de nuestra computadora, el control remoto del garaje y muchos más aparatos utilizan las ondas electromagnéticas de radio para comunicarse a distancia. ¿No es asombroso[3] que podamos comunicarnos así con sitios distantes e invisibles?

---

[1] reunions, [2] connection, [3] amazing, astonishing

Al principio, los receptores de radio funcionaban con tubos de vacío[4] (artefactos electrónicos parecidos a bombillas[5] que amplificaban las ondas de radio), y eran grandes y pesados[6]. Consumían mucha energía eléctrica y, por eso, no podían llevar pilas[7] y ser portátiles..., pero llegó el transistor. Los transistores hacían lo mismo que los tubos pero consumían 100 veces menos energía, lo que hizo posible producir radios portátiles y de bolsillo[8].

A los diez años, me regalaron mi primera radio portátil a pilas, y aquello me pareció un sueño. En casa no teníamos otra, por eso yo se la prestaba a mi padre, para que pudiera oír las noticias de camino[9] al trabajo. Esa radio tenía sólo seis transistores. ¿Cómo es posible que mi teléfono móvil lleve dentro varias decenas de miles y el PC de casa tenga millones? No ha pasado tanto tiempo: 40 años más o menos. Nunca en la historia de la humanidad ha habido cambios tan asombrosos, en tan poco tiempo, durante la vida de una persona. Mi padre era muy consciente de esto y defendía con entusiasmo esos cambios vertiginosos[10]; decía que no sabemos valorar lo que tenemos porque hemos perdido nuestra capacidad de asombro. Tenía razón, ninguno de estos aparatos modernos me asombra tanto como aquella radio de seis transistores que traía el mundo a ese chico de diez años.

Texto: Fernando de Bona / *Punto y coma*

---

[4] vacuum tubes, [5] light bulbs, [6] heavy, [7] batteries, [8] pocket, [9] on his way, [10] swift

DESPUÉS DE LEER

1. Completa las siguientes oraciones sobre las ideas principales del texto, usando tus propias (*own*) palabras.
   a. En el pasado, la radio era…
   b. La tecnología de la radio todavía es importante porque…
   c. Un invento fundamental para la radio y para la tecnología actual fue… porque…
   d. Según el padre del autor, ahora no…

2. Ahora, completa estas oraciones con palabras del texto:
   a. La función de la radio era similar a la función actual de
   _____.

   b. La radio era un _____ con los eventos del mundo.

   c. Hasta la invención del transistor, las radios no podían usar
   _____ como fuente de energía.

   d. La radio del autor no era grande ni pesada, era _____.

   e. Un elemento común a las radios, los teléfonos móviles y las computadoras son los _____, pero ahora son mucho más pequeños.

   f. Ahora ya no nos sorprenden los cambios tecnológicos, es decir, no nos producen _____.

3. ¿Qué aparato o tipo de tecnología te parece asombroso? ¿Por qué?

Dicho y hecho

PARA CONVERSAR: Pero sólo quería...

Trabajen en grupos de tres. Una persona es el/la dependiente/a en una tienda que vende todo tipo de aparatos electrónicos. Las otras dos personas son una pareja (*couple*) o dos amigos/as que entran a la tienda. Una persona es muy impulsiva y quiere comprar todo lo que ve. La otra es más práctica y trata de razonar con su pareja o amigo/a. Por supuesto, el/la dependiente quiere vender tantas cosas como pueda.

ESTRATEGIA DE COMUNICACIÓN

Filling awkward pauses Often during a conversation, particularly in a new language, you will want to pause, either to collect and formulate your thoughts, or to process something you've just heard to make sure you understood correctly. Many languages have words and expressions that are commonly used to fill these pauses, which might otherwise create awkward silences. As you pause to think of ways of talking your partner into or out of a purchase, or to process what the sales person is telling you about a particular item, use some of these Spanish expressions.

Esteeeeee....	*Ummm.....*
Pues/Entonces...	*Well....*
Vamos a ver....	*Let's see....*

PARA ESCRIBIR: Recomendaciones para un viaje

En esta composición vas a escribir una carta con consejos a un/a amigo/a que quiere alquilar un carro para hacer turismo, pero nunca ha alquilado uno antes.

ANTES DE ESCRIBIR

Paso 1. ¿Qué viaje quiere hacer mi amigo/a? Primero, debes inventar el viaje que quiere hacer tu amigo/a. Puedes usar una de estas ideas o inventar otra:

- ☐ Quiere volar a Tegucigalpa y alquilar un carro para conocer La Mosquitia.

- ☐ Quiere volar a Managua y alquilar un carro para conocer el lago de Nicaragua.

- ☐ Quiere volar a Ciudad de México y alquilar un carro para viajar a Puebla.

- ☐ ¿? _____

Paso 2. Lo que es importante saber para alquilar un carro.

En una hoja de papel, escribe una lista de cosas que hay que saber y hacer para alquilar un carro. Si tú nunca has alquilado uno antes, no te preocupes. Puedes preguntarles a tus papás, a tus amigos y a otra gente que conoces. También puedes consultar Internet.

Ahora, decide cuáles son las <u>tres o cuatro ideas más importantes</u> para incluir en tu carta. Estas ideas van a determinar la organización de tu carta y cada una debe ser una oración temática en su propio (*its own*) párrafo.

ESTRATEGIA DE REDACCIÓN

Supporting your ideas In *Capítulo 11* you practiced justifying your opinion in your writing. When you offer advice, it is also important to justify or support it. Here are a couple of ways to support the advice you're giving:

• use direct citation (quoting) of others, especially experts on the particular topic;
• use anecdotes from your own personal experience, or from the personal experience of people you know.

In your letter, use one or both of these strategies to convince your friend that she/ he should take your advice.

A ESCRIBIR

Escribe una primera versión de tu carta. Puedes citar a otra gente, usar anécdotas de tu propia experiencia o encuestar a varias personas. Éstos son varios ejemplos de oraciones temáticas (observa los usos del subjuntivo):

Te recomiendo que <u>compres</u> el seguro extra en caso de que <u>tengas</u> un accidente. Una vez no compré el seguro y…

Según mi padre, es muy importante que <u>hagas</u> una inspección visual antes de salir del estacionamiento porque…

Es mejor que no <u>alquiles</u> un carro más grande que tu carro normal porque…

Para escribir mejor

Este vocabulario te puede ayudar a escribir tu carta:

automático	*automatic*
compacto	*compact*
con marchas/de cambios	*stick shift*
daños	*damages*
la furgoneta	*van*
la inspección visual	*visual inspection*
el límite de kilometraje	*mileage limit*
subcompacto	*subcompact*
tamaño estándar	*standard size*
tamaño normal	*full size*

Ciertas palabras varían de un país a otro:

monovolumen, minifurgoneta, camioneta, miniván	*minivan*
el seguro, la aseguración	*insurance*

DESPUÉS DE ESCRIBIR

Revisar y editar: Después de escribir el primer borrador de tu carta, déjalo a un lado por un mínimo de un día sin leerlo. Cuando vuelvas a leerlo, corrige el contenido, la organización, la gramática y el vocabulario. Hazte estas preguntas:

☐ ¿Describo claramente 3 ó 4 pasos que debe hacer mi amigo/a para alquilar el auto? ¿También describo por qué estos puntos son importantes?

☐ ¿Tiene cada punto su propio párrafo? ¿La idea de cada párrafo tiene relación con ese punto?

☐ ¿Usé bien el subjuntivo en mis recomendaciones?

PARA VER Y ESCUCHAR: Unidos por la globalización

ANTES DE VER EL VIDEO

¿Alguna vez has comprado en Estados Unidos algún trabajo artesanal fabricado en otra parte del mundo? ¿Cómo y dónde lo compraste? ¿Qué porcentaje del dinero que pagaste crees que recibió directamente el artesano?

ESTRATEGIA DE COMPRENSIÓN

Listening for linguistic cues You are now familiar with grammatical features such as conjugations, verb tenses, etc. and you also know a variety of transitions and connecting words. You may use this knowledge to help you interpret who is carrying out an action, whether the events mentioned belong to the past, present or future, or to figure out relationships between ideas, the order in which things occur, and other information that will help you interpret meaning. Listen for these kinds of cues as you watch the video segment.

A VER EL VIDEO

Paso 1. Empareja la idea principal con la cita (quote) exacta del video.

_____ **1.** Novica es una compañía que conecta a artesanos en áreas remotas con clientes.

_____ **2.** El/La cliente puede ver a quién le compra el producto y saber qué impacto tiene su compra.

_____ **3.** La compra se hace directamente, sin intermediarios.

   a. "El sistema es completamente transparente porque ellos ven el precio final en el Website y ellos pueden aumentar su precio o disminuir su precio.... están controlando el precio".

   b. "La ventaja de la tecnología es que ya no es una venta anónima".

   c. "...crear un vínculo directo entre artesano y cliente sin intermediarios".

Paso 2. Mira el video otra vez y contesta las siguientes preguntas:

   1. ¿Qué tiempo verbal es el más frecuente en el video? ¿Por qué piensas que es así?

   2. Anota los verbos que escuchas que no están en presente. ¿Qué tiempos verbales escuchaste? ¿Qué ideas expresan?

DESPUÉS DE VER EL VIDEO

Tú y dos compañeros de clase van a compartir un apartamento el próximo semestre y quieren buscar algunos objetos de artesanía hispana para amueblar (*furnish*) y decorarlo.

Paso 1. Visita el sitio web de Novica (http://novica.com) y busca el botón que dice *Regions*. Después, explora la variedad de cosas que puedes comprar en las secciones de los Andes, Centroamérica y México. Selecciona tres o cuatro cosas para el apartamento para compartir con tus compañeros/as. Imprime las páginas con las fotos y la información sobre cada cosa que seleccionaste.

Paso 2. Reúnanse para hablar de los muebles, las decoraciones y los accesorios que cada uno/a ha seleccionado. ¿Tienen los mismos gustos? ¿Van a tener un apartamento bonito?

Repaso de vocabulario activo

Adjetivos, adverbios y frases adverbiales

a la derecha   *to the right*
a la izquierda   *to the left*
adicto/a   *addicted*
cómodo/a   *comfortable*
derecho/recto   *straight, straight ahead*
digital   *digital*
híbrido/a   *hybrid*
gratis   *free of charge*
lento/a   *slow*
rápido/a   *fast*

Conjunciones

a menos (de) que   *unless*
con tal (de) que   *provided that*
en caso de que   *in case*
para que   *so that; in order that*

Reacciones

¡Caramba!   *Oh, my gosh!*
¡Claro!/¡Por supuesto!   *Of course!*
Lo siento mucho.   *I'm so sorry.*
¡Qué barbaridad!   *How awful!*
¡Qué lástima!   *What a shame!*
¡Qué lío!   *What a mess!*
¡Qué suerte!   *What luck! How lucky!*
¡Socorro!/¡Auxilio!   *Help!*

Los números ordinales

primero/a   *first*
segundo/a   *second*
tercero/a   *third*
cuarto/a   *fourth*
quinto/a   *fifth*
sexto/a   *sixth*
séptimo/a   *seventh*
octavo/a   *eighth*
noveno/a   *ninth*
décimo/a   *tenth*

Sustantivos
El mundo moderno

el aparato   *device, appliance, machine*
el auricular   *earphone*
el buscador   *search engine*

el cable   *cable*
la cámara (de video)   *(video) camera*
la computadora portátil   *laptop/notebook computer*
la conexión   *connection*
el control remoto   *remote control*
el enlace   *link*
el lector electrónico   *electronic reading device*
el manos libres   *handsfree*
el mensaje de texto   *text message*
el monitor   *monitor*
el navegador   *browser*
el programa (de computadora)   *(computer) program*
el puerto USB   *USB port*
la red social   *social network*
el satélite   *satellite*
el teléfono celular/móvil   *cell phone*
la televisión   *television*
la videoconsola   *video game playing device*
el videojuego   *video game*

El automóvil

los frenos   *brakes*
la llanta   *tire*
el maletero   *trunk*
el motor   *motor*
el sistema GPS   *GPS*
el tanque   *tank*
el volante   *steering wheel*

En la carretera/En el camino
On the road

el accidente   *accident*
el autobús   *bus*
la autopista   *expressway, freeway*
el camión   *truck*
la carretera/el camino   *road, highway*
la cuadra   *block (in a city)*
el choque   *crash, collision*
la esquina   *corner*
la estación (de tren/autobuses)   *(train/bus) station*
la gasolina   *gas*

la estación de servicio/la gasolinera   *service/gas station*
el estacionamiento/el aparcamiento   *parking*
el kilómetro   *kilometer*
el límite de velocidad   *speed limit*
la moto(cicleta)   *motorcycle*
el puente   *bridge*
el seguro   *insurance*
el semáforo   *traffic light*
la señal   *sign*
el tráfico/el tránsito   *traffic*

Otras palabras útiles

el/la conductor/a   *driver*
la licencia de conducir   *driver's license*
la multa   *ticket; fine*
la velocidad   *speed*

Verbos y expresiones verbales

conducir/manejar   *to drive*
continuar   *to continue*
cruzar   *to cross*
chocar (con)   *to crash, collide (into)*
doblar   *to turn*
echar gasolina   *to put gas (in the tank)*
estacionar/aparcar   *to park*
funcionar   *to work, run (machine)*
guardar   *to save*
hacer reservaciones/reservas   *to make reservations*
intentar   *to try, attempt*
llenar el tanque   *to fill the tank*
parar   *to stop*
probar (ue)   *to try, test out*
reparar   *to repair*
revisar   *to check over*
romperse   *to break, get broken*
seguir (i, i)   *to follow, continue*
tener cuidado   *to be careful*
tratar de   *to try to*

Autoprueba y repaso

I. *Nosotros (Let's) commands.* ¿Hacerlo o no hacerlo? Da la forma afirmativa y negativa de los siguientes mandatos.

> **Modelo:** probar el manos libres
> **Probemos el manos libres.**
> **No probemos el manos libres.**

1. levantarnos a las diez
2. salir para el centro
3. ir por la ruta más directa
4. parar en el supermercado
5. cruzar el nuevo puente
6. seguir recto por cuatro cuadras
7. explorar el sector histórico de la ciudad

II. **The subjunctive with adverbial expressions of condition or purpose.** Termina las respuestas.

> **Modelo:** ¿Para qué llamas tanto a tus padres?
> Los llamo tanto para que **no se preocupen por mí.**

1. ¿No ha llamado Marta todavía? No, voy a quedarme aquí en caso de que…
2. ¿José no sabe mi dirección? No, voy a mandársela para que (él)…
3. ¿Ya escribiste la carta? No, voy a escribirla en español con tal de que (tú)…
4. ¿Puedo alquilar un coche? Por supuesto, puedes alquilarlo con tal de que…
5. ¿Vas a salir esta noche? Sí, pienso salir a menos que…

III. **The imperfect subjunctive.**

A. Indica los deseos de las personas.

> **Modelo:** ¿Qué quería mamá que hiciera yo?
> sacar la basura
> **Quería que sacara la basura.**

1. ¿Qué quería Mamá que hiciera yo?
   a. limpiar mi cuarto
   b. ir al supermercado
   c. llamar a mis abuelos
   d. reparar el control remoto
2. ¿Qué nos sugirió la profesora de español?
   a. escribir los ejercicios del manual
   b. llegar a clase temprano
   c. hacer los ejercicios del laboratorio
   d. participar en clase
3. ¿Qué esperaban los abuelos?
   a. llamarlos para Navidad

b. escribirles un mensaje electrónico
c. visitarlos en verano
d. regalarles una cámara de video

B. Indica tus deseos en las siguientes situaciones usando la expresión *Ojalá (que)*. Sigue el modelo.

> **Modelo:** Mi teléfono celular no tiene cámara de fotos.
> **Ojalá (que) mi teléfono celular tuviera cámara de fotos.**

1. Mi computadora no funciona.
2. Quiero comprar un coche híbrido.
3. Espero ver más películas en 3D pronto.
4. La universidad tiene muchas computadoras viejas.

IV. *Repaso general.* Contesta con oraciones completas.

1. ¿Te consideras tecnológicamente activo/a o no? Explica.
2. ¿Qué clase de conductor/a eres? (Habla de multas, accidentes, uso del cinturón de seguridad, etc.)
3. Cuando llegaste a la universidad, ¿qué querían tus papás (o amigos) que hicieras?
4. ¿Usas muchas abreviaturas en tus correos electrónicos o mensajes de texto? ¿Cuáles?

V. *Cultura.*

1. ¿Quiénes son los garífunas y dónde viven?
2. ¿Qué es la forma *vos* y dónde se usa?
3. ¿Cómo afecta la globalización a las comunidades indígenas de Latinoamérica y otras partes del mundo?

Las respuestas de *Autoprueba y repaso* se pueden encontrar en el **Apéndice 2.**

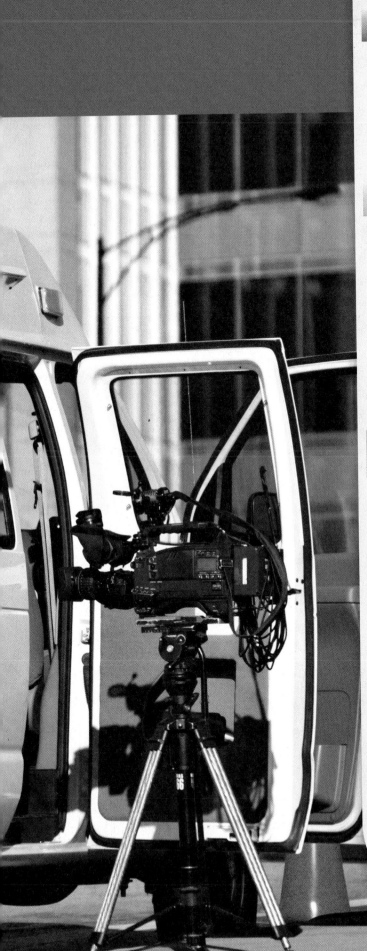

El mundo en las noticias

Así se dice

El mundo en las noticias

Tus opiniones sobre los problemas mundiales

Así se forma

1. The subjunctive with time expressions
2. The present perfect subjunctive
3. *Si* clauses

Cultura

- El español en los medios de comunicación en Estados Unidos
- El servicio voluntario y el activismo estudiantil

Dicho y hecho

Para leer:
El nuevo periodismo

Para conversar:
Un noticiero

Para escribir:
Una propuesta para el presidente de Estados Unidos

Para ver y escuchar:
CLUES: ayuda a los inmigrantes

By the end of this chapter you will be able to:

- Talk about major issues in today's global society
- Talk about pending actions
- Talk about what might or would happen
- Hypothesize

ENTRANDO AL TEMA

1. ¿Cuáles crees que son las cinco cadenas de televisión más populares de Estados Unidos?

2. ¿Cuáles son los temas actuales (*current*) en las noticias de Estados Unidos?

3. ¿Alguna vez has hecho servicio voluntario?

Así se dice

El mundo en las noticias

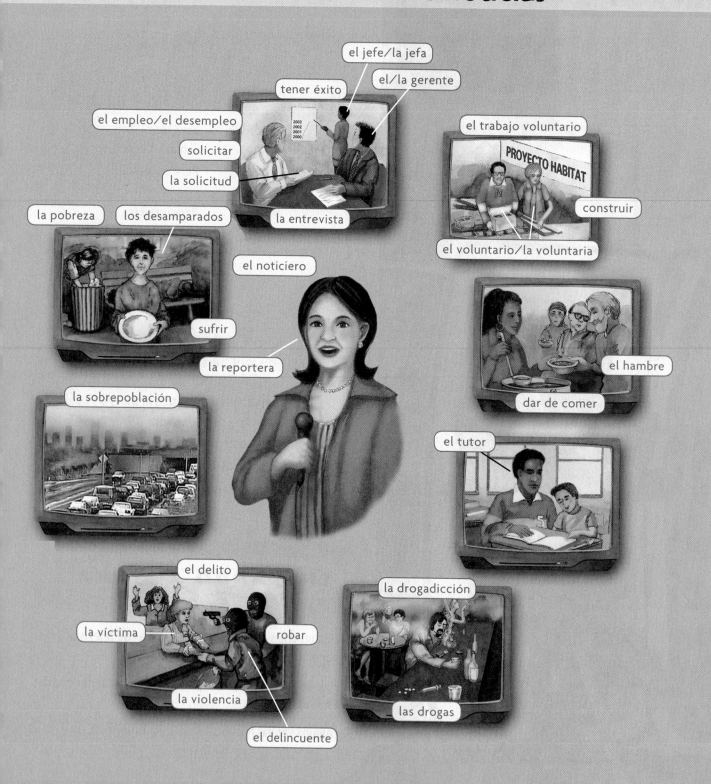

el jefe/la jefa

el/la gerente

tener éxito

el empleo/el desempleo

2003
2002
2001
2000

solicitar

la solicitud

el trabajo voluntario

PROYECTO HABITAT

construir

la pobreza

los desamparados

la entrevista

el voluntario/la voluntaria

el noticiero

sufrir

la reportera

el hambre

la sobrepoblación

dar de comer

el tutor

el delito

la drogadicción

la víctima

robar

la violencia

las drogas

el delincuente

el acuerdo de paz	*peace treaty*	los derechos (humanos)	*(human) rights*	el jefe/la jefa	*boss*
apoyar	*to support*	los desamparados	*the homeless*	la libertad	*freedom*
el/la ciudadano/a	*citizen*	la igualdad	*equality*	la pobreza	*poverty*
construir (irreg.)	*build*	la investigación	*research*	solicitar (un empleo)	*to apply (for a job)*
dar de comer	*feed*	el/la gerente	*manager*		
el/la delincuente	*criminal*	la guerra	*war*	la solicitud	*application*
el delito	*crime*	el hambre	*hunger*	tener éxito	*to be successful*

WILEY PLUS Pronunciación:
Practice pronunciation of the chapter vocabulary and particular sounds of Spanish in *WileyPLUS*.

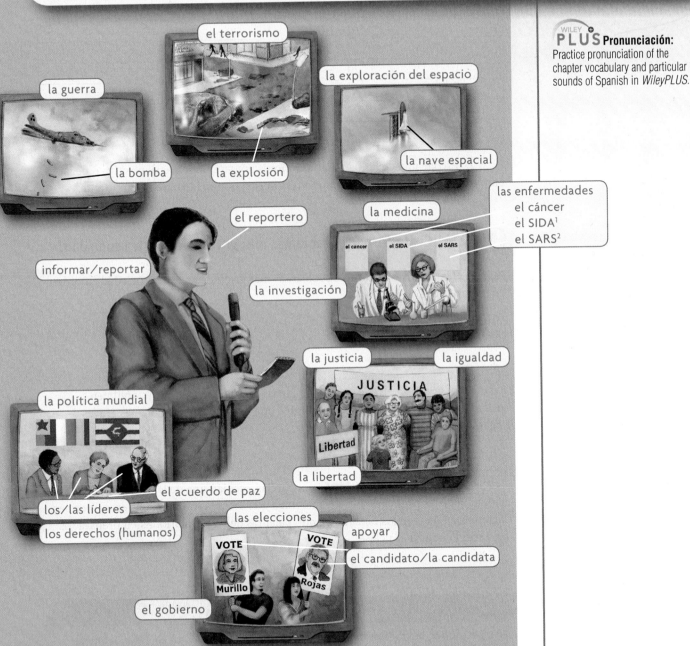

el terrorismo

la exploración del espacio

la guerra

la bomba

la explosión

la nave espacial

el reportero

la medicina

las enfermedades
el cáncer
el SIDA[1]
el SARS[2]

el cancer   el SIDA   el SARS

informar/reportar

la investigación

la justicia

la igualdad

JUSTICIA

Libertad

la política mundial

la libertad

el acuerdo de paz

los/las líderes

los derechos (humanos)

las elecciones

apoyar

VOTE   VOTE

Murillo   Rojas

el candidato/la candidata

el gobierno

votar (por)   el/la ciudadano/a

---

[1]Síndrome de inmunodeficiencia adquirida, [2]Síndrome respiratorio agudo severo

El mundo en las noticias

15-1 ¿Persona, problema u objetivo?

Paso 1. Escucha las siguientes palabras y escríbelas en la columna que corresponda.

Persona/s	Problema	Objetivo

Paso 2. Escoge una de las palabras anteriores por su importancia, positiva o negativa, para ti. Explica brevemente (en dos o tres líneas) por qué te parece importante.

15-2 ¿Cuáles son los problemas más graves de nuestra sociedad?

Paso 1. Haz una lista de los tres problemas más graves de nuestra sociedad en orden de importancia.

1. _____

2. _____

3. _____

 Paso 2. En grupos de tres o cuatro personas, comparen sus listas y expliquen los motivos de su elección. Decidan juntos una lista de cinco problemas graves y organícenlos por orden de importancia.

15-3 Noticias actuales.
En parejas, escojan una de las pantallas de televisión de las páginas 506–507. Imaginen que ustedes son los reporteros. Escriban la noticia e inventen los detalles usando palabras del vocabulario. Estén preparados para leer la noticia a la clase.

INVESTIG@ EN INTERNET

En un buscador, busca "noticias" y anota tres titulares (*headlines*) en español que te llamen la atención. Intenta anotar por lo menos un titular de Estados Unidos y uno de Latinoamérica.

Tus opiniones sobre los problemas mundiales

	Sí	No
¿Crees que es posible...		
• evitar **las guerras**/mantener **la paz**?	☐	☐
• **eliminar** parte de la pobreza y el hambre del mundo?	☐	☐
• eliminar **los prejuicios** y **la discriminación?**	☐	☐
• prevenir **el narcotráfico** y **la drogadicción?**	☐	☐
• controlar **la sobrepoblación** del mundo?	☐	☐
¿Estás a favor de, o en contra de...		
• el derecho a llevar **armas?**	☐	☐
• el derecho de la mujer a **escoger**[1] **el aborto?**	☐	☐
• **la pena de muerte?**	☐	☐
• **legalizar** la marihuana?	☐	☐
• darles amnistía a los inmigrantes indocumentados?	☐	☐
• expulsar a los que crucen **la frontera** ilegalmente?	☐	☐
¿Crees que debemos...		
• eliminar **las leyes** que **prohíben** el consumo de alcohol a menores de veintiún años?	☐	☐
• gastar más en **la exploración del espacio?**	☐	☐
• ... en ayudar a **los desamparados?**	☐	☐
• ... en desarrollar **curas** para el cáncer y el SIDA?	☐	☐
• ... en la educación?	☐	☐
• ... en **el ejército** y la defensa militar?	☐	☐
• **luchar por los derechos humanos** y **la libertad** de todos?	☐	☐

el arma	*weapon*	el narcotráfico	*drug trafficking*
escoger	*to choose*	luchar por	*to fight for*
el ejército	*army*	la pena de muerte	*death penalty*
la frontera	*border*	prohibir	*to forbid, prohibit*
la ley	*law*	estar a favor de/en contra de	*to be in favor of/against*

---

[1]**Escoger** changes the *g* to *j* to maintain the same pronunciation in the **yo** form of the present indicative (**escojo**) and in all forms of the present subjunctive (**escoja, escojas, escoja, escojamos, escojáis, escojan**).

El mundo en las noticias

15-4 Organizaciones. ¿Qué causas apoyan las siguientes organizaciones?

Paso 1. Combina la organización con la causa correspondiente.

Organización	Causa
____ **1.** Hábitat para la Humanidad	**a.** Lucha por los derechos humanos.
____ **2.** Sociedad Americana contra el Cáncer	**b.** Protege los mares, los animales en peligro de extinción, el medio ambiente, etc.
____ **3.** Amnistía Internacional	**c.** Ayuda a los que sufren por catástrofes naturales, guerras, etc.
____ **4.** PETA[1]	**d.** Construye[2] viviendas para los pobres y los desamparados.
____ **5.** UNICEF	**e.** Ayuda a los pobres y a los desamparados.
____ **6.** Greenpeace	**f.** Defiende los derechos de los animales.
____ **7.** El Ejército de Salvación	**g.** Busca una cura para una enfermedad grave.
____ **8.** La Cruz Roja	**h.** Defiende los derechos de los niños de todo el mundo.

 Paso 2. ¿Hay alguna otra organización que te parezca importante? ¿Por qué? ¿Eres miembro de alguna de estas organizaciones? Compartan sus respuestas en grupos de cuatro o cinco personas.

 ## 15-5 Así pensamos. En grupos de cuatro, comparen sus respuestas a las preguntas del cuestionario sobre los problemas mundiales (en la página 509) y defiendan sus opiniones. Un/a secretario/a debe tomar notas. Algunos grupos van a presentar sus ideas a la clase.

Modelo: **Algunos/La mayoría/Todos estamos a favor de/en contra de… porque…**

NOTA CULTURAL

Lo que vemos en las noticias

The way news is reported on television varies from one country to another. In some parts of the world, coverage of international issues is greater than on a typical U.S. newscast. Likewise, the images shown may be quite graphic from a U.S. perspective.

---

[1]PETA, UNICEF. The names of these organizations are not translated into Spanish, and their acronyms are read as words.
[2]The present indicative of **construir: construyo, construyes, construye, construimos, construís, construyen.**

15-6 **¿Qué le pasa al mundo?** En parejas, lean algunos datos sobre estos tres problemas mundiales. Elijan el problema que más les interese y propongan tres (3) recomendaciones concretas para eliminarlo.

La guerra

- La guerra es una manera violenta de determinar qué va a ocurrir en un territorio: quién tendrá el poder y la riqueza (*wealth*), qué leyes (*laws*) se van a aprobar (*pass*), dónde estará la frontera, qué se enseñará en las escuelas, etc. Se trata de un conflicto armado entre comunidades políticas, motivado por un desacuerdo (*disagreement*) fuerte sobre el gobierno.

- Según el Departamento de Asuntos de Veteranos, para 2007 habían muerto un total de 44,570,861 estadounidenses en guerras, incluyendo la Guerra de la Independencia (1775-1783), la Guerra Civil (1861-1865), las dos Guerras Mundiales (1917-1918 y 1941-1945) y la Guerra contra el Terrorismo (2001-presente).

Las drogas

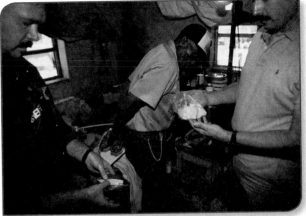

- De los aproximadamente 2 millones de individuos encarcelados (*incarcerated*) en este país, un 25% han sido condenados por delitos relacionados con las drogas. Unos 7 millones de estadounidenses tienen problemas con el abuso de drogas, lo cual aumenta la población de las cárceles.

- Cuesta aproximadamente $67 por día mantener a un preso (*prisoner*) en la cárcel. Esto es, $16,900,000 por día para los 253,300 presos en las cárceles estatales por delitos de drogas en 2007.

- La Proposición 19 en California propone regular, controlar y poner impuestos sobre la venta de marihuana. Los que están a favor dicen que esta proposición ayudaría con el déficit del estado, cortaría muchos fondos de los cárteles violentos y permitiría que los policías se dedicaran a luchar contra crímenes más violentos. Los que se oponen dicen que habrá consecuencias muy negativas en la seguridad pública, lugares de trabajo y fondos federales.

El hambre

- Un promedio de una persona por segundo se muere a causa del hambre – o sea, unos 86,000 personas por día. Esto constituye un 58% de todas las muertes por año mundialmente.

- Hacen falta 8 kilos de granos (*grain*) para producir medio kilo de carne. Usar un acre de tierra para criar ganado (*cattle*) produce solamente 10 kilos de proteínas, pero ese mismo acre produciría 178 kilos de proteína si se cultivaran habas de soja (*soybeans*).

- A veces la comida donada no llega a la gente con hambre, porque los gobiernos locales tienen problemas para distribuirla efectivamente.

Cultura: El español en los medios de comunicación en Estados Unidos

Antes de leer

1. ¿Cuáles son las cinco cadenas de televisión más grandes de Estados Unidos?

2. ¿Hay periódicos o emisoras (*stations*) de radio en español en el lugar donde vives? ¿Cómo se llaman?

3. ¿Quiénes son los anfitriones (*hosts*) de los programas de radio más conocidos en Estados Unidos? ¿Escuchas alguno de ellos con frecuencia?

LA TELEVISIÓN

Las dos principales cadenas televisivas hispanas en Estados Unidos son Univisión y Telemundo. **Univisión,** la más grande de ellas, se fundó en 1961 desde una pequeña emisora (*station*) de San Antonio, Texas, y tomó su forma actual cuando un grupo de inversionistas se la compró a Hallmark en 1992. Univisión llega al 97% de las casas hispanas en el país. Algunos datos impresionantes sobre Univisión:

- En muchas temporadas (*seasons*), durante la hora de mayor audiencia (*prime time*), Univisión supera a ABC, CBS, Fox y NBC entre los televidentes de 18 a 34 años de edad.

- En 2007, Univisión televisó por primera vez los debates entre los candidatos presidenciales, atrayendo a un público de 4.6 millones (¡y los hispanos formaban tan sólo el 12% de la nación!). El público promedio para los debates de otros canales fue de 4.3 millones.

- Las noticias locales de Univisión ocupan el primer lugar en cuanto a número de televidentes en 16 mercados (*markets*), entre ellos Albuquerque, El Paso, Houston, Las Vegas, Los Ángeles, Miami, Phoenix y San Francisco.

- La Copa Mundial de Fútbol de 2010 atrajo a Univisión el doble de televidentes que las Finales de la NBA.

- En 2007, un grupo privado liderado por Haim Saban compró Univisión por casi $14 mil millones (*billions*). En ese momento representaba casi el mismo valor de Chrysler y el *Wall Street Journal* combinados.

Telemundo es la segunda cadena hispana más popular en Estados Unidos, con casi 1,035,000 de televidentes durante la hora de mayor audiencia en 2007. Telemundo comenzó en 1986, cuando se unieron varias cadenas en Miami, Los Ángeles y la Ciudad de Nueva York. La vendieron a Sony en 1998 y, en 2002, la empresa NBC la compró por la impresionante suma de $2.7 mil millones, demostrando el valor y el potencial de la cadena. Una ventaja para los noticieros de Telemundo es que pueden emplear las imágenes de satélite de NBC en sus programas. Otros datos interesantes sobre Telemundo:

- Produce muchos más programas originales que Univisión, cuya (*whose*) programación depende significativamente de programas mexicanos y venezolanos.

- Es la única cadena hispana en Estados Unidos que provee subtítulos en inglés durante la hora de mayor audiencia.

- En 2009, Telemundo fue el primer canal hispano en ofrecer programación en alta definición.

- También en 2009, Telemundo y Televisa, el grupo de medios de comunicación hispano más importante, se unieron para ofrecer programación por cable y satélite en México. Desde 2009, Telemundo ha firmado alianzas con empresas televisivas como Televisa, TV Azteca o Caracol Televisión, contando con numerosas cadenas afiliadas.

LOS PERIÓDICOS

Mientras la circulación de periódicos en inglés ha bajado considerablemente en las últimas décadas, la circulación de periódicos en español ha aumentado, superando los 1.7 millones en 2002, más del triple que en 1990. A diferencia de las cadenas televisivas, los periódicos no se han consolidado en la misma medida. Comenzaron como productos comunitarios para ofrecer servicio a los residentes locales y lo siguen siendo.

La circulación de varios periódicos hispanos (2009)		
Título	**Lugar**	**Lectores del fin de semana**
El Diario/La Prensa	Ciudad de Nueva York, NY	676,000
Hoy	Chicago, IL	335,000
La Opinión	Los Ángeles, CA	135,000
El Nuevo Herald	Miami, FL	95,500

LOS TEMAS

Los temas cubiertos (*covered*) por los medios hispanos, tanto en la televisión como en los periódicos, pueden variar sustancialmente de un lugar a otro, según el origen de los residentes locales. En Miami, por ejemplo, donde hay una alta concentración de cubanos, las noticias suelen (*tend to*) cubrir temas caribeños. En la Ciudad de Nueva York, cuya población hispana es muy variada, las noticias suelen ser más cosmopolitas, pero con cierto enfoque en temas puertorriqueños y dominicanos. En el suroeste y en Los Ángeles hay un interés particular en los temas mexicanos.

Aunque un adulto aprenda un segundo idioma, hay cosas que prefiere hacer en su primer idioma, entre ellas recibir las noticias. Además, muchos reportajes de los medios hispanos cubren temas que los medios de comunicación principales no tratan. Por ejemplo, si uno quiere saber sobre una huelga (*strike*) de enfermeras en Honduras, un escándalo de corrupción en Perú o las elecciones en Puerto Rico, sólo Univisión o Telemundo ofrecen esta información.

LA RADIO

La radio hispana es el tercer formato más escuchado en Estados Unidos. Se dice que antes de 1930 ya había emisoras de radio con algún programa en español. Hoy, el programa matutino (*morning*) más popular en Los Ángeles, en cualquier (*any*) idioma, es el del locutor de radio (*radio show host*) mexicano Eddie Sotelo, mejor conocido como El Piolín. Este programa se escucha en otras 100 emisoras, y es el programa más popular de todo el país superando, según los informes de Arbitron, las transmisiones matutinas de Howard Stern, Rush Limbaugh y Tom Joyner.

LA PUBLICIDAD

En 2002, los ingresos (*earnings*) por publicidad de los medios hispanos eran de 786 millones de dólares. El crecimiento (*growth*) de la prensa hispana dio lugar a una consolidación nacional de recursos (*resources*) publicitarios, conocida como el *Latino Print Network*, que se dedica a vender anuncios a más de 200 publicaciones y 10 millones de suscriptores en más de 27 estados. También se observa un mayor esfuerzo en las empresas no hispanas por atraer clientes hispanohablantes. Se estima que el poder adquisitivo del mercado hispano aumentó de 400 mil millones de dólares a un billón (*trillion*) de dólares en el año 2010.

Después de leer

1. ¿Por qué hay tanto interés en hacer publicidad dirigida a los hispanos en Estados Unidos?
2. Busca un periódico hispano en Internet y compara los reportajes con los de un periódico nacional en inglés. ¿Qué diferencias y similitudes hay?

Así se forma

Cuando termines la lección, podemos jugar al tenis.

WILEY **PLUS** Go to *WileyPLUS* and review the Animated Grammar Tutorial and Verb Conjugator for this grammar point.

1. The subjunctive with time expressions: Talking about pending actions

Some adverbial subordinate clauses express when the main action or event takes place and are introduced by the following conjunctions of time:

cuando	*when*	hasta que	*until*
antes de que[1]	*before*	tan pronto como	*as soon as*
después de que	*after*		

In these adverbial clauses the subjunctive is used when an action is pending, that is, when it has not yet occurred. In contrast, if the action is completed or habitual, the indicative is used.

Action pending, yet to occur → subjunctive

Cuando llegue al orfanato, te llamaré.

When I arrive at the orphanage, I'll call you.

Compraré las medicinas **antes de que tú llegues.**

I will buy the medications before you arrive.

Los voluntarios saldrán **después de que terminen** el trabajo.

The volunteers will leave after they finish their work.

Me quedaré allí **hasta que el director me llame.**

I will stay there until the director calls me.

Tan pronto como reciba la llamada, recogeré a los niños.

As soon as I receive the call, I will pick up the children.

Completed or habitual action → indicative

Mi amigo me llamó **cuando llegó** al orfanato.

My friend called me when he arrived at the orphanage. (completed)

No salí **hasta que paró** de llover.

I did not go out until it stopped raining. (completed)

Mi amigo siempre me llama **tan pronto como llega** a la ciudad.

My friend always calls me as soon as he arrives in town. (habitual)

---

[1]Because it signals an action that has not yet occurred, the conjunction **antes de que,** is always followed by the subjunctive, even if the general event takes place in the past.

Nos atacó antes de que lo viéramos. → the action of seeing is pending in relation to the moment when the attack took place.

When there is no change of subject, the conjunctions **antes de que, después de que,** and **hasta que** usually become **antes de** + *infinitive*, **después de** + *infinitive*, and **hasta** + *infinitive*.

Change of subject → subjunctive	No change of subject → infinitive
Lo terminaremos **antes de que salgas.**	Lo terminaremos **antes de salir.**
Tomaremos la decisión **después de que hagas** la llamada.	Tomaremos la decisión **después de hacer** la llamada.
Nos quedaremos aquí **hasta que lo termines.**	Nos quedaremos aquí **hasta terminarlo.**

15-7 Proyecciones futuras.

Paso 1. Indica las opciones que te parecen más probables. Escribe también un evento nuevo que no esté en la lista. Observa los usos del subjuntivo. Luego, lee tus respuestas a un/a compañero/a de clase. ¿Tienen opiniones parecidas?

1. Creo que se encontrará una cura para el SIDA…

   ☐ antes de que **llegue** el año 2050.

   ☐ cuando **gastemos** suficiente dinero en los experimentos científicos.

   ☐ después de que **encontremos** una cura para el cáncer.

2. Creo que se legalizará la marihuana nacionalmente….

   ☐ antes de que **termine** la presidencia actual.

   ☐ después de que **termine** la presidencia actual.

   ☐ cuando la idea **tenga** suficiente apoyo en el país.

3. Me parece que los inmigrantes indocumentados recibirán una amnistía…

   ☐ cuando **esté** mejor la economía.

   ☐ cuando **haya** suficiente presión en el gobierno.

   ☐ antes de que **termine** la presidencia actual.

4. Creo que… _____

Paso 2. Ahora completa estas oraciones con las formas apropiadas de los verbos en paréntesis y lo que tú imaginas en tu futuro. Después, comparen sus ideas en grupos pequeños.

1. Después de que _____ (graduarse), _____.

2. Cuando _____ (encontrar) mi trabajo ideal, _____.

3. Antes de que _____ (cumplir) 50 años, _____.

4. _____ hasta que mi jefe me _____ (recibir) en su despacho.

5. Tan pronto como _____ (tener) dinero suficiente, _____.

▲ Cristina Saralegui

15-8 ¿El pasado, el presente o el futuro de Univisión? Lee las oraciones sobre el canal de televisión estadounidense Univisión. Elige la forma correcta del verbo —en el indicativo o en el subjuntivo— y subráyala. Después, indica si la acción se refiere al pasado, al presente o al futuro.

Modelo: La cadena aumentó su popularidad cuando <u>contrataron</u>/contraten a nuevos reporteros.

	Pasado	Presente	Futuro
	☐	☐	☐

	Pasado	Presente	Futuro
1. El canal adquirió el nombre Univisión cuando se venda/se vendió al grupo Hallmark.	☐	☐	☐
2. El programa *Sábado Gigante* se hizo popular en Estados Unidos cuando su anfitrión, Don Francisco, llegue/llegó a Miami.	☐	☐	☐
3. Es probable que busquen a otra anfitriona para *El show de Cristina* después de que Cristina Saralegui, "la Oprah del mundo hispano" se jubile/se jubila.	☐	☐	☐
4. Univisión y Telemundo serán las cadenas hispanas más grandes hasta que lleguen/llegan cadenas competidoras.	☐	☐	☐
5. Siempre comienza una nueva telenovela (*soap opera*) cuando otra se termine/termina.	☐	☐	☐
6. Es probable que la cadena Univisión se venda otra vez cuando se resuelvan/resuelven las demandas (*lawsuits*) existentes.	☐	☐	☐

▲ Don Francisco

15-9 Mi futuro.

Paso 1. Completa las siguientes frases, usando un verbo en el subjuntivo, para escribir oraciones sobre tu futuro.

Modelo: **Me graduaré de la universidad tan pronto como termine todas mis clases. Llevaré a mi mamá de vacaciones antes de que se jubile.**

A	B

1. _____ hasta que _____.
2. _____ después de que [otra persona] _____.
3. _____ tan pronto como _____.
4. _____ cuando _____.
5. _____ antes de que [otra persona] _____.

 Paso 2. Lee tus frases de la parte A a un/a compañero/a. Vamos a ver si él/ella puede adivinar lo que escribiste en la parte B.

 15-10 **¿Cuándo saldrán?** Muy pronto, un grupo de amigos universitarios se van de viaje en carro para hacer trabajo voluntario en Baja California. En parejas, indiquen cuándo saldrán. Sigan el modelo.

Modelo: Javier / llegar
Saldrán tan pronto como Javier llegue a la universidad.

1. Javier / terminar el proyecto de...

2. Rubén / llenar...

3. Alfonso / devolver...

4. Carmen y Linda / comprar...

5. Esteban / reparar...

6. Pepita e Inés / hacer...

Cultura: El servicio voluntario y el activismo estudiantil

PLUS

Antes de leer

¿Haces algún servicio voluntario? ¿Cuál es?

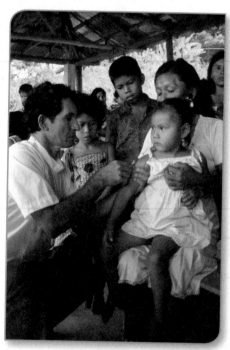

▲ Un voluntario en acción

En los países hispanos, como en Estados Unidos, los jóvenes forman organizaciones y participan activamente en ellas para servir al país de múltiples formas. Los universitarios, por ejemplo, encuentran en el trabajo voluntario y en el activismo excelentes oportunidades para educarse y contribuir al desarrollo (*development*) de las naciones.

Algunos estudiantes voluntarios se dedican a la investigación y a la promoción del patrimonio cultural o al cuidado del medio ambiente. Otros se ocupan de gran parte de los programas de alfabetización en las zonas rurales. De igual importancia son los programas de salud y planificación familiar. Aunque los participantes suelen ser universitarios de las facultades de medicina o ciencias sociales, a menudo se encuentran estudiantes de otras disciplinas y hasta (*even*) alumnos de escuela secundaria.

La expresión política también forma parte de la vida estudiantil. Los universitarios tienden a defender ideas más izquierdistas que las de los gobiernos y a expresarlas públicamente en manifestaciones callejeras. Es frecuente ver grupos protestando contra el gobierno, la contaminación ambiental, las condiciones educativas en las universidades o el aumento del costo de la matrícula. A menudo, las huelgas (*strikes*) asociadas con estas protestas estudiantiles interrumpen las clases.

Después de leer

En tu opinión, ¿por qué causas suelen protestar los universitarios en Estados Unidos? ¿Y en América Latina?

Un grupo de estudiantes de ▶ Quito se manifiesta contra la Ley de Educación Superior.

Así se forma

Esta tarde se anuncian los últimos datos económicos. Se espera que el desempleo haya disminuido.

2. The present perfect subjunctive: Expressing reactions to recent events

You have studied various uses of the subjunctive and practiced the present subjunctive (expressing actions that take place in the present or future) and the imperfect subjunctive (expressing actions that took place in the past).

Present subjunctive

Esperamos que **firmen** un acuerdo de paz.

We hope that they (will) sign a peace treaty.

Imperfect subjunctive

Esperábamos que **firmaran** un acuerdo de paz.

We hoped that they would sign a peace treaty.

PLUS Go to *WileyPLUS* and review the Animated Grammar Tutorial and Verb Conjugator for this grammar point.

The present perfect subjunctive is used in the same kinds of situations as the present and imperfect subjunctive (after expressions of influence, emotion, doubt, etc.). To express actions or events that have occurred in the past but are closely tied to the present we use the present perfect subjunctive.[1]

Dudo que los políticos **hayan hecho** lo posible para evitar la guerra.

*I doubt that the politicians **have done** everything possible to avoid war.*

Es increíble que no **hayan encontrado** una solución.

*It's incredible that they **have not found** a solution.*

Siento que **haya habido** tantos muertos.

*I am sorry that there **have been** so many casualties.*

The present perfect subjunctive is formed with the present subjunctive of **haber** + *past participle*.

> **el presente de subjuntivo de *haber* + el participio pasado**

Al/A la profesor/a le molesta que…

The teacher is annoyed that . . .

(yo) no **haya hecho** la tarea.	*I **have** not **done** my homework.*
(tú) no **hayas hecho** la tarea.	*you **have** not **done** the homework.*
(Ud./él/ella) no **haya hecho** la tarea.	*you **have**/he, she **has** not **done** the homework.*
(nosotros/as) no **hayamos hecho** la tarea.	*we **have** not **done** the homework.*
(vosotros/as) no **hayáis hecho** la tarea.	*you **have** not **done** the homework.*
(Uds./ellos/ellas) no **hayan hecho** la tarea.	*you/they **have** not **done** the homework.*

---

[1]Note that the choice between indicative and subjunctive mood is independent of tense. If it seems complicated at first, it may help to decide first whether the structure requires subjunctive, and then think about the appropriate tense.

No creo que… → requires subjuntive
No creo que sea fácil. *I don't think it is/will be easy.*
No creo que haya sido fácil. *I don't think it has been easy.*

15-11 Unas vacaciones especiales. Escucha lo que cuenta Natalia sobre sus vacaciones de primavera como voluntaria. Escribe el número al lado de la respuesta que corresponda.

Tú le respondes:

_____ Espero que te hayas comprado una cámara digital.

_____ Es importante que hayas conseguido una tarjeta de cajero automático (*ATM card*) o cheques de viajero.

_____ Me alegro de que hayas decidido hacerlo.

_____ ¡Ojalá que no hayas olvidado solicitar tu pasaporte!

_____ Es estupendo que hayas estudiado español este semestre.

_____ Espero que le hayas dicho que Ecuador es un país seguro.

15-12 Natalia de voluntaria. Durante su estancia en Ecuador, Natalia llevó medicamentos a Los Nevados, un pueblo de las montañas. Imagina lo que ha hecho Natalia.

PALABRAS ÚTILES

| la ruta | *route* |
| el puente | *bridge* |

Modelo: Espero que / llevar
Espero que haya llevado los medicamentos y comida en su mochila.

1. Es probable / despertarse

2. Es importante / ponerse

3. Espero / escoger

4. Es posible / escalar

5. Es probable / cruzar

6. Es importante / tomar ...comer

7. Me alegro de / entregar

8. Es fantástico / poder ayudar

(15-13) ¿Cómo reaccionan ustedes?

Paso 1. Indica tu reacción a estas noticias. Al final, piensa en tu reacción a otras dos noticias importantes.

Modelo: Han otorgado el Premio Nobel de la Paz a Barack Obama.

Estudiante A: **Me alegro de que le hayan otorgado el Nobel de la Paz a Barack Obama.**

Estudiante B: **A mí me sorprende que le hayan otorgado el Nobel de la Paz a Barack Obama.**

1. El águila calva (*bald eagle*) está en peligro de extinción.
2. Se están desarrollando nuevos tratamientos para el cáncer.
3. Hay más de 25 guerras y conflictos armados en el mundo actual.
4. China e India son las nuevas potencias económicas mundiales.
5. …
6. …

 Paso 2. En grupos pequeños, comparen sus reacciones. Compartan las noticias que escribieron y reaccionen a las noticias de sus compañeros.

(15-14) ¿Qué han hecho ustedes?

Paso 1. Escribe en tu cuaderno, o en una hoja de papel, tres cosas interesantes que has hecho en tu vida. Pueden ser reales o imaginarias.

 Paso 2. En grupos de 4 personas, compartan lo que han escrito. Después de que una persona lea una oración, los compañeros reaccionan usando una de las siguientes expresiones:

Expresiones que requieren subjuntivo:

Dudo que…
No creo que…
No pienso que…
Me alegro de que…
Siento que…

Expresiones que requieren indicativo:

Creo que…
Pienso que…
Seguro que…

Modelo: Tú: **He saltado de un avión en paracaídas.**

Compañero/a: **Creo que saltar de un avión en paracaídas es peligroso. Me sorprende que hayas saltado de un avión en paracaídas.**

(15-15) Un noticiero. En grupos, cada estudiante es reportero/a y presenta una de las cinco noticias en voz alta. Después de cada noticia, el grupo comparte sus reacciones. Usen las siguientes expresiones.

> Ojalá que...
> Es muy bueno que...
>
> Una solución para el problema de... sería...
> Es trágico que... porque...

Mortalidad infantil y juvenil

Quito, Ecuador—La Organización Mundial de la Salud (OMS) declara que seis enfermedades infecciosas (SIDA, tuberculosis, neumonía, diarrea, paludismo y sarampión) son responsables del 90% de las muertes de los niños del mundo. Más del 37% de las muertes infantiles ocurren durante los primeros 28 días de vida, en el periodo neonatal. La desnutrición es una causa subyacente (*underlying*) en más de la mitad de las muertes que ocurren antes de los 5 años.

Niños trabajadores

Ciudad de México, México—La Organización Internacional del Trabajo (OIT) estima en 218 millones el número de niños menores de dieciocho años que trabajan en el mundo. Esta cifra (*figure*) representa una disminución del 11% respecto a las cifras del año 2000. Juan Somavia, Director General de la OIT, subrayó (*pointed out*) que "si bien la lucha contra el trabajo infantil sigue siendo un desafío (*challenge*) de enormes proporciones, estamos en el camino correcto".

El calentamiento de la Tierra

Santiago de Chile, Chile—El derretimiento del hielo y los glaciares de Groenlandia y el polo ártico han alcanzado niveles nunca vistos. Según los científicos, el hielo es mucho más delgado de lo habitual. Esto se debe al calentamiento provocado por las emisiones del dióxido de carbono que causa el efecto invernadero (*greenhouse effect*) en el planeta.

Poco a poco se llega lejos

Buenos Aires, Argentina—El gobierno argentino ha modificado su plan de prevención contra el uso de las drogas. En las últimas décadas la lucha consistió principalmente en explicar los efectos que estas sustancias causan a quienes las consumen. Debido al fracaso (*failure*) de este método, se está usando un nuevo modelo. Ahora, la idea es atacar las razones socioculturales, familiares o individuales que causan el uso de las drogas.

¡"No" al terrorismo!

Bilbao, España—Más de 120,000 personas participaron en Bilbao en una manifestación encabezada (*headed*) por personalidades del mundo político. El sentimiento general fue demostrar que estaban en contra del terrorismo y de la violencia que genera. Todos los presentes buscaban la paz y pretendían decirle a ETA[1] que no quieren una organización que siembre (*spreads*) el terror y el sufrimiento en el pueblo.

---

[1] **Euskadi Ta Askatasuna**—a militant terrorist organization that advocates the separation of the Basque Country from the rest of Spain.

VideoEscenas: Alcaldes (*Mayors*) unidos

▲ Una reportera de televisión entrevista al Sr. Vargas,
Alcalde de Arequipa, en Lima, Perú.

 Paso 1. En grupos pequeños, hagan una lista de los cuatro o cinco problemas más serios que, en su opinión, afronta (*confronts*) la ciudad donde están ahora.

Paso 2. Mira el video y decide si las siguientes afirmaciones son ciertas o falsas. Si son falsas, corrígelas. A continuación, imagina que eres la reportera y escribe un resumen de noticias (*news brief*) de no más de dos líneas para comenzar el noticiero.

	Cierto	Falso
1. Según las estadísticas, la delincuencia y el desempleo han aumentado.	☐	☐
2. Son problemas que los alcaldes pueden resolver solos.	☐	☐
3. El Sr. Vargas piensa que necesitan ayuda del gobierno central.	☐	☐

 Paso 3. Lee las siguientes preguntas y anota las respuestas que recuerdes. Después, mira el video y completa o corrige lo que escribiste.

1. ¿Quiénes se van a reunir esta semana?

2. ¿De qué temas van a hablar?

3. ¿Cuáles son sus objetivos?

Paso 4. En los mismos grupos del Paso 1, revisen los problemas que tiene su ciudad. ¿Qué puede hacer su alcalde para resolver o mejorar estas situaciones?

Así se forma

Si pudiera, eliminaría la pobreza del mundo.

WILEY PLUS Go to *WileyPLUS* and review the Animated Grammar Tutorial and Verb Conjugator for this grammar point.

3. *Si* clauses: Hypothesizing

To express possibilities or hypothetical situations, we use **si** (*if*) clauses. When the **si** (*if*) clause poses a situation that is <u>possible or likely to occur</u> (not obviously contrary-to-fact or hypothetical), the **si** clause is in the present indicative and the result is in the present indicative or future tense.

> Possible situation: **si +** *present indicative,* (then) *present/future*

Generalmente voy en bici, pero si **llueve, voy** en coche.	*I usually go by bike, but if it **rains, I go** by car.*
Si **tengo** tiempo, **voy/iré.**	*If I **have** time, **I go/I'll go.***

When the **si** clause expresses a <u>hypothetical situation</u>, i.e., contrary-to-fact or very unlikely to occur, it is formed with the <u>imperfect subjunctive</u>. The <u>conditional</u> is used to express the result, i.e., what *would occur* as a consequence.

> Hypothetical situation: **si +** *imperfect subjunctive,* (then) *conditional*

Si **tuviera** el dinero, se lo **donaría** a los pobres.	*If I **had** the money, I **would donate** it to the poor.*

Note that the clauses can appear in either order (hypothetical situation first or last).

Hablaría con el presidente si él **estuviera** aquí.	*I **would speak** with the president if he **were** here.*

(15-16) Emociones. Empareja las situaciones y las consecuencias según tu opinión. Cuando termines, completa la situación que no tenga consecuencia.

1. Estaría muy triste si…
2. Estaría muy preocupado/a si…
3. Estaría sorprendido/a si…
4. Estaría enojado/a si…
5. Estaría muy contento/a si…
6. Estaría muy nervioso/a si…
7. Estaría deprimido/a si…
8. Estaría más tranquilo/a si…
9. Tendría miedo si…

a. subiera la tasa de desempleo.
b. sacara A en todas mis clases.
c. no hubiera contaminación.
d. un/a amigo/a consumiera drogas.
e. fuera víctima de un robo.
f. los profesores no trataran a todos con igualdad.
g. escuchara una explosión.
h. el noticiero dijera que hay una cura para el cáncer.
i. …

Remember this about **si** clauses:

1. **Si** clauses can be followed by present indicative or imperfect subjunctive, <u>never present subjunctive</u>.

2. The **si** clause can be first or last. Use a comma only when the **si** clause is first.

(15-17) **¿Qué harías?** En este capítulo hemos hablado de la actualidad en el mundo. Piensa ahora en tu universidad.

Paso 1. Completa las siguientes oraciones según tu opinión.

1. Si hubiera una manifestación en contra/a favor de _____, participaría en ella porque…

2. Si pudiera cambiar algo en el campus, cambiaría _____ porque…

3. Si pudiera añadir (*add*) un curso/una especialización nueva, sería _____ porque…

4. Si se pudiera renovar o modernizar un espacio de la universidad, se debería renovar _____ porque…

5. Si la universidad ofreciera un nuevo servicio a los estudiantes, me gustaría tener…

6. Si pudiera pedirle una cosa al presidente de la Universidad, le diría/pediría…

 Paso 2. Se acercan las elecciones del comité de representantes estudiantiles y tú y tus amigos forman un grupo para presentarse a las elecciones. En grupos de tres personas, comparen sus respuestas para el Paso 1 y escojan cuatro o cinco problemas importantes que quieran resolver.

Modelo: **Queremos que no haya clases los viernes.**

Paso 3. Escriban cinco oraciones explicando lo que harán si son elegidos.

Modelo: **Si nos eligen como representantes, pediremos que no haya clases los viernes.**

Las telenovelas hispanas

Telenovelas are miniseries televised on Latin American TV stations. There are numerous differences between *telenovelas* and U.S. soap operas. *Telenovelas,* or *novelas* for short, only last between eight and twelve months. They are also broadcast during prime time evening slots.

The plots of *novelas* are frequently one of four general types: a poor girl who falls in love with a rich man; a story that takes place in a given epoch or time period; teen *novelas* that represent the lives of young people; and musical *novelas* that follow aspiring musicians.

Latin-American *telenovelas* have fans all over the world. For example, the Colombian *novela* **Yo soy Betty, la fea,** which lasted two years, from 2000 to 2001, was broadcast in at least 70 different countries and has been imitated in many places, including Russia, India, Germany, Spain, and the United States.

▲ La protagonista de la telenovela colombiana *Yo soy Betty, la fea*

(15-18) Aventuras por el mundo hispano.

Paso 1. Completa las siguientes oraciones basándote en lo que has aprendido sobre el mundo hispano, incluyendo las comunidades hispanas de EE.UU.

Modelo: Si pudiera tomar clases en un país hispano, (estudiar)
estudiaría en Chile.

1. Si pudiera pasar una semana en una ciudad hispana, (ir)
2. Si quisiera conocer un espacio natural, (visitar)
3. Si tuviera la oportunidad de probar una comida local, (comer)
4. Si pudiera asistir a un concierto de un grupo o cantante, (querer ver)
5. Si tuviera la oportunidad de entrevistar a un hispano famoso, (hablar)

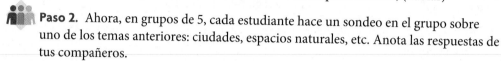 **Paso 2.** Ahora, en grupos de 5, cada estudiante hace un sondeo en el grupo sobre uno de los temas anteriores: ciudades, espacios naturales, etc. Anota las respuestas de tus compañeros.

Modelo: **Si pudieras tomar clases en un país hispano, ¿dónde estudiarías?**

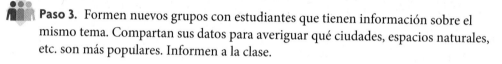 **Paso 3.** Formen nuevos grupos con estudiantes que tienen información sobre el mismo tema. Compartan sus datos para averiguar qué ciudades, espacios naturales, etc. son más populares. Informen a la clase.

(15-19) Una cadena (*chain*) de posibilidades.
En grupos pequeños, escojan uno de los siguientes temas. En cinco minutos, escriban una cadena muy larga siguiendo el modelo. Después lean sus "creaciones" a la clase.

Modelo: Si tuviera mil dólares, **haría un viaje.**
Si hiciera un viaje, iría a México.
Si fuera a México, comería muchas tortillas.
Si comiera muchas tortillas,...

1. Si hoy fuera domingo,…
2. Si viviera en _____,…
3. Si fuera presidente de EE.UU.,…
4. Si no tuviera que trabajar nunca,…

(15-20) Una cápsula de tiempo.
Imaginen que se va a crear una cápsula de tiempo y pueden poner adentro diez objetos que representen nuestro mundo en el siglo XXI. En grupos de cuatro, decidan qué pondrían en la cápsula y por qué. Algunos grupos presentarán sus ideas a la clase.

DICHOS

El mejor profeta del futuro, es el pasado.

¿Estás de acuerdo? ¿Por qué?

15-21 **Nuestros Pequeños Hermanos.** Lean sobre esta organización y luego completen las oraciones.

1. Me parece muy bueno que… y que…
2. Es fenomenal que… y que…
3. Si fuera voluntario/a en NPH, (yo)…., …, …

Nuestros Pequeños Hermanos

es una organización que ayuda a niños y jóvenes que viven en circunstancias difíciles en América Latina y el Caribe. Su misión es proveer a los desamparados protección, comida, ropa, cuidados médicos y educación. NPH ofrece[1] a los huérfanos pobres una solución en un ambiente familiar y permite que las familias con un gran número de hermanos permanezcan juntas. Los voluntarios de NPH dan clases de inglés, ayudan a los niños con la tarea, les leen cuentos a los pequeños, juegan con los niños durante las horas de recreo, a veces ayudan a preparar la comida y, lo más importante, les dan a los niños mucho cariño y amor. ¿Deseas ser voluntario/a? Busca más información en *www.nphamigos.org*.

▲ Elisabet, voluntaria del orfanato NPH en Honduras, es amiga de Nahum. ¿Participas tú en algún trabajo voluntario?

SITUACIONES

El presidente de la Universidad piensa hacer ciertos cambios y ha pedido a un comité que discuta sus ideas y haga recomendaciones. Tu compañero/a y tú forman parte de este comité. Tienen que pensar en las posibles consecuencias positivas y negativas de cada propuesta.

- No tener requisitos generales, sólo los de la especialización.
- Requerir que todos los estudiantes participen en un programa de voluntariado.
- Usar versiones electrónicas de los libros de texto y otros materiales de curso.

Modelo: Estudiante A: **Si no tenemos requisitos generales, podremos estudiar más cursos que nos interesen.**

Estudiante B: **Sí, pero si no tenemos requisitos generales, no tendremos una educación general.**

---

[1]The present indicative **yo** form of **ofrecer** (*to offer*) is **ofrezco**; consequently, the present subjunctive is **ofrezca, ofrezcas, ofrezca, ofrezcamos, ofrezcáis, ofrezcan.**

Dicho y hecho

▲ Yoani Sánchez

PARA LEER: El nuevo periodismo

ANTES DE LEER

1. ¿Lees algún blog regularmente? ¿Cuál(es)?
2. ¿Cuál es la fuente (*source*) de noticias que usas con más frecuencia?

ESTRATEGIA DE LECTURA

Integrating previously learned strategies Throughout this textbook you have learned a variety of strategies for improving your comprehension of texts written in Spanish. Take a few minutes to review them. Choose two or more strategies to combine as you read the selection that follows, for example, you might scan for cognates before reading to get some clues as to the topic, then pause and summarize the main idea of each paragraph as you read.

A LEER

El nacimiento de Internet ha provocado una verdadera revolución en los medios de comunicación. Los periódicos y revistas publicados en papel han visto cómo sus tiradas[1] han caído debido a la facilidad de obtener el mismo contenido a través de las versiones digitales. Además, la Web ha permitido el nacimiento del denominado "periodismo ciudadano" o "periodismo 2.0", gracias al cual[2] cualquier persona con una computadora puede ser periodista.

De hecho, miles de ciudadanos anónimos tienen su propia página Web o blog, una bitácora[3] donde recogen sus impresiones. Este nuevo modelo de periodismo ha permitido dar voz a eventos o historias que antes no llegaban a las redacciones de los medios tradicionales. Es más, el poder que ha adquirido la *blogosfera* y las redes sociales en Internet han puesto en jaque[4] a gobiernos contrarios a la libertad de expresión o que han intentado controlar la información dentro de sus fronteras.

El caso más famoso en América Latina es el de la cubana Yoani Sánchez, creadora del blog "Generación Y", llamado así por la gran cantidad de cubanos nacidos en los 70-80 y tienen nombres que comienzan por la letra Y. Esta filóloga de origen habanero comprendió que Internet era la herramienta[5] perfecta para burlar los controles gubernamentales. Con pocos recursos, ha ido contando sus vicisitudes[6] en la isla, siempre desde una perspectiva crítica. Sus comentarios tienen una gran difusión en el ciberespacio y son miles los internautas que se conectan para leer su último *post*.

Su influencia ha llegado a tener tal[7] relevancia que Yoani ha sido merecedora de numerosos reconocimientos. Entre otros, ha recibido el premio Ortega y Gasset de periodismo, concedido por el diario *El País*; ha sido la primera bloguera en obtener el premio Maria Moors Cabot, otorgado por la Columbia University; y fue seleccionada como una de las personas más influyentes del mundo por parte de la revista *Times* en 2008. Su fama ha alcanzado tal trascendencia que el propio presidente estadounidense respondió a un cuestionario que la periodista le envió. Obama le contestó: "Tu *blog* ofrece al mundo una ventana particular a las realidades de la vida cotidiana en Cuba. Es revelador que Internet les haya ofrecido a ti y a otros valientes blogueros cubanos un medio tan libre de expresión, y aplaudo estos esfuerzos colectivos por animar a sus compatriotas a expresarse a través de la tecnología".

Texto: Fernando de Bona / *Punto y coma*
Foto: LatinContent/Getty Images, Inc.

---

[1] circulation, print run, [2] **al cual** to which, [3] log, written record, [4] **ha puesto en jaque** has kept in check, [5] tool, [6] happenings, ups and downs, [7] such

1. Según el artículo, ¿qué permiten los *blogs* que los medios tradicionales no siempre permiten?

   ☐ Transmitir noticias sobre más actividades

   ☐ Escribirle al presidente de Estados Unidos

   ☐ Montar un reto (*challenge*) a gobiernos que reprimen la libertad de expresión

2. Empareja los conceptos mencionados en el artículo.

   _____ Y   **a.** Cualquier persona con computadora e Internet puede ser periodista.

   _____ El periodismo 2.0   **b.** Considera a Yoani Sánchez una "valiente bloguera".

   _____ Barack Obama   **c.** La primera letra de los nombres de muchos cubanos nacidos durante los 70 y 80.

3. ¿Qué hace Yoani Sánchez, y qué premios ha recibido?

4. Busca el blog "Generación Y" y trata de leer algunas entradas (*entries*). ¿Cuánto pudiste entender?

PARA CONVERSAR: Un noticiero

 En grupos pequeños, preparen un noticiero para luego presentarlo en clase. Primero, inventen un nombre original para el programa. Luego, cada uno/a de ustedes se hará cargo de una de las noticias que se indican en la tabla a continuación. Pueden consultar Internet en español para buscar información sobre las noticias del día.

El nombre y el país del noticiero	Nombre del noticiero: País:
Una noticia internacional	¿Dónde? ¿Qué/Quién?
Una noticia del país	¿Dónde? ¿Qué/Quién?
Una noticia local	¿Dónde? ¿Qué/Quién?
Una noticia de la universidad	¿Dónde? ¿Qué/Quién?

ESTRATEGIA DE COMUNICACIÓN

Emphasizing the most important words Particularly in formal speech, speakers often emphasize one word or group of words over the rest. This might be an adverb, an adjective or the verb of a sentence depending on the purpose of the speaker's message. As you deliver your news report, emphasize the part of the sentence or expression most important to your message.

Dicho y hecho

PARA ESCRIBIR: ## Una propuesta para el presidente de Estados Unidos

En esta composición vas a escribir una propuesta para el presidente de Estados Unidos sobre un tema de importancia para ti. Puedes escoger uno de los temas de la página 509 u otro tema que te importe mucho.

ANTES DE ESCRIBIR

Paso 1. ¿Qué tema quieres explorar? Lee con atención los temas de la página 509 y elige 2 ó 3 que sean de interés para ti. Si quieres escribir sobre otro tema diferente, consulta con tu profesor/a antes de empezar a escribir.

ESTRATEGIA DE REDACCIÓN

Anticipating the opposite argument When expressing your views on a controversial or debatable topic, anticipating the opposing argument can be a good strategy. For example, suppose you want to propose that the legal drinking age be reduced to 18. In your proposal, describe clearly the arguments of those who *don't* want to lower the drinking age and explain why, in your opinion, they are wrong—look for the flaws in their argument. This will make your argument stronger.

Paso 2. Los dos lados del debate. Prepara una lista de los argumentos que toman en cuenta los dos lados (*sides*) del tema que has elegido. Si puedes añadir un argumento en contra de alguna de las posiciones opuestas, anótalo también.

En mi opinión....	El otro lado cree.... (argumento en contra)
1.	
2.	
3.	

A ESCRIBIR

Los tres argumentos del Paso 2 de *Antes de escribir* deben formar el núcleo de los párrafos de tu ensayo. Aunque puedes variar el orden en que presentas las ideas y añadir otras ideas, recuerda que una argumentación debe ser clara y equilibrada. Por tanto, una buena organización sería la siguiente:

Primer párrafo: Tu tesis (la propuesta que el presidente debe considerar).

Párrafos centrales: Usa cada párrafo para expresar tu opinión y lo que piensa el otro lado (si tienes un argumento en contra, también puedes expresarlo).

Párrafo final: Conclusión, indicando los beneficios generales para el país o sus ciudadanos si el presidente aceptara tu propuesta.

Para escribir mejor: Estas estructuras te pueden ayudar a escribir la carta.

Aunque [grupo, persona, etc.] piensa que [una opinión diferente a la tuya], en realidad [tu opinión] .

Modelo: **Aunque un argumento en contra del consumo legal de alcohol a los 18 años es la supuesta falta de madurez, en realidad hay otras actividades más peligrosas, como manejar y, en algunos estados, poseer armas, que son legales a esa edad.**

Es cierto/posible que [un razonamiento en contra de tu propuesta]. Sin embargo [un argumento en contra].

Modelo: **Es posible que algunos jóvenes no beban porque está prohibido. Sin embargo, para muchos la prohibición es un estímulo y probablemente beben más porque es una forma de rebeldía.**

DESPUÉS DE ESCRIBIR

Revisar y editar. Después de escribir el primer borrador de tu propuesta, déjalo a un lado por un mínimo de un día sin leerlo. Cuando vuelvas a leerlo, corrige el contenido, la organización, la gramática y el vocabulario. Además, hazte estas preguntas:

☐ ¿Describí claramente tres argumentos para apoyar mi propuesta? ¿Expliqué mi opinión y también la opinión de la posición contraria? ¿Expliqué mis argumentos en contra de forma clara y precisa?

☐ ¿Tiene cada argumento su propio párrafo? ¿Tiene cada idea en el párrafo relación directa con ese argumento?

INVESTIG@ EN INTERNET

La ONU (Organización de las Naciones Unidas), UN en inglés, se fundó en 1945 para mantener la paz mundial y hacer del mundo un lugar mejor. Visita la página www.un.org/es y descubre de qué temas mundiales se encarga. Anota al menos tres. Luego, piensa en cómo esos temas afectan a tu vida diaria. ¿Sabes lo que significa "pensar globalmente y actuar localmente"? ¿Cómo puedes "actuar" en relación a esos tres temas?

Dicho y hecho

 PARA VER Y ESCUCHAR: **CLUES: ayuda a los inmigrantes**

ANTES DE VER EL VIDEO

 Paso 1. En parejas, imaginen la situación de un/a inmigrante que acaba de llegar a EE.UU. ¿Qué cosas y servicios debe conseguir para establecerse y encontrar trabajo? Indica si estas cosas te parecen muy importantes o prescindibles (*dispensable*). Después, añade algo más que te parezca muy importante.

	Muy importante	Importante	Prescindible
un lugar para vivir	_____	_____	_____
un medio de transporte	_____	_____	_____
un seguro médico	_____	_____	_____
un empleo	_____	_____	_____
una computadora	_____	_____	_____
un teléfono	_____	_____	_____
una tarjeta de seguro social	_____	_____	_____
un contacto que pueda ayudarlo/a	_____	_____	_____
clases de inglés	_____	_____	_____
_____	X	_____	_____

A VER EL VIDEO

ESTRATEGIA DE COMPRENSIÓN

Integrating previously learned strategies Throughout this textbook you have learned a variety of strategies for improving your comprehension of spoken Spanish when you watch and listen to a video. Take a few minutes to review them. Then, in small groups, talk about which ones you found most useful and why. Try to use them when you watch and listen to this video.

Mira el video y responde a las siguientes preguntas.

1. ¿Mencionaron en el video algunas de las cosas que marcaste como importantes en el Paso 1? ¿Cuáles?

2. ¿Qué tres cosas ayuda CLUES a conseguir?

3. Según la directora de Empleo, ¿qué deben hacer los inmigrantes primero?

4. ¿Qué otros servicios ofrece CLUES?

DESPUÉS DE VER EL VIDEO

 En grupos, contesten las siguientes preguntas.

1. ¿Hay muchos inmigrantes en tu comunidad? ¿Qué sabes acerca de ellos (origen, en qué trabajan, etc.)?

2. ¿Existe alguna organización que asista a los inmigrantes en tu comunidad? ¿Sabes si hay clases de inglés para inmigrantes?

Repaso de vocabulario activo

Conjunciones

antes de que   *before*
cuando   *when*
después de que   *after*
hasta que   *until*
tan pronto como   *as soon as*

Sustantivos

El empleo   *Job*

la entrevista   *interview*
el/la gerente   *manager*
el jefe/la jefa   *boss*
la solicitud   *application*

Las noticias   *News*

el noticiero   *news program*
el reportero/la reportera   *reporter*

La política y la sociedad   *Politics and society*

el acuerdo de paz   *peace agreement*
el candidato/la candidata   *candidate*
el ciudadano/la ciudadana   *citizen*
la cura   *cure*
los derechos (humanos)   *(human) rights*
el ejército   *army*
la elección   *election*
la exploración del espacio   *(outer) space exploration*
la frontera   *border*
el gobierno   *government*
la igualdad   *equality*
la investigación   *research*
la justicia   *justice*
la ley   *law*
la libertad   *freedom*
el/la líder   *leader*
la medicina   *medicine*
la nave espacial   *spaceship*
la paz   *peace*
la pena de muerte   *death penalty*
la política mundial   *world politics*
el trabajo voluntario   *volunteer work*
el tutor/la tutora   *tutor*
el voluntario/la voluntaria   *volunteer*

Los problemas humanos   *Human problems*

el aborto   *abortion*
el arma   *weapon*
la bomba   *bomb*
el cáncer   *cancer*
la corrupción   *corruption*
el delincuente   *delinquent, criminal*
el delito   *misdemeanor, crime*
los desamparados   *homeless people*
el desempleo   *unemployment*
la discriminación   *discrimination*
las drogas   *drugs*
la drogadicción   *drug addiction*
la enfermedades   *illnesses*
la explosión   *explosion*
la guerra   *war*
el hambre   *hunger*
el narcotráfico   *drug trafficking*
la pobreza   *poverty*
el prejuicio   *prejudice*
el SARS   *SARS*
el SIDA   *AIDS*
la sobrepoblación   *overpopulation*
el terrorismo   *terrorism*
la víctima   *victim*
la violencia   *violence*

Verbos y expresiones verbales

apoyar   *to support*
construir (irreg.)   *to build*
dar de comer   *to feed*
eliminar   *to eliminate*
escoger   *to choose*
estar a favor/en contra de   *to be for/against*
informar/reportar   *to report*
legalizar   *to legalize*
luchar (por)   *to fight (for)*
prohibir   *to prohibit*
robar   *to rob, steal*
solicitar   *to apply for*
sufrir   *to suffer*
tener éxito   *to be successful*
votar (por)   *to vote (for)*

Autoprueba y repaso

I. The subjunctive with time expressions. Completa las oraciones con la frase entre paréntesis. Usa el subjuntivo o el pretérito según la situación.

1. (yo / recibir el dinero) Te llamé tan pronto como… Te voy a llamar tan pronto como…

2. (tú / darme el número de teléfono del hotel) Haré las reservaciones cuando…Hice las reservaciones cuando…

3. (tú / llamarme) Fui a la agencia de viajes después de que…Iré a la agencia de viajes después de que…

4. (nosotros / regresar de la luna de miel) No anunciaré nuestro matrimonio hasta que…No anuncié nuestro matrimonio hasta que…

II. The present perfect subjunctive. ¿Cómo te sientes acerca de los siguientes acontecimientos?

Modelo: el crimen / aumentar este año
Siento / Es una lástima que el crimen haya aumentado este año.

1. el empleo / mejorar

2. nosotros / ser aceptados en un programa de voluntariado en Nicaragua

3. tú / votar en las elecciones generales

4. la drogadicción / desaparecer

5. los astronautas / tener un accidente

III. *Si* clauses. Haz oraciones indicando la condición (Si…) y el resultado.

Modelo: encontrar un trabajo mejor / ganar más dinero
Si encontrara un trabajo mejor, ganaría más dinero.

1. ganar más dinero / ahorrarlo

2. ahorrarlo / tener mucho dinero

3. tener mucho dinero / comprar un coche

4. comprar un coche / hacer un viaje

5. hacer un viaje / ir a Puerto Vallarta

6. ir a Puerto Vallarta / quedarme allí dos meses

7. quedarme allí dos meses / perder mi trabajo

8. perder mi trabajo / no tener dinero

IV. *Repaso general.* Contesta con oraciones completas.

1. ¿Cuáles son algunos de los problemas más serios de nuestro país hoy en día?

2. Si pudieras cambiar una cosa de nuestro mundo, ¿qué cambiarías? ¿Por qué?

3. Cuando estabas en la escuela secundaria, ¿te preocupabas por algún problema mundial? (¿Cuáles?) ¿Te preocupabas por otros problemas? (¿Cuáles?)

4. ¿Qué harás cuando te gradúes?

V. *Cultura.* Contesta con oraciones completas.

1. ¿Cómo se llaman las dos emisoras televisivas hispanas más grandes en Estados Unidos?

2. ¿En qué se diferencian las típicas telenovelas en español de las *soap operas* en inglés?

3. ¿Quiénes son Cristina Saralegui y Don Francisco?

Las respuestas de *Autoprueba y repaso* se pueden encontrar en el **Apéndice 2.**

Apéndice 1: *Verbos*

Regular Verbs: *Simple Tenses*

Infinitive / Present Participle / Past Participle	Indicative Present	Imperfect	Preterit	Future	Conditional	Subjunctive Present	Imperfect	Imperative (commands)
hablar *to speak* / hablando / hablado	hablo	hablaba	hablé	hablaré	hablaría	hable	hablara	
	hablas	hablabas	hablaste	hablarás	hablarías	hables	hablaras	habla/ no hables
	habla	hablaba	habló	hablará	hablaría	hable	hablara	hable
	hablamos	hablábamos	hablamos	hablaremos	hablaríamos	hablemos	habláramos	hablemos
	habláis	hablabais	hablasteis	hablaréis	hablaríais	habléis	hablarais	hablad/ no habléis
	hablan	hablaban	hablaron	hablarán	hablarían	hablen	hablaran	hablen
comer *to eat* / comiendo / comido	como	comía	comí	comeré	comería	coma	comiera	
	comes	comías	comiste	comerás	comerías	comas	comieras	come/ no comas
	come	comía	comió	comerá	comería	coma	comiera	coma
	comemos	comíamos	comimos	comeremos	comeríamos	comamos	comiéramos	comamos
	coméis	comíais	comisteis	comeréis	comeríais	comáis	comierais	comed/ no comáis
	comen	comían	comieron	comerán	comerían	coman	comieran	coman
vivir *to live* / viviendo / vivido	vivo	vivía	viví	viviré	viviría	viva	viviera	
	vives	vivías	viviste	vivirás	vivirías	vivas	vivieras	vive/ no vivas
	vive	vivía	vivió	vivirá	viviría	viva	viviera	viva
	vivimos	vivíamos	vivimos	viviremos	viviríamos	vivamos	viviéramos	vivamos
	vivís	vivíais	vivisteis	viviréis	viviríais	viváis	vivierais	vivid/ no viváis
	viven	vivían	vivieron	vivirán	vivirían	vivan	vivieran	vivan

Regular Verbs: *Perfect Tenses*

	Indicative Present Perfect		Past Perfect		Future Perfect		Conditional Perfect		Subjunctive Present Perfect		Past Perfect	
he	hablado	había	hablado	habré	hablado	habría	hablado	haya	hablado	hubiera	hablado	
has	comido	habías	comido	habrás	comido	habrías	comido	hayas	comido	hubieras	comido	
ha	vivido	había	vivido	habrá	vivido	habría	vivido	haya	vivido	hubiera	vivido	
hemos		habíamos		habremos		habríamos		hayamos		hubiéramos		
habéis		habíais		habréis		habríais		hayáis		hubierais		
han		habían		habrán		habrían		hayan		hubieran		

Stem-changing -ar and -er Verbs: e → ie; o → ue

Infinitive / Present Participle / Past Participle	Indicative					Subjunctive		Imperative (commands)
	Present	Imperfect	Preterit	Future	Conditional	Present	Imperfect	
pensar (ie) *to think*	**pienso**	pensaba	pensé	pensaré	pensaría	**piense**	pensara	**piensa**/ no **pienses**
pensando	**piensas**	pensabas	pensaste	pensarás	pensarías	**pienses**	pensaras	**piense**
pensado	**piensa**	pensaba	pensó	pensará	pensaría	**piense**	pensara	pensemos
	pensamos	pensábamos	pensamos	pensaremos	pensaríamos	pensemos	pensáramos	pensad/ no penséis
	pensáis	pensabais	pensasteis	pensaréis	pensaríais	penséis	pensarais	**piensen**
	piensan	pensaban	pensaron	pensarán	pensarían	**piensen**	pensaran	
volver (ue) *to return*	**vuelvo**	volvía	volví	volveré	volvería	**vuelva**	volviera	**vuelve**/ no **vuelvas**
volviendo	**vuelves**	volvías	volviste	volverás	volverías	**vuelvas**	volvieras	**vuelva**
vuelto (irreg.)	**vuelve**	volvía	volvió	volverá	volvería	**vuelva**	volviera	volvamos
	volvemos	volvíamos	volvimos	volveremos	volveríamos	volvamos	volviéramos	volved/ no volváis
	volvéis	volvíais	volvisteis	volveréis	volveríais	volváis	volvierais	**vuelvan**
	vuelven	volvían	volvieron	volverán	volverían	**vuelvan**	volvieran	

Other verbs of this type are:

e → ie: cerrar, despertarse, empezar, entender, nevar, pensar, perder, preferir, querer, recomendar, regar, sentarse

o → ue: acordarse de, acostarse, almorzar, costar, encontrar, jugar, mostrar, poder, recordar, resolver, sonar, volar, volver

Stem-changing -ir Verbs: e → ie, i; e → i, i; o → ue, u

Infinitive / Present Participle / Past Participle	Indicative					Subjunctive		Imperative (commands)
	Present	Imperfect	Preterit	Future	Conditional	Present	Imperfect	
sentir (ie, i) *to feel, to regret*	**siento**	sentía	sentí	sentiré	sentiría	**sienta**	sintiera	**siente**/ no **sientas**
sintiendo	**sientes**	sentías	sentiste	sentirás	sentirías	**sientas**	sintieras	**sienta**
sentido	**siente**	sentía	**sintió**	sentirá	sentiría	**sienta**	sintiera	**sintamos**
	sentimos	sentíamos	sentimos	sentiremos	sentiríamos	**sintamos**	sintiéramos	sentid/ no **sintáis**
	sentís	sentíais	sentisteis	sentiréis	sentiríais	sintáis	sintierais	**sientan**
	sienten	sentían	**sintieron**	sentirán	sentirían	**sientan**	sintieran	
pedir (i, i) *to ask (for)*	**pido**	pedía	pedí	pediré	pediría	**pida**	pidiera	**pide**/ no **pidas**
pidiendo	**pides**	pedías	pediste	pedirás	pedirías	**pidas**	pidieras	**pida**
pedido	**pide**	pedía	**pidió**	pedirá	pediría	**pida**	pidiera	**pidamos**
	pedimos	pedíamos	pedimos	pediremos	pediríamos	**pidamos**	pidiéramos	pedid/ no **pidáis**
	pedís	pedíais	pedisteis	pediréis	pediríais	pidáis	pidierais	**pidan**
	piden	pedían	**pidieron**	pedirán	pedirían	**pidan**	pidieran	

Stem-changing -ir Verbs: e → ie, i; e → i, i; o → ue, u (continued)

Infinitive / Present Participle / Past Participle	Indicative					Subjunctive		Imperative (commands)
	Present	Imperfect	Preterit	Future	Conditional	Present	Imperfect	
dormir (ue, u) to sleep / durmiendo / dormido	duermo	dormía	dormí	dormiré	dormiría	duerma	durmiera	duerme/ no duermas
	duermes	dormías	dormiste	dormirás	dormirías	duermas	durmieras	duerma
	duerme	dormía	durmió	dormirá	dormiría	duerma	durmiera	durmamos
	dormimos	dormíamos	dormimos	dormiremos	dormiríamos	durmamos	durmiéramos	dormid/ no durmáis
	dormís	dormíais	dormisteis	dormiréis	dormiríais	durmáis	durmierais	duerman
	duermen	dormían	durmieron	dormirán	dormirían	duerman	durmieran	

Other verbs of this type are:

e → ie, i: divertirse, invertir, preferir, sentirse, sugerir
e → i, i: conseguir, despedirse de, reírse, repetir, seguir, servir, vestirse
o → ue, u: morir(se)

Verbs with Spelling Changes

1. c → qu: tocar (model); buscar, explicar, pescar, sacar

Infinitive / Present Participle / Past Participle	Indicative					Subjunctive		Imperative (commands)
	Present	Imperfect	Preterit	Future	Conditional	Present	Imperfect	
tocar to play (musical instr.), to touch / tocando / tocado	toco	tocaba	toqué	tocaré	tocaría	toque	tocara	toca/ no toques
	tocas	tocabas	tocaste	tocarás	tocarías	toques	tocaras	toque
	toca	tocaba	tocó	tocará	tocaría	toque	tocara	toquemos
	tocamos	tocábamos	tocamos	tocaremos	tocaríamos	toquemos	tocáramos	tocad/ no toquéis
	tocáis	tocabais	tocasteis	tocaréis	tocaríais	toquéis	tocarais	toquen
	tocan	tocaban	tocaron	tocarán	tocarían	toquen	tocaran	

2. z → c: abrazar; Also almorzar (ue), cruzar, empezar (ie)

Infinitive / Present Participle / Past Participle	Indicative					Subjunctive		Imperative (commands)
	Present	Imperfect	Preterit	Future	Conditional	Present	Imperfect	
abrazar to hug / abrazando / abrazado	abrazo	abrazaba	abracé	abrazaré	abrazaría	abrace	abrazara	abraza/ no abraces
	abrazas	abrazabas	abrazaste	abrazarás	abrazarías	abraces	abrazaras	abrace
	abraza	abrazaba	abrazó	abrazará	abrazaría	abrace	abrazara	abracemos
	abrazamos	abrazábamos	abrazamos	abrazaremos	abrazaríamos	abracemos	abrazáramos	abrazad/ no abracéis
	abrazáis	abrazabais	abrazasteis	abrazaréis	abrazaríais	abracéis	abrazarais	abracen
	abrazan	abrazaban	abrazaron	abrazarán	abrazarían	abracen	abrazaran	

3. g → gu: pagar; Also apagar, jugar (ue), llegar

pagar to pay (for) pagando pagado	Present	Preterite	Imperfect	Future	Conditional	Present Subjunctive	Imperfect Subjunctive	Commands
	pago	pagué	pagaba	pagaré	pagaría	**pague**	pagara	
	pagas	pagaste	pagabas	pagarás	pagarías	**pagues**	pagaras	paga/ no **pagues**
	paga	pagó	pagaba	pagará	pagaría	**pague**	pagara	**pague**
	pagamos	pagamos	pagábamos	pagaremos	pagaríamos	**paguemos**	pagáramos	**paguemos**
	pagáis	pagasteis	pagabais	pagaréis	pagaríais	**paguéis**	pagarais	pagad/ no **paguéis**
	pagan	pagaron	pagaban	pagarán	pagarían	**paguen**	pagaran	**paguen**

4. gu → g: seguir (i, i); Also conseguir

seguir (i, i) to follow **siguiendo** seguido	Present	Preterite	Imperfect	Future	Conditional	Present Subjunctive	Imperfect Subjunctive	Commands
	sigo	seguí	seguía	seguiré	seguiría	**siga**	**siguiera**	
	sigues	seguiste	seguías	seguirás	seguirías	**sigas**	**siguieras**	sigue/ no **sigas**
	sigue	**siguió**	seguía	seguirá	seguiría	**siga**	**siguiera**	**siga**
	seguimos	seguimos	seguíamos	seguiremos	seguiríamos	**sigamos**	**siguiéramos**	**sigamos**
	seguís	seguisteis	seguíais	seguiréis	seguiríais	**sigáis**	**siguierais**	seguid/ no **sigáis**
	siguen	**siguieron**	seguían	seguirán	seguirían	**sigan**	**siguieran**	**sigan**

5. g → j: recoger; Also escoger, proteger

recoger to pick up recogiendo recogido	Present	Preterite	Imperfect	Future	Conditional	Present Subjunctive	Imperfect Subjunctive	Commands
	recojo	recogí	recogía	recogeré	recogería	**recoja**	recogiera	
	recoges	recogiste	recogías	recogerás	recogerías	**recojas**	recogieras	recoge/ no **recojas**
	recoge	recogió	recogía	recogerá	recogería	**recoja**	recogiera	**recoja**
	recogemos	recogimos	recogíamos	recogeremos	recogeríamos	**recojamos**	recogiéramos	**recojamos**
	recogéis	recogisteis	recogíais	recogeréis	recogeríais	**recojáis**	recogierais	recoged/ no **recojáis**
	recogen	recogieron	recogían	recogerán	recogerían	**recojan**	recogieran	**recojan**

6. i → y: leer; Also caer, oír. Verbs with additional i → y changes (see below): construir; Also destruir

leer to read leyendo leído	Present	Preterite	Imperfect	Future	Conditional	Present Subjunctive	Imperfect Subjunctive	Commands
	leo	leí	leía	leeré	leería	lea	**leyera**	
	lees	leíste	leías	leerás	leerías	leas	**leyeras**	lee/ no leas
	lee	**leyó**	leía	leerá	leería	lea	**leyera**	lea
	leemos	leímos	leíamos	leeremos	leeríamos	leamos	**leyéramos**	leamos
	leéis	leísteis	leíais	leeréis	leeríais	leáis	**leyerais**	leed/ no leáis
	leen	**leyeron**	leían	leerán	leerían	lean	**leyeran**	lean

construir to construct, to build **construyendo** construido	Present	Preterite	Imperfect	Future	Conditional	Present Subjunctive	Imperfect Subjunctive	Commands
	construyo	construí	construí	construiré	construiría	**construya**	**construyera**	
	construyes	construiste	construías	construirás	construirías	**construyas**	**construyeras**	**construye**/ no **construyas**
	construye	**construyó**	construía	construirá	construiría	**construya**	**construyera**	**construya**
	construimos	construimos	construíamos	construiremos	construiríamos	**construyamos**	**construyéramos**	**construyamos**
	construís	construisteis	construíais	construiréis	construiríais	**construyáis**	**construyerais**	construid/ no **construyáis**
	construyen	**construyeron**	construían	construirán	construirían	**construyan**	**construyeran**	**construya**

Irregular Verbs

Infinitive Present Participle Past Participle	Indicative Present	Imperfect	Preterit	Future	Conditional	Subjunctive Present	Imperfect	Imperative (commands)
caer to fall **cayendo** caído	**caigo** caes cae caemos caéis caen	caía caías caía caíamos caíais caían	caí caíste **cayó** caímos caísteis **cayeron**	caeré caerás caerá caeremos caeréis caerán	caería caerías caería caeríamos caeríais caerían	caiga caigas caiga caigamos caigáis caigan	cayera cayeras cayera cayéramos cayerais cayeran	cae/ no caigas caiga caigamos caed/ no caigáis caigan
conocer to know, to be acquainted with conociendo conocido	**conozco** conoces conoce conocemos conocéis conocen	conocía conocías conocía conocíamos conocíais conocían	conocí conociste conoció conocimos conocisteis conocieron	conoceré conocerás conocerá conoceremos conoceréis conocerán	conocería conocerías conocería conoceríamos conoceríais conocerían	conozca conozcas conozca conozcamos conozcáis conozcan	conociera conocieras conociera conociéramos conocierais conocieran	conoce/no conozcas conozca conozcamos conoced/no conozcáis conozcan
conducir to drive conduciendo conducido	**conduzco** conduces conduce conducimos conducís conducen	conducía conducías conducía conducíamos conducíais conducían	**conduje** **condujiste** **condujo** **condujimos** **condujisteis** **condujeron**	conduciré conducirás conducirá conduciremos conduciréis conducirán	conduciría conducirías conduciría conduciríamos conduciríais conducirían	conduzca conduzcas conduzca conduzcamos conduzcáis conduzcan	condujera condujeras condujera condujéramos condujerais condujeran	conduce/no conduzcas conduzca conduzcamos conducid/no conduzcáis conduzcan
dar to give dando dado	**doy** das da damos dais dan	daba dabas daba dábamos dabais daban	**di** **diste** **dio** **dimos** **disteis** **dieron**	daré darás dará daremos daréis darán	daría darías daría daríamos daríais darían	**dé** **des** **dé** **demos** **deis** **den**	diera dieras diera diéramos dierais dieran	da/no des **dé** demos dad/no déis den
decir to say, to tell **diciendo** **dicho**	**digo** **dices** **dice** decimos decís **dicen**	decía decías decía decíamos decíais decían	**dije** **dijiste** **dijo** **dijimos** **dijisteis** **dijeron**	**diré** **dirás** **dirá** **diremos** **diréis** **dirán**	**diría** **dirías** **diría** **diríamos** **diríais** **dirían**	diga digas diga digamos digáis digan	dijera dijeras dijera dijéramos dijerais dijeran	di/no digas diga digamos decid/no digáis digan

Infinitivo	Presente	Imperfecto	Pretérito	Futuro	Condicional	Presente de subjuntivo	Imperfecto de subjuntivo	Mandatos
estar to be estando estado	**estoy** **estás** **está** **estamos** **estáis** **están**	estaba estabas estaba estábamos estabais estaban	**estuve** **estuviste** **estuvo** **estuvimos** **estuvisteis** **estuvieron**	estaré estarás estará estaremos estaréis estarán	estaría estarías estaría estaríamos estaríais estarían	**esté** **estés** **esté** **estemos** **estéis** **estén**	estuviera estuvieras estuviera estuviéramos estuvierais estuvieran	estés/ no estés esté estemos estad/ no estéis estén
haber to have habiendo habido	**he** **has** **ha** **hemos** **habéis** **han**	había habías había habíamos habíais habían	**hube** **hubiste** **hubo** **hubimos** **hubisteis** **hubieron**	**habré** **habrás** **habrá** **habremos** **habréis** **habrán**	**habría** **habrías** **habría** **habríamos** **habríais** **habrían**	**haya** **hayas** **haya** **hayamos** **hayáis** **hayan**	hubiera hubieras hubiera hubiéramos hubierais hubieran	
hacer to do, to make haciendo **hecho**	**hago** haces hace hacemos hacéis hacen	hacía hacías hacía hacíamos hacíais hacían	**hice** **hiciste** **hizo** **hicimos** **hicisteis** **hicieron**	**haré** **harás** **hará** **haremos** **haréis** **harán**	**haría** **harías** **haría** **haríamos** **haríais** **harían**	haga hagas haga hagamos hagáis hagan	hiciera hicieras hiciera hiciéramos hicierais hicieran	**haz**/ no hagas haga hagamos haced/ no hagáis hagan
ir to go **yendo** ido	**voy** **vas** **va** **vamos** **vais** **van**	**iba** **ibas** **iba** **íbamos** **ibais** **iban**	**fui** **fuiste** **fue** **fuimos** **fuisteis** **fueron**	iré irás irá iremos iréis irán	iría irías iría iríamos iríais irían	**vaya** **vayas** **vaya** **vayamos** **vayáis** **vayan**	fuera fueras fuera fuéramos fuerais fueran	**ve**/ no vayas vaya vayamos id/ no vayáis vayan
oír to hear **oyendo** **oído**	**oigo** **oyes** **oye** **oímos** oís **oyen**	oía oías oía oíamos oíais oían	oí **oíste** **oyó** **oímos** **oísteis** **oyeron**	oiré oirás oirá oiremos oiréis oirán	oiría oirías oiría oiríamos oiríais oirían	oiga oigas oiga oigamos oigáis oigan	oyera oyeras oyera oyéramos oyerais oyeran	oye/ no oigas oiga oigamos oíd/ no oigáis oigan

Irregular Verbs (continued)

Infinitive / Present Participle / Past Participle	Indicative: Present	Imperfect	Preterit	Future	Conditional	Subjunctive: Present	Imperfect	Imperative (commands)
poder (ue) *to be able, can* / pudiendo / podido	**puedo** **puedes** **puede** podemos podéis **pueden**	podía podías podía podíamos podíais podían	**pude** **pudiste** **pudo** **pudimos** **pudisteis** **pudieron**	**podré** **podrás** **podrá** **podremos** **podréis** **podrán**	**podría** **podrías** **podría** **podríamos** **podríais** **podrían**	pueda puedas pueda podamos podáis puedan	pudiera pudieras pudiera pudiéramos pudierais pudieran	
poner *to put, to place* / poniendo / **puesto**	**pongo** pones pone ponemos ponéis ponen	ponía ponías ponía poníamos poníais ponían	**puse** **pusiste** **puso** **pusimos** **pusisteis** **pusieron**	**pondré** **pondrás** **pondrá** **pondremos** **pondréis** **pondrán**	**pondría** **pondrías** **pondría** **pondríamos** **pondríais** **pondrían**	ponga pongas ponga pongamos pongáis pongan	pusiera pusieras pusiera pusiéramos pusierais pusieran	**pon**/ no pongas ponga pongamos poned/ no pongáis pongan
querer (ie) *to wish, to want, to love* / queriendo / querido	**quiero** **quieres** **quiere** queremos queréis **quieren**	quería querías quería queríamos queríais querían	**quise** **quisiste** **quiso** **quisimos** **quisisteis** **quisieron**	**querré** **querrás** **querrá** **querremos** **querréis** **querrán**	**querría** **querrías** **querría** **querríamos** **querríais** **querrían**	quiera quieras quiera queramos queráis quieran	quisiera quisieras quisiera quisiéramos quisierais quisieran	quiere/ no quieras quiera queramos quered/ no queráis quieran
saber *to know* / sabiendo / sabido	**sé** sabes sabe sabemos sabéis saben	sabía sabías sabía sabíamos sabíais sabían	**supe** **supiste** **supo** **supimos** **supisteis** **supieron**	**sabré** **sabrás** **sabrá** **sabremos** **sabréis** **sabrán**	**sabría** **sabrías** **sabría** **sabríamos** **sabríais** **sabrían**	**sepa** **sepas** **sepa** **sepamos** **sepáis** **sepan**	supiera supieras supiera supiéramos supierais supieran	sabe/ no sepas sepa sepamos sabed/ no sepáis sepan
salir *to leave, to go out* / saliendo / salido	**salgo** sales sale salimos salís salen	salía salías salía salíamos salíais salían	salí saliste salió salimos salisteis salieron	**saldré** **saldrás** **saldrá** **saldremos** **saldréis** **saldrán**	**saldría** **saldrías** **saldría** **saldríamos** **saldríais** **saldrían**	salga salgas salga salgamos salgáis salgan	saliera salieras saliera saliéramos salierais salieran	sal/ no salgas salga salgamos salid/ no salgáis salgan

Infinitive	Present	Imperfect	Preterite	Future	Conditional	Present Subjunctive	Imperfect Subjunctive	Commands
ser *to be* **siendo** sido	soy / eres / es / somos / sois / son	era / eras / era / éramos / erais / eran	fui / fuiste / fue / fuimos / fuisteis / fueron	seré / serás / será / seremos / seréis / serán	sería / serías / sería / seríamos / seríais / serían	sea / seas / sea / seamos / seáis / sean	fuera / fueras / fuera / fuéramos / fuerais / fueran	sé/ no seas / sea / seamos / sed/ no seáis / sean
tener *to have* teniendo tenido	tengo / tienes / tiene / tenemos / tenéis / tienen	tenía / tenías / tenía / teníamos / teníais / tenían	tuve / tuviste / tuvo / tuvimos / tuvisteis / tuvieron	tendré / tendrás / tendrá / tendremos / tendréis / tendrán	tendría / tendrías / tendría / tendríamos / tendríais / tendrían	tenga / tengas / tenga / tengamos / tengáis / tengan	tuviera / tuvieras / tuviera / tuviéramos / tuvierais / tuvieran	ten/ no tengas / tenga / tengamos / tened/ no tengáis / tengan
traer *to bring* **trayendo** traído	traigo / traes / trae / traemos / traéis / traen	traía / traías / traía / traíamos / traíais / traían	traje / trajiste / trajo / trajimos / trajisteis / trajeron	traeré / traerás / traerá / traeremos / traeréis / traerán	traería / traerías / traería / traeríamos / traeríais / traerían	traiga / traigas / traiga / traigamos / traigáis / traigan	trajera / trajeras / trajera / trajéramos / trajerais / trajeran	trae/ no traigas / traiga / traigamos / traed/ no traigáis / traigan
venir *to come* **viniendo** venido (also **prevenir**)	vengo / vienes / viene / venimos / venís / vienen	venía / venías / venía / veníamos / veníais / venían	vine / viniste / vino / vinimos / vinisteis / vinieron	vendré / vendrás / vendrá / vendremos / vendréis / vendrán	vendría / vendrías / vendría / vendríamos / vendríais / vendrían	venga / vengas / venga / vengamos / vengáis / vengan	viniera / vinieras / viniera / viniéramos / vinierais / vinieran	ven/ no vengas / venga / vengamos / venid/ no vengáis / vengan
ver *to see* **viendo** **visto**	veo / ves / ve / vemos / veis / ven	veía / veías / veía / veíamos / veíais / veían	vi / viste / vio / vimos / visteis / vieron	veré / verás / verá / veremos / veréis / verán	vería / verías / vería / veríamos / veríais / verían	vea / veas / vea / veamos / veáis / vean	viera / vieras / viera / viéramos / vierais / vieran	ve/ no veas / vea / veamos / ved/ no veáis / vean

Capítulo 1

I.
1. PEPITA: (Muy) Bien, gracias.
   PROFESORA: (Muy) Bien, gracias.
2. PROFESORA: ¿Cómo te llamas?
3. CARMEN: ¿Cómo estás? (¿Qué tal?)
   CARMEN: Muy bien, gracias. (Regular.)
4. PROFESORA: Mucho gusto. (Encantada.)
   CARMEN: El gusto es mío. (Igualmente.)
5. MANUEL: Me llamo Manuel.
   PEPITA: Me llamo Pepita.
   PEPITA: Igualmente.
6. CARMEN: ¿Qué hora es?
   PEPITA: Hasta luego. (Hasta pronto. Chao. Adiós.)

II.
1. Ellos son de Chile pero nosotras somos de México.
2. Tú eres de Colombia pero ustedes son de España.
3. Luis es de El Salvador pero Juan y Elena son de Honduras.

III.
1. (Los jeans cuestan) treinta y cinco dólares.
2. (El suéter cuesta) cincuenta y siete dólares.
3. (La chaqueta cuesta) setenta y dos dólares.
4. (El sombrero cuesta) veintiséis dólares.
5. (El video cuesta) quince dólares.
6. (El CD cuesta) nueve dólares.

IV.
1. Es el catorce de febrero.
2. Es el primero de abril.
3. Es el cuatro de julio.
4. Es el veintitrés de noviembre.
5. Es el veinticinco de diciembre.

V.
1. Es la una y cuarto (la una y quince) de la tarde.
2. Son las nueve y media (las nueve y treinta) de la noche.
3. Son las seis menos diez (las cinco y cincuenta) de la mañana.
4. Son las doce menos veinte (las once y cuarenta) de la noche.
5. Es (el) mediodía.

VI.
1. Me llamo...
2. Muy bien, gracias. (Regular.)
3. Sí, (No, no) soy inflexible y arrogante. Sí, (No, no) soy responsable y generoso/a.
4. Soy de...
5. Es el... de...
6. Es lunes, etc.
7. Son las... (Es la...)
8. Es a las...

VII.
1. With a light kiss on the right cheek in Argentina. With one kiss on each cheek in Spain.
2. It is the celebration of the Epiphany, on January 6th.
3. It is the day when the saint with your name is honored.

Capítulo 2

I. A.
1. el, los ejercicios
2. la, las lecciones
3. la, las páginas
4. el, los Capítulos

   B. un, una, un, una, unas, una, unos

II.
1. Voy a la cafetería (al centro estudiantil).
2. Vamos al laboratorio (a la residencia estudiantil/al cuarto).
3. Vamos al gimnasio.
4. Van a la oficina del profesor.
5. Vas a la librería.
6. Va al cuarto (a la residencia estudiantil/a casa/al apartamento).

III.
1. Compro...
2. Llegan...
3. ¿Estudias...?
4. ¿Trabaja...?
5. Usamos...
6. Escucha...

IV.
1. Asistimos... aprendemos...
2. Vivo... estudio...
3. Comen... toman...
4. Leemos... escribimos...
5. Imprimes... usas...
6. Hago... salgo...

V.
1. Sí, (No, no voy) a clases todos los días.
2. Mi primera clase es a la (las)...
3. Hay... estudiantes en la clase de español.
4. Sí, (No, no) hay (mucha) tarea todas las noches.
5. Sí, (No, no) escribimos en el *Cuaderno de ejercicios* todas las noches.
6. Voy a la librería. Voy al laboratorio (al centro de computadoras).
7. Voy a...
8. Ceno a las...
9. Como en casa (en la cafetería/en mi apartamento/en un restaurante).

VI.
1. Most universities in Spanish-speaking countries are public and financed by the government so students only have to pay for their books and supplies. Programs of study are very rigid and specialized.
2. It is a small tree frog found in Puerto Rico and a symbol of the country.

Capítulo 3

I.
1. tengo
2. tiene
3. tienen
4. tenemos
5. tienes

II.
1. Tengo mis fotos.
2. ¿Tienes tus libros?
3. Tiene su diccionario.
4. Tenemos nuestro televisor.
5. ¿Tienen (ustedes) sus calculadoras?

III.
1. Es la foto de Marta.
2. Son los cuadernos de José.
3. Son los exámenes de los estudiantes.

IV.
1. soy, son perezosos
2. son, es bajo
3. somos, somos... simpáticos
4. es, son difíciles

V.
1. Están en la librería.
2. Estamos en el gimnasio.
3. Estoy en la cafetería (en el centro estudiantil).
4. Está en la oficina de la profesora Falcón.

VI.
1. Estoy nervioso/a (preocupado/a).
2. Están (muy) ocupados.
3. Está (muy) enfermo.
4. Estamos contentos/as.

VII.
1. Tengo... años.
2. Mi madre es simpática, etc. o Mi padre es alto, etc.
3. Mis amigos/as son simpáticos/as, etc.
4. Mis amigos/as están bien (contentos/as), etc.
5. Sí, estamos preocupados/as por nuestras notas en la clase de... o No, no estamos preocupados/as por nuestras notas.
6. Tenemos clases los lunes, etc.
7. Nuestras clases son difíciles, etc.

VIII.	1. Traditional families have more children and the family includes grandparents (often they live with their children and grandchildren) uncles, cousins, etc.
	2. Approximately 15% of the population in the USA is Hispanic. Most of them live in California, Texas, New York, and Florida.

Capítulo 4

I.	1. ¿A tus padres les gusta tomar café? Sí, (No, no) les gusta tomar café.
	2. ¿A ustedes les gusta la comida italiana? Sí, (No, no) nos gusta la comida italiana.
	3. ¿A ustedes les gusta desayunar temprano? Sí, (No, no) nos gusta desayunar temprano.
	4. ¿A tu abuela le gustan los postres? Sí, (No, no) le gustan los postres.
	5. ¿A ti te gustan los frijoles negros? Sí, (No, no) me gustan los frijoles negros.

II.	1. ¿Pueden cocinar? Sí, (No, no) podemos cocinar.
	2. ¿Quieren ir al supermercado? Sí, (No, no) queremos ir al supermercado.
	3. ¿Almuerzan a las doce todos los días? Sí, (No, no) almorzamos a las doce todos los días.
	4. ¿Prefieren cenar en un restaurante o en la cafetería? Preferimos cenar en un restaurante (en la cafetería).
	5. ¿Normalmente piden postres en los restaurantes? Sí, normalmente pedimos postres en los restaurantes. o No, normalmente no pedimos…

III. A.	1. Dos cuestan doscientos cincuenta dólares.
	2. Dos cuestan trescientos cuarenta dólares.
	3. Dos cuestan novecientos dólares.
	4. Dos cuestan dos mil ochocientos dólares.
	5. Dos cuestan mil quinientos dólares.
	6. Dos cuestan cincuenta mil dólares.

B.	1. mil cuatrocientos noventa y dos
	2. mil quinientos ochenta y ocho
	3. mil setecientos setenta y seis
	4. mil novecientos ochenta y nueve
	5. dos mil uno

IV.	1. ¿Qué bebe? o ¿Por qué no bebe vino?
	2. ¿Cuál es su fruta favorita?
	3. ¿Cuándo trabaja? o ¿Qué hace por la mañana?
	4. ¿De dónde es?
	5. ¿Cuántos años tiene?
	6. ¿Dónde vive?
	7. ¿Adónde va? o ¿Cuándo va?
	8. ¿Cómo está?

V.	1. Como huevos, etc.
	2. Mi postre favorito es el helado, etc.
	3. Me gustan más las manzanas, etc.
	4. Quiero cenar en…
	5. Generalmente duermo… horas.
	6. Sí, (No, no) podemos estudiar toda la noche sin dormir.

VI.	1. (Answers may vary.)
	2. A Mexican tortilla is a thin corn or flour bread, while Spanish tortilla is an omelet typically made with potato, onion and eggs.
	3. Oil, tourism, and money sent back by emigrants. There is also developing industry and trade in the areas near the U.S. border.

Capítulo 5

I.	MARTA: Sabes
	PABLO: sé, conozco
	MARTA: Sabes
	PABLO: sé, conozco

II.	1. Tú vienes a clase todos los días. Yo vengo…
	2. Nosotros decimos "hola" a los estudiantes al entrar en la clase. Yo digo "hola"…
	3. Ellas traen la tarea a clase. Yo traigo…
	4. Ana pone la tarea en el escritorio del profesor. Yo pongo…
	5. Nosotros sabemos todo el vocabulario. Yo sé…
	6. Ustedes hacen preguntas en clase. Yo hago…
	7. Ella no sale de clase temprano. Yo no salgo…

III.	1. Marta va a jugar al tenis.
	2. Luisa y Alberto van a montar en bicicleta.
	3. Voy a ver un partido de fútbol.
	4. Vas a preparar la paella.
	5. Vamos a ir a la playa.

IV.	1. Está nevando.
	2. El niño está durmiendo.
	3. Estoy leyendo una novela.
	4. Estamos viendo la tele.
	5. Mis hermanos están preparando la cena.

V.	es, Es, está, Es, es, está

VI.	(Answers may vary.)
	1. Estoy escribiendo los ejercicios de la *Autoprueba*.
	2. Voy a estudiar, etc.
	3. Hago tarea para la clase de…, salgo con mis amigos, etc.
	4. Tengo que estudiar, etc.
	5. Tengo ganas de dormir, etc.
	6. Conozco muy bien a…
	7. Traigo mis libros, etc.
	8. Mi estación favorita es la primavera (el verano, etc.) porque…
	9. Hace calor (buen tiempo/frío/viento/etc.).

VII.	1. In Caribbean countries baseball is more popular than soccer.
	2. The story of a family during Rafael Trujillo's dictatorship in the Dominican Republic.
	3. The islands' African heritage is present in the racial makeup of their inhabitants. There is also African influence in the music and dance of Dominicans and Cubans.

Capítulo 6

I.	1. Mi compañero/a de cuarto se despierta.
	2. Me levanto.
	3. Te bañas.
	4. Pepita se cepilla los dientes.
	5. Nos ponemos suéteres porque hace frío.
	6. Octavio y Manual se visten.

II.	1. Mis padres se gustaron inmediatamente.
	2. Mis padres se dieron los números de teléfono ese mismo día.
	3. Mis padres se ven todos los días.
	4. Mis padres, aún hoy, después de 25 años, se quieren mucho.

III. A.	1. Me duché.
	2. Pepita se peinó.
	3. Te lavaste la cara.
	4. Nos afeitamos.
	5. Ellos se cepillaron los dientes.

B.	1. Llegué al trabajo a las nueve.
	2. Dos colegas leyeron las noticias del día.
	3. Mi colega y yo mandamos un mensaje…
	4. Escribiste un memo muy importante.
	5. Fuimos a un restaurante chino para almorzar.
	6. En la tarde, mi colega llamó a varios de nuestros clientes.
	7. Ella resolvió un problema serio.
	8. Salimos del trabajo a las cinco de la tarde.

IV. A. 1. Pues, Camila va a invitarme. *o* Camila me va a invitar.
2. Pues, Camila va a invitarnos. *o* Camila nos va a invitar.
3. Pues, Camila va a invitarlos/las. *o* Camila los/las va a invitar.
4. Pues, Camila va a invitarlas. *o* Camila las va a invitar.
5. Pues, Camila va a invitarlos. *o* Camila los va a invitar.
6. Pues, Camila va a invitarla. *o* Camila la va a invitar.
7. Pues, Camila va a invitarte. *o* Camila te va a invitar.

B. 1. Sí, (No, no) quiero verlos/las. *o* Sí, (No, no) los/las quiero ver.
2. Sí, (No, no) voy a llamarlos. *o* Sí, (No, no) los voy a llamar.
3. Sí, (No, no) estoy haciéndola ahora. *o* Sí, (No, no) la estoy haciendo ahora.
4. Sí, (No, no) los completé.
5. Sí, (No, no) voy a estudiarlo. *o* Sí, (No, no) lo voy a estudiar.

V. 1. Por la mañana después de levantarme, me ducho, etc.
2. Antes de acostarme, me cepillo los dientes, etc.
3. Ayer fui a... También...
4. El fin de semana pasado...
5. Sí, lo/ la llamé. Hablamos de... *o* No, no lo/ la llamé.

VI. 1. Posibles respuestas: Los árabes vivieron en España durante casi 800 años y dejaron huella en muchos aspectos de la cultura española. Hubo una dictadura durante 40 años. Tiene un rey, Juan Carlos I.
2. Posibles respuestas: España pertenece a la Unión Europea. La divisa española es el euro. Los Juegos Olímpicos de 1992 fueron en Barcelona. España se compone de diferentes regiones con su propia identidad cultural. Hay cuatro lenguas oficiales en España.
3. Los azulejos son baldosas de cerámica, traídas originalmente por los árabes cuando se asentaron en la península.

Capítulo 7

I. 1. La gente está dentro del cine (en el cine).
2. La iglesia está detrás del banco.
3. La estatua está cerca del centro de la ciudad.
4. En el quiosco, las revistas están encima de los periódicos.

II. 1. conmigo
2. contigo
3. ellos/ ellas
4. nosotros

III. A. 1. Voy a visitar esa iglesia.
2. Voy a visitar este museo.
3. Quiero ver estas obras de arte.
4. Queremos ver aquellos rascacielos.

B. 1. No, prefiero ésas (aquéllas).
2. No, prefiero ésos (aquéllos).
3. No, prefiero ése (aquél).
4. No, prefiero ésa (aquélla).

IV. 1. Carlos y Felipe, ¿pidieron ustedes ayuda a un tutor? Sí, (No, no) la pedimos.
2. Alberto, ¿durmió usted bien después de volver del centro? Sí, (No, no) dormí bien después de volver del centro.
3. Linda y Celia, ¿hicieron ustedes algo interesante en el centro? Sí, hicimos algo interesante. *o* No, no hicimos nada interesante.
4. Linda y Celia, ¿se divirtieron ustedes? Sí, (No, no) nos divertimos.
5. Sr. Sancho, ¿prefirió el director de la escuela la ópera o el ballet? El director de la escuela prefirió la ópera (el ballet).

V. 1. A mí me dio unos CD de rock argentino.
2. A mi hermana le regaló un DVD para aprender a bailar tango.
3. A mis hermanos les compró camisetas de la selección argentina de fútbol.
4. A nosotros nos mandó muchas tarjetas postales desde lugares diferentes.
5. A ti te prestó su cámara.

VI. 1. Los bancos abren a las... de la mañana. Los almacenes abren a las...
2. Sí, gasté mucho dinero en restaurantes el mes pasado. Pedí... *o* No, no gasté...

3. Pedimos...
4. Sí, fuimos al centro para... *o* No, no fuimos al centro...
5. Dormí... horas.
6. Anoche estudié, etc. *o* No hice nada anoche.
7. El fin de semana pasado fuimos..., etc. *o* No hicimos nada.
8. Sí, le di la tarea al profesor. *o* No, no le di la tarea al profesor.

VII. 1. Argentina, Chile
2. Los grupos europeos más numerosos que emigraron a Buenos Aires fueron grupos españoles, italianos, alemanes y armenios.
3. Salvador Allende (primer presidente socialista de Chile), Pinochet (dictador chileno), Juan Perón (dictador argentino), los mapuches (grupo indígena de Chile), Benito Quinquela Martín (pintor argentino), los gauchos (rancheros argentinos), Jorge Luis Borges (escritor argentino), Gabriela Mistral (Premio Nóbel de Literatura)

Capítulo 8

I. A. 1. El abrigo es mío. Las botas son mías. Los guantes son míos. La gorra es mía.
2. La ropa interior es nuestra. Los jeans son nuestros. Las corbatas son nuestras.
3. La blusa es tuya. El vestido es tuyo. La camiseta es tuya. Las medias son tuyas.
4. La ropa de verano es suya. Las faldas son suyas. Los trajes de baño son suyos.

B. 1. Mi primo va con unos amigos suyos.
2. Viviana va con un amigo suyo.
3. Mi hermana y yo vamos con un amigo nuestro.
4. Voy con unos amigos míos.

II. 1. Natalia y Linda trajeron las decoraciones.
2. Pusimos las flores en la mesa.
3. Javier quiso venir pero no pudo.
4. Casi todos los estudiantes vinieron.
5. Estuviste en la fiesta por cuatro horas.
6. Tuve que salir temprano.

III. 1. Se lo regalamos.
2. Se la regaló.
3. Se las regalaron.
4. Se la regalé.
5. Nos lo regaló.

IV. 1. No, no le presto la ropa a nadie.
2. No, yo tampoco me visto muy formal para ir a clase.
3. No, no hay nadie elegante en la clase de español.
4. No, no me pongo nada especial cuando salgo los fines de semana.

V. 1. Las mujeres llevan vestido, etc. Los hombres llevan chaqueta y corbata, etc.
2. Debo llevar mi abrigo, mis suéteres, etc. a Alaska. Debo llevar mi traje de baño, mis pantalones cortos, etc. a la Florida.
3. Sí, fui de compras el fin de semana pasado a Sears. Compré zapatos de tenis, etc. *o* No, no fui de compras...
4. Estuve en casa (en una fiesta, etc.). Estudié, etc.
5. Traje mis libros, etc.

VI. 1. Los tres están situados en el corazón de los Andes. Forman parte del antiguo imperio inca llamado Tahuantinsuyo. La zona está caracterizada por espectaculares picos nevados e impresionantes volcanes.
2. Muchos indígenas todavía llevan la ropa tradicional andina: sarapes, ponchos y sombreros hechos de lana de alpaca.

Capítulo 9

I.
1. Tráiganmelos./No me los traigan.
2. Examínela./No la examine.
3. Descanse más./No descanse más.
4. Estudie las palabras./No estudie las palabras.
5. Lea el libro./No lea el libro.

II.
1. Mis hermanos y yo éramos niños muy buenos.
2. Íbamos a una escuela pequeña.
3. (Yo) Escuchaba a mis maestras.
4. José jugaba al voleibol durante el recreo.
5. Ana y Tere veían la tele por la tarde.
6. Comías galletas todos los días.

III.
1. llamó, habló
2. explicó, estaba
3. preguntó, tenía
4. explicó, dolía, tenía
5. quería, estaba
6. contestó
7. dijo, podía
8. aceptó, dio
9. se sentía, se durmió

IV.
1. La última vez que fui al medico tenía fiebre (*dolor de cabeza, ect.*).
2. En la escuela primaria mi maestro/a preferido/a era (*nombre*). Era muy simpático/a, inteligente,...
3. Mi primera clase en la universidad fue difícil (*divertida, interesante, ect.*). Fue de biología (*matemáticas, literatura, ect.*). El profesor se llamaba (*nombre*).
4. Mi primer día en la universidad fue importante (*complicado, aburrido, ect.*). Fui a clase y conocí a mis compañeros. Fui a la oficina del profesor. Me sentí feliz (*triste, preocupado, ect.*).

V.
1. Frontera con Colombia: Ecuador, Brasil, Panamá, Perú, Venezuela; Frontera con Venezuela: Colombia, Brasil, Guyana.
2. Venezuela significa "pequeña Venecia" porque en el año 1500 los españoles encontraron allí a los indios guajiros, que vivían en chozas suspendidas sobre unas islas muy pequeñas en el Lago Maracaibo.
3. Posibles respuestas de remedios caseros: limonada caliente con ron, whisky o miel para los resfriados o la gripe; hervir clavos de olor en agua para los orzuelos; dorar un ajo al fuego y aplicar al oído con un algodón para el dolor de oídos; asustar, poner jugo de limón en la lengua, poner un hilo rojo en la frente para el hipo; té de flores de naranjo, té de tilo para el nerviosismo; poner los pies en agua de sal tibia para el dolor de pies.
4. Gabriel García Márquez es un autor y periodista colombiano que ganó el Premio Nóbel de Literatura en 1982.

Capítulo 10

I.
1. Beatriz, ¡haz la cama!
2. María, ¡pasa la aspiradora!
3. Luis, ¡devuelve los libros!
4. Laila, ¡pon la mesa!
5. Juanito, ¡saca la basura!

II.
1. No prendas el estéreo, por favor.
2. No uses mi computadora, por favor.
3. No toques mis cosas, por favor.
4. No me digas mentiras, por favor.
5. No te preocupes, por favor.

III.
1. La abuela ha trabajado en el jardín.
2. Todos hemos lavado y secado la ropa.
3. Papá ha limpiado el garaje.
4. Mi hermana ha salido dos veces a bailar.

IV.
1. Había apagado la computadora.
2. Habías imprimido tu trabajo escrito.
3. Habíamos hecho la tarea para la clase de español.
4. Linda y Teresa habían leído la novela para la clase de inglés.

V.
1. Los profesores son tan simpáticos como los estudiantes. *o* Los estudiantes son tan simpáticos como los profesores.
2. Susana tiene tanta paciencia como Ana. *o* Ana tiene tanta paciencia como Susana.
3. Su hermano compró tantos libros como Alberto. *o* Alberto compró tantos libros como su hermano.

VI. A.
1. El reloj Rolex es más caro que el reloj Timex. *o* El reloj Timex es menos caro que el reloj Rolex.
2. Ir de vacaciones a la playa es mejor que ir de vacaciones a las montañas. *o* Ir de vacaciones a las montañas es mejor que ir de vacaciones a la playa.
3. Limpiar la casa es menos divertido que ver la tele. *o* Ver la tele es más divertido que limpiar la casa.

B.
1. Bill Gates es el hombre más rico de los tres.
2. El Honda (el Ford/el Subaru) es el mejor coche de los tres.
3. La revista *National Geographic* (*Newsweek/Movie Line*) es la más interesante de las tres. *o National Geographic* (*Newsweek/Movie Line*) es la revista más interesante de las tres.

VII.
1. Mi casa/apartamento es grande, luminoso y bonito (*pequeño, barato, ect.*).
2. Tengo tantas clases como mi mejor amigo/a. *o* Tengo más/menos clases que mi mejor amigo/a. Yo estudio más/menos que él/ella. *o* Yo estudio tanto como él/ella.
3. La mejor película que he visto últimamente se llama (*nombre*). La película más cómica que he visto últimamente se llama (*nombre*).

VIII.
1. La población de Paraguay es diversa (inmigrantes europeos y 25 tribus indígenas; el 95% de la población es de origen mestizo), mientras que la población de Uruguay es uniforme (casi un 90% desciende de inmigrantes europeos).
2. Cristina Peri Rossi es una escritora uruguaya.
3. El patio es un elemento representativo de muchas casas hispanas y tiene varias funciones importantes, como recibir visitas o dar una pequeña fiesta.

Capítulo 11

I.
1. Quiere que estudiemos más. Quiere que Ana y Linda estudien más.
2. Quiere que Esteban haga la tarea. Quiere que hagamos la tarea.
3. Quiere que Juan vuelva pronto. Quiere que volvamos pronto.
4. Quiere que me divierta en clase. Quiere que nos divirtamos en clase.
5. Quiere que los estudiantes sean puntuales. Quiere que seas puntual.
6. Quiere que (yo) vaya a la biblioteca. Quiere que todos los estudiantes vayan a la biblioteca.

II.
1. Es mejor que vayan durante el invierno.
2. Les recomiendo que exploren las playas remotas.
3. Deseo que se diviertan mucho durante su visita a San Juan.
4. Les sugiero que visiten el bosque pluvial.
5. Es importante que hablen en español todo el tiempo.
6. Les pido a todos que me compren un regalo.

III.
1. Me alegro de que tengamos una cita esta noche.
2. Me gusta que me lleve a un buen restaurante.
3. Temo que llegue un poco tarde.
4. Es increíble que quiera salir conmigo.
5. Espero que no se olvide de la cita.
6. Ojalá que podamos comunicarnos bien.

IV. A.
1. Lidia romperá con su novio.
2. Yo saldré con más frecuencia.
3. Nosotros visitaremos algunos países hispanos.
4. Tú tendrás nuevos amigos.
5. Jorge y Tomás viajarán a Panamá.

B.
1. Yo eliminaría las clases los viernes.
2. Pedro abriría el centro estudiantil las 24 horas.
3. Tú pondrías un límite de tres clases por estudiante por semestre.
4. Linda y Martina hablarían con el decano todas las semanas.
5. Nosotros haríamos cambios en la biblioteca y en la cafetería.

V.
1. La etapa que me parece más interesante es la infancia (la adolescencia, la vejez, ect.) porque...La etapa que me parece menos interesante es.... porque... Normalmente, la gente en esas etapas...
2. Me llevo muy bien con mi mejor amigo (hermano/a, primo/a, novio/a, ect.). De estas personas, me gusta...
3. Sí, hago muchas llamadas de larga distancia. o No, no hago muchas llamadas de larga distancia. Uso un teléfono celular (público, de casa, ect.). Llamo a mi familia (a mi novio/a, a mi amigo/a, ect.). Hablo de...
4. Quiero que mis amigos.... No quiero que mis amigos...
5. Prefiero que la persona con quien vivo (mi compañero/a de piso, mi familia, ect.)... Prefiero que la persona con quien vivo no...
6. Me molesta que mis profesores.... Me gusta que mis profesores... Espero que... Quiero que...

VI.
1. Las dos monedas oficiales de Panamá son el dólar estadounidense y el balboa panameño.
2. El Canal de Panamá es el mayor canal navegable del continente con 82.6 kilómetros (50 millas) de largo. Su construcción comenzó en 1902. En 1999 los EE.UU. le entregaron el canal a los panameños.
3. Los "sombreros de Panamá" se fabrican en Ecuador.

Capítulo 12

I.
1. Trabajé para poder ir a Costa Rica.
2. Salí para Costa Rica el 6 de agosto.
3. Estuve allí por un mes.
4. Viajé por todo el país.
5. Compré un libro sobre los bosques nubosos para mi madre.
6. Lo compré por tres mil colones.

II. A.
1. No creo que ustedes encuentren el remo.
2. Es posible que el guía no sepa hablar español.
3. Dudo que los kayaks lleguen a tiempo.
4. No estoy seguro/a de que estemos remando bien.
5. No creo que puedas ir con nosotros.

B.
1. Pienso que cuesta más de doscientos dólares.
2. No creo que haya un problema serio.
3. Dudo que sea muy larga.
4. Es probable que sean buenos.
5. Estoy seguro/a de que vienen con nosotros.

III.
1. En Centroamérica se come arroz y frijoles.
2. En Argentina se baila tango.
3. En México se hablan muchas lenguas indígenas.
4. En Puerto Rico se baila bomba.
5. En Cuba se producen muchas frutas tropicales.
6. En Centroamérica se cultiva café de gran calidad.

IV.
1. Me interesan más...
2. No creo que pueda pasar unas buenas vacaciones en... porque...
3. Sí, he viajado mucho. o No, no he viajado mucho. He viajado a... Fui a... para... Quiero ir a... Es posible que en el futuro vaya a...
4. Sí, creo que estamos haciendo suficiente para proteger el medio ambiente. o No, no creo que estemos haciendo suficiente para proteger el medio ambiente. Es importante que...
5. Creo que en 10 años la situación del medio ambiente será... Es probable que... Es posible que... Es imposible que...

V.
1. Los ticos son personas costarricenses de ascendencia española. También se usa "ticos" para describir a los costarricenses. Se dice que esta palabra viene del diminutivo y que se usa porque las personas en Costa Rica suelen usar mucho el diminutivo.
2. El "ecoturismo" se practica mucho en Costa Rica. Es el turismo a áreas naturales en las que se conserva el medio ambiente a la vez que se apoya a los residentes locales.
3.
   • Las esferas de piedra constituyen un misterio arqueológico de Costa Rica. Se han encontrado más de 300 en el país. Sus medidas varían desde algunos centímetros hasta los 2 metros de diámetro. Hoy en día se usan como decoraciones en edificios de gobierno, hospitales y escuelas, y también como símbolo de estatus en las casas de algunas personas ricas y poderosas.
   • Irazú es uno de los cuatro volcanes que rodean a San José. En ocasiones está activo. Mide 3,432 metros de altura y desde él se pueden ver las costas del océano Pacífico y el mar Caribe al mismo tiempo.
   • "La negrita" es el apodo con el que se conoce a la santa patrona de Costa Rica, la Virgen de Los Ángeles, debido al color de su piel.

Capítulo 13

I.
1. Es una lástima que el avión llegue tarde.
2. Es bueno que tenga todo el equipaje.
3. Es urgente que vayamos a la aduana.
4. Es horrible que no pueda encontrar el boleto.
5. Es extraño que no haya asistentes de vuelo.
6. Es cierto que no me gusta/guste volar.

II. A.
1. Necesito una habitación que esté en la planta baja.
2. Prefiero un cuarto que tenga camas sencillas.
3. Quiero un baño que sea más grande.
4. Necesito una llave que abra el mini-bar.

B.
1. tenga, tiene
2. esté, est
3. sea, sean
4. sirva, sirve

III. A. (*Answers may vary.*)
1. Hace... que estoy en clase.
2. Hace... que estudio español.
3. Hace... que conozco al/la profesor/a de español.
4. Hace... que vivo en la misma casa o apartamento.
5. Hace... que tengo licencia de conducir un auto.

B. (*Answers may vary.*)
1. Hace... que hablé con su familia.
2. Hace... que compré un regalo para alguien.
3. Hace... que me hice un examen médico.
4. Hace... que visité un museo.
5. Hace... que llegué a la universidad.

IV.
1. Encontramos las horas de las salidas y llegadas de los vuelos.
2. Muestran sus pasaportes, facturan su equipaje, consiguen sus tarjetas de embarque, etc. Compran un boleto, están en el andén, ect.
3. Busco un hotel que tenga... o Busco un hotel que sea...
4. Sí, conozco algún lugar que es económico. o No, no conozco ningún lugar que sea económico.
5. La última vez fue hace...

V.
1. Tres cosas que tienen en común: 1. Tienen frontera con Honduras; 2. La capital tiene un nombre igual o muy similar al nombre del país; 3. Se habla español; Tres cosas que los hacen diferentes: 1. Guatemala tiene frontera con Belice, El Salvador no; 2. Guatemala es más grande que El Salvador; 3. Guatemala tiene costa con el Océano Pacífico y el Mar Caribe, El Salvador tiene costa sólo con el Océano Pacífico.
2. La pupusa es el plato nacional de El Salvador. Son dos tortillas de maíz rellenas de carne, frijoles y, a veces, queso.
3. Los paradores son un tipo de alojamiento común en el mundo hispano. Son edificios históricos, como monasterios, castillos o palacios, normalmente ubicados en parajes pintorescos, de excepcional belleza.

Capítulo 14

I.
1. Levantémonos a las diez. No nos levantemos...
2. Salgamos para el centro. No salgamos...
3. Vamos (Vayamos) por la ruta más directa. No vayamos...
4. Paremos en el supermercado. No paremos...
5. Crucemos el nuevo puente. No crucemos...
6. Sigamos recto por cuatro cuadras. No sigamos recto...
7. Exploremos el sector histórico de la ciudad. No exploremos...

II.
1. ...me llame.
2. ...la sepa (la tenga).
3. ...me ayudes (me des papel, etc.).
4. ...tenga(s) veintiún años, licencia de conducir y tarjeta de crédito. o ...haya uno disponible.
5. ...tenga que trabajar (estudiar, etc.). o ...llueva, etc. o ...mi(s) padre(s) (esposo/a) insista(n) que yo...

III. A. 1. Quería que limpiara mi cuarto/ fuera al supermercado/ llamara a mis abuelos/ reparara el control remoto.

2. Nos sugirió que escribiéramos los ejercicios del manual/ llegáramos a clase temprano/ hiciéramos los ejercicios del laboratorio/ participáramos en clase.
3. Esperaban que los llamara (llamáramos) para Navidad/ les escribiera (escribiéramos) un mensaje electrónico/ los visitara (visitáramos) en verano/ les regalara una cámara de video.

B.
1. Ojalá (que) mi computadora funcionara.
2. Ojalá (que) comprara un coche híbrido.
3. Ojalá (que) viera más películas 3D pronto.
4. Ojalá (que) la universidad tuviera muchas computadoras nuevas.

IV. (*Answers may vary.*)

V.
1. Es un grupo étnico que llegó a Honduras en el siglo XVIII huyendo de la esclavitud en las colonias inglesas del Caribe. Viven en la costa caribeña de Honduras.
2. Es una forma distinta de conjugar los verbos, empleando la forma *vos* en vez de *tú*. El vos se usa de diferentes maneras en varios países, y está presente en Honduras, Nicaragua, Argentina, Chile y Uruguay.
3. (*Answers may vary.*)

Capítulo 15

I.
1. ...recibí el dinero., ...reciba el dinero.
2. ...me des el número de teléfono del hotel., ... me diste el número de teléfono del hotel.
3. ...me llamaste (llamaras), ...me llames.
4. ...regresemos de la luna de miel., ... regresamos de la luna de miel.

II. (*Answers may vary.*)
1. Dudo que el empleo haya mejorado.
2. Es estupendo que hayamos sido aceptados en un programa de voluntariado en Nicaragua.
3. Es importante que hayas votado en las elecciones generales.
4. Es increíble que la drogadicción haya desaparecido.
5. Siento que los astronautas hayan tenido un accidente.

III.
1. Si ganara más dinero, lo ahorraría.
2. Si lo ahorrara, tendría mucho dinero.
3. Si tuviera mucho dinero, compraría un coche.
4. Si comprara un coche, haría un viaje.
5. Si hiciera un viaje, iría a Puerto Vallarta.
6. Si fuera a Puerto Vallarta, me quedaría allí dos meses.
7. Si me quedara allí dos meses, perdería mi trabajo.
8. Si perdiera mi trabajo, no tendría dinero.

IV.
1. (En mi opinión,) Algunos de los problemas más serios son...
2. Cambiaría... porque...
3. Sí, me preocupaba por... o No, no me preocupaba por los problemas del mundo/ otros problemas.
4. (Cuando me gradúe,) Trabajaré, haré un viaje, etc.

V.
1. Univisión y Telemundo.
2. Las telenovelas duran entre ocho y doce meses, mientras que las *soap operas* pueden durar años. Las telenovelas se televisan a la hora punta, por las noches, mientras que las *soap operas* se televisan por la mañana o por la tarde.
3. Cristina Saralegui es la anfitriona del Show de Cristina; Don Francisco es el presentador de Sábado Gigante, el show de variedades de más duración en la historia de la televisión.

Países

Afganistán (el) – afgano/a
Albania – albanés, albanesa

Alemania – alemán, alemana
Andorra – andorrano/a
Angola – angoleño/a
Antigua y Barbuda – antiguano/a
Arabia Saudí o Arabia Saudita – saudí
Argelia – argelino/a
Argentina (la) – argentino/a
Armenia – armenio/a
Australia – australiano/a
Austria – austriaco/a
Azerbaiyán – azerbaiyano/a

Bahamas (las) – bahameño/a
Bahréin – bahreiní
Bangladesh – bengalí
Barbados – barbadense
Bélgica – belga
Belice – beliceño/a
Benín – beninés, beninesa
Bielorrusia – bielorruso/a
Bolivia – boliviano/a
Bosnia-Herzegovina – bosnio/a
Botsuana – bostuano/a
Brasil (el) – brasileño/a
Brunéi Darussalam – bruneano/a
Bulgaria – búlgaro/a
Burkina Faso – burkinés, burkinesa
Burundi – burundés, burundesa
Bután – butanés, butanesa

Cabo Verde – caboverdiano/a
Camboya – camboyano/a
Camerún (el) – camerunés, camerunesa
Canadá (el) – canadiense
Chad – (el) – chadiano/a
Chile – chileno/a
China – chino/a
Chipre – chipriota
Ciudad del Vaticano – vaticano/a
Colombia – colombiano/a
Comoras – comorense/a
Congo (el) – congoleño/a
Corea del Norte – norcoreano/a
Corea del Sur – surcoreano/a
Costa Rica – costarricense
Costa de Marfil – marfileño/a
Croacia – croata
Cuba – cubano/a

Dinamarca – danés, danesa
Dominica – dominiqués/dominiquesa

Ecuador (el) – ecuatoriano/a
Egipto – egipcio/a
Emiratos Árabes Unidos (los) – emiratense
Eritrea – eritreo/a

Eslovaquia – eslovaco/a
Eslovenia – esloveno/a
España – español/a
Estados Unidos de América (los) – estadounidense
Estonia – estonio/a
Etiopía – etíope

Filipinas – filipino/a
Finlandia – finlandés, finlandesa
Francia – francés, francesa
Fiyi – fiyiano/a

Gabón (el) – gabonés, gabonesa
Gambia – gambiano/a
Georgia – georgiano/a
Ghana – ghanés, ghanesa
Granada – granadino/a
Grecia – griego/a
Guatemala – guatemalteco/a
Guinea – guineano/a
Guinea-Bissáu – guineano/a
Guinea Ecuatorial (la) – guineano, ecuatoguineano/a
Guyana – guyanés, guyanesa

Haití – haitiano/a
Honduras – hondureño/a
Hungría – húngaro/a

India (la) – indio/a
Indonesia – indonesio/a
Irán – iraní
Iraq – iraquí
Irlanda – irlandés, irlandesa
Islandia – islandés, islandesa
Islas Cook (las) – cookiano/a
Islas Marshall (las) – marshalés, marshalesa
Islas Salomón (las) – salomonense
Israel – israelí
Italia – italiano/a

Jamaica – jamaicano/a
Japón (el) – japonés, japonesa
Jordania – jordano/a

Kazajstán – kazako/a
Kenia – keniata
Kirguistán – kirguís
Kiribati – kiribatiano/a
Kuwait – kuwaití

Laos – laosiano/a
Lesotho – lesothense
Letonia – letón, letona
Líbano (el) – libanés, libanesa
Liberia – liberiano/a
Libia – libio/a
Liechtenstein – liechtensteiniano/a
Lituania – lituano/a
Luxemburgo – luxemburgués, luxemburguesa

Macedonia – macedonio/a
Madagascar – malgache
Malasia – malayo/a

Malawi – malawiano/a
Maldivas – maldivo/a
Malí – malí
Malta – maltés, maltesa
Marruecos – marroquí
Mauricio – mauriciano/a
Mauritania – mauritano
México – mexicano/a
Micronesia – micronesio/a
Moldavia – moldavo/a
Mónaco – monegasco/a
Mongolia – mongol/a
Montenegro – montenegrino/a
Mozambique – mozambiqueño/a
Myanmar – birmano/a

Namibia – namibio/a
Nauru – nauruano/a
Nepal – nepalés, nepalesa
Nicaragua – nicaragüense
Níger – nigerino/a
Nigeria – nigeriano/a
Noruega – noruego/a
Nueva Zelanda o Nueva Zelandia – neozelandés, neozelandesa

Omán – omaní

Países Bajos (los) – neerlandés, neerlandesa
Pakistán (el) – pakistaní
Paláu – palauano/a
Panamá – panameño/a
Papúa Nueva Guinea – papú
Paraguay (el) – paraguayo/a
Perú (el) – peruano/a
Polonia – polaco/a
Portugal – portugués, portuguesa
Puerto Rico – puertorriqueño/a

Qatar – catarí

Reino Unido – británico/a
República Centroafricana (la) – centroafricano/a
República Checa (la) – checo/a
República Democrática del Congo (la) – congoleño/a
República Dominicana (la) – dominicano/a
Ruanda – ruandés, ruandesa
Rumania o Rumanía – rumano/a
Rusia – ruso/a

Salvador (el) – salvadoreño/a
Samoa – samoano/a
San Cristóbal y Nieves – sancristobaleño/a
San Marino – sanmarinense
Santa Lucía – santalucense
Santo Tomé y Príncipe – santotomense/a
San Vicente y las Granadinas – sanvicentino/a
Senegal (el) – senegalés, senegalesa
Serbia – serbio/a
Seychelles – seychellense
Sierra Leona – sierraleonés, sierraleonesa
Singapur – singapurense
Siria – sirio/a

Somalia – somalí
Sri Lanka cingalés, cingalesa
Suazilandia – suazi
Sudáfrica – sudafricano/a
Sudán (el) – sudanés, sudanesa
Suecia – sueco/a
Suiza – suizo/a
Surinam – surimanés, surimanesa

Tailandia – tailandés, tailandesa
Tanzania – tanzaniano/a
Tayikistán – tayiko/a
Togo (el) – togolés, togolesa
Tonga – tongano/a
Trinidad y Tobago – trinitense
Túnez – tunecino/a
Turkmenistán – turcomano/a
Turquía – turco/a
Tuvalu – tuvaluano/a

Ucrania – ucraniano/a
Uganda – ugandés, ugandesa
Uruguay (el) – uruguayo/a
Uzbekistán – uzbeko/a

Vanuatu – vanuatuense
Vaticano – vaticano/a
Venezuela – venezolano/a
Vietnam – vietnamita

Yemen (el) – yemení
Yibuti – yibutano/a

Zambia – zambiano/a
Zimbabue – zimbabuense

Más profesiones

actor   *actor m*
actress   *actriz f*
administrator   *administrador/a*
ambassador   *embajador/a*
anchorperson   *presentador/a (de radio y televisión)*
artist   *artista m/f*
astrologer   *astrólogo/a*
astronaut   *astronauta m/f*
astronomer   *astrónomo/a*
baker   *panadero/a*
barber   *barbero m*
bodyguard   *guardaespaldas m/f*
bricklayer   *albañil m*
butler   *mayordomo m*
captain   *capitán/a*
carpenter   *carpintero/a*
cartographer   *cartógrafo/a*
chauffeur   *chofer*
consultant, advisor   *consejero/a (en asuntos técnicos)*
cook   *cocinero/a*
counselor   *consejero/a (en asuntos personales)*
dancer   *bailarín m/f*
dentist   *dentista m/f*

designer   diseñador/a
diplomat   diplomático/a
dishwasher   lavaplatos
electrician   electricista m/f
engineer   ingeniero/a
farmer   agricultor/a
firefighter   bombero/a
fisherman, fisherwoman   pescador/a
flight attendant   azafata f, sobrecargo m/f
florist   florista m/f
flower grower   floricultor/a
foreman, forewoman   capataz/a
forest ranger   guardabosque m/f
gardener   jardinero/a
geographer   geógrafo/a
geologist   geólogo/a
governor   gobernador/a
hairdresser   peluquero/a
historian   historiador/a
janitor   conserje m/f
jeweler   joyero/a
journalist   periodista m/f
judge   juez m/f
laborer, worker   obrero/a
librarian   bibliotecario/a
maid   sirvienta f
make-up artist   maquillador/a
male nurse, nurse   enfermero/a
manager   gerente m/f
manufacturer   fabricante m
masseur, masseuse   masajista m/f
mathematician   matemático/a
mayor, mayoress   alcalde/sa
mechanic   mecánico/a
miner   minero/a
minister   ministro/a
musician   músico/a
notary (public)   notario/a
novelist   novelista m/f
office worker   oficinista m/f
painter   pintor/a
parking attendant   guardacoches m/f
pastry cook   pastelero/a
philosopher   filósofo/a
photographer   fotógrafo/a
pianist   pianista m/f
pilot   piloto m/f
playwright, dramatist   dramaturgo/a
plumber   plomero, fontanero m
poet, female poet   poeta/isa
police superintendent   comisario/a
policeman, policewoman   policía m/f
politician   político/a
priest   sacerdote m
psychiatrist   psiquiatra m/f
psychologist   psicólogo/a
radio announcer   locutor/a
real estate agent   agente de bienes raíces m/f

sailor   marinero/a
sculptor, sculptress   escultor/a
shopkeeper   tendero/a
singer   cantante m/f
soldier   soldado/mujer soldado
tailor   sastre/a
technician   técnico/a
teller   cajero/a (en banco)
tour guide   guía m/f turístico
tradesman, tradeswoman   comerciante m/f
translator   traductor/a
truck driver   camionero/a
veterinarian   veterinario/a
warder, jailer   carcelero/a
wrestler   luchador/a
writer   escritor/a

Otras materias académicas

anatomy   anatomía
anthropology   antropología
architecture   arquitectura
Arabic (language)   árabe
astronomy   astronomía
biochemistry   bioquímica
botany   botánica
business administration   administración de empresas
Chinese (language)   chino
civil engineering   ingeniería civil
computer science   computación
creative writing   escritura creativa
dramatic arts   teatro, artes dramáticas
drawing   dibujo
electrical engineering   ingeniería eléctrica
film   cine
finance   finanzas
genetics   genética
geography   geografía
geology   geología
geometry   geometría
gymnastics   gimástica
Hebrew (language)   hebreo
industrial engineering   ingeniería industrial
Italian (language)   italiano
Japanese (language)   japonés
journalism   periodismo
jurisprudence   derecho
Latin (language)   latín
law   derecho
linguistics   lingüística
mechanical engineering   ingeniería mecánica
microbiology   microbiología
nursing   enfermería
nutrition   nutrición

obstetrics   obstetricia
painting   pintura
pharmacology   farmacología
philology   filología
physical education   educación física
physiology   fisiología
Russian (language)   ruso
sculpture   escultura
social work   trabajo social
statistics   estadística
swimming   natación
theology   teología
zoology   zoología

Vocabulario: *Spanish–English*

A

a at, to 2
a veces sometimes 2
abierto/a open 3
abogado/a *m/f* lawyer 6
aborto *m* abortion 15
abra la boca open your mouth 9
abrazar to hug 3
abrigo *m* coat 8
abril April 1
abrir to open 7
abrocharse el cinturón to fasten one's seat belt 13
abuela *f* grandmother 3
abuelo *m* grandfather 3
abuelos *m, pl.* grandparents 3
aburrido/a bored 3; boring 3
acampar to camp 12
accidente *m* accident 14
aceite *m* oil 4
aceituna *f* olive 4
aconsejar to advise 11
acordarse (ue) de to remember 11
acostarse (ue) to go to bed 6
acuerdo *m* **de paz** *f* peace agreement 15
adiós good-bye 1
adicto/a *m/f* addicted 14
adolescencia adolescence 10
adolescentes *m, pl.* adolescents 10
¿adónde? (to) where? 2
aduana *f* customs 13
adultos *m, pl.* adults 11
aerolínea *f* airline 13
aeropuerto *m* airport 13
afeitarse to shave 6
afiche *m* poster 10
afinar el motor tune the motor 14
agosto August 1
agua *f (but **el agua**)* water 4
ahora now 2
ahorrar to save (money) 7
aire acondicionado air conditioning 13
aire libre *m* outdoors 12
ajo *m* garlic 4
al + *infinitivo* upon (doing something) 7
al lado de beside 7
alegrarse (de) to be glad (about) 11
alemán *m* German (language) 2
alergia *f* allergy 9
alfombra *f* rug, carpet 10
álgebra *f (but **el** **álgebra**)* algebra 2
algo anything, something 8
algodón *m* cotton 8
alguien anyone, someone, somebody 8
algún (alguno/a/os/as) any, some, someone 8
allí there 3
almacén *m* department store 7
almohada *f* pillow 13
almorzar (ue) to have lunch 4

almuerzo *m* lunch 4
alpinismo/el andinismo *m* mountain climbing 12
alquilar to rent 10
alto/a tall 3
alumno/a *m/f* student 2
amo/a *m/f* **de casa** homemaker 6
amable friendly, kind 3
amar to love 3
amarillo/a yellow 5
ambulancia *f* ambulance 9
amigo/a *m/f* friend 3
amistad *f* friendship 11
amor *m* love 11; **amor a primera vista** love at first sight 11
anaranjado/a orange (color) 5
ancianos *m/***la anciana** *f /***el anciano** *m* *pl.* elderly 11
andén *m* platform 13
andinismo *m*, **alpinismo** *m* mountain climbing 11
anillo *m* ring 8
animal *m* animal 11
año *m* year 4; **tener… años** to be … years old 3
anoche last night 6
anteayer day before yesterday 6
antes de (clase) *prep.* before (class) 2; **antes de que** *conj* before 15
antipático/a disagreeable, unpleasant (persons) 3
apagar to turn off 10
aparato *m* device, appliance, machine 14
apartamento *m* apartment 2
apoyar to support (a candidate/cause) 15
aprender to learn 2
apuntes *m, pl.* notes 2
aquel/aquella *adj.* that 6; **aquél/ aquélla** *pron* that one 6
aquellos/as *adj.* those 6; **aquéllos/as** *pron* those 6
aquí here 3
araña *f* spider 12
árbol *m* tree 5
arena *f* sand 12
aretes *m, pl.* earrings 8
argentino/a *m/f, n., adj* Argentinian 1
arma *f* weapon 15
arroz *m* rice 4
arte *m (but **las artes**)* art 2
ascensor *m* elevator 13
aseos *m, pl.* restroom 13
asiento *m* seat 13
asistente de vuelo *m/f* flight attendant 13
asistir (a) to attend 2
aterrizar to land 13
audífonos *m, pl.* headphones 2
auricular *m* earphone 14
auto *m* car 3

autobús *m* bus 7; **parada** *f* **de autobús** bus stop 7
autopista *f* highway 14
¡Auxilio! Help! 14
avenida *f* avenue 7
aventura *f* adventure 12
averiguar to find out, inquire 6
avión *m* airplane 13
ayer yesterday 6
ayudar (a) to help 10
azúcar *m* sugar 4
azul blue 5

B

bailar to dance 5
bajar to go down 10; **bajarse de** to get off, to get out of … 13
bajo/a short 3
baloncesto *m* basketball 5
balsa *f* raft 12
balsismo *m* rafting 12
banana *f* banana 4
bañarse to take a bath, bathe 6
banco *m* bank 7; bench 7
bañera *f* bathtub 10
baño *m* bathroom 10, restroom 14; **baño privado** private bath 13
bar *m* bar 7
barato/a inexpensive 8
barco *m* boat 12
básquetbol *m* basketball 5
basura *f* garbage 12
bebé *m/f* baby 3
beber to drink 2
bebida *f* drink, beverage 4
beige beige 5
béisbol *m* baseball 5
besar to kiss 3
biblioteca *f* library 2
bicicleta *f* bicycle 5
bien fine 1; well 3
bienvenido/a welcome 13
billete *m* ticket 13; **billete de ida y vuelta** round trip ticket 13, **de ida/ sencillo** one-way ticket 13
billetera/la cartera *f* wallet 8
biología *f* biology 2
bisabuela *f* great-grandmother 3
bisabuelo *m* great-grandfather 3
bistec *m* steak 4
blanco/a white 5
blusa *f* blouse 8
boca *f* mouth 9
bocadillo *m* sandwich 4
boda *f* wedding 11
boleto *m* ticket 13; **boleto de ida y vuelta** round trip ticket 13; **boleto de primera/ segunda clase** *m* first/ second class ticket 13
bolígrafo *m* pen 2
boliviano/a *m/f, n., adj* Bolivian 1

bolso/a *m* purse, bag 8
bomba bomb 15
bonito/a good-looking, pretty 3
borrador *m* eraser 2
bosque *m* forest 12
botas *f, pl.* boots 8
bote *m* boat (small) 12; **bote de basura** *m* garbage can 10
botones *m* bellhop 13
brazo *m* arm 9
brócoli *m* broccoli 4
bucear to scuba dive, skin dive 12
bueno/a good 3; **es bueno** it's good 13
bufanda *f* scarf 8
buscador *m* search engine 14
buscar to look for 2
buzón *m* mailbox 7

C

caballo *m* horse 12
cabeza *f* head 9; **dolor** *m* **de cabeza** headache 9
cable *m* cable 14
cada each, every 9
cadena *f* chain 8
café *m* coffee 4; coffee place 7
cafetería *f* cafeteria 2
cajero *m* **automático** ATM machine 7
cajero/a *m/f* cashier 6
calcetines *m, pl.* socks 8
calculadora *f* calculator 2
cálculo *m* calculus 2
calefacción *f* heating 13
calentamento global *m* global warming 12
caliente hot (temperature, not spiciness) 5
calle *f* street 7
cama *f* bed; **cama doble** double bed; **cama sencilla** single bed 6, 13
cámara *f* camera 12
cámara (de video) *f* (video) camera 14
camarera *f* maid (hotel) 13
camarón *m* shrimp 4
cambiar to change, exchange 7
cambio *m* change, small change, exchange 7
camilla *f* gurney 9
caminar to walk 5
camino *m* road 14
camión *m* truck 14
camisa *f* shirt 8
camiseta *f* T-shirt, undershirt 8
campamento *m* camp 12
campo *m* country 3
cáncer *m* cancer 15
candidato/a *m/f* candidate 15
cansado/a tired 3
cansarse to get tired 9
cantar to sing 5
capa *f* **de ozono** ozone layer 12

capítulo *m* chapter 2
cara *f* face 9
¡Caramba! Oh my gosh! 14
cariñoso/a affectionate 11
carne *f* meat, beef 4; **carne de cerdo/ puerco** pork 4; **carne de res** beef 4
caro/a expensive 8
carretera *f* road 14
carro *m* car 3
carta *f* letter 7
cartera *f* wallet 8
casa *f* home, house 2; **amo/a** *m/f* **de casa** homemaker 6; **en casa** at home 3
casado/a married 11; **recién casados** *m, pl.* newlyweds 11
casarse (con) to get married (to) 11
cascada *f* waterfall 12
casi almost; **casi nunca** rarely; **casi siempre** almost always 2
castillo de arena *m* sand castle 12
catarata *f* waterfall 12
causa (a causa de) because of 12
CD *m* CD, compact disk 2
cebolla *f* onion 4
celoso/a jealous 11
cena *f* supper, dinner 3
cenar to have dinner 2
centro comercial mall, shopping center 7; **centro estudiantil** student center 2
cepillarse el pelo to brush one's hair 6; **cepillarse los dientes** to brush one's teeth 6
cepillo *m* brush 6; **cepillo de dientes** toothbrush 6
cerca de near 7
cerdo *m* pig 12; **chuleta** *f* **de cerdo** pork chop 4; **carne** *f* **de cerdo** pork 4
cereal *m* cereal 4
cereza *f* cherry 4
cerrado/a closed 3
cerrar (ie) to close 7
cerveza *f* beer 4
champú *m* shampoo 6
chao bye, so-long 1
chaqueta *f* jacket 8
cheque *m* check 7; **cheque de viajero** traveler's check 7
chica *f* girl 3
chico *m* boy 3
chileno/a *m/f, n., adj* Chilean 1
chimenea *f* fireplace, chimney 10
chocar to crash, collide 14
choque *m* crash 14
chorizo *m* sausage 4
chuleta *f* **de cerdo/puerco** pork chop 4
ciclismo *m* **de montaña** mountain biking 12
cielo *m* sky 12
ciencias *f, pl.* **políticas** political science 2

cierto: es . . . it's true, correct 13
cine *m* movie theater, cinema 7
cinturón *m* belt 8; **abrocharse el cinturón** to fasten one's seat belt 13
cita *f* date, appointment 11
ciudad *f* city 3
ciudadano/a *m/f* citizen 15
¡Claro! Of course! 14
clase *f* class 2
clima *m* weather 5
clóset *m* closet 8
cobija *f* blanket 13
cobrar to cash, to charge 7
coche *m* car 3
cocina *f* kitchen 10
cocinar to cook 4
código *m* **de área** area code 11
cola *f* line (of people or things) 7
colegio *m* high school 3
colina *f* hill 12
collar *m* necklace 8
colombiano/a *m/f, n., adj* Colombian 1
comedor *m* dining room 10
comer to eat 2
comida *f* food, main meal 3
¿cómo? how? 4; **¿Cómo está usted?** How are you? (*formal*) 1; **¿Cómo estás?** How are you? (*informal*) 1; **¿Cómo se llama usted?** What's your name (*formal*)? 1; **¿Cómo te llamas?** What's your name? (*informal*) 1
cómoda *f* bureau 10
cómodo/a comfortable 14
compañero/a *m/f* **de cuarto** roommate 6
compañía *f* company 6
comprar to buy 2
comprender to understand 2
comprensivo/a understanding 11
comprometerse (con) to get engaged (to) 11
computación *f* computer science 2
computadora *f* computer 2; **computadora portátil** laptop/ notebook computer) 13
computadora portátil *f* laptop 14
comunicarse to communicate 11
con with 4; **con permiso** pardon me, excuse me 1; **con tal (de) que** provided that 14
con . . . de anticipación . . . ahead of time 13
conducir to drive 14
conductor/a driver 14
conexión *f* connection 14
congestión *f* **nasal** nasal congestion 9
conocer to meet, know, be acquainted with 5
conservar to save, conserve 12
constantemente constantly 6
control remoto *m* remote control 14

construir construct 15

consultorio *m* **del médico/de la médica** doctor's office 9

contabilidad *f* accounting 2

contador/a *m/f* accountant 6

contaminación *f* pollution 12

contar (ue) to count, tell, narrate (a story or incident) 7, 8

contento/a happy 3

contestar to answer 7

contestador automático *m* answering machine 11

continuar to continue 14

contribuir (y) to contribute 12

copa *f* goblet 10

corazón *m* heart 9

corbata *f* tie 8

correo electrónico *m* e-mail 2

correr to run 5

corrupción *f* corruption 15

cortar:... el césped to cut the lawn 10; **cortarse** to cut oneself 5; **cortarse el pelo/ las uñas/ el dedo** to cut one's hair/nails/a finger 6

cortina *f* curtain 10

corto/a short 8; **de manga corta** short-sleeved 8

cosa *f* thing 8

costar (ue) to cost 4

costarricense *m/f, n., adj.* Costa Rican 1

creer to believe 11

crema *f* cream 4; **crema de afeitar** shaving cream 6

crucero *m* cruise ship 12

cruzar to cross 14

cuaderno *m* notebook 2

cuadra *f* (city) block 14

cuadro *m* picture, painting 4

¿cuál? which (one)? 4

¿cuáles? which (ones)? 4

cuando when 4; **¿cúando?** when? 2

¿cuánto/a? how much? 4

¿cuántos/as? how many? 3

cuarto a quarter 1

cuarto *m* room 2; **cuatro de estar** *m* living room/family room 10

cuarto/a fourth 12

cubano/a *m/f, n., adj.* Cuban 1

cubo *m* **de la basura** trash can 10

cuchara *f* spoon 10

cucharita *f* teaspoon 10

cuchillo *m* knife 10

cuello *m* neck 9

cuenta *f* bill, check 7; account 7

cuero *m* leather 8

cuerpo *m* body 9

cuidar to take care of 2

cumpleaños *m* birthday 2

cuñada *f* sister-in-law 3

cuñado *m* brother-in-law 3

cura *f* cure 15

D

dar to give 5; **dar a luz** to give birth 11

dar de comer to feed 15

dar un paseo to take a walk/stroll 5; **dar una caminata** to take a hike 12

de *prep* of, from 1; **de repente** suddenly 9

debajo de beneath, under 7

deber + *infinitive* ought to, should (do something) 5

débil weak 3

décimo/a tenth 14

decir (i) to say, tell 5

dedo *m* finger 9

desforestación *f* deforestation 12

dejar to leave 13; **dejarse** to leave behind 13; **dejar un mensaje** to leave a message 11

delante de in front of 7

delgado/a thin 3

delincuente *m* delinquent, offender, criminal 15

delito *m* misdemeanor, crime 15

demasiado *adv.* too, too much 14

demora *f* delay 13

dentro de inside 7

dependiente/a *m/f* store clerk 6

deporte *m* sport 5

depositar to deposit 7

deprimido/a depressed 9

derecha: a la ... to the right 14

derecho straight, straight ahead 14

derechos *m, pl.* **humanos** human rights 15

desafortunadamente unfortunately 6

desamparados *m, pl.* homeless people 15

desayunar to have breakfast 2

desayuno *m* breakfast 3

descansar to rest 5; **descanse** rest 9

desear want, wish 4

desempleo *m* unemployment 15

desierto *m* desert 12

desinflado/a flat, deflated (tire) 14

desodorante *m* deodorant 6

despedirse (i, i) to say good-bye 13

despegar to take off 13

desperdiciar to waste 12

despertador *m* alarm clock 6

despertarse (ie) to wake up 6

después de (clase) after (class) 2; afterwards, later 7; **después de** *prep* after 7; **después de que** *conj* after 15

destruir (y) destroy 12

destrucción *f* destruction 12

detrás de behind 7

devolver (ue) to return (something) 8

día *m* day 1; **buenos días** good morning 1

diarrea *f* diarrhea 9

diccionario *m* dictionary 2

diciembre December 1

diente *m* tooth 9

digital digital 14

difícil difficult, hard 3

Diga iah! Say ah! 9

dinero *m* money 6

dirección address 7; **dirección** *f* **electrónica** e-mail address 2

disco compacto *m* CD, compact disk 2

discriminación *f* discrimination 15

Disculpe I am sorry. 1

disfrutar de to enjoy (something) 13

divertido/a *m/f* amusing, fun 3

divertirse (ie) to have a good time 6

divorciado/a divorced 11

divorciarse to get divorced 11

divorcio divorce 11

doblar to turn 14

doctor/a *m/f* doctor 2

dolor *m* **de cabeza** *f* headache 9; **dolor de estómago** *m* stomachache 9

dolor de garganta *f* sore throat 9

domingo *m* Sunday 1

dominicano/a *m/f n., adj* Dominican 1

¿dónde? where 3; **¿adónde?** (to) where? 2; **¿de dónde...?** from where? 4

dormir (ue) to sleep 4; **dormirse (ue)** to go to sleep, to fall asleep 6

dormitorio *m* bedroom 10

drogadicción *f* drug addiction 15

drogas *f, pl* drugs 15

ducha *f* shower 10

ducharse to take a shower 6

dudar to doubt 12

durazno *m* peach 4

E

echar gasolina to put gas (in the tank) 14

economía *f* economics 2

ecuatoriano/a *m/f, n., adj* Ecuadorian 1

edificio *m* building 7

efectivo *m* cash 7

ejercicio *m* exercise 2; **hacer ejercicio** to exercise, to do exercises 5

ejército *m* army 15

el *m, definite article* the 2

él *m, subj* he 1; *obj. prep. pron.* him 6

elección *f* election 15

eliminar to eliminate 15

ella *f, subj* she 1; *obj. of prep.* her 6

ellas *f, subj* they 1; *obj. of prep.* them 6

ellos *m, subj* they 1; *obj. of prep.* them 6

embarazada pregnant 9

emergencias emergency f, pl. 9

emocionante exciting 12

empacar to pack 13

empezar (ie) (a) to begin 7

empleado/a *m/f* employee 6

empleo *m* job 15

empresa *f* business 6

en in, at 2;on 7; **en caso de que** in case 14

en vez de instead of 7
enamorarse (de) to fall in love (with) 11
encantado/a delighted (to meet you) 1
encantar to really like, love 5; to delight, to enchant 11
encima de on top of, above 7
encontrar (ue) to find 7; **encontrarse (ue) (con)** to meet up (with) (by chance) 11**enero** January 1
enfermarse to get/become sick 9
enfermero/a *m/f* nurse 6
enfermo/a sick 3
enfrente de in front of, opposite 7
enlace *m* link 14
enojado/a angry 11
enojarse to get angry 11
ensalada *f* salad 4
entender (ie) to understand 4
entonces then 6
entrada *f* (admission) ticket 7
entrar (en/a) to enter, go into 7
entre between, among 7
entrevista *f* interview 15
enviar to send 2
equipaje *m* luggage 13
equipo *m* team 5
escalar (la montaña) to climb (the mountain) 12
escalera *f* stairs 10
escalofrío *m* chill 9
escoger to choose 15
escribir to write 2
escritorio *m* (teacher's) desk 2
escuchar to listen to 2
escuela *f* elementary school 3
ese/a *adj.* that 6; **ése/a** *pron.* that one 6
esos/as *adj.* those 6; **ésos/as** *pron.* those 6
espalda *f* back 9
español *m* Spanish (language) 2
español/a *m/f, n., adj.* Spanish 1
especie animal *f* animal species 12
espejo *m* mirror 10
esperar to wait (for) 7; to hope, expect 11
esposa *f* wife 3
esposo *m* husband 3
esquiar to ski 5
esquina *f* (street) corner 14
esta this, that 6; **esta mañana** this morning 2; **esta noche** tonight 2; **esta tarde** this afternoon 2
estación *f* season 4; **estación de autobuses** bus station 14
estación de servicio/la gasolinera service/gas station 14
estación de ferrocarril railroad station 14
estacionamiento *m* parking 14
estacionar to park 14

estadounidense *m/f, n., adj* American (from the United States) 1
estampilla *f* stamp 7
estante *m* bookshelf, shelf 10
estar to be 3; **estar a favor de** to be in favor of 15
estar casado/a (con) to be married (to) 11
estar comprometido/a to be engaged 11
estar de pie to be standing 8
estar de vacaciones *f, pl.* to be on vacation 12
estar embarazada to be pregnant 11
estar enamorado/a de to be in love (with) 11
estar en contra de to be against 15
estar juntos/as to be together 11
estar listo to be ready 12
estar prometido/a to be engaged 11
estar seguro/a (de) to be sure of 12
estar sentado/a to be seated 9
estatua *f* statue 7
este/a *adj.* this 6; **éste/a** *pron.* this one 6
estéreo *m* stereo 10
estómago *m* stomach 9; **dolor** *m* **de estómago** stomachache 9
estornudar to sneeze 9
estos/as *adj.* these 6; **estos/as** *pron.* these 6
estrella *f* star 12
estresado/a stressed 3
estudiante *m/f* student 2
estudiar to study 2
estufa *f* stove 10
etapas *f, pl.* **de la vida** stages of life 11
evitar to avoid 12
examen *m* exam 2
examinar to examine 9
explicar to explain 8
exploración *f* **del espacio** (outer) space exploration 15
explosión *f* explosion 15
extinción *f* extinction 12
extrañar to miss 11
extraño: es . . . it's strange 13

F

fábrica *f* factory 6
fácil easy 3
fácilmente easily 6
facturar to check (baggage) 13
falda *f* skirt 8
familia *f* family 2
farmacia *f* pharmacy 9
fascinar to be fascinating to, to fascinate 11
favor (por favor) please 1
febrero February 1
fecha *f* date 1
felicidades *f* congratulations 11

fenomenal terrific 1; **es fenomenal** it's wonderful 13
feo/a ugly 3
fiebre *f* fever 9
fiel faithful 11
fiesta *f* party 2
fila *f* line (of people or things) 7
filosofía *f* philosophy 2
fin *m* **de semana** weekend 2; **fin de semana pasado** last weekend 6; **por fin** finally 9
finanzas *f, pl* finances 2
firmar to sign 7
física *f* physics 2
flaco/a skinny 3
flores *f, pl* flowers 5
fogata *f* campfire 12
fracturar(se) (el brazo/ la pierna) to break one's (arm/leg) 9
francés *m* French (language) 2
frecuentemente frequently 6; **con frecuencia** frequently 2
fregadero *m* sink (kitchen) 10
frenos *m, pl.* brakes 14
frente a in front of, opposite, facing 7
fresa *f* strawberry 4
frijoles *m, pl* beans 4
frío/a cold 5; **hace (mucho) frío** it's (very) cold 5
frito/a fried 4
frontera *f* border 15
fruta *f* fruit 3
fuego *m* fire 12
fuera de outside 7
fuerte strong 3
fumar to smoke 5
funcionar to run, work, function (machine) 14
fútbol *m* soccer 5; **fútbol americano** football 5

G

gafas *f, pl.* eyeglasses 8; **gafas de sol** sunglasses 8
galleta *f* cookie 4
gallina *f* chicken 12
gamba *f* shrimp 4
ganar to win 5; to earn, make money 6
garaje *m* garage 10
garganta *f* throat 9; **dolor** m **de garganta** sore throat 9
gasolina *f* gas 14
gasolinera *f* gas station 14
gastar to spend 7
gato *m* cat 3
gel *m* gel 6
generalmente generally 6
gente *f* people 7
gerente *m/f* manager 15
gimnasio *m* gym, gymnasium 2
gobierno *m* government 15

golf *m* golf 5
gordo/a fat 3
gorra *f* cap 8
gracias thank you/thanks 1
grande big, large 3
granja *f* farm 12
gratis free of charge 14
gripe *f* flu 9
gris gray 5
guantes *m, pl.* gloves 8
guapo/a good-looking, pretty/ handsome 3
guardar to keep 10, to save 14
guatemalteco/a *m/f, n., adj.* Guatemalan 1
guerra *f* war 15
guía *f* **telefónica** phone book 11
guisante *m* pea 4
guitarra *f* guitar 4
gustar to like 4; **el gusto es mío** the pleasure is mine 1

H

habitación *f* room 10
habitación doble double room 13
habitación sencilla single room 13
hablar to speak 2
hace buen/mal tiempo the weather is nice/bad 5
hace (mucho) calor/fresco/frío/sol/ viento it's (very) hot/cool/cold/ sunny/windy 5
hace sol it's sunny 5
hacer to do, make 2
hacer la cama to make the bed 10
hacer cola to get (stand) in line 7
hacer ejercicio to exercise, work out, do exercises 5
hacer escala to have a layover 13
hacer *esnórquel* to go snorkeling 12
hacer fila to get (stand) in line 6
hacer las maletas to pack 13
hacer reservaciones/reservas to make reservations 14
hacer *surf* to surf 12
hacer un análisis de sangre do a blood test 9
hacer un viaje en crucero/en barco to go on a cruise, take a trip on a ship/ boat/cruise ship 12
hacer una cita to make an appointment 9
hambre *f* (*but el* **hambre**) hunger 15
hamburguesa *f* hamburger 4
hasta: hasta mañana see you tomorrow. 1; **hasta pronto** see you soon 1; **hasta que** until 15
hay there is/are 2
helado *m* ice cream 4
herida *f* **grave** serious wound 9
hermana *f* sister 3

hermanastra *f* stepsister 3
hermanastro *m* stepbrother 3
hermano *m* brother 2
hermoso/a good-looking, pretty/ handsome 3
híbrido *m* hybrid 14
hielo *m* ice 4
hierba *f* grass 12
hija *f* daughter 3
hijo *m* son 3
historia *f* history 2
hoja *f* **de papel** sheet of paper 2; **hojas** *f, pl.* leaves 5
hola hello/hi 1
hombre *m* man 3; **hombre de negocios** businessman 6
hombro *m* shoulder 9
hondureño/a *m/f, n., adj* Honduran 1
hora *f* time 1
horario *m* schedule 13
horno *m* oven 10; **al horno** baked 4
horrible: es . . . it's horrible 13
hospital *m* hospital 9
hostal *m* hostel 13
hotel *m* hotel 13
hoy today 1
hueso *m* bone 9
huésped/a *m/f* guest 13
huevo *m* egg 4; **huevos fritos** fried eggs 4; **huevos revueltos** scrambled eggs 4

I

iglesia *f* church 7
igualdad *f* equality 15
igualmente nice meeting you too 1
impermeable *m* raincoat 8
importante: es . . . it's important 13
importar to be important to, to matter 12
imposible: es . . . it's impossible 13
impresora *f* printer 2
imprimir to print 2
improbable: es . . . it's improbable 13
incendios *m, pl.* **forestales** forest fires 12
infancia *f* infancy 11
infección *f* infection 9
informar/reportar to inform 15
informática *f* computer science 2
inglés *m* English (language) 2
inmediatamente immediately 6
inodoro *m* toilet 10
improbable: es . . . it's improbable 13
insectos *m, pl.* insects 12
insistir (en) to insist (on) 11
inteligente intelligent 3
intentar to try 14
interesante: es . . . it's interesting 13
interesar to be interesting to, to interest 12
invertir (ie, i) to invest 7
investigación *f* research 15

invierno *m* winter 5
invitar (a) to invite 7
inyección *f* injection 9
ir to go 2
ir de compras to go shopping 5
ir(se) de vacaciones to go on vacation 12
irse leave, depart, to go away 11
isla *f* island 12
italiano *m* Italian (language) 5
izquierda *f*: **a la...** to the left 14

J

jabón *m* soap 6
jamón *m* ham 4
japonés *m* Japanese (language) 5
jardín *m* garden 10
jeans *m, pl.* jeans 8
jefa *f* boss 15
jefe *m* boss 15
joven young 3
jóvenes *m, pl.* **/los adolescentes** young people, adolescents 11
joyas *f, pl.* jewelry 8
joyería *f* jewelry shop 7
judía *f* **verde** green bean 4
jueves *m* Thursday 1
jugar (ue) to play 5; **jugar al (deporte)** to play (sport) 5
jugo *m* juice 4
julio July 1
junio June 1
juntos/as: estar ... to be together 11
justicia *f* justice 15
justo fair 13; **no es . . .** it's unfair 13
juventud *f* youth 11

K

kayak *m* kayak 12
kilómetro *m* kilometer 14

L

la *f, definite article* the 2; *dir. obj.* her, you (f), it (f) 5
labio *m* lip 9
laboratorio *m* laboratory 2
lado: al ... de beside 7
lago *m* lake 5
lámpara *f* lamp 10
lana *f* wool 8
langosta *f* lobster 4
lápiz *m* pencil 2
largo/a long 8; **de manga larga** long-sleeved 8
las *dir. obj.* them (f), you (f, pl.) 5
las *f, pl. definite article* the 2
lástima: es una ... it's a shame 13
lastimarse to hurt oneself 9
lavabo *m* sink (bathroom) 10
lavadora *f* washer 10
lavamanos *m* bathroom sink 10

lavaplatos *m* dishwasher 10
lavar: . . . **los platos** to wash the dishes 10
lavarse to wash oneself 5; **lavarse las manos/la cara** to wash one's hands/face 6
le *ind. obj.* you, him, her (to/for . . .) 8
lección *f* lesson 2
leche *f* milk 4
lechuga *f* lettuce 4
lector electrónico *m* electronic reading device 14
leer to read 2
legalizar to legalize 15
legumbre *f* vegetable 3
lejos de far from 7
lengua *f* tongue 9
lento/a slow 14
lentamente slowly 6
lentes *m* **de contacto** contact lenses 8
les *ind. obj.* you, them (to/for you, them) 8 **levantar pesas** to lift weights 5
levantarse to get up 6
ley *f* law 15
libertad *f* freedom 15
librería *f* bookstore 2
libro *m* book 2
licencia *f* **de conducir** driver's license 14
líder *m/f* leader 15
límite de velocidad *m* speed limit 14
limón *m* lemon 4
limpiar to clean 5
limpio/a clean 8
línea está ocupada the line is busy 11
listo/a: estar . . . to be ready 11
literatura *f* literature 2
llamada *f* **telefónica** telephone call 11; **llamada de larga distancia** long distance call 11
llamar to call 3
llanta *f* tire 14; **llanta desinflada** flat tire 14
llave *f* key 13
llegada *f* arrival 13
llegar to arrive 2
llenar (el tanque) to fill (the tank) 14
llevar to wear 8
llevarse bien/mal to get along well/badly 11
Lleve la receta a la farmacia. Take the prescription to the pharmacy. 9
llorar to cry 11
llover (ue) to rain 5; **está lloviendo** it's raining 5; **llueve** it's raining, it rains 5
lluvia *f* rain 5; **lluvia ácida** acid rain 12
lo *dir. obj. m* him, you, it 5; **lo que** what, that which 4; **lo siento (mucho)** I'm (so) sorry 1
los *m, dir. obj.* them, you 6; *m, pl., definite article* the 2

los aseos/el servicio *m* bathroom 14
Lo siento mucho. I'm very sorry. 14
luchar (por) to fight (for) 15
luego then 6
lugar *m* place 7
luna *f* moon 12; **luna de miel** honeymoon 11
lunes *m* Monday 1
luz *f* light 10

M

madrastra *f* stepmother 3
madre *f* mother 3
madurez *f* adulthood, maturity 11
maestro/a *m/f* teacher 2
maíz *m* corn 4
mal bad, badly 3
maleta *f* suitcase 13
maletero *m* trunk 14
maletín *m* briefcase, carry-on bag 13
malo/a bad 3
mañana tomorrow, morning *f* 1; **de la mañana** A.M. (in the morning) 1; **hasta mañana** see you tomorrow 1; **por/en la mañana** in the morning 2
mandar to send 2
manejar to drive 5
manga *f* sleeve 8; **de manga larga/corta** long-/short-sleeved 8
mano *f* hand 9
manos libres *m* handsfree 14
manta *f* blanket 13
mantequilla *f* butter 4
manzana *f* apple 4
mapa *m* map 2
maquillaje *m* makeup 6
maquillarse to put on makeup 6
máquina *m* **de afeitar** electric shaver 6
mar *m* sea 12
marido *m* husband 3
mariposa *f* butterfly 12
marisco *m* seafood 3
marrón brown 5
martes *m* Tuesday 1
marzo March 1
más more 4; **más tarde** later 2
matar to kill 11
matemáticas *f, pl* mathematics 2
mayo May 1
mayor old (elderly) 3; older 3
me *dir. obj.* me 5; *ind. obj.* me (to/for me) 8; *refl. pron.* myself 5; **me llamo** . . . my name is . . . 1
media *f* half 1; **media hermana** half-sister 3; **mi media naranja** my soul mate, other half 11
medias *f, pl.* stockings, hose, socks 8
medianoche *f* midnight 1
médico/a *m/f* doctor 2
medicina *f* medicine 15

medio hermano *m* half-brother 3
medio *m* **ambiente** environment 12
mediodía *m* noon 1
mejor best 7; **mejor amigo/a** *m/f* best friend 3; **es mejor** it's better 13
melocotón *m* peach 4
menor younger 3
menos less 4; **a menos (de) que** unless 14
mensaje de texto *m* text message 14
mensaje *m* **electrónico** e-mail message 2
mentir to lie 11
mercado *m* market 3
merienda *f* snack 3
mermelada *f* jam 4
mes *m* month 1
mesa *f* table 2
mesero/a *m/f* waiter/waitress 6
mesita *f* **de noche** nightstand 10
metro *m* metro, subway 7
mexicano/a *m/f, n., ad.j* Mexican 1
mí *obj. prep. pron* me 6; **¡Ay de mí!** Poor me! (What am I going to do?) 14
mi/mis my 2
microondas *m* microwave 10
mientras while 9
miércoles *m* Wednesday 1
mío/a/os/as (of) mine 7; **el gusto es mío** the pleasure is mine 1
mirar to look at 8
mochila *f* backpack 2
moda *f* fashion; **a la moda** in style 8
molestar to be annoying to, to bother 11
moneda *f* currency, money, coin 7
monitor *m* monitor 14
montañas *f, pl.* mountains 3
montar a caballo to ride horseback 12
morado/a purple 5
moreno/a brunette, dark-skinned 3
morir (ue, u) to die 7
mosca *f* fly 12
mosquito *m* mosquito 12
mostrar (ue) to show 8
motocicleta *f* motorcycle 14
motor *m* motor 14; **afinar el motor** to tune the motor 14
mover(se) (ue) to move (oneself) 10
muchacha *f* girl 3
muchacho *m* boy 3
mucho *adv.* much, a lot 4; **mucho/a/os/as** *m/f adj* much, a lot 4; **(muchas) gracias** thank you (very much) 1; **muchas veces** *f pl.* many times, often 8; **mucho gusto** pleased to meet you 1
mudarse to move (from house to house) 10
muebles *m, pl.* furniture 10
muerte *f* death 11; **pena de muerte** death penalty 15

mujer *f* woman, wife 3; **mujer de negocios** businesswoman 6
mujer policía policewoman 14
muletas *f, pl.* crutches 9
multa *f* fine, ticket 14
mundo *m* world 12
museo *m* museum 7
música *f* music 2
muy very 3; **muy bien** very well 1

N

nacer to be born 11
nacimento *m* birth 11
nada nothing 8; **de nada** you're welcome 1
nadar to swim 12
nadie no one, nobody 8
naranja *f* orange (fruit) 4
narcotráfico *m* drug trafficking 15
nariz *f* nose 9
naturaleza *f* nature 12
náuseas *f, pl.* nausea 8
nave *f* **espacial** space ship 15
navegador *m* browser 14
navegar por la red to surf the Web 2
necesario: es . . . it's necessary 13
necesitar to need 4
negro/a black 5
nervioso/a nervous 3
nevar (ie) to snow 5; **está nevando** it's snowing 5
ni not, not even 8
ni… ni neither . . . nor 8
nicaragüense *m/f, n., ad.j* Nicaraguan 1
nieta *f* granddaughter 3
nieto *m* grandson 3
nieva it's snowing 5
nieve *f* snow 5
ningún (ninguno/a) no, none, no one 8
niña *f* child 3
niñez childhood 11
niño *m* child 3
niños *m, pl.* children 11
noche *f* night 1; **buenas noches** good evening/night 1; **de la noche** p.m. (in the evening, at night) 1; **por/en la noche** in the evening, at night 2
normalmente normally 6
nos *dir. obj.* us 5; *ind. obj.* us (to/for us) 7; *refl. pron.* ourselves 5
nosotros/as *m/f, subj. pron.* we 1; *obj. prep.* us 6
nota *f* grade, score 2
noticias *f, pl.* news 7
noticiero *m* newscast 15
noveno/a ninth 14
novia *f* girlfriend 3
noviembre November 1
novio *m* boyfriend 3
nube *f* cloud 5

nublado cloudy 5; **está (muy) nublado** it's (very) cloudy 5
nuestro/a/os/as our 2;(of) ours 8
nuevo/a new 3
nunca never 2

O

o or 8; **o . . . o** either . . . or 8
obra *f* **de teatro** play 7
obvio: es . . . it's obvious 13
océano *m* ocean 12
octavo/a eighth 14
octubre October 1
ocupado/a busy 3
oficina *f* office 2; **oficina de correos** post office 8
ojo *m* eye 9
oído *m* ear (inner) 9
oír to hear 5
ojalá que . . . I hope 11
ola *f* wave 12
olvidar to forget 11; **olvidarse de** to forget 11
ordenar (el cuarto) to tidy (the room) 10
oreja *f* ear (outer) 9
oro *m* gold 8
os *dir. obj* you (pl.) 5; *ind. obj.* you (to/for you) 7; *refl. pron.* yourselves 5
otoño *m* autumn, fall 5
otro/a another 4
otros/as other 4

P

paciente *m/f* patient 9
padrastro *m* stepfather 3
padre *m* father 2
padres *m, pl.* parents 3
pagar to pay (for) 7
página *f* page 2; **página web** Web page 2
país *m* country 13
pájaro *m* bird 12
pan *m* **(tostado)** bread (toast) 4
pantalla *f* screen 2
pantalones *m, pl* pants 8; **pantalones cortos** shorts 8
papa *f* potato 4; **papas fritas** french fries 4
papel *m* paper 2; **papel higiénico** toilet paper 6
papelera *f* wastebasket 2
paquete *m* package 7
para for, in order to, toward, by 12; **para que** so that, in order that 14; **para + *infinitivo*** in order to (do something) 7
parabrisas *m* windshield 14
parada *f* **de autobús** bus stop 7
paraguas *m* umbrella 8
paramédicos *m, pl.* paramedics 9
parar to stop (movement) 14

parece que it seems that . . . 13
pared *f* wall 10
pareja *f* partner, significant other 3; couple 11
pariente *m* relative 3
parque *m* park 7
parrilla (a la parrilla) grilled 4
partido *m* game, match 5
pasado: el año/ mes/ verano . . . last year/ month/ summer 6
pasajero/a *m/f* passenger 13
pasaporte *m* passport 13
pasar to spend (time), to happen, pass, 7
pasar la aspiradora to vacuum 10
pasillo *m* aisle (between rows of seats) 13
pasta *f* **de dientes** toothpaste 6
pastel *m* pie, pastry 4
pastelería *f* pastry shop, bakery 7
patata *f* potato 4
paz *f* peace 15
pedir (i, i) to ask for, request, order 4
pecho *m* chest, breast 9
peinarse to comb one's hair 6
peine *m* comb 6
película *f* film, movie 7
peligroso/a dangerous 12
pelo *m* hair 9; **secador** *m* **de pelo** hair dryer 6
pelota *f* ball 5
pendientes *m, pl* earrings 8
pensar (ie) to think 4; **pensar (ie) + infinitivo** to intend/plan (to do something) 5; **pensar (ie) en** to think about (someone or something) 11
peor worse 10
pequeño/a small, little 3
pera *f* pear 4
perder (ie) to lose 7; **perder el tren** to miss the train 13
perdón pardon me, excuse me 1
perezoso/a lazy 3
periódico *m* newspaper 7
periodista *m/f* journalist 6
pero but 3
perro *m* dog 3
personalmente personally 6
pescado *m* fish 4
pescar to fish 12
pesticida f tóxica poisonous pesticide 12
pez *m* **(los peces)** fish 12
pie *m* foot 9; **estar de pie** to be standing 9
pierna *f* leg 9
piloto/a *m/f* pilot 13
pimienta *f* pepper 4
piña *f* pineapple 4
pintar to paint 5
piscina *f* swimming pool 13
piso *m* floor (of a building) 10
pizarra *f* chalkboard, board, blackboard 2
pizzería *f* pizzeria 7

planeta *m* planet 12
planta *f* plant 12
planta baja main floor 13
plata *f* silver 8
plátano *m* banana 4
plato *m* dish, course 3; plate 10
playa *f* beach 3
plaza *f* plaza, town square 7
pluma *f* pen 2
pobre poor 3
pobreza *f* poverty 15
poco *adv.* little 4; **un poco** *adv* a bit, a little, somewhat 3
poco/a *m/f, adj.* little (quantity) 4; **pocos/ as** *m/f, adj.* few 4
poder (ue) to be able, can 4
policía *m* policeman 14
política *f* **mundial** world politics 15
pollo *m* chicken 4
poner to put, place 5; **poner la mesa** to set the table 10
poner una inyección/una vacuna to give a shot/vaccination 9
ponerse (los zapatos, la ropa, etc.) to put on (shoes, clothes, etc.) 6
por for, down, by, along, through 7
por favor please 1
por fin finally 9
por la mañana in the morning 2
por la noche in the evening, at night 2
por la tarde in the afternoon 2 **¿por qué?** why? 4
¡Por supuesto! Of course! 14
porque because 4
posible: es . . . it's possible 13
posiblemente possibly 6
póster *m* poster 10
postre *m* dessert 3
practicar to practice 2
practicar el descenso de ríos to go white-water rafting 12
practicar el *parasail* to go parasailing 12
precio *m* price 8
preciso: es . . . it's necessary 13
preferir (ie, i) to prefer 4
pregunta *f* question 2
preguntar to ask 8
prejuicio *m* prejudice 15
prender to turn on 10
preocupado/a worried 3
preocuparse (por) to worry (about) 9
preparar to prepare 2
prestar to lend 8
prevenir to prevent 12
primavera *f* spring 5
primer first 14; **primer piso** *m* first floor, 10
primero *adv.* first 6; **primero/a** first 14; **de primera clase** first class 14
primo/a *m/f* cousin 3
probable: es . . . it's probable 13

probablemente probably 6
problema *m* problem 12
profesor/a *m/f* professor 2
programa (de computadora) *m* software 14
programador/a *m/f* computer programmer 2
prohibir to prohibit 15
propina *f* tip 13
proteger to protect 12
próximo/a next 5; **el próximo mes/ año / verano** next month/year/ summer 5
prueba *f* quiz 2
psicología *f* psychology 2
puente *m* bridge 14
puerta *f* door 2; **puerta de salida** gate 13
puerto (USB) *m* (USB) port 14
puertorriqueño/a *m/f, n., adj* Puerto Rican 1
pues well 1
pues nada *(informal)* not much 1
pulmón *m* lung 9
pulsera *f* bracelet 8
pupitre *m* (student) desk 2

Q

que that 4; **lo que** what, that which 4; **¿qué?** what?, which? 4; **¿qué hay de nuevo?** what's new? *(informal)* 1; **¿qué pasa?** what's happening? *(informal)* 1; **¿qué tal?** how are you? *(informal)* 1
¡Qué barbaridad! How awful! 14
¡Qué lástima! What a shame! 14
¡Qué lío! What a mess! 14
¡Qué suerte! What luck!/ How lucky! 14
quedarse to stay 9
quejarse de to complain about 11
querer (ie) to want, love 4
queso *m* cheese 4
¿quién/quiénes? who? 3; **¿de quién?** whose? 4
química *f* chemistry 2
quinto/a fifth 14
quiosco *m* newsstand 7
quisiera I would like 4
quitar: . . . la mesa to clear the table 10
quitarse la ropa to take off (clothes, etc.) 6

R

rafting: **practicar el . . .** to go white-water rafting 12
rápidamente rapidly 6
rápido/a fast 14
rascacielos *m* skyscraper 7
rasuradora *f* razor 6
ratón *m* mouse 2
rebajas *f* sales 8
recámara *f* bedroom 10

recepción *f* reception, front desk 9
recepcionista *m/f* receptionist 13
receta *f* prescription 9
recibir to receive 7
reciclar to recycle 12
recientemente recently 6
reclamo de equipajes *m, pl.* baggage claim 13
recoger to pick up, gather 12
recomendar (ie) to recommend 11
recordar (ue) to remember 11
recursos *m, pl.* **naturales** natural resources 12
red social *f* social network 14
reducir to reduce 12
refresco *m* soft drink 4
refrigerador *m* refrigerator 10
regalar to give (as a gift) 8
regalo *m* gift 8
registrarse to register 13
regresar to return 2
regular OK, so-so 1
reírse (de) to laugh at 11
relámpago *m* lightning 12
religión *f* religion 2
reloj *m* clock 2; watch 8
remar to row 12
reparar to repair 14
repente all of a sudden, suddenly 9
repetir (i, i) to repeat 7
reportar to report 15
reportero/a reporter 15
reproductor de DVD *m* DVD player 2
reservación *f* reservation 13
resfriado *m* cold 9
residencia *f* **estudiantil** student dorm 2
resolver (ue) to solve/resolve 10
Respire profundamente. Take a deep breath. 7
responsable responsible 3
respuesta *f* answer 2
restaurante *m* restaurant 2
retirar take out, to withdraw 7
reunirse (con) to meet, get together 11
revisar to check over 14
revista *f* magazine 7
rico/a rich 3
ridículo: es . . . it's ridiculous 13
río *m* river 15
robar to rob, steal 15
rojo/a red 5
romper to break 10; **romper (con)** to break up (with) 11; **romperse** to get broken 14
ropa *f* clothes, clothing 8; **ropa** *f* **interior** underwear 8
ropero/clóset *m* closet 8
rosado/a pink 5
rubio/a blonde 3
ruido *m* noise 10
ruso *m* Russian (language) 5

rutina *f* routine 6

S

sábado *m* Saturday 1
sábana *f* sheet 13
saber to know (facts, information) 5; to know how to (skills) 5
sacar fotos *f, pl.* to take photos 11
sacar la basura to take out the garbage 10
sacar los pasaportes to get passports 13
sacar una nota to get a grade 2
sacar una radiografía to x-ray 9
sacar sangre to draw blood 9
saco *m* **de dormir** sleeping bag 12
sal *f* salt 4
sala *f* living room 10; **sala de espera** waiting room 9; **sala de urgencias** emergency room 9
salchicha *f* sausage 4
salida *f* departure 13
salir to leave, go out 2; **salir (con)** to go out (with), date 11
salud *f* health 8
saltar en paracaídas to go parachute jumping 12
sandalias *f, p.l* sandals 8
sandía *f* watermelon 4
sándwich *m* sandwich 4
Saque la lengua. Stick out your tongue. 9
satélite *m* satellite 14
se *reflex. pron.* yourself, himself, herself, themselves 5
secador *m* **de pelo** hair dryer 6
secadora *f* dryer 10
secar: . . . **los platos** to dry the dishes 9; **secarse** to dry (oneself) 6
secretario/a *m/f* secretary 6
seda *f* silk 8
seguir (i, i) to continue, follow 14
segundo/a second 14; **de segunda clase** second class 14
segundo piso second floor 10
seguro *m* insurance 14
seguro/a safe 14
sello *m* stamp 7
selva *f* jungle 12
semáforo *m* traffic light 14
semana *f* week 1; **semana** *f* **pasada** last week 6
sentarse (ie, i) to sit down 9
sentir (ie, i) to be sorry, regret 11; **lo siento (mucho)** I'm (so) sorry 1; **sentirse (ie, i)** to feel 9
señal *f* sign 14
separarse (de) to separate 11
septiembre September 1
séptimo/a seventh 14
sequía *f* drought 12
ser to be 2
serio/a serious, dependable 3

serpiente *f* snake 12
servicio de habitación room service 13
servilleta *f* napkin 10
servir (i, i) to serve 4
sexto/a sixth 14
SIDA *m* AIDS 15
silla *f* chair 2; **silla de ruedas** wheel chair 9
sillón *m* easy chair 10
simpático/a nice, likeable 3
sin without 4
sincero/a honest, sincere 11
sistema GPS *f* GPS 14
sitio web *m* Web site 2
sobre on 7; **sobre** *m* envelope 7
sobrepoblación *f* overpopulation 15
sobrina *f* niece 3
sobrino *m* nephew 3
sociedad *f* society 15
sociología *f* sociology 2
¡Socorro! ¡Help! 14
sofá *m* sofa 10
sol *m* sun 12
solicitar to apply for (job) 15
solicitud *f* application 15
soltero/a single 11
sombrero *m* hat 8
sombrilla *f* umbrella 8
sonar (ue) to ring, to sound 6
sopa *f* soup 4
sortija *f* ring 8
sótano *m* basement 10
su/sus his, her, its, your (*formal*), their 2
subir to go up 10; **subirse a** to get on, board 13
sucio/a dirty 8
suegra *f* mother-in-law 3
suegro *m* father-in-law 3
suelo *m* floor 10
suéter *m* sweater 8
sufrir to suffer 15
sugerir (ie, i) to suggest 11
suyo/a/os/as (of) his, (of) hers, (of) theirs, (of) yours (*formal*) 8

T

talla *f* size (clothing) 8
taller *m* **mecánico** shop 14
también also 8
tampoco neither, not either 8
tan: tan . . . como as . . . as 9; **tan pronto como** as soon as 15
tanque *m* tank 14
tanto: tanto como as much as 10; **tanto/a/os/as . . . como** as much/many . . . as 10
taquilla *f* ticket window 13
tarde *f* afternoon 1; **buenas tardes** good afternoon 1; **de la tarde** P.M. (in the afternoon) 1; **por/en la tarde** in the afternoon 2

tarea *f* homework, assignment, task 2
tarjeta *f* card; **tarjeta de crédito/débito** credit/debit card 7
tarjeta de embarque boarding pass 13
tarjeta postal post card 7
tarjeta telefónica calling card 11
taxi *m* taxi 7
taza *f* cup 10
te *dir. obj.* you (*informal*) 5; *ind. obj.* you (to/for you) (*informal*) 8; **¿Te duele?** Does it hurt? 9
te presento (*informal*) I want to introduce . . . to you 1; *reflex. pron.* yourself (*informal*) 5
té *m* tea 4
teatro *m* theater 7
techo *m* roof 10
teclado *m* keyboard 2
teléfono *m* **celular** cell phone 15
televisor *m* television set 2
temer to fear, be afraid of 11
temprano early 2
tenedor *m* fork 10
tener calor/frío to be hot/cold 5
tener celos to be jealous 11
tener cuidado to be careful 14
tener éxito to be successful 15
tener ganas de + *infinitivo* to feel like (doing something) 5
tener hambre/sed to be hungry/thirsty 4
tener miedo to be afraid 12
tener prisa to be in a hurry 13
tener que + *infinitivo* to have to . . . (do something) 5
tener sueño to be sleepy, tired 6
tenis *m* tennis 5
tercero/a third 14
terminar to finish 7
termómetro *m* thermometer 9
terrorismo *m* terrorism 15
ti *obj. prep* you (*informal*) 6
tía *f* aunt 3
tiempo m weather 5; **a tiempo** on time 2
tienda *f* store, shop 6; **tienda de campaña** tent 12
tienda *f* **de ropa** clothing store 5
tienda por departamentos *f* department store 8
tierra *f* earth, land 12
tijeras *f, pl* scissors 6
tío *m* uncle 3
tiza *f* chalk 2
toalla *f* towel 6
tobillo *m* ankle 9
tocar to play (instruments) 5
tocineta *f* bacon 4
tocino *m* bacon 4
todo *adj., m* everything 8

todo/a/os/as *adj.* **toda la mañana** all morning 2; **toda la noche** all night 2; **toda la tarde** all afternoon 2; **todas las mañanas** every morning 2; **todas las noches** every evening, night 2; **todas las tardes** every afternoon 2; **todo el día** all day 2; **todos los días** every day 2

todavía still, yet 4

tomar to take, drink 4; **tomar apuntes** *m, pl.* to take notes 2; **tomar el sol** to sunbathe 5; **tomar fotos** *f, pl.* to take photos 12

tomar la temperatura to take one's temperature 9; **tomar la presión arterial** to take one's blood pressure 9; **tomar el pulso** to take one's pulse 9

tomate *m* tomato 4

Tome aspirinas/las pastillas/las cápsulas. Take aspirin/the pills/the capsules. 9

Tome líquidos. Take liquids. 9

tonto/a dumb, silly 3

torcer(se) (ue) to sprain (one's ankle) 9

tormenta *f* storm 12

torta *f* cake 4

tos *f* cough 9

toser to cough 9

trabajador/a hardworking 3

trabajar to work 2; **trabajar para . . .** to work for 6

trabajo *m* work 6; **trabajo** *m* **a tiempo completo** full-time job 5; **trabajo a tiempo parcial** part-time job 5; **trabajo** *m* **escrito** paper (academic) 2; **trabajo voluntario** *m* volunteer work 15; **en el trabajo** at work 3

traer to bring 5

tráfico *m* traffic 14

traje *m* suit 8; **traje de baño** bathing suit 8

tranquilamente calmly 6

tránsito *m* traffic 14

tratar de + *infinitivo* to try to (do something) 14

tren *m* train 14

triste sad 3

tú *subj. pron.* you (informal) 1 **tu/tus** your (informal) 2

tutor/a tutor 15

tuyo/a/os/as (of) yours (informal) 7

U

un/uno/una a 2; one 1; **un poco** *adv.* a bit, a little, somewhat 3; **una vez** once, one time 9

ura lástima: es . . . it's a pity 13

unos/unas some 2

universidad *f* college/university 2

uña *f* fingernail 9

urgente: es . . . it's urgent 13

uruguayo/a *m/f, n., adj.* Uruguayan 1

usar to use 2

usted *subj. pron.* you (formal) 1; *obj. prep.* you (formal) 6

ustedes *subj. pron.* you (pl.) 1; *obj. prep.* you (pl.) 6

uva *f* grape 4

V

vaca *f* cow 12

vacaciones *f, pl.* vacation 12

vacuna *f* vaccination 9

valle *m* valley 12

vaqueros *m, pl.* jeans 8

vaso *m* glass (drinking) 10

Vaya a la farmacia. Go to the pharmacy. 9

VCR *m* VCR, video 2

vecino/a *m/f* neighbor 10

vejez old age 11

velocidad *f* speed 14

venda *f* bandage 9

vender to sell 4

venir (ie) to come 5

ventana *f* window 2

ventanilla *f* window (airplane, train, car) 13

ver to see 5; **ver la tele(visión)** to watch TV 5

verano *m* summer 5

verdad: es . . . it's true 13

verde green 5

verdura *f* vegetable 3

vestido *m* dress 8

vestirse (i) to get dressed 6

viajar to travel 5

viaje *m* a trip 14

víctima *f* victim 15

vida *f* life 11

videoconsola *f* video game playing device 14

videojuego *m* video game 14

viejo/a old 3

viernes Friday 1

vinagre *m* vinegar 4

vino *m* wine 4

violencia *f* violence 15

visitar to visit 3

viudo/a *m/f* widower/widow 11

vivir to live 2

volante *m* steering wheel 14

volar (ue) to fly 13

voleibol *m* volleyball 5

voluntario/a *m/f* volunteer 15

volver (ue) to return, to go back 4

vomitar to vomit 9

vómito *m* vomit 9

vosotros/as *m/f, subj.* you (informal, pl., Sp.) 1; *obj. prep.* you (informal, pl., Sp.) 6

votar (por) to vote (for) 15

vuelo *m* flight 13

vuestro/a/os/as your (informal) 2; (of) yours (informal) 7

Y

y and 3

ya already 6

yeso *m* cast 9

yo *subj. pron.* I 1

Z

zanahoria *f* carrot 4

zapatería *f* shoe store 7

zapatos *m, pl.* shoes 8; **zapatos de tenis** tennis shoes 8

zumo *m,* juice 4

Vocabulario: *English-Spanish*

A

a bit, a little, somewhat un poco *adv.* 3
a quarter cuarto 1
a trip viaje *m* 14
A.M. (in the morning) de la mañana 1
a; one un/uno/una 1; 2
abortion aborto *m* 15
accident accidente *m* 14
accountant contador/a *m/f* 6
accounting contabilidad *f* 2
acid rain lluvia ácida 12
addicted adicto/a *m/f* 14
address dirección 7
admission ticket entrada *f* 7
adolescence adolescencia 10
adolescents adolescentes *m, pl.* 10
adulthood, maturity madurez *f* 11
adults adultos *m, pl.* 11
adventure aventura *f* 12
affectionate cariñoso/a 11
after después de que *conj* 15
after (class) después de (clase) 2
afternoon tarde *f* 1
afterwards, later después de *prep.* 7
ahead of time con... de anticipación 13
AIDS SIDA *m* 15
air conditioning aire acondicionado 13
airline aerolínea *f* 13
airplane avión *m* 13
airport aeropuerto *m* 13
aisle (between rows of seats)
   pasillo *m* 13
alarm clock despertador *m* 6
algebra álgebra *f (but el* álgebra) 2
all afternoon toda la tarde 2
all day todos los días 2
all morning todo/a/os/as *adj.*: toda la
   mañana 2
all night toda la noche 2
all of a sudden, suddenly repente 9
allergy alergia *f* 9
(almost) always (casi) siempre 2
already ya 6
also también 8
ambulance ambulancia *f* 9
American (from the United States)
   estadounidense *m/f, n., adj.* 1
amusing, fun divertido/a *m/f* 3
and y 3
angry enojado/a 11
animal animal *m* 11
animal species especie animal *f* 12
ankle tobillo *m* 9
another otro/a 4
answer respuesta *f* 2
answering machine contestador
   automático *m* 11
any, some, someone algún (alguno/a/
   os/as) 8
anyone alguien 8
anything algo, nada 8

apartment apartamento *m* 2
apple manzana *f* 4
application solicitud *f* 15
April abril 1
area code código *m* de área 11
Argentinian argentino/a *m/f, n., adj.* 1
arm brazo *m* 9
army ejército *m* 15
arrival llegada *f* 13
art arte *m (but las* artes) 2
as . . . as tan: tan... como 9
as much as tanto: tanto como 10
as much/ many . . . as tanto/a/os/as...
   como 10
as soon as tan pronto como 15
at home en casa 6
at work en el trabajo 3
at, to a 2
ATM machine cajero *m* automático 7
August agosto 1
aunt tía *f* 3
autumn, fall otoño *m* 5
avenue avenida *f* 7

B

baby bebé *m/f* 3
back espalda *f* 9
backpack mochila *f* 2
bacon tocineta *f* 4
bacon tocino *m* 4
bad malo/a 3
bad, badly mal 3
baggage claim reclamo de equipajes *m,*
   pl. 13
baked al horno 4
ball pelota *f* 5
banana banana *f* 4
banana plátano *m* 4
bandage venda *f* 9
bank; bench banco *m* 7
bar bar *m* 7
baseball béisbol *m* 5
basement sótano *m* 10
basketball baloncesto *m* 5
basketball básquetbol *m* 5
bathing suit traje de baño 8
bathroom baño *m* 10
bathroom los aseos/el servicio *m* 14
bathtub bañera *f* 10
beach playa *f* 3
beans frijoles *m, pl.* 4
because porque 4
because of causa (a causa de) 12
bed cama *f* 6
bedroom dormitorio *m* 10
bedroom recámara *f* 10
beer cerveza *f* 4
before antes de que *conj* 15
before (class) antes de (clase) *prep*
   before 2
behind detrás de 7

beige beige 5
bellhop botones *m* 13
belt cinturón *m* 8
beneath, under debajo de 7
beside al lado de 7
beside lado: al... de 7
best mejor 7
best friend mejor amigo/a *m* 3
between, among entre 7
bicycle bicicleta *f* 5
big, large grande 3
bill, check; account cuenta *f* 7
biology biología *f* 2
bird pájaro *m* 12
birth nacimiento *m* 11
birthday cumpleaños *m* 2
black negro/a 5
blanket cobija *f* 13
blanket manta *f* 13
blonde rubio/a 3
blouse blusa *f* 8
blue azul 5
boarding pass tarjeta de embarque 13
boat barco *m* 12
boat (small) bote *m* 12
body cuerpo *m* 9
Bolivian boliviano/a *m/f, n., adj.* 1
bomb bomba 15
bone hueso *m* 9
book libro *m* 2
bookshelf, shelf estante *m* 10
bookstore librería *f* 2
boots botas *f, pl.* 8
border frontera *f* 15
bored/boring aburrido/a 3
boss jefe/a *m/f* 15
boy chico *m* 3
boy muchacho *m* 3
boyfriend novio *m* 3
bracelet pulsera *f* 8
brakes frenos *m, pl.* 14
bread (toast) pan *m* (tostado) 4
breakfast desayuno *m* 3
bridge puente *m* 14
briefcase, carry-on bag maletín *m* 13
broccoli brócoli *m* 4
brother hermano *m* 2
brother-in-law cuñado *m* 3
brown marrón 5
browser navegador 14
brunette, dark-skinned moreno/a 3
brush cepillo *m* 6
building edificio *m* 7
bureau cómoda *f* 10
bus autobús *m* 7
bus station estación de autobuses 14
bus stop parada *f* de autobús 7
business empresa *f* 6
businessman hombre de negocios 6
businesswoman mujer de negocios 6
busy ocupado/a 3

but pero 3
butter mantequilla *f* 4
butterfly mariposa *f* 12
bye, so-long chao 1

C

cable cable *m* 14
cafeteria cafetería *f* 2
cake torta *f* 4
calculator calculadora *f* 2
calculus cálculo *m* 2
calling card tarjeta telefónica 11
calmly tranquilamente 6
camera cámara *f* 12
camp campamento *m* 12
campfire fogata *f* 12
cancer cáncer *m* 15
candidate candidato/a *m/f* 15
cap gorra *f* 8
car auto *m* 3
car carro *m* 3
car coche *m* 3
card tarjeta *f* 7
carne de cerdo carne *f* de cerdo 4
carrot zanahoria *f* 4
cash efectivo *m* 7
cashier cajero/a *m/f* 6
cast yeso *m* 9
cat gato *m* 3
cathedral catedral *f* 7
CD, compact disk CD *m* 2
CD, compact disk disco compacto *m* 2
cell phone teléfono *m* celular 15
cereal cereal *m* 4
chain cadena *f* 8
chair silla *f* 2
chalk tiza *f* 2
chalkboard, board, blackboard pizarra *f* 2
change, small change, exchange cambio *m* 7
chapter capítulo *m* 2
check cheque *m* 7
cheese queso *m* 4
chemistry química *f* 2
cherry cereza *f* 4
chest, breast pecho *m* 9
chicken gallina *f* 12
chicken pollo *m* 4
child niña *f* 3
child niño *m* 3
childhood niñez 11
children niños *m, pl.* 11
Chilean chileno/a *m/f, n., adj.* 1
chill escalofrío *m* 9
church iglesia *f* 7
citizen ciudadano/a *m/f* 15
city ciudad *f* 3
city block cuadra *f* 14
class clase *f* 2
classroom aula *f (but el* aula) 1
clean limpio/a 8

clock; watch reloj *m* 2; 8
closed cerrado/a 3
closet clóset *m* 8
closet ropero/clóset *m* 8
clothes, clothing ropa *f* 8
clothing store tienda *f* de ropa 5
cloud nube *f* 5
cloudy está (muy) nublado 5
coat abrigo *m* 8
coffee; coffee place café *m* 4
cold frío/a 5
cold resfriado *m* 9
college/university universidad *f* 2
Colombian colombiano/a *m/f, n., adj.* 1
comb peine *m* 6
comfortable cómodo/a 14
company compañía *f* 6
computer computadora *f* 2
computer programmer programador/a *m/f* 2
computer science computación *f* 2
computer science informática *f* 2
congratulations felicidades *f* 11
connection conexión *f* 14
constantly constantemente 6
construct construir 15
contact lenses lentes *m* de contacto 8
cookie galleta *f* 4
corn maíz *m* 4
corruption corrupción *f* 15
Costa Rican costarricense *m/f, n., adj.* 1
cotton algodón *m* 8
cough tos *f* 9
country campo *m* 3
country país *m* 13
cousin primo/a *m/f* 3
cow vaca *f* 12
crash choque *m* 14
cream crema *f* 4
credit/debit card tarjeta de crédito/débito 7
crime delito *m* 15
cruise ship crucero *m* 12
crutches muletas *f, pl.* 9
Cuban cubano/a *m/f, n., adj.* 1
cup taza *f* 10
cure cura *f* 15
currency, money, coin moneda *f* 7
curtain cortina *f* 10
customs aduana *f* 13

D

dangerous peligroso/a 12
date fecha *f* 1
date, appointment cita *f* 11
daughter hija *f* 3
day día *m* 1
day before yesterday anteayer 6
death muerte *f* 11
death penalty pena de muerte 15
December diciembre 1

deforestation desforestación *f* 12
delay demora *f* 13
delighted (to meet you) encantado/a 1
delinquent, offender, criminal delincuente *m* 15
deodorant desodorante *m* 6
department store tienda por departamentos *f* 7
departure salida *f* 13
depressed deprimido/a 9
desert desierto *m* 12
dessert postre *m* 3
destroy destruir (y) 12
destruction destrucción *f* 12
device aparato *m* 14
diarrhea diarrea *f* 9
dictionary diccionario *m* 2
digital digital 14
difficult, hard difícil 3
dining room comedor *m* 10
dirty sucio/a 8
disagreeable, unpleasant (persons) antipático/a 3
discrimination discriminación *f* 15
dish, course, plate plato *m* 3, 10
dishwasher lavaplatos *m* 10
divorce divorcio 11
divorced divorciado/a 11
do a blood test hacer un análisis de sangre 9
doctor doctor/a *m/f* 2
doctor médico/a *m/f* 2
doctor's office consultorio *m* del médico/de la médica 9
Does it hurt? ¿Te duele? 9
dog perro *m* 3
Dominican dominicano/a *m/f n., adj.* 1
door puerta *f* 2
double bed cama doble 6
double room habitación doble 13
dress vestido *m* 8
drink, beverage bebida *f* 4
driver conductor/a 14
driver's license licencia *f* de conducir 14
drought sequía *f* 12
drug addiction drogadicción *f* 15
drug trafficking narcotráfico *m* 15
drugs drogas *f, pl.* 15
dryer secadora *f* 10
dumb, silly tonto/a 3
DVD player el (reproductor) de DVD 2

E

each, every cada 9
ear (inner) oído *m* 9
ear (outer) oreja *f* 9
early temprano 2
earphone auricular *m* 14
earrings aretes *m, pl.* 8
earrings pendientes *m, pl.* 8
earth, land tierra *f* 12

easily fácilmente 6
easy fácil 3
easy chair sillón m 10
economics economía f 2
Ecuadorian ecuatoriano/a m/f, n., adj. 1
egg/fried eggs/scrambled eggs huevo m/huevos fritos/huevos revueltos 4
eighth octavo/a 14
either...or o...o 8
elderly ancianos m pl./ la anciana f /el anciano m 11
election elección f 15
electric shaver máquina m de afeitar 6
electronic reading device lector electrónico m 14
elementary school escuela f 3
elevator ascensor m 13
e-mail correo m electrónico 2
e-mail address dirección f electrónica 2
e-mail message mensaje m electrónico 2
emergency f, pl. emergencias 9
emergency room f, pl. sala de urgencias 9
exciting emocionante 12
employee empleado/a m/f 6
English (language) inglés m 2
envelope sobre m 7
environment medio m ambiente 12
equality igualdad f 15
eraser borrador m 2
every afternoon todas las tardes 2
every day todo el día 2
every evening, night todas las noches 2
every morning todas las mañanas 2
everything todo adj. 8
exam examen m 2
exciting emocionante 12
exercise ejercicio m 2
expensive caro/a 8
explosion explosión f 15
extinction extinción f 12
eye ojo m 9
eyeglasses gafas f, pl. 8

F

face cara f 9
factory fábrica f 6
fair justo 13
faithful fiel 11
family familia f 2
family room la sala/el cuarto de estar f/m 10
far from lejos de 7
farm granja f 12
fashion moda f 8
fast rápido/a 14
fat gordo/a 3
father padre m 2
father-in-law suegro m 3
February febrero 1
fever fiebre f 9

few pocos/ as m/f, adj. 4
fifth quinto/a 14
film, movie película f 7
finally por fin 9
finances finanzas f/pl. 2
fine, well bien 3
fine, ticket multa f 14
finger dedo m 9
fingernail uña f 9
fire fuego m 12
fireplace, chimney chimenea f 10
first primer 14
first primero/a 6
first class de primera clase 13
first floor primer piso m 10
first/second class ticket boleto de primera/ segunda clase round trip ticket 13
fish pescado m 4
fish pez m (los peces) 12
flat tire llanta desinflada 14
flat, deflated (tire) desinflado/a 14
flight vuelo m 13
flight attendant asistente de vuelo 13
floor suelo m 10
floor (of a building) piso m 10
flowers flores f, pl. 5
flu gripe f 9
fly mosca f 12
food, main meal comida f 3
foot pie m 9
football fútbol americano m 5
for, down, by, along, through por 7
for, in order to, toward, by para 14
forest bosque m 12
forest fires incendios m, pl. forestales 12
fork tenedor m 10
fourth cuarto/a 14
free of charge gratis 14
freedom libertad f 15
French (language) francés m 2
french fries papas fritas 4
frequently frecuentemente 6
frequently con frecuencia 2
Friday viernes 1
fried frito/a 4
friend amigo/a m/f 3
friendly, kind amable 3
friendship amistad f 11
from where? ¿de dónde...? 4
fruit fruta f 3
full-time job trabajo m a tiempo completo 5
furniture muebles m, pl. 10

G

game, match partido m 5
garage garaje m 10
garbage basura f 12
garbage can bote de basura m 10
garden jardín m 10

garlic ajo m 4
gas gasolina f 14
gas station gasolinera f 14
gate puerta de salida 13
gel gel m 6
generally generalmente 6
German (language) alemán m 2
gift regalo m 8
girl chica f 3
girl muchacha f 3
girlfriend novia f 3
glass (drinking) vaso m 10
global warming calentamento global m 12
gloves guantes m, pl. 8
go to the pharmacy Vaya a la farmacia 9
goblet copa f 10
gold oro m 8
golf golf m 5
good bueno/a 3
good afternoon buenas tardes 1
good evening/night buenas noches 1
good morning buenos días 1
good-bye adiós 1
good-looking, pretty bonito/a 3
good-looking, pretty/handsome guapo/a 3
good-looking, pretty/handsome hermoso/a 3
government gobierno m 15
GPS sistema GPS m 14
grade, score nota f 2
granddaughter nieta f 3
grandfather abuelo m 3
grandmother abuela f 3
grandparents abuelos m, pl. 3
grandson nieto m 3
grape uva f 4
grass hierba f 12
gray gris 5
great-grandfather bisabuelo m 3
great-grandmother bisabuela f 3
green verde 5
green bean judía f verde 4
grilled a la parrilla 4
Guatemalan guatemalteco/a m/f, n., adj. 1
guest huésped/a m/f 13
guitar guitarra f 4
gurney camilla f 9
gym, gymnasium gimnasio m 2

H

hair pelo m 9
hair dryer secador m de pelo 6
hair dryer secador m de pelo 6
half media f 1
half-brother medio hermano m 3
half-sister media hermana 3
ham jamón m 4
hamburger hamburguesa f 4

hand mano *f* 9
handsfree manos libres *m* 6
happy contento/a 3
hardworking trabajador/a 3
hat sombrero *m* 8
he; obj. *prep. pron.* him él *m, subj.* 6
head cabeza *f* 9
headache dolor *m* de cabeza 9
headache dolor *m* de cabeza *f* 9
headphones audífonos *m, pl.* 2
health salud *f* 8
heart corazón *m* 9
heating calefacción *f* 13
hello/hi hola 1
help! ¡Auxilio! 14
help! ¡Socorro! 14
here aquí 3
high school colegio *m* 3
highway autopista *f* 14
hill colina *f* 12
him, you, it lo *dir. obj. m* 5
his, her, its, your (*formal*), their su/sus 2
(of) his, (of) hers, (of) theirs, (of) yours (*formal*) suyo/a/os/as 8
history historia *f* 2
home, house casa 2
homeless people desamparados *m, pl.* 15
homemaker amo/a *m/f* de casa 6
homework, assignment, task tarea *f* 2
Honduran hondureño/a *m/f, n., adj.* 1
honest, sincere sincero/a 11
honeymoon luna de miel 11
horse caballo *m* 12
hospital hospital *m* 9
hostel hostal *m* 13
hot (temperature, not spiciness) caliente 5
hotel hotel *m* 13
house keeper amo/a *m/f* de casa 2
how are you? (*formal*) ¿cómo está usted?
how are you? (*informal*) ¿cómo estás? 1
how are you? (*informal*) ¿qué pasa? 1
how awful! ¡qué barbaridad! 14
how many? ¿cuántos/as? 3
how much? ¿cuánto/a? 4
how? ¿cómo? 1
human rights derechos *m, pl.* humanos 15
hunger hambre *f* (*but el* hambre) 15
husband esposo *m* 3
husband marido *m* 3
hybrid híbrido *m* 14

I

I yo *subj. pron.* 1
I am sorry Disculpe 1
I hope ojalá que... 11
I want to introduce . . . to you (*informal*); *reflex. pron.* yourself

(*informal*) te presento 1
I would like quisiera 4
I'm (so) sorry lo siento (mucho) 1
ice hielo *m* 4
ice cream helado *m* 4
immediately inmediatamente 6
in case en caso de que 14
in front of delante de 7
in front of, opposite enfrente de 7
in front of, opposite, facing frente a 7
in order to (do something) para que 12
in style a la moda 8
in the afternoon por la tarde 2
in the afternoon; P.M. (in the afternoon) de la tarde; por/en la tarde 2
in the evening, at night por la noche 2
in the evening, at night; P.M. (in the evening, at night) por/en la noche 1
in the morning por/en la mañana 2
in the morning por la mañana 2
in, at; on en 2; 7
inexpensive barato/a 8
infancy infancia *f* 11
infection infección *f* 9
injection inyección *f* 9
insects insectos *m, pl.* 12
inside dentro de 7
instead of en vez de 7
insurance seguro *m* 14
intelligent inteligente 3
interview entrevista *f* 15
island isla *f* 12
it rains llueve 5
it seems that . . . parece que 13
it's (very) cloudy nublado 5
it's (very) cold hace (mucho) frío 5
it's (very) hot/cool/cold/sunny/ windy hace (mucho) calor/fresco/ frío/sol/ viento 5
it's a pity ura lástima: es... 13
it's a shame lástima: es una... 13
it's better es mejor 13
it's good es bueno 13
it's horrible horrible: es... 13
it's important importante: es... 13
it's impossible imposible: es... 13
it's improbable improbable: es... 13
it's interesting interesante: es... 13
it's necessary necesario: es... 13
it's necessary preciso: es... 13
it's obvious obvio: es... 13
it's possible posible: es... 13
it's probable probable: es... 13
it's raining está lloviendo 5
it's ridiculous ridículo: es... 13
it's snowing está nevando 5
it's snowing nieva 5
it's strange extraño: es... 13
it's sunny hace sol 5
it's true verdad: es... 13

it's true, correct cierto: es... 13
it's unfair no es... 13
it's urgent urgente: es... 13
it's wonderful es fenomenal 13
Italian (language) italiano *m* 5

J

jacket chaqueta *f* 8
jam mermelada *f* 4
January enero 1
Japanese (language) japonés *m* 5
jealous celoso/a 11
jeans jeans *m, pl.* 8
jeans vaqueros *m, pl.* 8
jewelry joyas *f, pl.* 8
jewelry shop joyería *f* 7
job empleo 15
journalist periodista *m/f* 6
juice jugo *m* 4
juice zumo *m* 4
July julio 1
June junio 1
jungle selva *f* 12
justice justicia *f* 15

K

kayak kayak *m* 12
key llave *f* 13
keyboard teclado *m* 2
kilometer kilómetro *m* 14
kitchen cocina *f* 10
knife cuchillo *m* 10

L

laboratory laboratorio *m* 2
lake lago *m* 5
lamp lámpara *f* 10
laptop computadora portátil *f* 14
laptop/notebook (computer) computadora portátil *f* 13
last night anoche 6
last week semana *f* pasada 6
last weekend fin de semana pasado 6
last year/month/summer pasado: el año/ mes/ verano 6
later más tarde 2
law ley *f* 15
Lawyer abogado/a *m/f* 6
lazy perezoso/a 3
leader líder *m/f* 15
leather cuero *m* 8
leave, depart, to go away irse 11
leaves hojas *f, pl.* 5
leg pierna *f* 9
lemon limón *m* 4
less menos 4
lesson lección *f* 2
letter carta *f* 7
lettuce lechuga *f* 4

library biblioteca *f* 2
life vida *f* 11
light luz *f* 10
lightning relámpago *m* 12
line (of people or things) cola *f* 7
line (of people or things) fila *f* 7
link enlace *f* 14
lip labio *m* 9
literature literatura *f* 2
little (quantity) poco/a *m/f, adj.* 4
little poco *adv.* 4
living room sala *f* 10
lobster langosta *f* 4
long largo/a 8
long distance call llamada de larga
    distancia 11
long-/short-sleeved de manga larga/
    corta 8
long-sleeved de manga larga 8
love amor *m* 11
love at first sight amor a primera vista 11
luggage equipaje *m* 13
lunch almuerzo *m* 4
lung pulmón *m* 9

M

magazine revista *f* 7
maid (hotel) camarera *f* 13
mailbox buzón *m* 7
main floor planta baja 13
makeup maquillaje *m* 6
mall, shopping center centro
    comercial 7
man hombre *m* 3
manager gerente *m/f* 15
map mapa *m* 2
March marzo 1
market mercado *m* 3
married casado/a 11
mathematics matemáticas *f, pl.* 2
May mayo 1
me mí *obj. prep. pron.* 6
me; ind. obj. me (to/for me); refl.
    pron. myself me *dir. obj.* 5
meat, beef carne *f* 4
medicine medicina *f* 15
metro, subway metro *m* 7
Mexican mexicano/a *m/f, n., adj.* 1
microwave microondas *m* 10
midnight medianoche *f* 1
milk leche *f* 4
mirror espejo *m* 10
misdemeanor, crime delito *m* 15
Monday lunes *m* 1
money dinero *m* 6
monitor monitor 14
month mes *m* 1
moon luna *f* 12
more más 4
mosquito mosquito *m* 12

mother madre *f* 3
mother-in-law suegra *f* 3
motor motor *m* 14
motorcycle motocicleta *f* 14
mountain biking ciclismo *m* de
    montaña 12
mountain climbing alpinismo/el
    andinismo *m* 12
mountain climbing andinismo *m*,
    alpinismo *m* 11
mountains montañas *f, pl.* 3
mouse ratón *m* 2
mouth boca *f* 9
movie theater, cinema cine *m* 7
much, a lot; mucho/a/os/as *m/f*
    mucho *adv. adj.*
much, a lot, many times, often muchas
    veces *f* 8
museum museo *m* 7
music música *f* 2
my mi/mis 2
my name is . . . me llamo... 1
my soul mate, other half mi media
    naranja 11

N

napkin servilleta *f* 10
nasal congestion congestión *f* nasal 9
natural resources recursos *m, pl.*
    naturales 12
nature naturaleza *f* 12
nausea náuseas *f, pl.* 8
near cerca de 7
neck cuello *m* 9
necklace collar *m* 8
neighbor vecino/a *m/f* 10
neither . . . nor ni... ni 8
neither, not either tampoco 8
nephew sobrino *m* 3
nervous nervioso/a 3
never nunca 2
new nuevo/a 3
newlyweds recién casados *m, pl.* 11
news noticias *f, pl.* 7
newscast noticiero *m* 15
newspaper periódico *m* 7
newsstand quiosco *m* 7
next próximo/a 5
next month/year/summer el próximo
    mes/ año / verano 5
Nicaraguan nicaragüense *m/f, n., adj.* 1
nice meeting you too igualmente 1
nice, likeable simpático/a 3
niece sobrina *f* 3
night noche *f* 1
nightstand mesita *f* de noche 10
ninth noveno/a 14
no one, nobody nadie 8
no, none, no one ningún (ninguno/a) 8
noise ruido *m* 10

noon mediodía *m* 1
normally normalmente 6
nose nariz *f* 9
nor, not even ni 8
not much (informal) pues nada 1
notebook cuaderno *m* 2
notes apuntes *m, pl.* 2
nothing nada 8
November noviembre 1
now ahora 2
nurse enfermero/a *m/f* 6

O

ocean océano *m* 12
October octubre 1
Of course! ¡Claro! 14
Of course! ¡Por supuesto! 14
of mine mío/a/os/as 7
of yours (informal) tuyo/a/os/as 7
of, from de *prep* 1
office oficina *f* 2
Oh my gosh! ¡Caramba! 14
oil aceite *m* 4
OK, so-so regular 1
old viejo/a 3
old (elderly); older mayor 3
old age vejez 11
olive aceituna *f* 4
on sobre 7
on time a tiempo 2
on top of, above encima de 7
once, one time una vez 9
one-way ticket billete/boleto de ida/
    sencillo *m* 13
onion cebolla *f* 4
open abierto/a 3
open your mouth abra la boca 9
or o 8
or . . . either o... o 8
orange (color) anaranjado/a 5
orange (fruit) naranja *f* 4
other otros/as 4
ought to, should (do something) deber
    + *infinitive* 5
our; (of) ours nuestro/a/os/as 8
outdoors aire libre *m* 12
outer space exploration exploración *f*
    del espacio 15
outside fuera de 7
oven horno *m* 10
overpopulation sobrepoblación *f* 15
ozone layer capa *f* de ozono 12

P

package paquete *m* 7
page página *f* 2
pants pantalones *m, pl.* 8
paper papel *m* 2
paper (academic) trabajo *m* escrito 15

paramedics paramédicos *m, pl.* 9
pardon me, excuse me con permiso 1
pardon me, excuse me perdón 1
parents padres *m, pl.* 3
park parque *m* 7
parking estacionamiento, aparcamiento *m* 14
partner, significant other, couple pareja *f* 11
part-time job trabajo a tiempo parcial 5
party fiesta *f* 2
passenger pasajero/a *m/f* 13
passport pasaporte *m* 13
pastry shop, bakery pastelería *f* 7
patient paciente *m/f* 9
pea guisante *m* 4
peace paz *f* 15
peace agreement acuerdo *m* de paz *f* 15
peach durazno *m* 4
peach melocotón *m* 4
pear pera *f* 4
pen bolígrafo *m* 2
pen pluma *f* 2
pencil lápiz *m* 2
people gente *f* 7
pepper pimienta *f* 4
personally personalmente 6
pharmacy farmacia *f* 9
philosophy filosofía *f* 2
phone book guía *f* telefónica 11
physics física *f* 2
picture, painting cuadro *m* 4
pie, pastry pastel *m* 4
pig cerdo *m* 12
pillow almohada *f* 13
pilot piloto/a *m/f* 13
pineapple piña *f* 4
pink rosado/a 5
pizzeria pizzería *f* 7
place lugar *m* 7
planet planeta *m* 12
plant planta *f* 12
platform andén *m* 13
play obra *f* de teatro 7
plaza, town square plaza *f* 7
please por favor 1
pleased to meet you mucho gusto 1
poisonous pesticide tóxico/pesticida *f* 12
policeman policía *m* 14
policewoman mujer policía 14
political science ciencias *f, pl.* políticas 2
pollution contaminación *f* 12
poor pobre 3
Poor me! (What am I going to do?) ¡Ay de mí! 14
pork carne de cerdo/puerco *f* 4
pork chop chuleta *f* de cerdo/puerco 4
possibly posiblemente 6
post card tarjeta postal 7

post office oficina de correos 8
poster póster, afiche *m* 10
potato patata, papa *f* 4
poverty pobreza *f* 15
pregnant embarazada 9
prejudice prejuicio *m* 15
prescription receta *f* 9
price precio *m* 8
printer impresora *f* 2
private bath baño privado 13
probably probablemente 6
problem problema *m* 12
professor profesor/a *m/f* 2
psychology psicología *f* 2
Puerto Rican puertorriqueño/a *m/f, n., adj.* 1
purple morado/a 5
purse, bag bolso/a *m* 8

Q

question pregunta *f* 2
quiz prueba *f* 2

R

raft balsa *f* 12
rafting balsismo *m* 12
railroad station estación de ferrocarril 14
rain lluvia *f* 5
raincoat impermeable *m* 8
rapidly rápidamente 6
rarely casi nunca 2
razor rasuradora *f* 6
recently recientemente 6
reception, front desk recepción *f* 9
receptionist recepcionista *m/f* 13
red rojo/a 5
refrigerator refrigerador *m* 10
relative pariente *m* 3
religion religión *f* 2
remote control control remoto *m* 14
reporter reportero/a 15
research investigación *f* 15
reservation reservación *f* 13
responsible responsable 3
rest descanse 9
restaurant restaurante *m* 2
restroom aseos *m, pl.* 13
restroom baño *m* 14
rice arroz *m* 4
rich rico/a 3
ring anillo *m* 8
ring sortija *f* 8
river río *m* 15
road camino *m*, carretera *f* 14
roof techo *m* 10
room cuarto *m* 2
room habitación *f* 10
room service servicio de habitación 13

roommate compañero/a *m/f* de cuarto 6
round trip ticket billete/boleto de ida y vuelta *m* 13
routine rutina *f* 6
rug, carpet alfombra *f* 10
Russian (language) ruso *m* 5

S

sad triste 3
safe seguro/a 14
salad ensalada *f* 4
sales rebajas *f* 8
salt sal *f* 4
sand arena *f* 12
sand castle castillo de arena *m* 12
sandals sandalias *f, pl.* 8
sandwich bocadillo *m* 4
sandwich sándwich *m* 4
satellite satélite *m* 14
Saturday sábado *m* 1
sausage chorizo *m* 4
sausage salchicha *f* 4
Say ah! Diga ¡ah! 9
scarf bufanda *f* 8
schedule horario *m* 13
scissors tijeras *f, pl.* 6
screen pantalla *f* 2
sea mar *m* 12
seafood marisco *m* 3
search engine buscador *m* 14
season estación *f* 4
seat asiento *m* 13
second segundo/a 14
second class de segunda clase 14
second floor segundo piso 10
secretary secretario/a *m/f* 6
see you soon hasta pronto 1
see you tomorrow hasta mañana 1
sign señal *f* 14
September septiembre 1
serious wound herida *f* grave 9
serious, dependable serio/a 3
service/gas station estación de servicio/la gasolinera 14
seventh séptimo/a 14
shampoo champú *m* 6
shaving cream crema de afeitar *f* 6
she obj. of prep. her ella *f, subj.* 1
sheet sábana *f* 13
sheet of paper hoja *f* de papel 2
shirt camisa *f* 8
shoe store zapatería *f* 7
shoes zapatos *m, pl.* 8
shop taller *m* mecánico 14
short bajo/a 3
short corto/a 8
short- sleeved de manga corta 8
shorts pantalones cortos 8
shoulder hombro *m* 9
shower ducha *f* 10

shrimp gamba *f*; camarón *m* 4
sick enfermo/a 3
silk seda *f* 8
silver plata *f* 8
single soltero/a 11
single bed cama sencilla 6
single room habitación sencilla 13
sink (bathroom) lavabo, lavamanos *m* 10
sink (kitchen) fregadero *m* 10
sister hermana *f* 3
sister-in-law cuñada *f* 3
sixth sexto/a 14
size (clothing) talla *f* 8
skinny flaco/a 3
skirt falda *f* 8
sky cielo *m* 12
skyscraper rascacielos *m* 7
sleeping bag saco *m* de dormir 12
sleeve manga *f* 8
slow lento 14
slowly lentamente 6
small, little pequeño/a 3
snack merienda *f* 3
snake serpiente *f* 12
snow nieve *f* 5
so that, in order that para + *infinitivo* 7
soap jabón *m* 6
soccer fútbol *m* 5
social network red social *f* 14
society sociedad *f* 15
sociology sociología *f* 2
socks calcetines *m, pl.* 8
sofa sofá *m* 10
soft drink refresco *m* 4
software programa (de computadora) *m* 14
some unos/unas 2
someone, somebody alguien 8
something algo 8
sometimes a veces 2
son hijo *m* 3
sore throat dolor de garganta *f* 9
sore throat dolor *m* de garganta 9
soup sopa *f* 4
space ship nave *f* espacial 15
Spanish español/española *m/f, n., adj.* 1
Spanish (language) español *m* 2
speed velocidad *f* 14
speed limit limite de velocidad *m* 14
spider araña *f* 12
spoon cuchara *f* 10
sport deporte *m* 5
spring primavera *f* 5
stages of life etapas *f, pl.* de la vida 11
stairs escalera *f* 10
stamp estampilla *f* 7
stamp sello *m* 7
star estrella *f* 12
statue estatua *f* 7
steak bistec *m* 4
steering wheel volante *m* 14

stepbrother hermanastro *m* 3
stepfather padrastro *m* 3
stepmother madrastra *f* 3
stepsister hermanastra *f* 3
stereo estéreo *m* 10
Stick out your tongue. Saque la lengua. 9
still, yet todavía 4
stockings, hose, socks medias *f, pl.* 8
stomach estómago *m* 9
stomach ache dolor de estómago *m* 9
stomachache dolor *m* de estómago 9
store clerk dependiente/a *m/f* 6
store, shop tienda *f* 6
storm tormenta *f* 12
stove estufa *f* 10
straight, straight ahead derecho 14
strawberry fresa *f* 4
street calle *f* 7
street corner esquina *f* 14
stressed estresado/a 3
strong fuerte 3
student alumno/a *m/f* 2
student estudiante *m/f* 2
student center centro estudiantil 2
student desk pupitre *m* 2
student dorm residencia *f* estudiantil 2
suddenly de repente 9
sugar azúcar *m* 4
suit traje *m* 8
suitcase maleta *f* 13
summer verano *m* 5
sun sol *m* 12
Sunday domingo *m* 1
sunglasses gafas de sol 8
supper, dinner cena *f* 3
sweater suéter *m* 8
swimming pool piscina *f* 13

T

table mesa *f* 2
Take a deep breath. Respire profundamente. 7
Take aspirin/the pills/the capsules. Tome aspirinas/las pastillas/las cápsulas. 9
Take liquids. Tome líquidos. 9
take out, to withdraw retirar 7
Take the prescription to the pharmacy. Lleve la receta a la farmacia. 9
tall alto/a 3
tank tanque *m* 14
taxi taxi *m* 7
tea té *m* 4
teacher maestro/a *m/f* 2
teacher's desk escritorio *m* 2
team equipo *m* 5
teaspoon cucharita *f* 10
telephone call llamada *f* telefónica 11
television set televisor *m* 2
tennis tenis *m* 5

tennis shoes zapatos de tenis 8
tent tienda de campaña 12
tenth décimo/a 14
terrific fenomenal 1
terrorism terrorismo *m* 15
text message mensaje de texto *m* 14
thank you (very much) (muchas) gracias 1
thank you/thanks gracias 1
that aquel/aquella *adj.* 6
that ese/a *adj.* 6
that que 4
that on aquél/aquélla *pron.* 6
that one ése/a *pron.* 6
that which lo que 14
the el *m, definite article* 2
the las *f, pl. definite article* 2
the line is busy línea está ocupada 11
the pleasure is mine el gusto es mío 1
the weather is nice/bad hace buen/mal tiempo 5
the; *dir. obj.* her, you (*f*), it (*f*) la *f, definite article* 5
theater teatro *m* 7
them (*f*), you (*f, pl.*) las *dir. obj.* 5
them, you; *m, pl., definite article* the los *m, dir. obj.* 6; 2
then entonces 6
then luego 6
there allí 3
there is/are hay 2
thermometer termómetro *m* 9
these estos/as *adj.* 6
these estos/as *pron.* 6
they *obj. of prep.* them ellas *f, subj* 1
they *obj. of prep.* them ellos *m, subj* 1
thin delgado/a 3
thing cosa *f* 8
third tercero/a 14
this este/a *adj.* 6
this afternoon esta tarde 3
this morning esta mañana 2
this one éste/a *pron.* 6
this, that esta 6
those aquéllos/as *pron.*; aquellos/as *adj.* 6
those esos/as *adj.* 6
those ésos/as *pron.* 6
throat garganta *f* 9
Thursday jueves *m* 1
ticket billete, boleto *m* 13
ticket window taquilla *f* 13
tie corbata *f* 8
time hora *f* 1
tip propina *f* 13
tire llanta *f* 14
tired cansado/a 3
to advise aconsejar 11
to answer contestar 7
to apply for (job) solicitar 15
to arrive llegar 2

to ask preguntar 8
to ask for, request, order pedir (i, i) 4
to attend asistir (a) 2
to avoid evitar 12
to be estar 3
to be ser 2
to be able, can poder (ue) 4
to be afraid tener miedo 12
to be against estar en contra de 15
to be annoying to, to bother molestar 11
to be born nacer 11
to be careful tener cuidado 14
to be engaged estar comprometido/a 11
to be engaged estar prometido/a 11
to be fascinating to, to fascinate fascinar 11
to be glad (about) alegrarse (de) 11
to be hot/cold tener calor/frío 5
to be hungry/thirsty tener hambre/ sed 4
to be important to, to matter importar 12
to be in a hurry tener prisa 13
to be in favor of estar a favor de 15
to be in love (with) estar enamorado/a de 11
to be interesting to, to interest interesar 12
to be jealous tener celos 11
to be married (to) estar casado/a (con) 11
to be on vacation estar de vacaciones f, pl. 12
to be pregnant estar embarazada 11
to be ready estar listo 12
to be ready listo/a: estar... 11
to be seated estar sentado/a 9
to be sleepy, tired tener sueño 6
to be sorry, regret sentir (ie, i) 11
to be standing estar de pie 8
to be standing estar de pie 9
to be successful tener éxito 15
to be sure of estar seguro/a (de) 12
to be together estar juntos/as 11
to be together juntos/as: estar... 11
to begin empezar (ie) (a) 7
to believe creer 11
to break romper 10, romperse 14
to break one's (arm/leg) fracturar(se) (el brazo/ la pierna) 9
to break up (with) romper (con) 11
to bring traer 5
to brush one's hair cepillarse el pelo 6
to brush one's teeth cepillarse los dientes 6
to buy comprar 14
to call llamar 3
to camp acampar 12
to cash, to charge cobrar 7
to change, exchange cambiar 7

to check over revisar 14
to check (baggage) facturar 13
to choose escoger 15
to clean limpiar 5
to clear the table quitar:... la mesa 10
to climb (the mountain) escalar (la montaña) 12
to close cerrar (ie) 7
to comb one's hair peinarse 6
to come venir (ie) 5
to communicate comunicarse 11
to complain about quejarse de 11
to continue continuar 14
to continue, follow seguir (i, i) 14
to contribute contribuir (y) 12
to cook cocinar 4
to cost costar (ue) 4
to cough toser 9
to count, tell, narrate (a story or incident) contar (ue) 7, 8
to crash, collide chocar 14
to cross cruzar 14
to cry llorar 11
to cut one's hair/nails/a finger cortarse el pelo/ las uñas/ el dedo 6
to cut oneself cortarse 5
to cut the lawn cortar:... el césped 10
to dance bailar 5
to delight encantar 11
to deposit depositar 7
to die morir (ue, u) 7
to do, make hacer 2
to doubt dudar 12
to draw blood sacar sangre 9
to drink beber 2
to drive conducir 14
to drive manejar 5
to dry (oneself) secarse 6
to dry the dishes secar:... los pl.atos 9
to eat comer 2
to eliminate eliminar 15
to enchant encantar 11
to enjoy (something) disfrutar de 13
to enter, go into entrar (en/a) 7
to examine examinar 9
to exercise, to do exercises hacer ejercicio 5
to exercise, work out, do exercises hacer ejercicio 5
to explain explicar 8
to fall in love (with) enamorarse (de) 11
to fasten one's seat belt abrocharse el cinturón 13
to fear, be afraid of temer 11
to feed dar de comer 15
to feel sentirse (ie, i) 9
to feel like (doing something) tener ganas de + infinitivo 5
to fight (for) luchar (por) 15
to fill (the tank) llenar (el tanque) 14
to find encontrar (ue) 7

to find out, inquire averiguar 6
to finish terminar 7
to fish pescar 12
to fly volar (ue) 13
to forget olvidar/ olvidarse de 11
to get (stand) in line hacer cola 7
to get (stand) in line hacer fila 6
to get a grade sacar una nota 2
to get along well/badly llevarse bien/ mal 11
to get angry enojarse 11
to get broken romperse 14
to get divorced divorciarse 11
to get dressed vestirse (i) 6
to get engaged (to) comprometerse (con) 11
to get married (to) casarse (con) 11
to get off, to get out of . . . bajarse de 13
to get on, board subirse a 13
to get passports sacar los pasaportes 13
to get tired cansarse 9
to get up levantarse 6
to get/become sick enfermarse 9
to give dar 5
to give (as a gift) regalar 8
to give a shot/vaccination poner una inyección/ una vacuna 9
to give birth dar a lu 11
to go ir 2
to go down bajar 10
to go on a cruise, take a trip on a ship/ boat/cruise ship hacer un viaje en crucero/ en barco 12
to go on vacation ir(se) de vacaciones 12
to go out (with), date salir (con) 11
to go parachute jumping saltar en paracaídas 12
to go parasailing practicar el parasail 12
to go shopping ir de compras 5
to go snorkeling hacer esnórquel 12
to go to bed acostarse (ue) 6
to go to sleep, to fall asleep dormir (ue) 6
to go up subir 10
to go white-water rafting rafting: practicar el... 12
to go white-water rafting practicar el descenso de ríos 12
to have a good time divertirse (ie) 6
to have a layover hacer escala 13
to have breakfast desayunar 2
to have dinner cenar 2
to have lunch almorzar (ue) 4
to have to . . . (do something) tener que + infinitivo 5
to hear oír 5
to help ayudar (a) 10
to hug abrazar 3
to hurt oneself lastimarse 9
to inform informar/ reportar 15
to insist (on) insistir (en) 11

to intend/plan (to do something)
pensar (ie) + *infinitivo* 5
to invest invertir (ie, i) 7
to invite invitar (a) 7
to keep guardar 10
to kill matar 11
to kiss besar 3
to know (facts, information); to know how to (skills) saber 5
to land aterrizar 13
to laugh at reírse (de) 11
to learn aprender 2
to leave dejar 13
to leave a message dejar un mensaje 11
to leave behind dejarse 13
to leave, go out salir 2
to legalize legalizar 15
to lend prestar 8
to lie mentir 11
to lift weights levantar pesas 5
to like gustar 4
to listen to escuchar 2
to live vivir 2
to look at mirar 8
to look for buscar 2
to lose perder (ie) 7
to love amar 3
to make an appointment hacer una cita 9
to make reservations hacer reservaciones/ reservas 14
to make the bed hacer la cama 10
to meet up (with) (by chance) encontrarse (ue) (con) 11
to meet, get together reunirse (con) 11
to meet, know, be acquainted with conocer 5
to miss extrañar 11
to miss the train perder el tren 13
to move (from house to house) mudarse 10
to move (oneself) mover(se) (ue) 10
to need necesitar 4
to open abrir 7
to pack empacar 13
to pack hacer las maletas 13
to paint pintar 5
to park estacionar 14
to pay (for) pagar 7
to pick up, gather recoger 12
to play (instruments) tocar 5
to play/to play (sport) jugar (ue)/ jugar al (deporte) 5
to practice practicar 2
to prefer preferir (ie, i) 4
to prepare preparar 2
to prevent prevenir 12
to print imprimir 2
to prohibit prohibir 15
to protect proteger 12
to put gas (in the tank) echar gasolina 14

to put on (shoes, clothes, etc.) ponerse (los zapatos, la ropa, etc.) 6
to put on makeup maquillarse 6
to put, place poner 5
to rain llover (ue) 5
to read leer 2
to really like, love; to delight, to enchant encantar 12
to receive recibir 7
to recommend recomendar (ie) 11
to recycle reciclar 12
to reduce reducir 12
to register registrarse 13
to remember acordarse (ue) de 11
to remember recordar (ue) 11
to rent alquilar 10
to repair reparar 14
to repeat repetir (i, i) 7
to report reportar 15
to rest descansar 5
to return regresar 2
to return (something) devolver (ue) 8
to return, to go back volver (ue) 4
to ride horseback montar a caballo 12
to ring, to sound sonar (ue) 6
to rob robar 15
to row remar 12
to run correr 5
to run, work, function (machine) funcionar 14
to save guardar 14
to save (money) ahorrar 7
to save, conserve conservar 12
to say good-bye despedirse (i, i) 13
to say, tell decir (i) 5
to scuba dive, skin dive bucear 12
to see ver 5
to sell vender 4
to send enviar 2
to send mandar 2
to separate separarse (de) 11
to serve servir (i, i) 4
to set the table poner la mesa 10
to shave afeitarse 6
to show mostrar (ue) 8
to sign firmar 7
to sing cantar 5
to sit down sentarse (ie, i) 9
to ski esquiar 5
to sleep dormirse (ue) 4
to smoke fumar 5
to sneeze estornudar 9
to snow nevar (ie) 5
to solve/resolve resolver (ue) 10
to speak hablar 2
to spend gastar 7
to spend (time), to happen, pass pasar 7
to sprain (one's ankle) torcer(se) (ue) 9
to stay quedarse 9
to stop (movement) parar 14
to study estudiar 2

to suffer sufrir 15
to suggest sugerir (ie, i) 11
to sunbathe tomar el sol 5
to support (a candidate/cause) apoyar 15
to surf hacer surf 12
to surf the Web navegar por la red 2
to swim nadar 12
to take a bath, bathe bañarse 6
to take a hike dar una caminata 12
to take a shower ducharse 6
to take a walk/stroll dar un paseo 5
to take care of cuidar 2
to take notes tomar apuntes *m, pl.* 2
to take off despegar 13
to take off (clothes, etc.) quitarse la ropa 6
to take one's blood pressure tomar la presión arterial 9
to take one's pulse tomar el pulso 9
to take one's temperature tomar la temperatura 9
to take out the garbage sacar la basura 10
to take photos sacar fotos *f, pl.* 11
to take photos tomar fotos *f, pl.* 12
to take, drink tomar 4
to the left izquierda *f*: a la… 14
to the right derecha: a la … 14
to think pensar (ie) 4
to think about (someone or something) pensar (ie) en 11
to tidy (the room) ordenar (el cuarto) 10
to travel viajar 5
to try intentar 14
to try to (do something) tratar de + *infinitivo* 14
to tune the motor afinar el motor 14
to turn doblar 14
to turn off apagar 10
to turn on prender 10
to understand comprender 2
to understand entender (ie) 4
to use usar 2
to vacuum pasar la aspiradora 10
to visit visitar 3
to vomit vomitar 9
to vote (for) votar (por) 15
to wait (for); to hope, expect esperar 7; 11
to wake up despertarse (ie) 6
to walk caminar 5
to want, love querer (ie) 4
to wash one's hands/face lavarse las manos/ la cara 6
to wash oneself lavarse 5
to wash the dishes lavar:… los platos 10
to waste desperdiciar 12
to watch TV ver la tele(visión) 5
to wear llevar 8
to win, to earn, make money ganar 5; 6

to work; trabajar para... to work for
trabajar 6
to worry (about) preocuparse (por) 9
to write escribir 2
to x-ray sacar una radiografía 9
today hoy 1
toilet inodoro *m* 10
toilet paper papel higiénico 6
tomato tomate *m* 4
tomorrow, morning mañana *f* 1
tongue lengua *f* 9
tonight esta noche 2
too, too much demasiado *adv.* 14
tooth diente *m* 9
toothbrush cepillo de dientes 6
toothpaste pasta *f* de dientes 6
towel toalla *f* 6
traffic tráfico *m* 14
traffic tránsito *m* 14
traffic light semáforo *m* 14
train tren *m* 14
trash can cubo *m* de la basura 10
traveler's check cheque de viajero 7
tree árbol *m* 5
truck camión *m* 14
trunk maletero *m* 14
T-shirt, undershirt camiseta *f* 8
Tuesday martes *m* 1
tune the motor afinar el motor 14
tutor tutor/a 15

U

ugly feo/a 3
umbrella paraguas *m* 8
umbrella sombrilla *f* 8
uncle tío *m* 3
understanding comprensivo/a 11
underwear ropa *f* interior 8
unemployment desempleo *m* 15
unfortunately desafortunadamente 6
unless a menos (de) que 14
until hasta que 15
upon (doing something) al + *infinitivo* 7
Uruguayan uruguayo/a *m/f, n., adj.* 1
(USB) port puerto (USB) *m* 14
**us; *ind. obj.* us (to/for us); *refl. pron.*
ourselves** nos *dir. obj.* 5

V

vacation vacaciones *f, pl.* 12
vaccination vacuna *f* 9
valley valle *m* 12
VCR, video VCR *m* 2
vegetable legumbre *f* 3
vegetable verdura *f* 3
very muy 3
very well muy bien 1
victim víctima *f* 15
(video) camera cámara (de video) *f* 14

video game videojuego *m* 14
video game playing device
videoconsola *f* 14
vinegar vinagre *m* 4
violence violencia *f* 15
volleyball voleibol *m* 5
volunteer voluntario/a *m/f* 15
volunteer work trabajo voluntario *m* 15
vomit vómito *m* 9

W

waiter/waitress mesero/a *m/f* 6
waiting room sala de espera 9
wall pared *f* 10
wallet billetera/la cartera *f* 8
wallet cartera *f* 8
want, wish desear 4
war guerra *f* 15
washer lavadora *f* 10
wastebasket papelera 2
water agua *f (but el* agua) 4
waterfall cascada *f* 12
waterfall catarata *f* 12
watermelon sandía *f* 4
wave ola *f* 12
we; *obj. prep.* us nosotros/as *m/f,
subj. pron.* 1
weak débil 3
weapon arma *f* 15
weather clima *m* 5
weather tiempo *m* 5
Web page página web 2
Web site sitio web *m* 2
wedding boda *f* 11
Wednesday miércoles *m* 1
week semana *f* 1
weekend fin *m* de semana 2
welcome bienvenido/a 13
well pues 1
what ¿qué? 4
What a mess! ¡Qué lío! 14
What a shame! ¡Qué lástima! 14
What luck!/ How lucky! ¡Qué suerte! 14
what, that which lo que 4
what's happening? (informal) ¿qué tal? 1
what's new? (informal) ¿qué hay de
nuevo? 1
What's your name (formal)? ¿Cómo se
llama usted? 1
What's your name? (informal) ¿Cómo
te llamas? 1
wheel chair silla de ruedas 9
when cuando 4
when? ¿cúando? 2
where ¿dónde? 3
(to) where? ¿adónde? 2
(to) where? ¿adónde? 2
which (one)? ¿cuál? 4
which (ones)? ¿cuáles? 4

while mientras 9
white blanco/a 5
who? ¿quién/quiénes? 3
whose? ¿de quién? 4
why? ¿por qué? 4
widower/widow viudo/a *m/f* 11
wife esposa *f* 3
window ventana *f* 2
window (airplane, train, car)
ventanilla *f* 13
windshield parabrisas *m* 14
wine vino *m* 4
winter invierno *m* 5
with con 4;
without sin 4
woman, wife mujer *f* 3
wool lana *f* 8
work trabajo *m* 6
world mundo *m* 12
world politics política *f* mundial 15
worried preocupado/a 3
worse Peor 10

Y

year año *m* 4
years old tener... años 3
yellow amarillo/a 5
yesterday ayer 6
you (formal); *obj. prep.* you (formal)
usted *subj. pron.* 1; 6
you (informal) ti *obj. prep.* 6
you (informal) tú *subj. pron.* 1
**you (informal) ; *ind. obj.* you (to/for
you) (informal)** te *dir. obj.* 5
**you (informal, pl., Sp.); *obj. prep.* you
(informal, pl., Sp.)** vosotros/as *m/f,
subj* 6
**you (pl.); *ind. obj.* you (to/for you); *refl.
pron.* yourselves** os *dir. obj.* 5
you (pl.); *obj. prep.* you (pl.) ustedes
subj. pron. 1; 6
you, him, her (to/for . . .) le *ind. obj.* 8
you, them (to/for you, them) les *ind.
obj.* 8
you're welcome de nada 1
young joven 3
young people, adolescents jóvenes *m,
pl. /*los adolescentes 11
younger menor 3
your (informal) tu/tus 2
your (informal); (of) yours (informal)
vuestro/a/os/as 7
yourself, himself, herself, themselves
se *reflex. pron.* 5
youth juventud *f* 11

Índice

Credits

PHOTO CREDITS

Contents

Chapter 1: PhotoAlto/Laurence Mouton/SUPERSTOCK. Chapter 2: Ian Shaw/Alamy. Chapter 3: Ariel Skelly/Age Fotostock America, Inc. Chapter 4: Hill Street Studios/Blend Images/Getty Images, Inc. Chapter 5: Philip and Karen Smith/Iconica/Getty Images, Inc. Chapter 6 (left): Blend Images/SuperStock. Chapter 6 (right): Blend Images/SuperStock. Chapter 7: Picture Contact/Alamy. Chapter 8: Blend Images/SUPERSTOCK. Chapter 9: Blend Images/SUPERSTOCK. Chapter 10: Sven Larrson PC/SuperStock. Chapter 11: Robert Johnson/OJO Images/Getty Images, Inc. Chapter 12: age fotostock/SuperStock. Chapter 13: Sylvain Grandadam/Age Fotostock America, Inc. Chapter 14: Mike Kemp/Getty Images, Inc. Chapter 15: Kim Karpeles/Alamy.

Chapter 1

Page 2: PhotoAlto/Laurence Mouton/SUPERSTOCK. Page 11 (top left): Herman Agopian/Taxi/Getty Images. Page 11 (bottom right): ©Corbis/SuperStock. Page 11 (center): Hola/SuperStock. Page 14 (top left): Francis M. Roberts/Alamy Images. Page 14 (top right): Jeff Greenberg/Alamy Limited. Page 14 (bottom left): Nancy Kaszerman/NewsCom. Page 14 (bottom right): IT Stock/Age Fotostock America, Inc. Page 15 (left): Kevork Djansezian/Staff/Getty Images, Inc. Page 15 (center left): Scott Gries/Getty Images. Page 15 (center right): Tom DiPace/NewsCom. Page 15 (right): Vince Bucci/Getty Images. Page 16 (top left): Carlos S. Pereyra/Age Fotostock America, Inc. Page 16 (right): Apis/Abramis/Alamy Images. Page 16 (bottom left): Glow Images/Age Fotostock America, Inc. Page 23: North Wind Photo /Alamy Images. Page 29 (top left): Photodisc/Getty Images, Inc. Page 29 (top right): Digital Vision/Punchstock. Page 29 (bottom right): Thomas Barwick/Riser/Getty Images, Inc. Page 29 (bottom left): Blend Images/SUPERSTOCK.

Chapter 2

Page 32: Ian Shaw/Alamy. Page 36: Courtesy of Kim Potowski. Page 39 (top left): iStockphoto. Page 39 (top right): Floyd Anderson/iStockphoto. Page 39 (bottom left): Vladimir Dmitriev/iStockphoto. Page 39 (bottom right): iStockphoto. Page 39 (bottom right): David R. Frazier Photolibrary, Inc./Alamy. Page 46: Paul Zahl/Contributor/ National Geographic /Getty Images, Inc. Page 49: George Brice/Alamy Images. Page 50 (top right): AP/Wide World Photos. Page 50 (top left): Courtesy of Kim Potowski. Page 50 (left): Jerry and Marcy Monkman/Danita Delimont. Page 53 (right): Nicholas Pitt/Alamy Images. Page 53 (left): Kim Karpeles/Alamy Images. Page 54 (left): David R. Frazier Photolibrary, Inc./Alamy. Page 54 (right): Javier Larrea/Age Fotostock America, Inc. Page 59: Clara de la Flor/Punto y coma. Page 60: Clara de la Flor/Punto y coma.

Chapter 3

Page 66: Ariel Skelly/Age Fotostock America, Inc. Page 73 (top right): Ralf-Finn Hestoft/©Corbis. Page 73 (bottom right): John Neubauer/PhotoEdit. Page 74: David Ball /Alamy. Page 75 (top): Mario Algaze/The Image Works. Page 75 (bottom): Rudi Von Briel/PhotoEdit. Page 75 (center right): AP/Wide World Photos. Page 82: Exactostock/SuperStock. Page 83: Tony Freeman/PhotoEdit. Page 88 (top right): Michael Newman/PhotoEdit. Page 88 (top left): Digital Vision/Getty Images. Page 88 (center left): William Howard/Stone/Getty Images. Page 88 (center right): John and Lisa Merrill/Danita Delimont. Page 88 (center): Nossa Productions/Getty Images, Inc. Page 88 (bottom center): Bill Frymire/Masterfile. Page 88 (bottom right): David R. Frazier/DanitaDelimont.com. Page 88 (bottom left): David McNew/Getty Images. Page 92: Cortesia de Santillana.

Chapter 4

Page 100: Hill Street Studios/Blend Images/Getty Images, Inc. Page 105: San Rosto/Age Fotostock America, Inc. Page 110 (top): Alberto Coto/Photodisc/Getty Images, Inc. Page 110 (bottom): age fotostock/SuperStock. Page 112: Polka Dot Images/SUPERSTOCK. Page 113 (bottom right): ©Corbis/SuperStock. Page 113 (top center): Gallo Gallina/The Bridgeman Art Library/Getty Images, Inc. Page 113 (top right): Roger-Viollet /Topham/The Image Works. Page 113 (bottom left): Bridgeman Art Library/NY. Page 114: DEA PICTURE LIBRARY/Getty Images, Inc. (top right). Page 114: John & Lisa Merrill/Getty Images, Inc. (bottom center). Page 114: Enzo Figueres/Getty Images, Inc. (bottom right). Page 114: DEA/G. DAGLI ORTI/De Agostini/Getty Images, Inc. (bottom left). Page 115 (bottom): David Crockett Photography/Alamy Images. Page 115 (top): David McNew/Getty Images, Inc. Page 124 (top right): Stuart Westmorland/SuperStock. Page 124 (top left): Chad Slattery/Stone/Getty Images. Page 125 (top left): Erik Rank/FoodPix/Getty Images. Page 125 (center): Matthew Klein/Photo Researchers. Page 125 (bottom left): FoodCollection/SuperStock. Page 125 (bottom): Ingram Publishing/SuperStock. Page 125 (top): Courtesy of Laila Dawson. Page 125 (center right): Food and Drink/SuperStock. Page 125 (right): Alex Segre/Alamy. Page 127: Courtesy of Magali Iglesias. Page 129: Jeff Oshiro/FoodPix/Getty Images.

Chapter 5

Page 140: Philip and Karen Smith/Iconica/Getty Images, Inc. Page 146 (right): Daniel Garcia/AFP/Getty Images, Inc. Page 146 (bottom left): Pablo la Rosa/Reuters/Landov LLC. Page 147 (top): Tomas Bravo/Reuters/Landov LLC. Page 147 (bottom right): Enrique Marcarian/Reuters/Landov LLC. Page 147 (bottom left): Marcelo Del Pozo/Reuters/Landov LLC. Page 150: NewsCom. Page 151 (top left): IT Stock/SUPERSTOCK. Page 151 (center left): Ingolf Pompe/Age Fotostock America, Inc. Page 151 (top right): Fred Prouser/Reuters/Landov LLC. Page 151 (bottom center): ©Corbis/SUPERSTOCK. Page 151 (bottom right): EFE/Zuma Press. Page 153 (right): Jon Buckle/PA Photos/Landov LLC. Page 153 (left): Nikki Boertman/Reuters/Landov LLC. Page 154: CORBIS SYGMA/©Corbis. Page 164 (left): Steve Kaufman/©Corbis. Page 164 (center): AP/Wide World Photos. Page 164 (right): Courtesy of Laila Dawson. Page 165 (center): Michael Busselle/Riser/Getty Images. Page 165 (right): Everton/The Image Works. Page 165 (left): Buddy Mays/©Corbis Images. Page 166 (top left): Owen Franken/©Corbis. Page 166 (top right): Jonne Roriz/AE /©AP/Wide World Photos. Page 166 (top left): NewsCom. Page 166 (bottom left): Aflo Foto Agency/Alamy. Page 166 (bottom left): Evan Eile/Scripps Howard News Service/NewsCom. Page 171: Por cortesia de FC Barcelona.

Chapter 6

Page 178 (left): Blend Images/SuperStock. Page 178 (right): Blend Images/SuperStock. Page 192 (left): J. D. Dallet/Age Fotostock America, Inc. Page 192 (right): Peter Bowater/Age Fotostock America, Inc. Page 193 (top left): Ian Waldie/Getty Images. Page 193 (top right): MC/EFOQUE/SIPA/NewsCom. Page 193 (bottom right): Don Quixote, 1955 (gouache on paper), Picasso, Pablo (1881-1973)/Private Collection, ©DACS/Peter Willi /The Bridgeman Art Library International. Page 193 (bottom left): Age fotostock/SUPERSTOCK. Page 194 (top left): Peter Holmes/Age Fotostock America, Inc. Page 194 (center left): IT Stock/SUPERSTOCK. Page 194 (bottom left): AP/Wide World Photos. Page 194 (bottom right): Michel Fotografo/Age Fotostock America, Inc. Page 195 (top right): Factoria Singular/Age Fotostock America, Inc. Page 195 (bottom left): Hemis.fr/SuperStock. Page 195 (top right): Ina Peters/iStockphoto. Page 195 (bottom right): Matthew Klein/Photo Researchers, Inc. Page 197 (left): Orban Thierry/©Corbis. Page 197 (right): Pablo Blazquez Dominguez/Getty Images, Inc.

Chapter 7

Page 216: Picture Contact/Alamy. Page 225: SuperStock. Page 226: IT Stock/SUPERSTOCK. Page 227 (top right): D. Clarke Evans/NBAE/Getty Images, Inc. Page 227 (center): Joel Robine/AFP/Getty Images. Page 227 (top): John W Banagan/Photographer's Choice /Getty Images, Inc. Page 227 (bottom right): Marcos Brindicci/©Corbis. Page 228 (bottom left): Richard Mildenhall/ArenaPAL/Topham/The Image Works. Page 228 (top left): Kit Houghton/©Corbis. Page 228 (top right): Aldo Sessa/Tango Stock /Getty Images, Inc. Page 228 (center right): IT Stock/SUPERSTOCK. Page 228 (bottom left): John Warburton-Lee/DanitaDelimont.com. Page 229 (top left): Barnabas Bosshart/©Corbis. Page 229 (top right): SuperStock/Age Fotostock America, Inc. Page 229 (center left): Leo Rosenthal/Getty Images. Page 229 (bottom right): Larissa Skinner/iStockphoto. Page 231 (right): Bobbi Fabian/FoodPix/Getty Images. Page 231 (left): Alamy Images. Page 233 (top): Courtesy of Laila Dawson. Page 233 (bottom): Frank Scherschel/Time & Life Pictures/Getty Images. Page 238: Martin Thomas/Reuters/NewsCom. Page 247: AP/Wide World Photos. Page 249: Beatrice Murch.

Chapter 8

Page 256: Blend Images/SUPERSTOCK. Page 271 (top right): Ligia Botero/The Image Bank/Getty Images, Inc. Page 271 (top left): IT Stock/SUPERSTOCK. Page 271 (center left): Yoshio Tomii/SUPERSTOCK. Page 271 (bottom left): Christopher Leggett/Age Fotostock America, Inc. Page 271 (bottom right): Courtesy of Laila Dawson. Page 272 (center right): IT Stock/SUPERSTOCK. Page 272 (top right): George Holton/Photo Researchers, Inc. Page 272 (top left): John Maier/The Image Works. Page 272 (center right): Richard Smith/©Corbis. Page 272 (bottom left): Ira Block/NG Image Collection. Page 273 (top right): Nik Wheeler/©Corbis. Page 273 (bottom left): IT Stock/SUPERSTOCK. Page 273 (bottom right): Klaus Lang/Alamy. Page 277 (top left): Septemberlegs/Alamy. Page 277 (center right): Luis Marden/National Geographic Society/©Corbis. Page 277 (center):

iStockphoto. Page 277 (bottom left): INTERFOTO/Alamy. Page 283: William Albert Allard/National Geographic/Getty Images, Inc. Page 280: Jon Arnold Images Ltd/Alamy. Page 286: Peseta.

Chapter 9

Page 292: Blend Images/SUPERSTOCK. Page 296 (top): Yellow Dog Productions/Getty Images. Page 296 (bottom): Mike Kemp/Tetra Images/©Corbis. Page 298 (top left): Glow Images/Age Fotostock America, Inc. Page 298 (top center): Jose Luis Pelaez/Age Fotostock America, Inc. Page 298 (top right): Glowimages/Age Fotostock America, Inc. Page 298 (bottom left): Jon Feingersh Photogr/Age Fotostock America, Inc. Page 298 (bottom center): Jose Luis Pelaez, Inc/Age Fotostock America, Inc. Page 298 (bottom right): Photodisc/Age Fotostock America, Inc. Page 301: Andrade, Gustavo/Age Fotostock America, Inc. Page 304 (bottom left): Image Bank/Getty Images. Page 304 (top left): IT Stock/SUPERSTOCK. Page 305 (top right): Alexander Rieser/Alamy. Page 305 (top left): Marco Aurelio/LatinContent/Getty Images. Page 305 (bottom right): Carlos Alvarez/Getty Images. Page 306 (top left): IT Stock/SUPERSTOCK. Page 306 (top right): Paco Elvira/Age Fotostock America, Inc. Page 306 (bottom left): AP/Wide World Photos. Page 306 (bottom right): Exactostock/SuperStock. Page 308: Lynn Johnson/Aurora Photos. Page 309: Michelly Rall/Getty Images, Inc. Page 313: Stephan Wallgren/AFP/Getty Images. Page 314 (right): Jim Parkin/iStockphoto. Page 314 (left): Felicia Martinez/PhotoEdit. Page 321 (top): Rebecca Arnal/Punto y coma. Page 321 (bottom): Rebecca Arnal/Punto y coma.

Chapter 10

Page 328: Sven Larrson PC/SuperStock. Page 342 (top left): Richard Wareham Fotografie/Alamy. Page 342 (top right): age fotostock /SuperStock. Page 342 (bottom): brianlatino/Alamy. Page 342 (bottom left): Punchstock. Page 343 (top left): Robert Harding Picture Library/Alamy. Page 343 (top right): age fotostock /SuperStock. Page 343 (bottom right): NewsCom. Page 343 (bottom): Gary M. Prior/Getty Images. Page 350: Timothy Ross/The Image Works. Page 356 (top left): Alamy Images. Page 356 (top center): PhotoDisc/Getty Images, Inc. Page 356 (top center): WireImageStock/Masterfile. Page 356 (center left): Courtesy of Laila Dawson. Page 356 (center): Courtesy of Laila Dawson. Page 356 (center right): Carlos S. Pereyra/Age Fotostock America, Inc. Page 356 (bottom left): Adalberto Ríos Szalay /Age Fotostock America, Inc. Page 356 (bottom center): Courtesy of Laila Dawson. Page 356 (bottom right): Courtesy of Laila Dawson. Page 358: Courtesy of Kim Potowski. Page 359: Clara de la Flor. Page 360: Clara de la Flor.

Chapter 11

Page 366: Robert Johnson/OJO Images/Getty Images, Inc. Page 376 (top right): IT Stock/SUPERSTOCK. Page 376 (top left): Danny Lehman/©Corbis. Page 376 (bottom left): Dixon Hamby/Alamy. Page 377 (top left): Gonzalo Azumendi/Age Fotostock America, Inc. Page 377 (top right): Alfredo Maiquez/Age Fotostock America, Inc. Page 377 (center left): Will & Deni McIntyre/Photo Researchers, Inc. Page 377 (bottom): AP/Wide World Photos. Page 385: Gonzalo Azumendi/Age Fotostock America, Inc. Page 387: Juan Barreto/AFP/Getty Images. Page 388: Clive Sawyer PCL /SuperStock. Page 398: Fundacion Amantes de Teruel.

Chapter 12

Page 406: age fotostock/SuperStock. Page 411 (top right): Tim Fitzharris/Minden Pictures/Getty Images, Inc. Page 411 (center left): Kenneth Garrett/Danita Delimont. Page 411 (center): Digital Vision/SUPERSTOCK. Page 411 (bottom left): imagebroker/Alamy. Page 411 (bottom right): Courtesy of Laila Dawson. Page 416: Sue Cunningham/Danita Delimont. Page 418 (top): JOHN KEPSIMELIS/Reuters/Landov LLC. Page 418 (bottom): Peter Christopher/Masterfile. Page 419: M. Algaze/The Image Works. Page 420 (bottom): JEFFREY ARGUEDAS/epa/©Corbis. Page 421 (top left): Age Fotostock/SUPERSTOCK. Page 421 (top right): Wolfgang Kaehler/©Corbis. Page 421 (bottom): Courtesy of Laila Dawson. Page 425 (left): Steven Miric/iStockphoto. Page 425 (right): Axiom Photographic Limited /SuperStock. Page 426 (top): Radius Images /Getty Images, Inc. Page 426 (bottom): Libor Tomáštík/iStockphoto. Page 428: Somos/Age Fotostock America, Inc. Page 429 (top): AP/Wide World Photos. Page 430: Maria Teresa Ardaya/Punto y coma.

Chapter 13

Page 436: Sylvain Grandadam/Age Fotostock America, Inc. Page 446 (bottom left): Robert Harding Picture Library Ltd/Alamy. Page 446 (center right): Carsten Reisinger /Alamy. Page 446 (bottom right): Michael & Patricia Fogden/Minden Pictures/Getty Images. Page 446 (top left): Ken Welsh/Age Fotostock America, Inc. Page 446 (top right): Jorge Mujica/NewsCom. Page 446 (bottom center): Man W. Hunn/SUPERSTOCK. Page 447 (top left): IT Stock Free/SUPERSTOCK. Page 447 (top right): SUPERSTOCK. Page 447 (bottom): Richard Bradley/Alamy. Page 449: LA Times/NewsCom. Page 453 (top right): ADD World Wide Travel Images/Alamy. Page 453 (bottom right): Album/Miguel Raurich/NewsCom. Page 453 (bottom left): Pablo Corral V/©Corbis. Page 456: Guenter Wamser/Age Fotostock America, Inc. Page 463 (left): Olga Gabay/iStockphoto. Page 463 (right): Rika/dpa/©Corbis. Page 463 (bottom right): Steven Miric/iStockphoto. Page 461: Ken Welsh/Age Fotostock America, Inc.

Chapter 14

Page 470: Mike Kemp/Getty Images, Inc. Page 480: Courtesy of Laila Dawson. Page 481: Bridgeman Art Library/NY. Page 484: Oswaldo Rivas/Reuters/©Corbis. Page 487: AGE fotostock/SUPERSTOCK. Page 491 (top): Danita Delimont/Alamy. Page 491 (bottom): John Mitchel/Alamy. Page 496 (bottom): Larry Lilac/Alamy.

Chapter 15

Page 504: Kim Karpeles/Alamy. Page 511 (top): SABAH AL-BAZEE/Reuters/Landov LLC. Page 511 (center): Steve Starr/©Corbis. Page 511 (bottom): Todd Bannor/Alamy. Page 512 (right): NewsCom. Page 512 (left): NewsCom. Page 513: Marissa Roth/The New York Times/Redux Pictures. Page 516 (top): AP/Wide World Photos. Page 516 (bottom): Reuters/Landov LLC. Page 518 (bottom): RODRIGO BUENDIA/Stringer/Getty Images, Inc. Page 518 (top): Brent Stirton/Getty Images, Inc. Page 520: Newsmakers/NewsCom. Page 525: Getty Images Entertainment/Getty Images, Inc. Page 527: Elena Herrero. Page 528: LatinContent/Getty Images, Inc.

TEXT CREDITS

The following readings are reprinted by permission of Punto y coma (Habla con Eñe Publishers):

CHAPTER 2 *Page 59:* "Salamanca: Un clásico"

CHAPTER 3 *Page 93:* "Enciclopedia del español en los Estados Unidos"

CHAPTER 4 *Page 132:* "Pedro y la fábrica de chocolate"

CHAPTER 5 *Page 171:* "La realidad virtual"

CHAPTER 6 *Page 210:* "Vivir a la española"

CHAPTER 7 *Page 248:* "El Tortoni: Café con historia"

CHAPTER 8 *Page 286:* "Peseta: La democratización de lo exclusivo"

CHAPTER 9 *Page 320:* "Ayurvdeda: La ciencia de la vida"

CHAPTER 10 *Page 359:* "Gaudí y Barcelona"

CHAPTER 11 *Page 398:* "Los amantes de Teruel"

CHAPTER 12 *Page 430:* "Cinco horas de pura adrenalina: Tour en bicicleta por la ruta a Yunguas"

CHAPTER 13 *Page 463:* "Maravillas iberoamericanas"

CHAPTER 14 *Page 496:* "La radio"

CHAPTER 15 *Page 528:* "El nuevo periodismo"

REALIA CREDITS

CHAPTER 4 *Page 107:* © Chef Merito holds all rights to this material. Printed with permission.

CHAPTER 6 *Page 183:* © Copyright Colgate-Palmolive Company. Printed with permission.

CHAPTER 14 *Page 478:* Reprinted by permission of Hotel Colonial de Puebla.

The author/editor and publisher gratefully acknowledge the permission granted to reproduce the copyright material in this book. Every effort has been made to trace copyright holders and to obtain their permission for the use of copyright material. The publisher apologizes for any errors or omissions in the above list and would be grateful if notified of any corrections that should be incorporated in future reprints or editions of this book.